D1240853

A^{t}V

LORE WALB wurde 1919 in Alzey/Rheinhessen geboren. Sie studierte Germanistik, Geschichte und Anglistik. 1947 begann sie beim Südwestfunk Baden-Baden als Rundfunkredakteurin zu arbeiten. Von 1959 bis 1979 leitete sie den Frauen-/Familienfunk beim Bayerischen Rundfunk. 1982 erhielt Lore Walb den Wilhelmine Lübke-Preis, 1996 den Preis des Journalistinnenbundes.

THEA BAURIEDL, geboren 1938 in Berlin, Psychoanalytikerin, ist Privatdozentin an der Ludwig-Maximilians-Universität München. Vorsitzende der Akademie für Psychoanalyse und Psychotherapie München sowie Leiterin des Instituts für Politische Psychoanalyse München.

Ein leeres Büchlein, geschenkt zum 14. Geburtstag, weckt in einem rheinhessischen Kleinstadtmädchen im Mai 1933 die Lust am Tagebuchschreiben. Die junge Lore Walb notiert, was sie bewegt: Familienalltag und Schule, Studium, Erntehilfe- und Lazaretteinsatz, Verliebtheiten und Sehnsüchte. Doch nicht weniger beschäftigt sie das Zeitgeschehen, im Frieden und erst recht im Krieg. Der geliebte Vater, der seit 1931 der NSDAP angehört, hat in ihr die Begeisterung für den Nationalsozialismus geweckt.

Ende der achtziger Jahre wird die alte Frau stärker als je zuvor von ihrer Vergangenheit heimgesucht. Als sie ihre Tagebücher wieder liest, bahnt sich eine schmerzhafte Konfrontation mit ihrem Jugend-Ich an. Gemeinsam mit dem Psychoanalytikerpaar Thea Bauriedl und Frieder Wölpert forscht Lore Walb nach den Wurzeln ihrer Verführbarkeit und den Ursachen ihres späteren Verdrängens.

»Lore Walb ist eine Deutsche mit der Fähigkeit zu trauern.

Berliner Lesezeichen

»… ein solches Maß an unerbittlichem Insichgehen und rücksichtsloser Öffentlichmachung versteht sich nicht von selbst, auch nicht nach 50 Jahren.«   *Freitag*

Lore Walb

Ich, die Alte
–
ich, die Junge

*Konfrontation
mit meinen Tagebüchern 1933–1945*

Aufbau Taschenbuch Verlag

Mit einem Nachwort von Thea Bauriedl

ISBN 3-7466-1397-3

1. Auflage 1998
Aufbau Taschenbuch Verlag GmbH, Berlin
© Aufbau-Verlag GmbH, Berlin 1997
Umschlaggestaltung Torsten Lemme
Fotos: Lore Walb, 1946, privat und
Lore Walb, 1996, fotografiert von Ulrike Kircher
Satz Dörlemann Satz, Lemförde
Druck und Binden Claussen & Bosse, Leck
Printed in Germany

Inhalt

Dem Andenken meiner liebevollen Eltern

Ich sag' zu ihm: »Wie lang soll ich noch tragen
die Last von dem, was längst Vergangenheit?«
Doch es erwidert: »So darfst du nicht fragen,
denn weder Raum gibt es für mich noch Zeit.«

Anna Achmatowa
Nächtliches Gespräch mit dem Gewissen (1935)

Stationen eines Weges zur Erinnerungsarbeit

Statt einer Einleitung

Während des Studiums in Heidelberg, mitten im Krieg. Irgendwann steht sie plötzlich, eingelassen von der Zimmerwirtin, vor meiner Tür, sagt, ich bin die Leni aus der Alzeyer Schule, du kennst
mich doch noch, schließt die Tür, sagt, ich brauche einen Unterschlupf für zwei Tage oder wenigstens einen, hilf mir, bitte, sagt
noch einmal: bitte.

Ich? Einer Jüdin? Ich. Einer Jüdin.

Was soll ich tun? Was werde ich tun?

Was hätte ich getan, wäre dieser Alptraum, den ich seit Jahren
und, je älter ich werde, desto öfter verzweifelt, ja verzweifelt phantasiere, Wirklichkeit gewesen? Was hätte ich getan?

Ich weiß es nicht – – – ich weiß nur, ich kann meine Hand nicht
für mich ins Feuer legen. Und: von der Frage, die ich mir stelle und
nicht zu beantworten wage, kann ich mich nicht befreien. Ich muß
mit ihr leben.

Am Abend, nachdem ich diese Zeilen unter großem Druck endlich zu Papier gebracht habe, fühle ich mich nicht wohl; eine Bronchitis ist im Anzug, ich habe Kreislaufprobleme, atme ungewohnt
heftig. Gegen Mitternacht schlafe ich endlich ein. Um halb zwei wache ich auf, von einem Traum so stark erregt, daß ich aufstehe, ihn
niederschreibe.

Ich, eine junge Frau, gehe eine sich leicht neigende Straße hinab, zu-
sammen mit einem alten Juden zu meiner Rechten (»alt« nur im Ver-
gleich zu mir), einem schwarzhaarigen Mann mit Spitzbart im beige-
farbenen, langen Mantel, einem flachen, breitkrempigen Hut auf dem
Kopf, der seine Augen beschattet – eine aufrechte, sehr schlanke Ge-
stalt. Meine rechte Hand – ich muß mich dazu hochrecken – ergreift
seine linke Schulter, spürt ihre schmale, knochige Form. Ich bleibe ste-
hen, lehne meinen Kopf an sie und sage, fast weinend vor Erleichte-
rung und Freude: »Ich bin so froh, daß Sie wieder da sind.«

(27. 11. 88)

»Das Unbewußte«, kommentierte ich am gleichen Tag in meinem Kalenderbuch die inneren Erlebnisse, »hat mir signalisiert, daß ich es geschafft habe – ich gehe richtig um mit dem NS-Problem. Befreiung, Lösung, Erlösung. Fast wie eine Vergebung. … und vergib uns unsere Schuld.« Wochenlang hatte ich mich damals mit der sogenannten »Reichskristallnacht« vor fünfzig Jahren befaßt. Doch ich war zu früh mit mir zufrieden. Die große Heimsuchung durch die Vergangenheit sollte mir noch bevorstehen. Denn das Gewissen kennt weder Raum noch Zeit.

Dies ist keine übliche Einleitung. Beschrieben werden wird der weite Weg bis zum Beginn der Erinnerungsarbeit, der trauervollen Auseinandersetzung mit meinem Jugend-Ich, meinem Denken und Fühlen in der Zeit des Nationalsozialismus.

Der Gedanke an Anna Achmatowas nächtliches Gespräch mit dem Gewissen führt mich weit zurück, zu der 14jährigen Lore, die angesichts der leeren Seiten eines grauen Büchleins, das eine Schulfreundin ihr zum Geburtstag schenkte, ihre Leidenschaft für das Tagebuchschreiben entdeckte und dabei von Anfang an dem Bedürfnis folgte, nicht nur ihr alltägliches Leben aufzuzeichnen, sondern auch die Ereignisse ihrer Zeit. Meine Begeisterung dafür kam nicht von ungefähr, sie hatte mit meiner Herkunft, vor allem mit meinem Vater zu tun. Davon muß als erstes ausführlich die Rede sein.

Als ich am 22. Mai 1919 in Alzey, der Heimat meiner Eltern, geboren wurde, war das Kaiserreich zusammengebrochen, hatten die Franzosen, der siegreiche »Erbfeind«, mit dem linken Rheinufer auch die kleine Kreisstadt im Herzen des rheinhessischen Hügellandes besetzt, regierte der hessische Arbeiter- und Soldatenrat, entschieden Militärverwaltung und Bürgermeister über den Bewegungsspielraum der Bürgerinnen und Bürger. So brauchte mein Vater, der Landmaschinenhändler Hermann Walb, der die vom Vater übernommene Firma nach seiner Entlassung aus dem Militärdienst 1917 durch die Herstellung von Betten aus Stahlrohren – Tagesproduktion samt Matratzen 10 Stück – über Wasser gehalten hatte, eine Genehmigung, um am 19. Dezember 1918 »sich von Alzey nach Mainz und zurück mit der Bahn zu begeben, zwecks Einkaufs von Waren«, »acheter des marchandises (machines d'agriculture)«. Seine schwangere Frau Johanna konnte am 14. März 1919 dank eines Passierscheins »betr. spezialärztlicher Behandlung« nach Mainz reisen.

Ich kam mit Hilfe einer Hebamme in der Schloßgasse zur Welt;

meine Eltern waren 30 und 34 Jahre alt. Sie gaben der kleinen Republikanerin den bündigen Vornamen Lore. »Wir können unser Kind doch nicht Eleonore nennen, wie die Großherzogin von Hessen!« Im Gefühl waren die hohen Herrschaften noch nicht entthront. Vier Monate erst lag die Wahl zur Nationalversammlung zurück, der schwere Unruhen vorausgegangen waren. Im August wurde die Reichsverfassung angenommen und durch den Reichspräsidenten, Friedrich Ebert, unterzeichnet.

Umbruchzeit. Mein Leben begann unter schwierigen Umständen. Doch wenigstens unsere Ernährung war im fruchtbaren rheinhessischen Land einigermaßen gesichert. Im neuerworbenen eigenen Garten vor der Stadt konnten schon Kartoffeln angebaut werden, der »Grab- und Pflanzgarten« der Großeltern Seitz und die Obstbäume boten Gemüse und Obst in Hülle und Fülle; Hühner sorgten für Eier, Gänse dann und wann auch für einen Braten, und meine stillende Mutter, einst als »Geißenmutter« mit »unseren Kriegsziegen« beim Füttern und Melken mehrfach porträtiert, konnte den Milchbedarf ihrer beiden Kinder – im September 1920 gebar sie meinen Bruder Hermann – sicherlich zumindest mit Ziegenmilch decken.

Das wechselvolle Berufsschicksal meines Vaters, seine Verknüpfung mit der allgemeinen politischen und wirtschaftlichen Entwicklung, prägten das äußere Leben unserer jungen Familie. An Initiative, Ideen und Fleiß mangelte es dem rührigen Mann nicht. 1921 stellte er »Walbs Stromsparer«, deutsches Reichspatent, auf der Leipziger Messe vor, 1922 gründete er eine kleine Aktiengesellschaft: »Landwirtschaftliche Maschinenfabrik, Reparaturen und Kraftanlagen« mit Technikern, Arbeitern, Angestellten – die deutsche Währung zeigte schon erste Verfallserscheinungen. Die verheerenden Folgen des Versailler Vertrages, der Reparationsleistungen, die deutsche Inflation und die internationale Finanzkrise trafen auch meinen Vater und vernichteten am Ende die Früchte seiner Arbeit. Hatte er der Alzeyer Finanzkasse für September 1923 eine Einkommensteuerzahlung von 1 359 240 000 Mark, »eine Milliarde dreihundertneunundfünfzigmillionenzweihundertvierzigtausend« überwiesen, so lautete im April 1924, in jenem Monat, da die Amerikaner den Dawesplan zur Stabilisierung der deutschen Wirtschaft und Finanzen vorlegten, die Zahlungsanweisung für den Vormonat auf 30 Billionen. Doch da gab es schon die Rentenbank, und 1 Billion war 1 Rentenmark wert. Die kleine Fabrik machte Bankrott.

Mein Vater konzentrierte sich nun auf den Landmaschinengroßhandel, der auch vorher schon ein Hauptpfeiler des Betriebes gewesen war. Etwa fünfzig Landmaschinen verschiedener Firmen hatte er im Angebot, einige als Generalvertreter. Im selben Jahr, um die Zeit, als der sozialdemokratische Reichspräsident Ebert starb und Generalfeldmarschall von Hindenburg zu seinem Nachfolger gewählt wurde, erwarb er den Führerschein und kaufte sich ein Auto. Eines Tages chauffierte er Frau und Kinder über die hügelige, gewundene Pflasterstraße nach Mainz, dort sahen sie von ferne den alten, verehrten Präsidenten und winkten ihm wie die jubelnde Menge zu.

Das Fahrzeug erleichterte meinem Vater seine Arbeit. Und auch er profitierte vom wirtschaftlichen Aufschwung. Doch kaum begonnen, war die kurze Konjunktur schon zu Ende; der Schwarze Freitag an der New Yorker Börse im Oktober 1929 markierte den Anfang der Weltwirtschaftskrise. Sie sollte meinen Vater nicht verschonen. Es muß in dieser Zeit gewesen sein, als er ein Haus erwarb, günstig gelegen am Bahnberg, mit Ausstellungsmöglichkeiten für seine Landmaschinengroßhandlung. Meine Puppenküche war neben einigem Umzugsgut mit dem Leiterwägelchen von der nicht sehr weit entfernten Wohnung in die neue Behausung transportiert und auf dem Hängeboden über der Eingangstüre verstaut worden, der Umzug stand unmittelbar bevor, da war schon alles vorbei – zerstört die Hoffnung meiner Eltern auf eine Verbesserung der Verkaufslage, ihre Freude, aus dem Haus der Großeltern auszuziehen und sich freier zu fühlen, enttäuscht die neugierige Erwartung der Kinder auf Veränderung. Mein Vater wurde nun auf Provisionsbasis »Werksvertreter« der Firmen Krupp und Lanz, Alleinvertreter für einen größeren Bezirk.

Im rechtsgesteuerten Automobil, Höchstgeschwindigkeit 50 km, im Winter das Katalytöfchen zwischen den Beinen, die braungestreifte Decke über den Knien, fuhr er über Land, machte Kundenbesuche und versuchte, jede zweite Woche fern der Familie, unter großen Strapazen ihren Lebensunterhalt zu sichern.

Es folgten Jahre voll bitterer Erfahrungen. Beim Kegeln mit den Freunden konnten sich Hanna und Hermann Walb allenfalls ein Glas Bier leisten. Jeden Donnerstag brachte eine Angestellte von Verwandten einen geflochtenen Korb mit allerlei Lebensmitteln, zur Verwunderung der Kinder. Und sie wunderten sich auch darüber, daß ihre Eltern an einem Sonntag, als der Vater Zeit hatte, Stück um Stück das Silberbesteck und das Porzellanservice in die Hand nahmen, alles auf dem Vertiko ausbreiteten und der Vater der Mutter Preise nannte, die sie aufschrieb. Der Notverkauf blieb ihnen schließlich doch erspart.

Die wirtschaftliche Lage beeinflußte auch die Familienvergnügungen an Sonn- und Feiertagen. Ausflüge, immer mit einem größeren Kreis von Verwandten und Freunden unternommen, führten am ehesten ins nahe Vorholz oder auf eine Wiese, manchmal nach Münster am Stein an die salzig-frisch duftenden Salinen, wo »Bubi« und ich einst den Keuchhusten auskuriert hatten, oder nach Bingen, wie an jenem Wintertag 1928/29, als es die Sensation des Jahrhunderts zu bestaunen gab, den zugefrorenen Rhein. Natürlich lichtete meine Mutter auch dieses Ereignis mit dem Fotoapparat ab und entwickelte die Bilder bei Rotlicht in der Küche.

Die höchste aller Freizeitfreuden hieß Schwimmen im Rhein, am schönen Sandstrand von Frei-Weinheim bei Ingelheim. Mein Bruder und ich hatten, schon bevor wir zur Schule kamen, schwimmen gelernt, im gemauerten Alzeyer Freibad, wo wir uns, große Wasserratten, bei Sonne und Regen tummelten. Familienferien kannten wir nicht, nur für den Vater gab es gelegentliche Kneippkuren, für die Kinder allenfalls eine Reise zu Verwandten. Einmal mietete meine Mutter mit einer Kusine zusammen eine Hütte am Rhein; diese eine Woche Frei-Weinheim, zwei Mütter und vier Kinder beim Baden, war das kostbarste meiner Kindheitserlebnisse – Schwimmen im lauen Fluß bei Sonnenuntergang, und die Mücken tanzen … An Wintersonntagen wurden wir Kinder schon früh in die Nachmittagsvorstellung ins Kino geschickt; für 20 Pfennig pro Kopf konnten wir Stummfilme bestaunen. Je nach Thema – Klamauk oder schmachtende Liebe – griff der Klavierspieler flott oder gefühlvoll in die Tasten oder hieb, wenn es galt, Gewitterstimmung herbeizuzaubern, donnernd auf ein Blech. Ob Stummfilm oder Tonfilm, zuweilen sahen wir für unsere zwei Zehner zwei Filme hintereinander; es war nicht üblich, den Saal zwischen zwei Vorstellungen zu räumen.

Das emotionale Klima in unserer Familie war herzlich-spontan und warm. Ich hatte gute, liebevolle Eltern, nicht sonderlich streng. Das schloß Schelten und mütterliche Ohrfeigen nicht aus, auch nicht – wart' nur, wenn Papa heimkommt! – das den Sohn treffende Rohrstöckchen. An uns Kinder gaben sie die Erziehungsziele ihrer Zeit weiter. Ein Kind ist lieb, wenn es brav ist, unartige Kinder sind böse. Kinder haben – na, wird's bald! – zu gehorchen, den Mund zu halten, wenn Erwachsene reden: Das verstehst du erst, wenn du mal groß bist. Hierarchie im Kleinen wie im Großen. Erstrebenswerte Tugenden, vorweg üb immer Treu und Redlichkeit, sind Ordnung, Fleiß und Strebsamkeit, Pflichtbewußtsein und Zuverlässigkeit. Was man verspricht, das hält man auch. Armut schändet nicht. Wer den Pfennig nicht ehrt, ist des Talers nicht wert. Man kann noch so arm sein, aber gute Manieren haben. Ein Kleid darf geflickt sein, Hauptsache, es ist sauber. Was du nicht willst, das man dir tu, das füg auch keinem andern zu! Hilfsbereitschaft, Mitgefühl, Opferfähigkeit waren Werte und Haltungen, die nicht vieler Worte bedurften. Hingegen verbal eingebleut, lebenslänglich Striemen auf der Seelenhaut, wurden mütterliche Sprüche, die, gültig seit Generationen, Untertanengeist, Anpassung, Abhängigkeit von äußeren Autoritäten produzieren: Was werden die Leute sagen?! Oder auch: Wenn das jemand sieht! Geistige Unabhängigkeit, Kritikvermögen waren ebenso Fremdworte wie Kompromiß- und Konfliktfähigkeit. Familie, die heile Welt.

Nicht nur ihre Normen, auch ihre Vorurteile gaben meine Eltern an ihre Kinder weiter, die Abneigung gegen die »Roten«, die »Sozis«, nicht weniger als die gegen »Schwarzkuttler«, die katholische Minderheit im Städtchen, ganz zu schweigen von der Ablehnung der »Homos« oder »Zigeuner« und des verachteten »Zores«, der armen Leute im Barackenviertel. Und obwohl sie selbst der Kirche fernstanden, vermittelten sie uns auch ihren Stolz darauf, daß die Familie seit Jahrhunderten evangelisch war.

Zwischen mir und meinem scherzfreudigen, zärtlichen Vater entwickelte sich früh eine besonders innige und vertrauensvolle Beziehung. So wichtig, so geliebt meine Mutter war, er wurde für mich zur Hauptperson. Goldebäbbele und Lorlekind. Am bewunderten, vergötterten Vater hatte ich nichts auszusetzen.

Meine Mutter erlebte ich als tatkräftige, praktische, zupackende Hausfrau und, wie deren Mutter und Schwester, als begeisterte Gärtnerin. Als treue Gefährtin ihres Mannes und warmherzig-fürsorgliche, uneigennützige, wenn auch leicht ungeduldige Mutter tradierte sie mir die Rolle der Hausfrau und Mutter als weibliches Lebensziel. In Tante Gertrud, der jüngeren, unverheirateten Schwester meiner Mutter, hatte ich ein anderes Frauenbild vor Augen. Die spröde, sportliche Frau war Turn- und Handarbeitslehrerin in Mainz und wohnte in Alzey im Haus ihrer Eltern, denen sie eine opfervolle, gute Tochter war. Carl Seitz, ihr Vater, jahrelang Leiter einer Brauerei, hatte schließlich als Händler mit Kohlen und Mineralwassern für den Unterhalt seiner sechsköpfigen Familie gesorgt. Auch sein Geschäft wurde ein Opfer der weltweiten Wirtschaftskrise. Und so verpflichtete sich Gertrud, die Jüngste, spät erst zum Beruf gekommen, als Dreißigjährige vor dem Notar im Februar 1925 in einem »Verpflegungs- und Übergabevertrag« gegen Wohnrecht auf Lebenszeit, sofern sie unverheiratet bliebe, ihre einkommenslosen Eltern »zeitlebens in alten und kranken Tagen zu warten und zu pflegen, überhaupt alles zu tun, was die Kindespflicht den Eltern gegenüber gebietet«. Sie waren damals 59 und 66 Jahre alt. Erst nach dem Tod meiner Tante, als ich selbst schon nicht mehr jung war, sollte ich die Dokumente dieser verbrieften Selbstverpflichtung kennenlernen und begreifen, daß auch Tante Gertrud mir ihre weibliche Opferhaltung, Fürsorge und Hilfsbereitschaft als Selbstverständlichkeit vorgelebt und als Charaktermuster vermittelt hatte.

Im Hause in der Bahnhofstraße, wo die Wohnzimmer alle nach Norden schauten, wo der Blick vom Bahndamm blockiert wurde, während die Küchen und Schlafzimmer der beiden Stockwerke eine hübsche, freie Aussicht über einen Teil des Städtchens boten, führte meine Großmutter, Josephine Seitz, das Regiment. Mit ihrer Tochter Gertrud verstand sie sich gut, während die Tochter Johanna sich durch ihre strenge Mutter immer eingeengt fühlte. Nur ungern und zögernd hatten sie und ihr Mann Carl der Ehe meiner Mutter mit meinem Vater zugestimmt. Meine Großmutter mochte den lebenslustigen Mann nicht. Ihr Nörgeln und dickköpfiges Nachtragen waren die Hypothek, die auf dem Leben in ihrem Hause lastete – etwa 1926 zogen wir dort ins Erdgeschoß ein.

Als Kind fühlte ich mich am wohlsten im Kreis naher, vertrauter Menschen, ich litt an Schüchternheit und über die frühe Pubertät hinaus an Minderwertigkeitskomplexen. Meinem Bruder freilich war ich wegen meiner scharfen Zunge oft ein Ärgernis. In der Kindheit belasteten ein wiederkehrender Alptraum, Ängste und Schlafwandeln manche meiner Nächte. Ich war ein lebhaftes, empfindsames und gefühlsstarkes Kind mit ausgeprägtem Gerechtigkeitssinn, glaubte lange ans Christkind und neigte zu Phantasiespielen und Tagträumen. In den evangelischen Kindergarten ging ich ungern, zu rigide waren dort die Verhaltensregeln. Mit sieben Jahren – sie soll noch ein Jahr herumspringen – kam ich zur Schule. Ich lernte gern und leicht und las mit zunehmender Leidenschaft, oft genug beim Schein der Taschenlampe im Bett, mit Vorliebe sämtliche Bände von »Nesthäkchen«, bis ich die Novellen von Theodor Storm für mich entdeckte, mit dem eine neue Lebensphase begann. Daß Nesthäkchens junger Ehemann seine Liebste »Herzele« nannte, machte das schwäbische Kosewort zum Symbol für die geheimsten Sehnsüchte und Jungmädchenträume. – Ich liebte unsere überschaubare kleine Stadt, die üppigen Obstgärten und die weihnachtlichen Lichterketten, die sich vom Roßmarkt mit seinen Fachwerkhäusern in die Gassen schwangen, das Glockengeläut der gotischen Nicolaikirche und den Geruch von feuchtem Staub, wenn das gepflasterte Trottoir vorm Feierabend am Samstag gefegt wurde.

Als ich im Frühjahr 1929 – das vierte Volksschuljahr durfte ich überspringen – ins Lyzeum, die sechsklassige höhere Mädchenschule, überwechselte, begann sich im Deutschen Reich eine neue Krise abzuzeichnen. Die Zahl der Erwerbslosen war auf 2 Millionen gestiegen. Unter der neuen Regierung Brüning kam es zu den ersten Notverordnungen. Bei den Reichstagswahlen am 14. September 1930 erzielten die Nationalsozialisten sensationelle Gewinne, statt der bisherigen 12 errangen sie 107 Mandate. Zu ihren Wählern gehörte auch mein Vater, der sich unter dem wachsenden Druck der wirtschaftlichen Lage nur mühsam über Wasser halten konnte. 1931 trat er in die NSDAP ein und wurde Gründungsmitglied der neuen Ortsgruppe Alzey. 1932 überstieg die Arbeitslosenziffer die 6-Millionen-Grenze. Die politischen Ereignisse begannen sich zu überstürzen.

Vier Monate, bevor ich 14 Jahre alt wurde, ernannte Reichspräsident von Hindenburg Adolf Hitler zum Reichskanzler. Auch unsere Familie jubelte. Vier Wochen später erregte der durch den arbeitslosen holländischen Anarchisten Marinus van der Lubbe gelegte Reichstagsbrand Empörung. Die am 28. Februar folgende »Notverordnung« des Reichspräsidenten »Zum Schutz von Volk und Staat« wurde einfach hingenommen, obwohl sie die wichtigsten Grundrechte außer Kraft setzte und die Verordnung »gegen Verrat am deutschen Volke und hochverräterische Umtriebe« willkürlicher »Schutzhaft« Tür und Tor öffnete. Feierliche Gefühle bewegten am »Tag von Potsdam«, als Hindenburg und Hitler die erste Reichstagssitzung in der Garnisonkirche eröffneten, nicht nur die Teilnehmer. Am folgenden Tag, am 22. März, wurde in Dachau das erste Konzentrationslager eröffnet. Zwei Tage später gab das »Ermächtigungsgesetz« Hitler verfassungsrechtlich freie Bahn. »Kauft nicht bei Juden!« hieß es am 1. April in Alzey wie überall in Deutschland, und am 1. Mai, dem »Tag der nationalen Arbeit«, mußten auch die Alzeyer Juden die Straßen fegen, Plakate und Parolen von den Wänden kratzen. Das Foto ihrer öffentlichen Entwürdigung wurde in der Zeitung abgedruckt, als Postkarte verkauft. Am Abend des 10. Mai wurden in Universitätsstädten unter »Flammensprüchen« Bücher als »undeutsch« verfemter Autoren verbrannt.

Genau zwölf Tage danach feierte ich meinen 14. Geburtstag. Am nächsten Tag beschrieb ich in schräger, deutscher Schrift die beiden ersten Seiten des grauen Büchleins, dem bis zum Kriegsende weitere sieben kleine Bücher oder Schulhefte, alle nun in lateinischer Schrift, folgten.

Ich konnte nicht ahnen, daß ich mir damit einen im wahren Wortsinn lebenswichtigen Dienst erweisen sollte. Wer Tagebuch schreibt, führt Gespräche mit sich selbst, sieht im Tagebuch das innere Gegenüber, die Freundin, den Freund und spricht gewöhnlich ins unreine. Wichtiges und Unwichtiges beanspruchen gleich viel Raum, Thema ist, was Herz oder Kopf im Augenblick gerade bewegt. Ohne meine Tagebücher hätte ich mich nicht ein halbes Jahrhundert später mit meiner Jugend auseinandersetzen können.

Ob Tagebuch oder Brief, Schreiben gehört zu meinem Leben, ist ein Stück Leben. Schreibend betreibe ich Selbsterforschung, gewinne ich Durchblick und Überblick, versuche ich Krisen, Trauer und Einsamkeit zu bewältigen. Schreibend kläre ich Gedanken und Gefühle, erhalte ich Beziehungen und bewahre Ereignisse, die meinem löchrigen Gedächtnis verlorengingen, Ereignisse der äußeren und der inneren Welt. Nur wenn ich auch meine inneren Bilder in Worte fasse und niederschreibe, verleihe ich den flüchtigen Träumen und Imaginationen Dauer, gewinne ich neue Lebensräume. Diese Erfahrung sollte ich freilich erst auf dem Weg ins Alter machen, in der Zeit, da ich begann, auf mein Leben zurückzublicken.

Mit sechzig Jahren, 1979, ging ich in Pension, hörte ich auf, redend und schreibend im Rundfunk Stellung zu beziehen und für Solidarität mit den Schwachen zu plädieren. Indem ich schreibend mein Berufsleben bilanzierte, schloß ich dieses Kapitel ab, war nun frei für die Hinwendung zu Kindheit und Jugend. Einer Schatzsucherin gleich machte ich mich auf den Weg zur Höhle der Erinnerung, aber ich vermochte sie nicht zu finden. Ich geriet in Panik, traute mich, an einer Schreibgruppe teilzunehmen. Dies sollte sich als Glücksfall erweisen. Ich fand den Königsweg zum Unbewußten, gelangte über den ruhigen Atem der Meditation in das »Bilderreich der Seele«, erlebte ihre kreative Kraft. Sie verhalf mir dazu, meinen geliebten Vater zu entthronen, fünfzig Jahre nach seinem Tod. Beim Malen hatte ich ihre Formen- und Farbensprache schon kennengelernt, in den Imaginationen, jenen Sinn-Bildern aus tiefsten Seelenschichten, erschloß sich mir nun eine neue Dimension. Eine Imagination von meinem ersten Schultag beschreibt meine Erinnerungsnot.

Der Schlamm

Nur ein Foto. Ein Mädchen: Pagenkopf, Schultüte, Garten. Es ist Anfang Mai. Löwenschule. Der Lehrer. Grau-blaue Augen, lebhafte, hinter dicker Brille. Rosa die Haut. Unsichtbar die alten Schulbänke und die Kinder, die darin sitzen. Kein Laut. Als hätte es dies alles nie gegeben, nicht Schule, Schüler, nicht Lehrer, nicht mich.

Ich schwebe über meiner Lebenslandschaft dahin, zurück, der Region zu, aus der ich kam.

Der Vulkan ist erloschen, doch die Verwüstung bleibt sichtbar für alle Zeit. Und noch immer wälzt der zähe Schlamm sich fort, bedeckt Augen, Münder, verstopft Türen von Häusern, läßt mich nicht mehr ein.

(23. 11. 1985)

Indem ich mich immer tiefer auf das Unbewußte und seine Symbole einließ, lockerte ich den Boden auf, aus dem ins Licht des Tages hinauswachsen sollte, was sich bis dahin nur selten hervorgewagt hatte. Nachträglich kann ich an den datierten Aufzeichnungen das frappierende Zusammenspiel von innen und außen ablesen.

Im Oktober 1984 sah ich in einem kleinen schwäbischen Dorf eine Ausstellung über jüdische Friedhöfe in Württemberg. Dort notierte ich mir, heftig bewegt, einige Wochen, bevor Bundespräsident Richard von Weizsäcker es dem öffentlichen Bewußtsein einpflanzte, ein Wort von Balchem Thow, dem Begründer des Chassidismus: »Das Geheimnis der Versöhnung heißt Erinnerung.« Ohne daß mir dies bewußt war, fand ich damit das Leitmotiv für die folgenden Jahre, in denen die Konfrontation mit meinem Mitläufertum sich ereignen sollte. Erst diese späte Auseinandersetzung beendete einen jahrzehntelangen, wechselvollen Prozeß des Wegblickens und Hinschauens, des Verdrängens und des Wahrnehmens, vergleichbar dem unsichtbaren Glimmen des Feuers unter der Asche, seinem plötzlichen Wiederaufflammen, dem stillen Weiterflackern.

1986 erlebte ich den Schock von »Shoah«. An zwei Aprilsonntagen saß ich stundenlang, die Vorhänge geschlossen, vor dem Fernsehschirm und wurde durch Claude Lanzmann und seine Filmdokumentation mit dem Holocaust konfrontiert. Nicht Fotos aus Archiven, keine Bilder von Verhungernden, Erschossenen, Vergasten, nein, lebendige, sprechende, verstummende, weinende Menschen, Opfer, Täter, Zeitzeugen – Überlebende verwandelten Vergangenheit zurück in Gegenwart, wiederholten erinnernd Unheil, heute, hier, in meinem Zimmer, machten auch mich zur Zeugin. Erschütterung, über alles gekannte Maß hinaus. »Die Tränen sind der Einbruch der Wahrheit«, ein Schlüsselsatz, allgegenwärtig in den Jahren meiner Selbstbefragung.

Ein halbes Jahr danach besuchte mich eine Freundin aus der Kindheit und Schulzeit; wir hatten seit damals kaum mehr Kontakt. Da sitzt sie, eine wohlerzogene, gebildete Bürgerin wie eh und je; sie hat sich nicht vom Fleck gerührt, kann nicht verstehen, daß das Dritte Reich für mich immer noch ein nicht abgeschlossenes Kapitel ist. Die gemeinsame Jugend vor Augen, treibt mich in ihrer Gegenwart erst recht die Frage um, was ich getan hätte, wenn Leni ...

»Ja, weißt du das denn nicht mehr? Leni B. – ??« Ach ja, jetzt erinnere ich mich an ihren Namen, und auch daran, daß ich sie in ihrem Dorf einmal besucht haben muß. »Fällt dir wirklich nichts ein?«: Es sei wohl ganz kurz nach der »Machtergreifung« Hitlers gewesen, da habe der Lehrer die beiden verschüchterten jüdischen Mitschülerinnen angeschrien, was sie noch in der Schule zu suchen hätten, sie sollten sich heimscheren und nicht mehr blicken lassen! Sie, die Erzählende, und ich seien über den Vorfall sehr empört gewesen. Ein paar Tage später sei Leni wieder in der Schule erschienen, zusammen mit ihrer Tante, bei der sie gelebt habe – begleitet von mir! Und ich sei auch wieder mit beiden weggegangen. Die Schulfreundin von einst entsinnt sich noch ihres leisen Neids, sie selbst wäre gern diejenige gewesen, die Mitgefühl und Solidarität demonstriert hätte. »Das weißt du nicht mehr?!«

Nein. Keine Erinnerung steigt auf, kein Gefühl zittert nach. Ich höre zu, neugierig, gespannt, wie wenn von einem fremden Mädchen, lang ist's her, erzählt würde, aber es ist, verbürgt, meine eigene vergessene Geschichte! Was für ein Geschenk. Mit einemmal steht dem Bild, das ich von der Vierzehnjährigen habe, ein anderes gegenüber, das mir H o f f n u n g erlaubt, die Hoffnung, ich hätte trotz Hitlerbegeisterung, Konformismus und Angst vielleicht doch mitmenschlich und mutig reagiert, wenn diese oder eine andere jüdische oder nichtjüdische Leni Zuflucht bei mir gesucht hätte.

Meine eigene Erinnerung hat aus eben dieser Zeit eine ganz andere Begebenheit festgehalten. Es ist der Tag, an dem wir von der »Machtergreifung« Hitlers erfahren haben. Das Wetter, bei uns daheim selten einmal kalt genug, daß der Weiher vorm Städtchen zufriert, erlaubt uns Schlittschuh zu laufen. Ich treffe dort auf die Schulfreundin. Ich bücke mich gerade, schnalle meine Schlittschuhe an und sage auftrumpfend: »Nun hat es der Hitler doch geschafft!« In der Erinnerung ist die Bewegung des Bückens wie zum lebenden Bild erstarrt, und noch immer spüre ich das hochmütige Triumphgefühl, das mich beherrschte.

Am 6. Januar 1988 – über fünf Jahre hin führte ich nun wieder Tagebuch – notierte ich die Worte einer Freundin: »Ihre Schuldgefühle wegen der Nazizeit würde ich Ihnen gerne austreiben.« Den Sommer über befaßte ich mich schreibend mit meiner privaten Familienbiographie und zugleich lesend mit den Frauen in der NS-Zeit, schaute dazu auch mal in mein Tagebuch, ließ mich ein auf das Schicksal eines jüdischen Opfers, eines Menschen, »der überlebt hat, aber wie ein Toter erscheint«: Der Fernsehautor Karl Fruchtmann, selbst Jude, porträtierte in seinem Film »Ein einfacher Mensch« einen ehemaligen KZ-Häftling, der in Auschwitz die Leichen der Vergasten verbrennen mußte. Wer die traurigen Augen Jakov Silberbergs gesehen hat, wird sie niemals vergessen können und seiner Frau, seinen Kindern und Enkeln glauben, daß sie ihn weder lachen noch weinen sahen. Und er oder sie wird sich immer an das Glasauge der Frau erinnern und daran, daß sie es als Strafe ansieht, Strafe dafür, daß sie als junges Mädchen nicht bei der Mutter blieb, die ins Gas gehen mußte. Die Schuldgefühle der Überlebenden. Zum erstenmal dachte ich darüber nach.

Am 9. November jährte sich die sogenannte »Reichskristallnacht« zum 50. Mal. Wochenlang sah ich Sendungen, las alte Zeitungen, Bücher, zog meine Tagebücher hinzu (»NS-Zeit, Krieg, deprimierend«), nahm als Nachzüglerin an einem Arbeitskreis der Volkshochschule teil. Dort bildeten Peter Sichrovskys Interviews mit Kindern von NS-Tätern, veröffentlicht in seinem Buch »Schuldig geboren«, die Grundlage zum Überdenken der eigenen oder der Elternrolle in der Tragödie unserer deutschen Geschichte. Es war der junge jüdische Leiter, der jenen Satz zu den Älteren der Gruppe sagte, welcher mir, so wie ein Blitz eine Landschaft grell ins Licht hebt, schlagartig meine Realität erhellte: »Das ist Gepäck, Sie müssen es mit Anstand tragen.« Ich begriff, daß ich drauf und dran gewesen war, mich selbst als Opfer, das Opfer meines Vaters, zu sehen. Ich hörte auf, mit ihm zu hadern. Ich schaute m i c h an. Ich sah Leni, die Jüdin, hilfesuchend vor meiner Tür. Ich mußte die Alptraumphantasie aufschreiben. Die Bronchitis brach aus. In der Nacht erschien mir der Jude. Ich stand auf, schrieb den Traum ins Kalenderbuch, fügte hinzu, »ich gehe richtig um mit dem NS-Problem«.

Mein Körper sah es anders. Bald wurde mir der Atem kurz. *»Dauernd die Vergangenheit im Kopf«*, notierte ich und: *»Die Krankheit hat viele Namen – es ist immer dieselbe, ein Traum in der Nacht zum 1. Februar 1989 sagte nur diesen Satz.«* Die Bronchitis dauerte Wochen. Mein Körper, der ob der Intensität der inneren Auseinandersetzung keine Luft mehr bekommen hatte, verschaffte sich Ruhe, Raum zum Atmen: Ich konnte bei mir einkehren. Ich nutzte die Zeit des Krankseins, die mich zwar ans Haus band, doch nicht ständig ins Bett zwang, dazu, alle Familiendokumente, Fotos, Briefe, Notiz- und Tagebücher, die ich seit Jahren in einen Kasten gestopft hatte, durchzusehen, zu ordnen. Ich begann Erinnerungen nachzugehen, in alten Papieren zu lesen. Was sie mir bedeuteten, brachte ein Versprecher in einem Gespräch auf den Punkt. »Meine Dokumente« hatte ich sagen wollen, »meine Medikamente« kam über meine Lippen. Ich konnte die Jugendgeschichte meiner Eltern rekonstruieren, zeichnete meine Spurensuche auf. Ich vertiefte mich in meine eigene Jugendgeschichte, beschäftigte mich, zwischen Inhalieren und Arztbesuchen, mit meinem Vater, unserer nahen Beziehung, seinem frühen Tod und mit der guten Rolle, die meine Mutter in meinem Leben gespielt hatte. Stoff zum Nachdenken, zum Schreiben. Mitte Januar begannen psychotherapeutische Gespräche. Ich lernte, meine Krankheit als Prozeß der Reinigung, der Veränderung innerer Strukturen, geistiger Haltungen zu verstehen. – Langsam ging es mir besser.

Ein altes Vorhaben, zwei befreundeten Ehepaaren der nachfolgenden Generation mehrere Abende lang am Beispiel meiner Tagebücher – »unsere Eltern haben darüber nie mit uns gesprochen« – Indoktrination und Mitläufertum meiner Generation anschaulich zu machen, konnte nun verwirklicht werden.

Nie zuvor habe ich mich so tief auf diese schmerzhafte Lektüre eingelassen wie in diesen Wochen. Was der Erinnerung in neblige Ferne entglitten ist, zerren meine Tagebücher gnadenlos ans Licht. Auf beklemmende Weise bezeugen sie, wie eine Jugendliche ergriffen war vom Geist der Nazizeit, überwältigt von Propaganda und Parolen, fasziniert von der Gestalt des »Führers« und seinen Reden, und wie langsam, allein unter dem Druck der Kriegsereignisse, der Prozeß der Desillusionierung und Veränderung des Denkens in Gang kam. Daß in den Aufzeichnungen von 1933 bis 1945 die politischen Geschehnisse und ihre Wirkung auf die Schreiberin oft weit größeren Raum einnehmen als die private Chronik, zeigt ihren Stellenwert im Gefühlshaushalt der Schülerin, der Studentin.

Am 26. Februar 1989 beginnen die Vorleseabende, die Offenlegung, die Preisgabe. Unmittelbar nach dem zweiten Termin am 11. März werde ich wieder krank. Mein Körper kocht im Fieber, Virusgrippe. Eine neue, schwere Bronchitis bricht aus, zum erstenmal denke ich: die Krankheit zum Tode? Drei elende Wochen. Noch längst nicht gesundet, zwinge ich mir am 1. April den letzten

Vorleseabend ab. Mein Körper nimmt sich viel Zeit für die zweite Phase seiner Reinigungsprozedur.

Anfang Mai, nach aufwühlenden inneren Erlebnissen, bin ich überzeugt: Ich bin am Ende des steinigen Weges angelangt. Ohne die psychotherapeutische Begleiterin, meine Ärztin, hätte ich es nicht geschafft. Am 15. Mai, genau eine Woche vor meinem 70. Geburtstag, male ich, nach einer Meditation mit einer Freundin, ein Bild, das die Wandlung beschreibt. C. G. Jung hätte es die Integration des Schattens genannt. Mein Schatten ist tiefschwarz.

Mitte Juni plagt mich im Gespräch mit der Psychotherapeutin – »was will ich, was soll ich?« – die Frage der Veröffentlichung meiner heutigen Erfahrungen und der Tagebücher. Nach vielen Ablenkungen beginne ich, Tagebuchtexte, die ich zur Veröffentlichung freigeben könnte, auf Kassetten zu sprechen. Am 9. November wage ich mich im Kommunikationszentrum einer nahegelegenen kleinen Stadt mit einer Lesung aus den Tagebüchern an die Öffentlichkeit. Bis in die Nacht um halb drei beantworte ich einer jungen Bekannten in meiner Wohnung ihre Fragen zur Nazizeit. (So versäume ich die historische Nacht des Mauerfalls. Und wie aufmerksam hatte ich doch die politischen Ereignisse in jenen Monaten verfolgt und aufgezeichnet …)

Daß in diesen Wochen meine beiden Augen wegen des Grauen Stars künstliche Linsen erhielten, hat für mich symbolische Bedeutsamkeit. »Die zweite Schuld – Von der Last Deutscher zu sein«, Ralph Giordanos Buch ist das erste, das ich mit meinen neuen Augen im April 1990 lese. Ich schreibe auch wieder.

»Tränen sind der Einbruch der Wahrheit.« Was bedeutet mir dieser Versprecher: »Tränen sind der Ausbruch der Wahrheit«? Ich muß die Wahrheit öffentlich machen. Ich muß mich zu meinem Schatten bekennen. (20. 4. 90)

Drei Wochen später. Es ist ein warmer Sonntagnachmittag, ich liege im Baumschatten auf einer Wiese im Liegestuhl. Unentwegt, so scheint es mir, höre ich Paul Celans Stimme, in singendem Tonfall wiederholt sie ständig denselben Satz: »Der Tod ist ein Meister, ein Meister aus Deutschland«. Abends werde ich den dritten Teil der Fernsehdokumentation von Lea Rosh und Eberhard Jäckel über die Vernichtung der europäischen Juden sehen und zum drittenmal Paul Celan sein Gedicht »Die Todesfuge« sprechen hören. Ich glaube nur zu dösen, schlafe aber, höchst ungewöhnlich, dreieinhalb Stunden lang ganz fest. Ich erwache gegen 18.00 Uhr und erinnere einen Traum:

Ich sehe eine Zeitung vor mir, ein großes, graues Foto, auf dem eine Schrift zu lesen ist, unregelmäßige Druckbuchstaben, ganz dünn geschrieben; offenbar sind es die Zeilen »Der Tod ist ein Meister aus Deutschland«, ich weiß das, auch wenn ich sie nicht erkenne. In meinem Kopf ist dabei die Vorstellung, daß ich das öffentlich sagen werde, bei einer Trauerfeier auf einem Friedhof. Ich weiß, ich spüre, daß ich es nicht richtig werde ausdrücken können; Tränen würgen mich. Sehr schmerzliches Gefühl.

Noch im Erwachen ist mir ganz weh.

(5. 5. 90)

»Immer diese schnellen Tränen«, notierte ich zehn Tage später in mein Kalenderbuch, als mir der Katalog einer Osnabrücker Gemäldeausstellung vor die Augen kommt. Und »ich muß hin, Ausstellung 1 Monat verlängert«. Am 21. August stand ich vor den Bildern Felix Nussbaums, der als der Maler des Exils in die Geschichte der deutschen Malerei eingegangen ist.

Seitdem versuche ich, im Kontext meiner eigenen Geschichte, mich auch dem Menschen, der, gerade vierzig Jahre alt, zusammen mit seiner Frau im belgischen Versteck aufgespürt und nach Auschwitz deportiert wurde, ein wenig anzunähern, indem ich vor allem vier Selbstbildnisse anschaue, die Befindlichkeiten und Haltungen des Ausgestoßenen ausdrücken: Selbstbewußtsein, Angst und Trauer, Einsamkeit und Würde. Aufrecht steht der zartgliedrige Maler mit nacktem Oberkörper vor der Staffelei und visiert sich mit scharfem Blick. Der andere Felix Nussbaum: Sein angsterfülltes Gesicht und wie seine Hand den Kopf eines kleinen Mädchens an sich drückt – sie stehen unter einer angeknickten Gaslaterne mit bläulichem Licht vor einer Mauer, ein Zeitungsanschlag deutet auf einen Luftangriff hin, Schutzlose, Ausgelieferte. Vor einer Dreiergruppe Felix Nussbaum im weißen Totenhemd, das Lebenszweiglein in der Hand, doch sein Gesicht offenbart, todesgewiß angesichts der Ausweglosigkeit seiner Existenz im Verborgenen, offen seine Trauer. Schließlich der Verfolgte: Auf nächtlicher Straße, zeigt der Mann mit dem Judenstern seinen Ausweis, den Judenpaß, aus dem er seinen Geburtsort Osnabrück getilgt hat. Aber auch wenn er verfolgt, gejagt ist, er trägt, selbst auf dem retuschierten Ausweis, einen Hut, das Zeichen des freien Mannes.

»Wenn ich untergehe, laßt meine Bilder nicht sterben. Zeigt sie den Menschen!« Sie blieben erhalten und beweisen, daß er, wissend um den Untergang seiner Person, als Maler Widerstand leistete und für alle Zeit Zeugnis ablegte. Seine Bilder nötigen uns dazu, daß wir uns erinnern und auch um ihn trauern.

Fast einen ganzen Tag verbrachte ich in Osnabrück vor seinen Bildern, erschüttert, erschöpft wie nie zuvor von einer Ausstellung.

Ich mußte alt werden und reif für dieses Buch, mürbe und immer wieder krank, bis ich damit anfangen und es schließlich, nach fast drei Jahren, beenden konnte.

Zwei Tage nach meiner Heimkehr aus Osnabrück nahm ich, angeregt dazu von der jungen Freundin Renate B., die immer wieder für eine Veröffentlichung meiner Tagebücher plädiert hatte, zum erstenmal persönlich Kontakt zu dem Psychoanalytikerpaar Thea Bauriedl und Frieder Wölpert auf. Einige Monate später begannen unsere Gespräche, die mein Leben, mich selbst verändern sollten.

Meine Tagebücher zählen zur Kategorie der banalen, zeittypischen Mädchentagebücher. Sie bilden kein schweres, auch kein besonderes Schicksal ab. Ich hatte keine herausgehobene Funktion, keine Macht über andere, ich wurde nicht ausgebombt, nicht aus der Heimat vertrieben, und eine Kriegerwitwe bin ich auch nicht. Meine Jugend im Dritten Reich verlief unspektakulär. Meine Tagebücher dokumentieren, was in Millionen von deutschen Köpfen und Herzen vor sich ging. Sie sind repräsentativ für die jubelnde und für die schweigende Mehrheit in der Nazizeit. Eben diese Tatsache macht die Bedeutung der Berichte und Gefühlsergüsse eines Kleinstadtmädchens aus und rechtfertigt ihre Veröffentlichung.

Weil meine Aufsätze belegen, wie die Schule im Dienst des Nationalsozialismus stand und mitwirkte an der Instrumentalisierung der Jugend, macht es Sinn, sie den Tagebüchern hinzuzufügen. Was mich persönlich betrifft, so zeigen sie auch eine frühe Neigung zum gesprochenen Wort: Schreiben und Sprechen gehören für mich zusammen, sind Grundbedürfnisse, die mein Beruf, das Medium Rundfunk, auf ideale Weise erfüllte. Deutlich drückt sich meine Liebe zum gesprochenen Wort in Hausaufsätzen aus – erst wenn ein Satz sich gut anhörte, abends, in der stillen Wohnung laut gesprochen, brachte ich ihn zu Papier.

Da Thea Bauriedl und Frieder Wölpert, die sich der Politischen Psychoanalyse verschrieben haben, sich so lebhaft für das Material interessierten, konnte ich mich nach langem Zweifel zur Publikation der Tagebücher und Aufsätze entschließen. Sie öffneten mir die Augen für die psychischen Mechanismen, die mich verführbar machten und mein Gesichtsfeld folgenschwer einengten. Durch sie lernte ich, Wörter und Sätze auf ihren Hintersinn abzuklopfen und mich, die Schreiberin, besser zu verstehen. Ohne ihr Interpretationsangebot, ohne unsere Gespräche, insbesondere über den ersten Teil der Tagebücher und die Aufsätze, hätte ich mich nicht so intensiv mit der Vergangenheit auseinandersetzen können, wie dies in der Folge geschah. Ihnen und diesem psychoanalytischen Ansatz verdankt das Buch seine Entstehung, ihrem warmen Interesse an unserer Arbeit, ihrer Bereitschaft, viel Zeit dafür zu opfern, verdanke ich meine Entwicklung im Alter.

Ich saß ihnen, das muß ich betonen, nicht als Analysandin gegenüber, sondern als Gesprächspartnerin, die von ihrem Fachwissen profitierte. Doch in dem Maß, in dem ich mich ohne Wenn und Aber einließ auf die späte Konfrontation mit meinem Jugend-Ich, in dem ich lernte, die Wurzeln meines Denkens und Fühlens bloßzulegen, die Verstrickung in die NS-Zeit und das Ausmaß meiner Mitschuld deutlicher und differenzierter als bisher zu sehen und zu akzeptieren – im gleichen Maß kam ein neuer, schmerzhafter Erkenntnis- und Entwicklungsprozeß in Gang. Sich erinnern erfordert radikale Ehrlichkeit gegenüber sich selbst und Lernbereitschaft. Es verlangt, daß man/frau Gefühle zuläßt, wahrnimmt und sich zu ihnen bekennt. Kopfarbeit reicht nicht aus.

Mit der Aufarbeitung meiner politischen Vergangenheit allein war es nicht getan. Während ich mich der Selbstkonfrontation aussetzte, veränderte sich mit mir das entstehende Buch. Soweit wie möglich vermied ich nachträgliche Eingriffe, Zufügungen, sprachliche Harmonisierung. Auch rigorose Selbstkritik mochte ich nicht entschärfen. Der Prozeßcharakter der Entstehung, Brüche, neue Ansätze sollen erkennbar und nachvollziehbar bleiben.

Der anfängliche Plan, nur Auslassungen zur NS-Geschichte zu veröffentlichen und psychoanalytisch zu betrachten, erwies sich bald als unzureichend. Zum besseren Verständnis der Historie, besonders im Hinblick auf jüngere Leserinnen und Leser, schienen Erläuterungen zu politischen Ereignissen und Persönlichkeiten geboten, auch Informationen zur eigenen Biographie. Äußerst zögernd und schrittweise revidierte ich sodann das Grundkonzept. In ihrer Massierung, nahezu losgelöst von der jungen Tagebuchschreiberin, wirkten die Äußerungen zum Zeitgeschehen allmählich steril, die Person, die sie machte, blieb gesichtslos. Ich entschloß mich dazu, größere Teile autobiographischer Notate einzubeziehen; sie illustrieren das private Leben in diesen Jahren und wie es durch den Krieg beeinflußt wurde. Sie zeigen auch die Einstellungen, die für die frauen- und lustfeindliche NS-Zeit typisch waren, und wie Beziehungen damals in der Regel aussahen.

Erst als die Arbeit schon weit fortgeschritten war, befaßte ich mich mit der Gattung Tagebuch – glücklicherweise, denke ich.

Denn nur weil ich die Forschung zum Frauentagebuch nicht kannte, weil ich nicht wußte, daß Unterbrechungen und Lücken in den Eintragungen ein durchgängiges Merkmal des Genres sind, verfiel ich auf den Gedanken, mich, vor allem im Hinblick auf Verdrängungen, zu fragen, »Was fehlt im Tagebuch?«, und die Beantwortung dieser Frage zu einem festen Bestandteil des Buches zu machen. Auch dieses Element wandelte sich im Lauf des Schreib- und Trauerprozesses. Es gehört für mich jetzt zu den wichtigsten Teilen des Buches. Dieser Fragestellung ist es zuzuschreiben, daß auch persönliche Erlebnisse aus der Gegenwart zeitweise in das entstehende Buch einflossen und daß die dunkle Kehrseite unserer Geschichte, die das Tagebuch verschwieg, heute zumindest angeleuchtet wird. Im Einzelfall mag meine Detailgenauigkeit mancher Leserin, manchem Leser vielleicht unnötig erscheinen; mir hat sie dazu verholfen, die verheerenden Folgen unserer Geschichte, die meinem Gedächtnis zu entgleiten beginnt, noch einmal gleichsam mit der Lupe anzuschauen. Daß dies nur punktuell möglich war – fundierte historische Studien habe ich nicht betrieben –, hinterläßt Unbehagen. Da die Erinnerung oft ungenau ist und die Lebenserfahrungen umschreibt, verändert, kann ich Fehler nicht ausschließen.

So ist, bildlich gesprochen, am Ende ein Gewirk aus sehr verschiedenen Strängen und Farben entstanden; Leserinnen und Leser werden im Gewebe immer den roten Faden, aber kein einheitliches Strickmuster erkennen. Eine »ordentliche« Arbeit im herkömmlichen Sinn ist dies nicht. Die Psyche arbeitet nun mal nicht ordentlich. Gut, daß ich nicht ahnte, wie beschwerlich der Weg zurück in die Vergangenheit sein würde! Erinnern tut weh. Das hatte ich schon erfahren. Doch Erinnerungsarbeit – seelische Schwerarbeit – braucht auch Zeit. Die Seele läßt sich nicht hetzen. Sie hat ihren eigenen Rhythmus. Und notfalls erzwingt sie ihn sich. Ich sollte es zu spüren bekommen. Es hing vielleicht auch mit meinem Alter zusammen, daß mich immer wieder Gefühle überwältigten, daß innen und außen, das Damals und Heute aufeinanderprallten, daß ich den Arbeits- und Leidensdruck kaum mehr verkraften konnte. Unerwartete Einbrüche, Krisen ereigneten sich, brachten das Schreiben ins Stocken, machten mich arbeitsunfähig, zwei, acht Monate lang. Ich war nahe daran, die halbfertige Arbeit aufzugeben. Doch wieder einmal und diesmal besonders drastisch erlebte ich »Krankheit als Selbstheilung« (Dieter Beck) – in meinem Leben wahrhaftig ein besonderes Kapitel. Nach dieser Zäsur konnte der zweite Arbeitsabschnitt beginnen, der Prozeß weitergehen – eine letzte unfreiwillige, drei Monate während Pause blieb mir auch jetzt nicht erspart –, neue Schwerpunkte konnten sich bilden, Akzente sich verschieben. Während die Arbeit ursprünglich darauf abzielte, die Wurzeln bloßzulegen, aus denen Denken und Fühlen der jungen Mitläuferin erwachsen waren, gewann zunehmend die Frage Gewicht, was bewirkt die Erinnerung, die Konfrontation mit ihrer Jugend und den Folgen der Gewaltherrschaft des Nationalsozialismus in der alten Frau?

Das Thema meines Buches hat, seitdem es anfing, mir die Luft zu nehmen, erschreckend an Aktualität gewonnen. Feindbilder und Gewaltanwendung, Rassismus und aggressiver Nationalismus sind nicht erst seit heute weltweite Erscheinungen, gewiß – aber gerade wir Deutschen haben alte und neue Gründe, vor unserer eigenen Türe zu kehren. In den östlichen Bundesländern ist deutsche Vergangenheit zweifach aufzuarbeiten. Ich wünschte mir, daß mein Buch Mut machte, sich ihr zu stellen, aber auch, daß die Gesellschaft jene Mitläuferinnen und Mitläufer, Denunziantinnen und Denunzianten, die bereuen, nicht für immer aussperrte. Glücklich wäre ich, wenn diese Lektüre wenigstens einige Menschen meiner Generation zum Nachdenken über sich selbst bewegen und dazu anregen würde, ihre persönliche Rolle bei der Entstehung des Dritten Reiches und der Unterstützung des Nationalsozialismus bis zum bitteren Ende näher zu betrachten. Spätestens im Alter, wenn wir die Summe unseres Lebens ziehen können, haben wir die Chance, uns auch über unser Versagen und unsere Schuld Rechenschaft zu geben.

Die nachfolgenden Generationen, die Söhne und Töchter, deren Eltern bis heute stumm blieben, die Enkelinnen und Enkel, die ihre Großeltern oder andere alte Menschen unbefangen befragen könnten, möchte ich davor warnen, die Selbstdarstellung eines Mädchens von vorgestern mit dem Gefühl zu lesen, das kann uns nicht passieren, wir sind anders, bei uns hat ein autoritäres Regime keine Chance. Sie müssen ein Gespür für gefährliche Anfänge entwickeln und nähren, weil Menschen zu allen Zeiten verführbar sind; sie müssen ihr Gehör schärfen für nationalistische und rassistische Töne und Untertöne, die Minderheiten, Andersdenkende und Angehörige anderer Völker und Kulturen diffamieren. Mehr denn je ist ein halbes Jahrhundert nach dem Ende deutscher Barbarei von ihnen Zivilcourage, Solidarität und der Nachweis gefordert, daß die Deutschen ein wahrhaft humanes, demokratisches Volk sind. Die Jungen waren nicht beteiligt an diesen Ereignissen der deutschen Geschichte, aber sie müssen die Folgen dennoch mittragen. Vergessen, verleugnen macht die Vergangenheit nicht ungeschehen. In seiner historischen Rede vom 8. Mai 1985 sagte Bundespräsident Richard von Weizsäcker: »Wir Älteren schulden der Jugend nicht die Erfüllung von Träumen, sondern Aufrichtigkeit. Wir müssen den Jüngeren helfen zu verstehen, warum es lebenswichtig ist, die Erinnerung wachzuhalten.« Gern wüßte ich, ob mir das mit meinem Buch gelungen ist.

Vor allem aber wünschte ich mir dies: Menschen, die mit dem Hakenkreuzzeichen traumatische Erinnerungen an Grauen und Leid verbinden, Juden insbesondere und Ausländer, möchten davon erfahren, daß es Deutsche gibt, die um Verzeihung bitten, sich schuldig fühlen und trauern.

Doch auch wenn niemand außer meinen Nächsten zu Gesicht bekäme, was hier geschrieben steht, wenn mein Buch ungedruckt bliebe: die Jahre, in denen ich mich mit dieser Selbstkonfrontation und -therapie geplagt habe, tragen ihren Sinn in sich. Bald werde ich fünfundsiebzig Jahre alt.

TAGEBUCH I
23. Mai 1933 – 30. März 1936

Alzey, den 23. Mai 1933
Heute, am 23. Mai 1933, will ich nun dieses Tagebuch einweihen. Ta-
gebuch kann man eigentlich nicht sagen, denn ich werde es nicht jeden
Tag benutzen. Ich habe doch sicher nicht an jedem Tage etwas Wich-
tiges oder Interessantes zu verzeichnen. Ich will nur das, was mir be-
sonders schön, wichtig oder auch seltsam erscheint, aufschreiben.

Gestern war mein 14. Geburtstag. Morgens ging leider alles etwas
schnell, weil Papa um 7 Uhr 59 wegfuhr. Er fuhr nach Berlin auf die
Landwirtschaftliche Ausstellung. Er wird voraussichtlich am 26.
oder 27. zurückkommen. – Von Mutti und Papa bekam ich vieles ge-
schenkt: Stoff für eine braune Hitlerjacke, ein Badehandtuch, einen
Tennisring, den zweiten Band von den Werken Konrad Ferdinand
Meyers, Schokolade und Pralinen. Papa schenkte mir eine Dose Ni-
vea-Creme. Die habe ich mir nur von ihm gewünscht. Tante Else
schenkte mir Schokolade. Großmama und Tante Gertrud schenkten
mir eine gehämmerte Hakenkreuz-Brosche. Und Tante Gretel
schickte, trotzdem Mutti es nicht mehr wollte, weil ich jetzt zu groß
wäre, eine Torte.

Geburtstagskaffee war gestern keiner, weil Papa nicht da war;
meine Einladung ist erst später. –

Heute bin ich zum ersten Mal schwimmen gewesen. Das Wasser
war 16 1/2 Grad warm. Anfangs waren mir die Beine sehr kalt.
Aber als das vorbei war, war es ganz angenehm. Ich blieb nicht lange
im Wasser. 10–15 Minuten sind fürs erstemal genug. Hoffentlich
wird die Luft jetzt wärmer, damit man sich im Wasser mehr austo-
ben kann und daß es auch bald Hitzfrei gibt.

Immer macht ein Mensch eine bedeutsame Aussage über sich selbst,
wenn er, ohne nachzudenken, Auskunft gibt über seine wichtigste
Kindheitserinnerung. Meiner Seele eingeprägt hat sich diese Szene,
dieses Gefühl: Behütet wie in Abrahams Schoß, paradiesisch geborgen, sitze ich, das kleine Mädchen, auf meines Vaters Knien vorm

Tisch, spüre mit meinem schmalen Rücken seine breite warme Brust, bin rechts und links von seinen Armen gehalten. Nachtessenszeit, »Wasserweck und Schweizerkäs«, ein Hochgenuß. Wer solche Geborgenheitserfahrung schenkt, wird sehr geliebt.

Auch zu trösten verstand dieser Vater, wie die Mutter. Er war es, der seine Kinder in den Arm nahm, als es galt, ihnen die Enttäuschung beizubringen, daß aus dem Umzug in ein eigenes Haus nichts werden würde.

Und sein Lachen! Dieses unwiderstehliche, volle Lachen zog Kreise wie Tropfen im Wasser, steckte alle an, die es hörten. Es war (und bleibt) für mich das schönste Lachen der Welt. Der Faszination durch seine Person konnte sich kaum ein Mensch entziehen.

Gemäß den Konventionen seiner Zeit hatte er mit dem Säugling nichts anzufangen gewußt, seine Zuwendung zu der kleinen Tochter begann erst, als sie auf ihn, den Vater, reagierte. Er war ein Mann, der das Kind in sich selbst nicht verstoßen hatte, lebhaft, zu Späßen aufgelegt, ein extravertierter, großzügiger Charakter, der Menschen anzog und gern um sich versammelte; die Kleinfamilie genügte seinem Selbstdarstellungsbedürfnis nicht. Es entfaltete sich besonders gern auf der Bühne; er war kabarettistisch begabt, als ortsbekannter Komiker ein Publikumsmagnet. Verglichen mit seinen Altersgenossen zeigte er sich wenig autoritär und führte eine partnerschaftliche Ehe. Seine Neigung zum Flirten, die meiner Mutter manchen Kummer bereitete, tat seiner Liebe zu ihr keinen Abbruch; er schätzte ihre Verläßlichkeit und wußte, daß sie durch dick und dünn mit ihm ging.

Alzey, den 26. Mai 1933
Heute vor 10 Jahren am frühen Morgen, etwa um vier Uhr, wurde einer unserer größten Helden von den Franzosen standrechtlich erschossen!
Albert Leo Schlageter,
der sein Vaterland über alles liebte und ihm das größte Opfer, sein Leben, brachte.
Albert Leo Schlageter wurde im Schwarzwald, in Schönau im Wiesental, als der Sohn eines armen kleinen Bauern geboren. Er besuchte die höhere Schule. Als er in Unterprima war, brach der Krieg aus. Er bestand sein Notexamen, kam in den Krieg an die Westfront, holte sich das Eiserne Kreuz 1. und 2. Klasse und wurde mit 23 Jahren Offizier. – Im Dezember 1918 kehrte Schlageter in seine Heimat zurück und wurde Student in der Universität Freiburg. – Im Osten bedrohte der Bolschewismus das Deutsche Reich, er verließ die Hörsäle. Er

kämpfte im Baltikum und überall dort, wo tapfere Männer gebraucht wurden. Er kämpfte mit seinen Freunden im Ruhrgebiet, als die Franzosen einmarschierten. Aber er wurde verraten: Er kam vor das französische Kriegsgericht und wurde zum Tode verurteilt. Bis zum letzten Atemzug galten sein Glaube und seine Liebe dem Vaterland und Gott. Am 26. Mai 1923, am frühen Morgen, wurde er von französischen Soldaten erschossen. Erst jetzt, nach zehn Jahren, erfährt man erst richtig von seiner Größe und seinem Heldentum. An der Stelle, an der er erschossen wurde, steht heute ein riesenhaftes Kreuz in der Golzheimer Heide. – Die Schwarzwälder haben dem treuesten und tapfersten Sohn ihrer Heimat ein weit ins Land ragendes Denkmal errichtet. – Nachstehende Briefe Albert Leo Schlageters zeugen von der grenzenlosen Liebe zu Deutschland.

22. April 1923

Liebe Eltern und Geschwister!
Soeben habe ich Euren und der Tante Brief erhalten. Tausend Dank dafür. Nun kann ich endlich etwas erleichtert aufatmen, da ich weiß, daß Ihr alle gesund seid und mit Gottes Hilfe den ersten Schmerz und vor allem den Schrecken über die Nachricht hinter Euch habt. Es waren seit meiner Verhaftung am 7. April bis heute entsetzliche Tage. An mich konnte ich gar nicht denken, mein Schicksal war auch Nebensache. Ich habe gehandelt aus Liebe zu Euch, zu meinem Vaterlande; ich weiß dafür zu büßen. Die Größe meiner Strafe kann mich nicht schrecken, noch traurig machen. Wäre ich allein auf der Welt, wüßte ich überhaupt nicht, was es Schöneres geben könnte als für sein Vaterland zu sterben. Aber um Euch habe ich gebangt, Tag und Nacht. Hätte ich es Euch ersparen können; ich wäre gern zwei- oder dreimal vor die Kugel getreten. Bleibt weiter so tapfer, hofft weiter. Sollte keine Änderung eintreten, dann denkt: ich bin an irgendeiner Krankheit oder sonst etwas gestorben – zwar ein paar Jahre früher, als zu erwarten war, aber das kommt ja öfter vor. Also noch einmal tausend Dank für die Briefe und herzliche Grüße an Euch alle, besonders Vater und Mutter.

Euer Albert

26. Mai 1923
(Unmittelbar vor der Hinrichtung.)
Liebe Eltern!
Nun trete ich bald meinen letzten Gang an. Ich werde noch beichten und kommunizieren. Also dann auf ein frohes Wiedersehen im Jenseits.

33

Nochmals Gruß an Euch alle, Vater, Mutter, Joseph, Otto,
Frieda, Ida, Marie, die beiden Schwäger, Gottis und die ganze
Heimat.

Euer Albert

Die Mutter dieses tapferen Sohnes starb wenige Jahre nach seinem
Tod. Sie konnte seinen Tod nicht verwinden. Der Vater lebt heute noch
im Kreis seiner Kinder und Enkel.

Das war das Schicksal
Albert Leo Schlageters,
dem treuesten Sohn der Heimat,
der für sein Vaterland
kämpfte und starb.

28. Mai 1933
Gestern war ein Aufmarsch der S.A. in der Aufbauschule. Reichs-
statthalter Sprenger sollte kommen um 3 Uhr 40. Aber als er kam,
läutete es gerade 7 Uhr. Wir waren mit dem B.d.M. in der früheren
Aufbauschule. Herr Sprenger wurde von Kreisleiter Schillings be-
grüßt. Dann schritt er die Front der S.A. ab. Blumensträuße wurden
überreicht. Das Ganze dauerte etwa 20 Minuten.

Heute ist ein Aufmarsch der S.S. auf dem Stadion. 800 Leute sol-
len kommen. Der B.d.M. wird geschlossen hinauf marschieren.
Dann werden wir einen ganz guten Platz bekommen.

Alzey, 28. Juni 1933
Heute wurde vor Jahren der Vertrag von Versailles unterschrieben. –
Die Fahnen sind auf Halbmast geflaggt; in der Schule wurde eine
Ansprache über die Bedeutung dieses gräßlichen Schriftstückes ge-
halten, die mit dem Deutschlandlied eingeleitet und mit dem Horst-
Wessel-Lied beendet wurde.

Am Samstag, dem 24. Juni, wurde im ganzen Reich der Tag der
Jugend, die Sonnwende, gefeiert. Morgens gingen wir mit der Schule
auf das Stadion, wo nach einer entsetzlich langweiligen Ansprache
des Realschuldirektors Dr. Köhm allerlei Spiele gemacht wurden.
Auch die Realschule und die Volksschulen waren da. Bevor wir aufs
Stadion gingen, waren alle Schulen in unserem Schulhof zu einem
ev. Gottesdienst, der von Pfarrer Engel gehalten wurde, versammelt.
Am Abend war Sonnwendfeier. Wir (der B.d.M.), die H.J. und die
Spielschar machten einen Fackeltanz. Als der B.d.M. aufs Stadion
ging, regnete es ununterbrochen. Als wir eine Weile oben waren,
hörte es auf zu regnen. Aber der Boden war doch so naß, daß wir den

Fackeltanz ganz weit unten auf dem freien Platz machen mußten,
dadurch kam er wenig zur Geltung. – Auf dem Heimweg regnete es
wieder sehr stark. Heute ist immer noch kein schönes Wetter. Trüb
und regnerisch. Hoffentlich sind die Sommerferien nicht verregnet.–
Morgen bekomme ich endlich meine braune Jacke. Heute haben
Hilde und ich uns das grüne Scharführerbändchen gekauft. Seit kur-
zem haben wir beide die Mittagsgruppe der kleinsten B.d.M.-Mädel
zu führen.

Wie selbstverständlich Schulen und ein Teil der evangelischen Kirche sich ins System einpaßten, zeigt diese Eintragung. Sie führt
auch auf lokaler Ebene vor, wie die Jugend in die Rituale des Nationalsozialismus eingebunden wurde, bei denen Feuer und Licht eine
große Rolle spielten. *Fackeltänze* und Sonnwendfeuer gehörten zur
Selbstinszenierung des Nationalsozialismus im kleinen Stil – Fackel-
züge, Feuerwerk, Lichtdome im großen.

Alzey, den 26. X. 33
Bald vier Monate ist es her, daß ich meine Erlebnisse zuletzt eintrug.
Teils hatte ich keine Zeit, teils keine Lust, etwas einzuschreiben.
Aber erlebt habe ich in diesen vier Monaten sehr, sehr viel.
Zuerst: die Sommerferien. Ich durfte nach Heilbronn fahren.
Hermann verbrachte die Ferien mit Tante Gertrud in Raisting. In
Heilbronn war es wunderschön. Bis auf wenige trübe und Regentage
hatte ich herrliches Wetter. Da ging ich natürlich sehr viel schwim-
men. Einmal waren wir auf dem Wartberg und ein paarmal am
Trappensee. Am ersten Sonntag waren wir in einem Kaffee in Sont-
heim, am zweiten in Weinsberg auf der »Weibertreu«. Ein ganz herr-
liches Fleckchen Erde, so ziemlich das schönste Plätzchen, was ich
kenne. Am dritten Sonntag kam das Allerschönste: das große deut-
sche Turnfest in Stuttgart. Das war ganz wunderbar. Samstag nach-
mittags 3 Uhr fuhren wir in Heilbronn weg und Sonntag nachts
2 Uhr kamen wir wieder zurück. Bei Tante Julies Verwandten haben
wir geschlafen. Das Turnfest machte einen ganz gewaltigen Ein-
druck auf mich [...] --- Drei volle Wochen blieb ich in Heilbronn.
Samstags fuhr ich nach Hause. [...]
Acht oder vierzehn Tage später war wieder ein wunderbarer Tag
für mich. Wir waren bei der gewaltigen Saarkundgebung auf dem
Niederwalddenkmal. Da habe ich etwas erlebt: Ich habe unseren gro-
ßen Führer gesehen! Zweimal! Auf dem Wege hin zum Niederwald-
denkmal und zurück. So ernst, doch so stark und so groß stand er
mit der erhobenen Rechten in seinem Auto! Bei diesem Anblick sind

mir die Tränen gekommen. Ich weiß nicht, warum, aber ich glaube,
ich ahnte doch, welch ein schönes Gefühl es ist, einem Führer unseres
Volkes zu vertrauen. Ich glaube fast, das war der schönste, ergrei-
fendste und gewaltigste Augenblick meines vierzehnjährigen Lebens.
– Auch [Vizekanzler] *Papen, äußerst freundlich lächelnd und sehr*
lebhaft für die Heil-Rufe seiner Landsleute dankend, denn er ist auch
Saarländer, habe ich gesehen. Ebenso Reichswehrminister von
Blomberg und Marineadmiral Raeder habe ich gesehen. Es war ein
endloses Jubeln und Heil-Rufen der Saarländer, die fast alle den
Führer zum erstenmal sahen, zu hören. ––– Lange noch werde ich
an diesen Tag denken. –––

Saarkundgebung. Im Nebel erstickte Erinnerung. Geblieben ist nur:
ich inmitten einer großen erregten Menschenmasse und eine Spur
vom einstigen Gefühl. Ich versuche, mir meine Ergriffenheit vorzustellen, das Mädchen mit dem dunkelblonden, glatten Haar, seine
leuchtenden Augen. Statt dessen sehe ich eine Szene aus dem Familienalbum vor mir. Hitler, aus der Nähe von unten fotografiert, im
dunklen Anzug, lächelnd, die Rechte über die Schulter zurückge-
worfen, umringt von jubelnden Zivilisten, jungen Menschen,
strammstehenden SA-Leuten, vor einer Halle. Hinter ihm, den
rechten Arm erhoben, seinen strahlenden Blick auf ihn gerichtet,
steht mein Vater. Vor ihm, die Augen bewundernd zum Führer aufgeschlagen, ein kleines Mädchen, vier, fünf Jahre alt, im weißen Hän-
gerchen, ein Zöpfchen über der Schulter – in dem fremden Kind, das
nicht einmal halb so alt war wie ich damals, erkenne ich mich, meine
eigene Bewunderung. Die Szene fand im Juni 1932 in Alzey statt, auf
dem Sportstadion. An der Kundgebung sollen 25000 Menschen teil-
genommen haben. Alzey hatte damals etwas weniger als 10000 Einwohner. Die kleine Stadt muß von Hitlers Anhängerinnen und Anhängern aus dem Umland überschwemmt gewesen sein.

Hitler war für sie der Hoffnungsträger. Der von ihm verspro-
chene Aufschwung würde dazu führen, daß die Deutschen wieder
wer sind, als Wirtschaftsmacht, als Volk und jeder einzelne als Person – auch mein Vater, dieser glücklose Mann, der keine Schuld
hatte an der Misere, unter der er, seine Familie, das ganze Volk
litten.

Wie der Vater, so die Tochter. Was ihn erfüllte, berührte, mußte
auch sie erfüllen, berühren. Ein junger Mensch, dessen Vater und
Mutter sich im Nationalsozialismus wohl fühlten, keine kritischen
Fragen stellten, hatte keine Wahl. Er mußte die Ideologie überneh-
men und alles gut finden am System.

Ich versuche, mich durch den Erinnerungsnebel zurückzutasten. Habe ich damals bei der Kundgebung am Niederwalddenkmal nicht gemeint, zutiefst beglückt empfunden: Er hat mich angeschaut, einen Herzschlag lang? ER – mich! Diese Vorstellung verrät das Bedürfnis des jungen, seiner selbst nicht sicheren Mädchens, das ich war, als Person gesehen zu werden, wie vom eigenen Vater. Indem Hitler mich anschaute, bestätigte er mich, meinen Wert. Und dann verdiente er auch meine Liebe, meine Treue, mein Vertrauen. Hitler, die Vaterfigur für alle, der Übervater, dem inbrünstige Gefühle zufließen – wie dem lieben Gott. Damals besuchte ich den Konfirmandenunterricht, erlebte eine Zeit starker Innerlichkeit und Religiosität.

Vorgestern abend, am Dienstag, den 24. 10. 33, sprach der Führer von 8 bis 10 Uhr abends am Radio. Am 12. November ist nun Reichstagswahl und zu gleicher Zeit Volksabstimmung. Der Führer will dem Ausland beweisen, daß das ganze Volk hinter ihm steht. Als wir vor kurzer Zeit aus dem Völkerbund austraten, hat der Führer auch am Radio gesprochen. Aber diesmal war der spöttische Ton ganz neu an ihm. Er sprach wunderbar. Ich hätte noch zwei Stunden zuhören können. Er sprach im Sportpalast in Berlin vor 30000 Menschen und hatte ungeheuren Beifall. --

Die Herbstferien sind vorbei, die erste Schulwoche ist fast schon vorüber. In den Ferien war ich zu Hause. --- Zu dem politischen Stoff will ich noch hinzufügen: Vor wenigen Wochen war der erste Parteitag der nationalsozialistischen Regierung. Er tagte in Nürnberg. Das muß etwas ganz Großes gewesen sein. --- In den Herbstferien war ein großes Treffen in Köln. 40000 B.d.M.-Mädels und 20000 Jungen von der H.J. kamen hin. In einheitlicher Kleidung marschierten Jungen und Mädel an Baldur von Schirach vorbei. Da wäre ich auch gern dabeigewesen. Vielleicht darf ich nächstes Jahr einmal zum B.d.M.-Treffen mit. […]

9. November 1933
Vor 10 Jahren, am 9. November 1923, war der Hitlerputsch in München, bei dem sechzehn Menschen für ihren Führer und ein neues, besseres Deutschland ihr Leben ließen.

Dieser Helden und dieses Tages gedachten wir heute. In München war heute eine große Feier, die durch den Rundfunk übertragen wurde. Der Führer zog mit den Kämpfern, die damals mit ihm vor der Feldherrnhalle gekämpft, durch die gleichen Straßen, die er damals durchschritten. Vor der Feldherrnhalle hielt er eine Rede, in der er noch einmal all den Treuen dankte, die damals und auch jetzt zu ihm hielten. Er enthüllte und weihte ein Denkmal zu Ehren der sechzehn gefallenen Helden.

12. November 1933
Am 10. sprach unser Führer nachmittags um ein Uhr von einer Berliner Fabrik aus zum ganzen deutschen Volk. Im ganzen Reich ertönten vor ein Uhr alle Sirenen, die die Stillegung des Verkehrs verkündeten. Dann hielt der Führer seine letzte Rede vor der Wahl, die heute stattfand. Als er gesprochen hatte, ertönten von neuem die Sirenen, und der Verkehr ging wieder weiter. Die Rede des Führers wurde in der Schule im Zeichensaal übertragen. Wir mußten alle die Rede hier anhören. Daran anschließend war eine Schulfeier, bei der ich auch ein Gedicht vortrug. Zum ersten Mal hatte ich mich blamiert. Es wäre nicht so schlimm gewesen, sagten manche, aber für mich war es doch unangenehm, meine erste Niederlage, daß ich das Gedicht nicht fließend gekonnt hatte. Aber ich hatte es doch erst zwei Stunden vorher bekommen und nicht mehr richtig lernen können. Trotzdem sollte ich das Gedicht am Abend im Saalbau vortragen. Ministerialrat Ringshausen von der Obersten Schulbehörde Hessens sollte sprechen. Er sprach auch, und ich trug mein Gedicht vor. Welche Angst stand ich vorher aus! Aber welchen Erfolg hatte ich auch! Die halbe Stadt war ja anwesend. Am nächsten Morgen war noch ein Propagandazug aller Schulen durch die Stadt. Herr Ebert hat mir vorher gratuliert und einen Gruß von Herrn Ringshausen ausgerichtet: Ich hätte meine Sache sehr gut gemacht, aber: Ich sollte meinen Kopf höher halten, ich hätte ja auch allen Grund dazu! –– Gestern abend sprach unser greiser Reichspräsident noch einmal wenige Worte zur ganzen Welt. Um 1/2 9 Uhr war in allen ev. Kirchen Bittgottesdienst. Ich war auch mit Mutti dort. – Heute war die neue Reichstagswahl und Volksabstimmung. ––– Eine überwältigende Mehrheit war das Ergebnis. Das ganze Volk steht hinter dem Führer. –––

Der »Führer« spricht *zum ganzen deutschen Volk* – der Verkehr ruht, die Schulklassen hören zu, die Schulfeier unterstreicht die Bedeutsamkeit der Rede. Die Beeinflussung der Jugend – die Jugend ist der »Garant der Zukunft«, auch der Zukunft des Nationalsozialismus – und, folgerichtig, der Mißbrauch der Schule hatte sofort nach der »Machtergreifung« begonnen.

Daß diese »Wahl«, die mit einer Volksabstimmung über den Austritt aus dem Völkerbund verknüpft war, die Bezeichnung Wahl nicht verdiente, weil die Wählerinnen und Wähler keine Alternative zur Einheitspartei NSDAP hatten, gemäß dem Gesetz gegen die

Neubildung von Parteien (14. 07. 33), kam mir nicht in den Sinn. Scheinwahl? Ich wäre entrüstet gewesen.

1934

Alzey, den 31. I. 34

Weihnachten/Neujahr sind vorüber. Es dünkt mir, als sei das Jahre her. –

Am Sonntag, den 31. Januar, hatte ich ein wunderbares Erlebnis. Ich habe im Mainzer Theater das große Musikdrama »Die Meistersinger von Nürnberg« gesehen!! und gehört!! Diese Musik, diese Kunst, dieses Bühnenbild! Einfach herrlich! Vor meinen Augen ist noch deutlich jedes einzelne Szenenbild, das Antlitz der einzelnen Hauptdarsteller, ihre Gestalten, ihre Trachten. Höre ich die Meistersinger-Musik einmal im Radio, so erlebe ich alles noch einmal. ––

Gestern: 30. Januar 1934.

Ein Jahr hat der Führer die Macht! Was hat sich in diesem Jahr alles ereignet! Das Winterhilfswerk![1] Was sagt das nicht alles! 1/3 aller Arbeitslosen haben wieder Arbeit bekommen! Wieviel weniger werden es im nächsten Jahr sein? Nur in einer schlichten Feier wurde des 30. Januar 1933 gedacht. ––

23. II. 34

Am 21. war unser Werbeabend (B.d.M.). Wider aller Erwartung ging alles gut. Das, was am besten gefiel, waren unsere Volkstänze. Viele sagten, Hilde und ich hätten am besten getanzt: graziös, gewandt, lebhaftes Mienenspiel (Selbstlob. ...). Am 22. hatte das Mainzer Theater im Musikverein einen bunten Abend veranstaltet. Mehrere große Opern- und Operettensänger und -sängerinnen und auch das Ballett wirkten mit. Das war sehr schön, besonders für uns, da die beiden Sänger, die in den »Meistersingern« den »Hans Sachs« und den »Stolzing« gesungen hatten, auch da waren. »Stolzing« (Hans Becker) hatte in Mainz damals gar keine Blumen bekommen im Gegensatz zu »Sachs« (Hans Komeregg), der sehr reich beschenkt worden war. So legten denn 7 Mädels unserer Klasse Geld zusammen, und wir kauften einen Nelkenstrauß, der in den Saalbau geschickt wurde und H. Becker überreicht werden sollte »in dankbarer Erinnerung an Ihren ›Stolzing‹, Klasse IIIa, Lyzeum.« So hatte ich auf das beiliegende Kärtchen geschrieben. Durch die Dummheit der Garderobefrau erhielt H. Becker den Strauß nicht auf der

---

1 vgl. den Aufsatz S. 70 f.

Bühne. Erst später brachte diese ... Frau die Nelken hinauf. H. Bek-
ker hat sich aber doch gefreut. Er konnte sich nicht denken, was das
mit der Klasse IIIa bedeute. Er wandte sich an den Intendanten, un-
seren Klassenlehrer. Der konnte es ihm natürlich sagen, obwohl er
nichts davon gewußt hatte. Hans Becker ließ durch Herrn Dirigo
danken, er wird uns eine Fotografie schicken, die ihn als »Stolzing«
darstellt. Die wird dann im Klassenzimmer aufgehängt. – –
(14. VIII. 34. Die Fotografie ist nie gekommen, er muß es wohl ver-
gessen haben.)

23. Februar 1934
Heute ist der Totentag Horst Wessels, des unsterblichen Kämpfers,
dessen Lied das Sturm- und Kampflied der S.A. und aller Deutschen
geworden ist.
     »Kameraden, die Rotfront und Reaktion erschossen
     »marschier'n im Geist in unsern Reihen mit.«

25. Februar 1934
Vor fünf Minuten wurde der größte Eid geleistet, der in der Weltge-
schichte einzigartig dasteht und wie ihn die Welt noch nie erlebt hat. –
Rudolf Heß, der Stellvertreter des Führers, nahm in München und
zur gleichen Zeit im ganzen deutschen Reich allen politischen Lei-
tern, den Führern der S.A., der S.S., der H.J., des Arbeitsdiensts und
des B.d.M. den Treueschwur zum Führer ab. Aber bevor er das tat,
konnten alle unter den Geigenklängen des Deutschlandliedes ihr Ge-
wissen befragen, ob sie auch wirklich die Kraft hätten, dem Führer
den Eid zu halten, für immer. Ergreifend war dieses Treuebekenntnis
zu unserem großen Führer, das mehr als eine Million Führer und
Leiter des deutschen Volkes ablegen. Wie stolz darf Adolf Hitler sein,
ein so großes Werk zustandegebracht zu haben. – – –
     Heute ist Volkstrauertag. Alle gedenken der 2 Millionen, die ihr
Alles für ihr Heimatland, ihr Volk und Vaterland gaben.
     Am 6. März hörte ich zum ersten Mal das weltberühmte Wend-
lingquartett. Wundervoll. Jeder Ton, schon im 1/100 klappte. – – Die
4 Instrumente, die 2 Violinen, die Viola, das Cello sind eine Viertel
Million Mark wert. Am wertvollsten ist das Cello, es ist von dem be-
sten Geigenbauer, Stradivarius, gebaut. – Professor Wendling ist
schon 59 Jahre alt, eine vornehme Erscheinung, er sieht wie ein Ari-
stokrat aus. Das Quartett besteht 24 Jahre. Der Cellist war auch
schon von Anfang an dabei, die beiden anderen Herren sind später
dazugekommen.

Treue – zentraler Begriff beim Aufbau des Hitlermythos – Treue, eine der schönsten menschlichen Tugenden, verleiht existentiellen Beziehungen, ob zwischen Menschen oder vom Menschen zu Gott, die höchste Qualität. Der Eid, das geheiligte Versprechen, macht die Bindung unauflösbar, verheißt: getreu bis in den Tod. Wer die Kraft in sich spürt, den Eid zu leisten, wird also zu den Besonderen gehören, der verschworenen Gemeinschaft, dem »Führer« für immer verbunden.

Ganz oben in der Werteskala stand, wer *von Anfang an dabei* war, hier der vornehme Professor und der Cellist, in der Partei die frühesten Mitglieder.

Diese Erfahrungen von Gemeinschaft und Gleichklang waren es, die halfen, auch mich gleichzuschalten.

Alzey, 26. März 1934
Am 21. März jährte sich der Tag von Potsdam zum 1. Mal. Der Führer sprach von München, von der Baustelle der Reichsautobahn zum deutschen Volk. In seiner Rede legte er seinen neuen Plan für die Arbeitsbeschaffung dar. – – –

Am 23. war wieder einmal Abschlußfeier von unserer Schule. Es war der letzte [Abschluß]*, den wir, unsere Klasse, nicht als »Leidtragende« feierten.* […] *Jetzt sind wir die »erscht'Klaß«. Dieses letzte Schuljahr wird hoffentlich noch schön. Ich bin froh, daß ich noch ein Jahr in die Schule gehen darf. Ich glaube, die Schulzeit ist doch noch am schönsten.*

22. April 1934
Vier Wochen sind seit meiner letzten Eintragung vorüber. Vieles habe ich in diesen Wochen erlebt. Ich trage nach:
Ostersonntag, 1. April
Auch dieses Mal hatte der Osterhase noch ein paar Eier für mich, die Konfirmandin. Nachmittags saß ich bei Mutti und Tante Gertrud im Garten in der Sonne (Papa schlief), als Onkel Heinrich kam, um zu fragen, ob Mutti und Papa mit nach Kreuznach fahren wollten. Mutti wollte erst nicht recht, ließ sich dann aber doch überreden. Es wurde ausgemacht, daß ich bei Großmama Kaffee trinken sollte; um 3 Uhr fuhren sie dann ab. Ich kleidete mich um, (zum 1. Mal in meinem schönen erdbeerfarbenen 2. Konfirmandenkleid) kam ich dann gegen 4 Uhr hinauf zum Kaffeetrinken. Tante Gertrud erwartete Besuch. […] *Es war die Freundin von Tante Gertrud mit ihrem Gatten, Dr. D., und ihrem Sohn Wilhelm – aus 1. Ehe – und dessen Großmutter, die sie in Ober-Olm besucht hatten, denn sie selbst sind aus*

Runkel an der Lahn. Wir tranken dann gemütlich Kaffee, als Tante Gertrud so gegen 3/4 5 Uhr sagte: »Na, wie wär's, wenn wir jetzt die Lore und den Wilhelm ein bißchen spazieren schickten?« So schoben wir denn los. Wilhelm ist 18 Jahre, Gefolgschaftsführer; er verbrachte die Ostertage bei der Großmutter und fuhr dann zur Gebietsführerschule Hessen-Nassau. Er war also in Uniform und sah in dem Waffenrock mit seinem Führerabzeichen gut aus. Er ist überhaupt ein hübscher Mensch. So hat es meiner Eitelkeit denn wohl getan, als wir in der Stadt Gerhard W. [Vetter] begegneten, der, als gegenwärtiger Gefolgschaftsführer, einen anderen natürlich grüßen muß, und ich hörte, wie er zu seinem Kameraden sagte, wer das denn nur sein könne. Auch Heinz W. sind wir begegnet; wie ich später erfuhr, sind Gerhard und Heinz zu unserem ahnungslosen Hermann gekommen und wollten wissen, wer das wäre, der wußte natürlich von nichts. Gerhard hat am nächsten Tag durch seinen Vater Papa fragen lassen und dann durch mich seine Neugier befriedigt. Das hat mir damals mächtig imponiert, aber nun weiter. Wir gingen eine Stunde spazieren und unterhielten uns gut. Wir sprachen über H.J. und anderes, besonders die Tanzstunde interessierte ihn, da er auch im Mai die Tanzstunde besuchen wird mit Mädels in meinem Alter (etwas anders wie bei uns). Ich wäre froh, wenn ich ihn oder einen so netten Menschen als Tanzherrn hätte. Schlag 6 Uhr kamen wir zurück und machten, so daß es seine Mutter möglichst nicht sah, eine kleine Spritztour um die Stadt. Er hat noch keinen Führerschein und kann deshalb nur selten mal hintenherum fahren. – Um halb sieben fuhren sie wieder ab. Mutti kam auch bald, sie hatte sich Sorgen um mich gemacht, was ich wohl triebe. Es war so nett für mich gewesen, viel schöner, wie wenn ich mit nur Erwachsenen in Kreuznach gewesen wäre. – – –

Am 2. Ostertag, nachmittags, war die Vorstellung und Prüfung der Konfirmandinnen. Pfarrer Engel war so nett und gestaltete alles so schön und machte es uns so leicht, daß wir ganz überrascht waren. Zweimal gab ich eine Antwort, die nicht gerade falsch war, aber auch nicht das, was Pfarrer Engel wissen wollte, da nahm er mich wirklich so nett in Schutz. Als alles vorüber war, wurde von den Konfirmandinnen zusammen mit Herrn Pfarrer Engel ein Bild aufgenommen, das ziemlich kläglich ausfiel. – –

Am 8. April, Weißen Sonntag, war meine Konfirmation. Herr Pfarrer Engel gab uns eine schöne Erinnerung an unsere Konfirmation auf unseren Lebensweg. Ich war die Zweitälteste und wurde gemeinsam mit Lore E. als 1. Paar eingesegnet und ging auch mit ihr als 1. Paar zum Hl. Abendmahl. – – –

Zu Hause war auch alles sehr schön. Die eigentliche Feier begann erst mit dem Tee. Tante Toni, Gretel, Helene, Adolf W. und Familie, Tante Else, Günther, die Großeltern und Tante Gertrud waren zugegen … Ich wurde sehr reichlich beschenkt, viele Blumen, sehr viele Bücher, Schmuck, Chromuhr von den Eltern und sonst noch allerlei. – –

Mit der ersten Woche im neuen Jahr, dem letzten Schuljahr, hat etwas Besonderes begonnen, die Tanzstunde. Darüber kann ich noch nicht viel schreiben. Wir hatten erst zweimal Stunde. Die Einzelheiten kann ich nicht erzählen, das würde zu weit führen. Einen Tanzherrn habe ich noch nicht, die mir gefielen, sind wahrscheinlich schon alle vergeben.

Aufsatz vom 22. 9. 1934

Stadt und Land, Hand in Hand

Mit Freude und Stolz können wir heute von einem solchen Verhältnis zwischen Bauer und Städter sprechen. Wie aber war es früher, nach dem Krieg gewesen? Uneinigkeit, Haß, Not, Verzweiflung trennten das Volk in Klassen und Parteien, die sich kämpfend gegenüber standen. Verächtlich und hochmütig blickte der Stadtmensch auf den Landmann, es mangelte ihm an jeder Achtung und allem Verständnis für den Bauern: Was hatte der schon von seinem Leben? Immer arbeitete er, arbeitete Tag und Nacht für Weib und Kind, um seinen Hof, seine Felder und Wiesen erhalten zu können. Wie oft jedoch war alle Mühe vergebens, die Schulden konnten nicht bezahlt werden, die Gläubiger drängten. Wieder kam ein Bauernhof unter den Hammer, wieder wurden Menschen heimat- und obdachlos. Wohin sollten sie sich wenden? Die Stadt war ihre letzte Hoffnung. Doch hier war vieles anders geworden. Viele Fabrikbetriebe lagen still, Geschäfte wurden geschlossen, die Zahl der Arbeitslosen wuchs von Tag zu Tag. Fremder, zersetzender Einfluß ließ den Städter immer oberflächlicher werden. Keiner mehr wollte etwas wissen von dem alten Volksgut, das im Bauern erhalten blieb. Der Städter sah nicht ein, daß er den Bauern braucht, wie auch der Bauer nicht wahrhaben wollte, daß er ohne den Städter nicht leben kann. Zwischen beiden schien eine unüberwindliche Kluft zu sein. Daß diese jedoch nur künstlich geschaffen und unterhalten wurde, beweist das gute Einvernehmen, in dem Bauer und Städter jetzt leben. Erst als der Führer sie darauf hinwies, begriffen sie, wie notwendig sie einander brauchen, daß der Wohlstand des einen vom Wohlstand des anderen abhängt; der Führer war es, der sie mit offenen Augen sehen lehrte. Wie schön und nutzbringend ist doch die Verbundenheit von Stadt und Land. All-

mählich lernt man auch wieder die alten Sitten und Gebräuche des Bauerntums achten und schätzen — Ferienkinder kommen aufs Land, und wohl die meisten kehren befriedigt und voll schöner Erinnerungen zurück ins Getriebe der Stadt, mit einem warmen Interesse für das Bauerntum. Auch auf andere Weise bringt man den Städter mit dem Landleben in Verbindung. Tausende Morgen unfruchtbaren Landes werden von Siedlern, die festen Arbeitswillen und starken Lebensmut haben, aber in den Städten überzählig sind, in zäher, harter Arbeit in fruchtbares Land umgewandelt. —

So steht jeder auf seinem Platz, gleich ob es ein Bauer oder ein Arbeiter, ob es auf dem Lande oder in der Stadt ist, jeder tut, was in seinen Kräften steht, zum Wohl des Vaterlandes. Geeint reichen sich Bauer und Städter die Hand und blicken hoffnungsfroh in die Zukunft.

Note: Sehr gut

Eine neue Zeit mit neuen Idealen, so verkündet dieser Aufsatz, hat mit Hitler begonnen. Vorbei ist das Elend der Weimarer Republik, in der *fremder, zersetzender Einfluß* Unheil brachte, das Volk entzweite. Hinter dem ständig wiederholten, formelhaften Begriff versteckte sich der demagogische Hinweis auf die Rolle der verhaßten Intellektuellen und besonders der Juden im deutschen Geistesleben; sie waren die »Spalter«. Die 15jährige Schreiberin betet nach, was ihr eingesagt wurde, ohne genau nachzudenken, sie ist schon im Gleichschritt und marschiert mit der Masse.

Hitler – »Führer und Reichskanzler« seit wenigen Wochen, nach dem Tod Hindenburgs – ist es zu verdanken, lautet die Botschaft, daß das Volk geeint ist, Bauern und Städter an einem Strang ziehen, keiner den anderen abwertet, alle einander brauchen und gleich wichtig sind. Auch zur Hoffnung, daß die marode Wirtschaft gesunden werde, bestand guter Grund; gerade in diesem Jahr verminderte sich die Arbeitslosigkeit erheblich. Und Hoffnung richtete sich auch auf die politische Zukunft Deutschlands, eine Periode des Friedens schien angebrochen zu sein. Von den Zusammenhängen zwischen Beschäftigungspolitik und beginnender Aufrüstung konnte die Alzeyer Schülerin wie viele Erwachsene nichts wissen, noch weniger, daß die friedlichen Zeiten in Schrecken und Verwüstung enden würden.

Ohne Ideologie, ohne eine Vorstellung, wie die Welt sein sollte, können Menschen nicht leben. Die Kehrseite der Gleichheitsideologie jedoch war die Ausgrenzung und schließliche Vernichtung der Ungleichen, der anders Denkenden und anders »Gearteten«. Sie wurden von den einäugigen Anhängern Hitlers aus ihrem Idealbild von der Gemeinschaft gleichwertiger Volksgenossen ausgeblendet.

9. Oktober 1934

*Mein herrlicher Sommer, der letzte als Schulmädel, ist jetzt vorüber.
Mein Sommer! Was sagt das Wort nicht alles! Ob ich wohl noch
lange und oft an diesen Sommer denken werde. Wie reich war er an
strahlendem Sonnenschein, frohen und schönen Erlebnissen, kleinen
Freuden und Vergnügen. Erst nachträglich und -- zu spät kommt
mir all das zu Bewußtsein. Hätte ich diesen Sommer noch besser genießen und ausnutzen sollen? Welch unvergleichlich schönes Wetter
war in diesem Sommer! In dieser Hinsicht können wir uns nicht beklagen. Selten war ein Sommer so schön und lang. Und was habe ich
alles erlebt! Das will ich jetzt alles nachholen.*

*Zuerst: die Tanzstunde. Das Tanzen hat mir gut gefallen, aber
sonst war wenig los. Einen Tanzherrn, dessen Interessen den meinen
gleich kamen, hatte ich nicht. Es ging auch so. […] Gegen Ende der
Tanzstunde hatte ich mich (und umgekehrt) für einen unserer Gäste,
das heißt für einen von denen, die im Jahr zuvor Tanzen gelernt hatten, begeistert, da ich mit ihm sehr gut Walzer tanzte. Nur zu bald
stießen mich sein Äußeres und seine geistige Flachheit ab. Zweimal
hatten wir in der Tanzstunde Kränzchen, besonders das letzte war
sehr nett. Dann kam Samstag, den 14. Juli, der Schlußball. Da war
ich leider nicht ganz in Form, und es hat mir auch nicht allzu sehr
gefallen. […] Und dann kam unsere schöne Fahrt* [mit dem Rad]
*an die Mosel. […] Da haben wir viel erlebt. Eine meiner schönsten
Erinnerungen an die Fahrt ist das Zusammentreffen mit Erich B.,
Uli W. und Walter Sch. in Koblenz.*

30. XII. 34

*Hier will ich etwas einfügen: Das Besondere an diesem Zusammen-
treffen. Walter Sch. hatte ich Sommer 1933 kennengelernt. Er war
sehr groß, braunhaarig, Sportler (Leichtathletik), hatte nur einen
Fehler, ein fürchterliches Gangwerk. In der Badeanstalt wurde ich
auf ihn aufmerksam, kurz nach den Sommerferien begleitete er
mich dann zum erstenmal nach Hause (19. August). Ich war selig;
in der Schule nicht immer die Aufmerksamste. Walter Sch. hatte einen sehr ehrlichen, treuen und guten Charakter. In Sport hat er viel
geleistet. Zu mir war er immer sehr nett und viel zu nachgiebig. Zu
meiner Schande muß ich gestehen, daß die Zeit kam, wo ich seiner
überdrüssig wurde. Es war nach Weihnachten. Ich hatte immer weniger Zeit für ihn (allerdings sollte ich mich vor meiner Konfirmation noch nicht so öffentlich mit einem Kavalier zeigen), alle möglichen Einwendungen gegen ein Heimbegleiten usw. Da er ja immer
für Ehrlichkeit war und sich nicht erklären konnte, weshalb ich so*

launisch war, erklärte ich ihm eines Morgens klipp und klar, daß
»ich das nötige Interesse nicht mehr für ihn aufbringen könnte«
(lachhaft!?). Das war dann doch zu viel. Äußerst erregt wandte er
sich von mir ab. Aber es muß dem armen Kerl doch sehr nahe gegangen sein, daß ich so undankbar war. Sehr oft war er in meiner
Nähe, aber er schien sich zu einer Ansprache nicht getrauen. Endlich
kam er doch einmal, und wir waren wieder halbwegs versöhnt. Ich
ließ mich zu der Äußerung herab, daß ich vor meiner Konfirmation
nichts mehr »anfangen« wollte. Das war ein halber Trost. Damals
kam es mir noch nicht recht zum Bewußtsein. Jetzt weiß ich es genau: Ich sagte das nur, weil ich nicht recht wußte, ob er an Ostern
noch da wäre und ebenfalls die Tanzstunde besuchte oder ob sein Vater, der Volksschullehrer in Eppelsheim war, versetzt würde. Als er
mir schließlich genau sagte, daß sie versetzt würden, und zwar nach
Viernheim bei Mannheim, da war ich wieder sehr freundlich. Denn
nun war ja bestimmt, daß er nicht in die Tanzstunde kam, denn ich
wollte ja irgendeinen andern zum Tanzherrn. Ich glaube fast, ich
hätte nochmals einen Anlaß zu einem Krach gegeben, wenn er dage-
blieben wäre, um nur ja nicht mit ihm, tanzen lernen zu müssen.
Nach Ostern hat er mir auch einmal geschrieben, dann zu meinem
Geburtstag eine Karte, darauf antwortete ich dann, aber ich war so
frech, nach seinem »Ersatz« für mich zu fragen, wie sie aussähe und
wie sie hieße. Als er einen Tag vor Beginn der Sommerferien nach Alzey kam zu seinem Freund Uli, begegnete ich ihm, und er erklärte
mir, »wenn er unverschämt gewesen wäre, dann sei ich es in meinem
Brief aber auch gewesen«. Daraufhin habe ich für mich gedacht, was
er aussprach »er hat sich sehr verändert«. Er war kühl, reserviert,
muß sich also schwer geärgert haben über meinen Brief. Das kann
ich jetzt verstehen. Auf Fahrt war er dann anfangs sehr kühl, als ich
aber ganz unbefangen war, wurde er auch wärmer; von früher wurde
nichts gesprochen. Da war es denn auch sehr nett. --

Auf Fahrt hatten wir erfahren, daß unser alter Reichspräsident
gestorben war. Am 2. August 1934 hatte einer der größten deutschen
Männer die Augen für immer geschlossen. In einem der Türme des
Tannenberg-Denkmals wurde der greise Feldmarschall zur letzten
Ruhe gebettet. Es war eine große erhebende Feier, die über alle Sen-
der Deutschlands übertragen wurde. --

Am [?] September war in Frankfurt ein großes H.J.-Treffen des
Gebietes West: »Der Tag der 100 000«. Mehr als 100 000 Jungs der
H.J. und des J.V. marschierten an unserem Reichsjugendführer
Baldur von Schirach vorbei. Auch Hermann war dabei. Er war ei-
nige Tage zuvor mit wenigen Alzeyer Pimpfen nach Frankfurt ge-

kommen, ins *Musterlager*. [...] *Der Aufmarsch dauerte etwa
5 Stunden. Es war sehr schön, die vielen Jungen in einheitlicher Uniform marschieren zu sehen. Auch Walter Sch., J.V.-Führer, sah ich,
ebenso die Alzeyer Gefolgschaft.*

*Vom 22. bis 25. September war Winzerfest. Es war sehr nett. Viel
Betrieb und viel Stimmung. Samstag Alzey, Sonntag Weinheim-
Kerb* [Kirmes]*, Montag Alzey, so wurde gefeiert. »Le premier bai-
ser« war das Ergebnis der Weinheimer Kerb. Louis R. war derjenige,
welcher ... Er ist Gymnasiast, genoß in der Schule in dieser Beziehung keinen guten Ruf. [...] Ich war verknallt, da war mir alles
wurscht. Mir gegenüber hat er sich nichts zuschulden kommen lassen. Jedoch muß ich sagen, daß ich dieses 1. Mal den Kopf nicht verlor, überhaupt, was mich erstaunt, sehr kühl und sachlich mich und
ihn beobachtete, berauschend und schön fand ich es nicht. Im Gegenteil, es wurde mir fast lästig. Zu Hause hatte ich Gewissensbisse. Ich
bedaure jetzt noch, daß es so kam. Ich hätte ruhig noch warten sollen,
bis ein »würdigerer« kam.*

Glücklich ist, wer vergißt, was nicht mehr zu ändern ist.

*Überhaupt hat die ganze »Freundschaft« nur genau 4 Wochen ge-
dauert. Ich habe aber doch erkannt, daß Walter Sch. recht hatte, als
er einmal zu mir sagte, daß sicher nicht alle Jungen, mit denen ich
vielleicht verkehren würde, so nett zu mir wären, wie er es war. Die erste Erfahrung habe ich gemacht. Ich werde vorsichtiger sein. Immer
wieder muß ich an W. S. denken, wie nett er doch zu mir war, und ich
wußte das nicht zu würdigen. Es tut mir leid, daß ich das so spät erkannt habe. Ich wollte, ich könnte ihm einmal sagen, in dem Ton wie
früher und doch wieder anders, was ich zu bereuen habe.*

*Ob ich ihn noch einmal sprechen werde? Ich wünsche es, wenn es
nur eine Stunde ist, aber er soll zu mir sein wie früher.*

Aufsatz vom 19. 12. 1934

»Nichtswürdig ist die Nation,
die nicht ihr Alles setzt an ihre Ehre.«
(Die Jungfrau von Orléans I,5)

*Mit Recht spricht Dunois diese Worte, denn was ist ein Volk ohne
Ehre?*

*Es war zu Beginn des 15. Jahrhunderts, als Frankreich in größter
Not war. Die Engländer hatten fast das ganze Land erobert, Frankreich war mehrfach geschlagen, der König selbst verlor den Mut und
war entschlossen, die Loire zu überschreiten und sein wehrloses Volk*

47

jenseits der Loire den Feinden feige zu überlassen. Da kam in der höchsten Not ein einfaches Hirtenmädchen, das, als es an die Spitze des Heeres trat, das Kriegsglück wunderbar wendete und Frankreichs Ehre rettete.

Auch in der deutschen Geschichte findet Schillers Wort Anwendung. Hatten nicht große Männer das Volk unzählige Male vor der furchtbaren Herrschaft des Korsen gewarnt, die sie voraussahen. Ungehört verklang ihr Warnungsruf --- bis das Unglück in Gestalt Napoleons hereinbrach. Da hörte das Volk den Ruf seiner Tapfersten und Besten – und folgte ihm. Da konnte ein Mann wie Körner jubelnd sagen:» Das Volk steht auf, der Sturm bricht los --« Ja, das ganze Volk griff zu den Waffen. Voll glühender Begeisterung traten die Freiheitshelden für ihr Vaterland ein, und sie siegten. Sie mußten ja siegen, um sich frei zu machen von dem Joch der Fremdherrschaft und um ihre Ehre zu erhalten.

Ähnlich wie in den Freiheitskriegen war es auch in unserer Zeit. Von der gewaltigen Übermacht des Feindes geschlagen, stand das Volk nach dem Weltkrieg ohnmächtig da; das Schlimmste aber war: das Volk hatte seine Ehre verloren durch den Schandvertrag von Versailles. Auch da kam Hilfe in größter Bedrängnis. Ein Mann, ein Führer, sammelte getreue Männer unter seine Fahnen und Standarten, seine Begeisterung und sein Wille zum Aufbau erfaßten das ganze Volk. Er bewies, daß das deutsche Volk seine Ehre wiedergewonnen hatte. Schwer hatte es kämpfen müssen, aber es wurde offenbar, daß die Opfer der Zweimillionen und der Vierhundert nicht umsonst gewesen waren.

» Und ihr habt doch gesiegt.«

Note: Sehr gut.
Verbesserung: Auch in der deutschen Geschichte finden wir Beispiele für Schillers Wort.

Die Emotionen, die bei diesem Thema in der Alzeyer Untersekundanerin mitschwangen, speisten sich aus verletzenden, das Selbstwertgefühl beschädigenden Erfahrungen, die die Menschen links des Rheins mit ihrem siegreichen Nachbarn gemacht hatten. Erst 1930, nach fast 12jähriger Besatzungszeit, hatten die französischen Truppen meine Heimat, wie es der Versailler Vertrag vorsah, wieder verlassen; die Erinnerungen an die weißen und farbigen Soldaten war noch nicht alt. Und in wenigen Wochen würde, dem Vertrag gemäß, das Volk an der Saar mit dem Stimmzettel selbst über sein weiteres Schicksal entscheiden. Der Aufsatz war eine verdeckte Einstimmung in die Kampagne vor dem Saarvotum. »Der Franzose«, der nach dem 1. Weltkrieg so erbarmungslos die Vergeltung und Ausbeutung der Besiegten anstrebte, galt mir, seitdem ich denken konnte, als der »Erbfeind« – nicht erst seit gestern. Unvergessen waren die Freiheitskämpfe und das Wort Ernst Moritz Arndts: »Der Rhein – Deutschlands Strom, nicht Deutschlands Grenze!«

Das Feindbild blieb erhalten und wurde – der Aufsatz zeigt es – erfolgreich neu belebt. Dagegen war die »Franzosenzeit« unserer Heimat unmittelbar nach der Französischen Revolution dem historischen Gedächtnis der Durchschnittsmenschen verlorengegangen. Und wer wüßte noch von ihren bemerkenswerten Nachwirkungen? Die Annexion hatte zwar zur Folge gehabt, daß ein bedeutender Gebietsmittelpunkt sich zu einer ziemlich unbedeutenden französischen Kantonstadt wandelte – Alzey, im Hochmittelalter die »Geburtsstätte« der Kurpfalz, mit seiner Burg auch ihre erste Residenz, war jahrhundertelang als Oberamtsstadt ein wichtiges Zentrum der Verwaltung, auch mit eigener Gerichtsbarkeit gewesen. Als der Freiheitsbaum gepflanzt und der Landstrich ein Departement der neuen französischen Republik wurde, brachen zugleich neue Zeiten in Verwaltung, Wirtschaft und Rechtswesen an. Und die neue Idee, die den emanzipierten, liberalen Bürger schuf, der Menschenrechte respektiert, veränderte auch die Rechtsstellung der Juden im linksrheinischen Gebiet: Sie bescherte ihnen ein neues Stück Gleichberechtigung. Dies blieb ihnen, dank der engagierten rheinhessischen Liberalen, bei der Eingliederung Rheinhessens in das Großherzogtum Hessen-Darmstadt (1816) erhalten; die neue hessische Verfassung gewährte ihnen Bürgerrechte, die sie den Juden rechts des Rheins noch versagte. – 1846 gehörte die Stadt Alzey neben Bingen zu den ersten deutschen Gemeinden, in denen ein jüdischer Bürger in den Stadtrat gelangte – ein weiterer Schritt zur frühen Gleichstellung von Juden in meiner Heimat.

Erst heute entdecke ich die Alzeyer Geschichte für mich – statt Bedeutungslosigkeit Leben und Bewegung und ein freiheitlicher Geist, der dem »Erbfeind« zu verdanken war. Nach über einem halben Jahrhundert wachsender Entfremdung identifiziere ich mich nun, im Alter, auf neue Art mit meiner kleinen Heimatstadt, ein unerwartetes Nebenprodukt meiner Beschäftigung mit der Vergangenheit.

[30. XII. 34]

1934 hatte einen unvergleichlich schönen Sommer. Mutti sagte, er wäre noch heißer und vor allem trockener gewesen als der 1911. Geregnet hat es wirklich fast nicht. Auch der Herbst war warm und lang. Winter ist es bis jetzt noch nicht gewesen (Neujahr!) […]

Auch künstlerische Genüsse habe ich in unserem Städtchen gehabt.

So sah ich zum 2. Mal die Münchner Tänzerin Senta Maria, ebenfalls zum 2. Mal hörte ich das Wendlingquartett, diesmal spielte ein Meister der Klarinette als Gast mit. Im Theater sah ich: »Turandot«, »Wenn der Hahn kräht«, »Der 18. Oktober«.

Der jugendliche Held, Hans Heinicke, spielte jedesmal sehr gut, am besten als preußischer Offizier in »Der 18. Oktober«. Er lebt seine Rolle und ist mit Begeisterung dabei, was man nicht von allen behaupten kann.

Weihnachten ist vorübergegangen, reich wurde ich auch in diesem Jahr beschenkt; ein großer Tornister und das herrliche Buch: »Ein Kampf um Rom« haben mir viel Freude gemacht.

Am 26. Dezember 1909 ist meine Großmutter, Elisabeth Walb, geb. Mann, »'s Manne Scheenes«, wie sie in Alzey bekannt war, gestorben. 25 Jahre ist sie nun tot. Ist es nicht seltsam, daß ich gerade am 29., dem Tag, da ihr Begräbnistag sich zum 25. Mal jährt, das schöne große Bild, das sie und Großpapa darstellt, von Tante Gustel holte, um es für das Familienalbum retuschieren zu lassen. Von Tante Gustel erfuhr ich erst, daß es ihr Begräbnistag war. Ist das nicht ein sonderbarer Zufall gewesen? Wie Papa und Tante Else immer erzählen, soll meine liebe Großmama sehr lieb und gut gewesen sein. Immer wenn ich daran denke, tut es mir leid, daß sie nicht noch lebt. Ich kann mir nicht vorstellen, wie es ist, wenn man zwei Großmütter hat. Ich glaube, ich hätte sie sehr lieb gehabt. Ich wünsche nur, ich hätte ein Bild von ihr, ein ganz, ganz kleiner Ersatz dafür, daß ich sie nie gekannt habe.

Warum habe ich sie nie gekannt, und warum mußte sie denn so früh sterben?

Großmutter Elisabeth Walb muß eine lebenslustige Frau gewesen sein – sie starb 58jährig an der Schwindsucht –, im Gegensatz zu ihrem stillen Mann, dem Kupferschmied, dem sie zehn Kinder gebar, sechs davon zog sie groß. An Fastnacht vermochte sie es, Familie Familie sein zu lassen und ohne ihren Georg Hermann auf Bälle und Feste zu gehen. Der Apfel fiel nicht weit vom Stamm: Ihr Jüngster, mein Vater, war wie sie ein »Fastnachtsnarr«, und von ihr – »sie verschenkte noch ihr letztes Hemd« – hatte er auch seine liebenswertesten Eigenschaften geerbt. Es wäre undenkbar gewesen, ihr, wie der lebenden Großmutter Josephine Seitz, nur ein einziges Mal im Jahr, an Weihnachten, einen Kuß zu geben. Und sie hätte gewiß nicht mißbilligend zu ihrer Enkelin gesagt, »Mädchen, die pfeifen, und Hühner, die krähen, denen soll man auf der Stelle den Hals herumdrehen«.

Das Jahr 1934 war das an Erlebnissen am reichsten in meinem jungen Leben. Die Konfirmation, das inhaltsreichste Erlebnis. Dann die Tanzstunde, unsere herrliche Fahrt, der wundervolle Sommer und noch vieles andere. Ob das Jahr 1935 auch so viel Schönes bringen wird?

1935

17. I. 35

Im Mittelpunkt des Januar steht die Saar-Abstimmung. Monate vorher schon versuchten die Franzosen, das Saarvolk, das sich mit immer größer werdender Begeisterung in die »Deutsche Front« einreihte, für Frankreich oder wenigstens für den »Status quo« umzustimmen. Entlassungen über Entlassungen, alle möglichen Schikanen wurden im Rundfunk gemeldet. Ferienkinder von der Saar kamen nach Deutschland, sie sollten die Verhältnisse im Reich kennenlernen. Auch in Alzey waren welche. Es hat ihnen gut gefallen. Arbeiter, Kriegsverletzte vom Saargebiet kamen für einige Zeit ins Reich, bedauernd fuhren sie zurück, um noch die letzten Tage des Leides unter der Fremdherrschaft durchzumachen. Am 13. Januar haben sie ihr Schicksal bestimmt. Saardeutsche aus aller Welt waren gekommen, um sich zu ihrem deutschen Vaterland zu bekennen. Aus Amerika kamen viele, einer sogar aus Bombay, eine Frau scheute die große Reise nicht und reiste 16 Tage lang ununterbrochen. Sie kam von Schanghai, hatte dort das Schiff nicht mehr bekommen, wurde mit dem Flugzeug zum Sibirienexpress gebracht, durch Schneewehen verlor sie zwei Tage, kam am 13. Januar morgens, 8 Uhr, in Berlin an und flog sofort mit einem Flugzeug, das ihr dort von Reichsminister Göring zur Verfügung gestellt wurde und für das man am Tag zuvor Landungserlaubnis im Saargebiet eingeholt hatte, nach Saarbrücken. War das nicht eine Leistung? Ergreifende Szenen spielten sich bei der Wahl ab: Ein 92jähriger lief mehr als 10 Kilometer, um zu dem Wahlort zu gelangen. Sehr Kranke ließen sich auf Tragbahren zur Wahlurne tragen. Eine Frau wählte und erlitt nach der Stimmabgabe vor Aufregung einen Herzschlag und war sofort tot. Eine andere wurde schwer krank hingetragen, sie erlitt auf dem Weg einen Herzschlag. Ein altes Mütterchen ließ bei der Stimmabgabe vor Erregung den Stimmzettel fallen, der Stimmzettel wurde ungültig erklärt. Weinend erklärte sie, ihre beiden Söhne seien im Feld ge-

fallen und der Stimmzettel sei die Stimmen ihrer Söhne. -- Ohne
Gruß mußte der Abstimmungsberechtigte in das Wahllokal kom-
men, er durfte nichts äußern, vor allem nichts für Deutschland, durfte
den Zettel nur innerhalb der Zelle in den Umschlag stecken, mußte
ohne (vor allem den deutschen) Gruß das Lokal verlassen.

Am 15. Januar vormittags, 8 Uhr, 14 Min., wurde das Ergebnis
der Abstimmung bekanntgegeben. 90,5 % hatten sich zu Deutsch-
land bekannt. Ein überwältigender Sieg! Gauleiter Bürkel teilte dem
Führer dann das Ergebnis mit. Darauf antwortete der Führer und
dankte dem Saarvolk für seine Treue. Reichsminister Dr. Goebbels
teilte danach verschiedenes mit: Im ganzen Reich sollte geflaggt wer-
den, alle Schulen und Hochschulen hatten an diesem Tag frei. Am
Abend sollte die Freude über das heimgekehrte Saarvolk durch
Kundgebungen, Fackel- oder Demonstrationszüge zum Ausdruck
gebracht werden.

-- Auch hier war am Abend ein Fackelzug und eine Treuekund-
gebung.

Am nächsten Morgen, 1/2 7 Uhr, kam die Blutfahne von der
Saar, die durch Stafetten zum Führer gebracht wird, durch Alzey, wo
sie einem Mann vom Arbeitsdienst übergeben wurde, der sie nach
Wörrstadt brachte. --

Am 14. Januar jährte sich der Tag zum 6. Mal, an dem Horst
Wessel in Berlin von Kommunisten überfallen wurde.

Der Bericht über die Saarabstimmung spiegelt die aufgeregte Anteilnahme der jungen Tagebuchschreiberin ebenso wider wie die Propa-
gandamethoden, die sie hervorriefen. Bei den organisierten Bekundungen der *Freude über das heimgekehrte Saarvolk* kamen alle
effektvollen Requisiten nationalsozialistischer Inszenierungskunst
zum Einsatz, die roten Hakenkreuzfahnen, die brennenden Fackeln,
die »*Blutfahne*«. Angeblich gefärbt vom Blut der »Gefallenen der Bewegung«, die bei Hitlers mißlungenem Putschversuch am 9. November 1923 vor der Feldherrnhalle erschossen worden waren, wurde sie
zum Kultgegenstand. Standarten der SS und Parteifahnen wurden
durch Berührung mit ihr geweiht. Alle Requisiten sind, wie ihre Aufzählung erkennen läßt, für das Gefühl der Schreiberin bedeutsam.

12. V. 35
Ich greife noch einmal zurück in das Jahr 1934. Am 6. Dezember
war ein großer bunter Abend der N.S. Frauenschaft. Da Mutti mit
für solche Sachen in der Frauenschaft zuständig war, hatte sie die
Leitung dieses Abends in der Hand. Ich will nur kurz das Haupt-

sächliche herausgreifen. Der Abend gliederte sich in zwei Teile: 1. ernster, 2. heiterer Teil. Mutti trug im 1. Teil ganz hervorragend ein dramatisches Gedicht: »Zwei Frauen« vor. Ich als Einlage sofort nach ihr den »Erlkönig«. Ich weiß genau, daß ich so gut noch nicht – und bis jetzt auch nicht mehr wieder – vorgetragen habe. Es war wirklich eine Glanzleistung. Mutti und ich trugen unsere schwarzen Kleider, die ziemlich ähnlich sind, das wirkte mit.

Wer den ganzen Abend »schmiß«, war Papa. Er trat im 2. Teil auf als Ansager und Humorist. Ich kann nur sagen: Wir lachten und lachten. Er trug ein sehr gutes Couplet vor, in dem auch Mutti wohl oder übel drannmußte: »Ich habe zuviel Angst vor meiner Frau«. Als Beigabe: »Mir ham'se als geheilt entlassen«. Ziemlich am Schluß kam dem Programm zufolge: »Ein Duett: Hermann Walb und???«. Es waren Vater und Sohn in sehr netten Tiroleranzügen, einer wie der andere (sogar die Nasen waren dieselben!), die gleichen Gesten, das gleiche Mienenspiel … Man kann nur sagen, sie hatten gefallen.

Mit Stolz kann ich sagen, ohne unsere Familie wäre der Abend das nicht geworden, was er wurde. Zum erstenmal, seit der Saalbau besteht, mußte polizeilich geschlossen werden; und zwar schon 40 Minuten vor Beginn. Als Papa kam, war schon geschlossen, und zuerst wollte der Polizist ihn sogar nicht hereinlassen. Noch zu erwähnen wären die schönen Lieder von Muttis Singgruppe, die zum Teil mit lebenden Bildern dargestellt wurden, ebenso ein netter Rokokotanz mit Gesang: »Meissner Porzellan«.

Unbegreiflicherweise vergaß ich diesen »Triumph der Familie Walb« einzutragen.

Ambivalenz: Der *Triumph der Familie Walb* – beeinträchtigt durch Gänsefüßchen. Einerseits stolz auf den Erfolg, genierte ich mich andererseits deshalb vor mir selbst und ging auf ironische Distanz. Alle vier waren wir »Gefolgsleute« Hitlers, Mitglied bei NSDAP, NSF, BdM oder HJ; doch nicht nur darum stellten wir uns zur Verfügung, wir hatten auch allesamt Lust an der Selbstdarstellung, jeder, jede auf die eigene Art – öffentliches Auftreten hat, wenn es gelingt, ein Echo, verschafft Aufmerksamkeit, Anerkennung.

Diesen Bericht kann ich heute nur mit großem Unbehagen lesen – wegen der Auftritte meines Vaters. Bei den Couplets ging das Lachen auf Kosten anderer, der Frauen, der Außenseiter. *Mir ham'se als geheilt entlassen* mußte in Alzey Assoziationen auslösen. Psychiatriepatienten gehören dort bis heute zum Alltag. Etwas außerhalb der Stadt liegt die Landesnervenklinik, damals »Irrenanstalt«, im Volksmund »die Hoppla«. Schon die Bezeichnung reizt zum Lachen. Oft sah man Patienten auf der Straße, gemeinsam zu Besorgungen unterwegs. Sie waren als Kranke oder geistig Behinderte erkennbar. Das Publikum des bunten Abends konnte sich also konkrete Menschen vorstellen – »die und geheilt, denkste!«

Ich bin sicher, mein Vater dachte sich nichts dabei, und eben das ist der Punkt, die gedankenlose Abwertung derer, die »anders« sind. Ihre Krankheit war nicht Objekt unserer Anteilnahme, sondern der Unterhaltung, ihr Schicksal, sie selbst wurden nicht ernst genommen. Wer nicht ernst genommen wird, ist nicht wichtig. Vom Unwichtigen zum Wertlosen ist kein großer Schritt. Wertloses ist Ballast, wirft man weg. Die Beseitigung »unwerten Lebens« war denn auch die furchtbare Konsequenz dieser Denkungsart. Ihre Anfänge liegen oft dort, wo wir uns über andere lustig machen.

12. Mai 1935

Im Januar machte ich einen 8tägigen Luftschutzkursus mit, der sehr nett war. Jetzt sind daran anschließend etwa alle 4 Wochen Kameradschaftsabende, in denen in einer halben Stunde alles Wichtige besprochen wird, dann ist geselliges Beisammensein und Tanz. [...]

Am 1. März wurde das Saargebiet endgültig wieder in Deutschland eingegliedert. Am 16. März verkündete Dr. Goebbels die Wiedereinführung der allgemeinen Wehrpflicht. [...]

Anfang April war Schulschlußfeier und Ende der Alzeyer Schulzeit. Ich spielte bei dem Theaterstückchen [unleserlich] auch mit, die Rolle einer bösen Königstochter und der Quelle. Beides mit gutem Erfolg. – Einige Tage danach war unsere Klasse mit Herrn Direktor Backhaus in Frankfurt a. M. Wir besichtigten die Altstadt, Dom und Paulskirche, Städel, Senckenbergianum, Palmengarten und Zoo, Goethehaus und -museum. Wir blieben 2 Tage und schliefen in der Jugendherberge. Am ersten Abend besuchten wir die Oper. »Toska« wurde gegeben. Einfach wundervoll. – – In Kameradschaft zeichnete sich unsre Klasse, wie gewöhnlich, auch diesmal nicht aus. Die Erinnerung hieran ist nicht sehr schön – was wir aber in Frankfurt alles sahen, war herrlich. – – –

In letzter Zeit habe ich mehrere Spitzenfilme dieses Jahres gesehen. Hervorzuheben ist der 2. Reichsparteitagsfilm: »Triumph des Willens« [Regie: Leni Riefenstahl]. Künstlerisch und interessant.

An einem Sonntag, am 17. März, habe ich Walter Sch. zufällig in Alzey getroffen. Ich habe ihm gesagt, was ich auf dem Herzen [hatte]. Ich mußte feststellen, daß er sich verändert hat. Er hat sehr viele Mädels inzwischen kennengelernt und vieles mitgemacht. Ich glaube, er ist von seinen Siegen den Mädchen gegenüber sehr über-

zeugt und davon eingenommen. Wir sprachen von Kameradschaft, er
sagte, es müsse auch zwischen besten Kameraden einmal zu Zärt-
lichkeiten kommen; ich widersprach. Dann sei es keine Kamerad-
schaft, und überhaupt seien Zärtlichkeiten nicht mein Geschmack
(mehr). Er prophezeite mir Änderung in dieser Ansicht. Sie ist ein-
getreten. Ich bin Zärtlichkeiten nicht mehr abgeneigt, jedoch nicht bei
jeder Person. In bezug auf Kameradschaft denke ich noch wie früher.
– Das war mein Zusammentreffen mit Walter Sch. Mit meiner »er-
sten Liebe« bin ich jetzt ganz fertig. Sie ist nur noch Erinnerung, der
Wunsch nach einer Begegnung ist nicht mehr damit verbunden. […]

In dieser Passage einer fast 16jährigen, die ein Teenager von heute
nur komisch finden wird, werden viele Frauen meiner Generation
sich, ihre Ängste und Nöte in diesem Alter wiedererkennen. Keine
Frage, kameradschaftliches Verhalten gehört zu den positiven Cha-
raktereigenschaften. Der Nationalsozialismus überhöhte diesen
Wert. In der Mann-Frau-Beziehung ersetzte Kameradschaft die Sexualität und die eigenen Ängste davor.

Die Angst vor der Sexualität wurde in meiner Jugend noch verstärkt durch den Mangel an Wissen. In der Schule war Sexualkunde
verboten, und nicht nur ich entzog mich dem mütterlichen Aufklä-
rungsversuch, indem ich mit hochrotem Kopf türenschlagend aus
dem Zimmer stürmte. Daß hinter dieser Abwehr und Prüderie der
Wunsch stand, mich selbst und die Mutter, die auch unsicher war
und Angst hatte, zu schonen, begriff ich erst viel später.

Hausaufsatz vom Sommerhalbjahr 1935:

Bedeutung und Aufgabe der Kunst
Nach der Kulturrede des Führers
auf dem Reichsparteitag 1935

Plan:
A. Nationalsozialismus und Kunst.
B. Bedeutung der Kunst.
   I. Einwände
   II. Kunst – untrennbar vom Volksleben.
     a) Kunst befindet sich in dauernder Entwicklung.
     b) Kunst – Volkserzieher.
     c) Stellung des Volkes zur Kunst.
   III. Kulturschöpfungen – Gemeinschaftserleben.

C. Aufgabe der Kunst.
   I. Kunst – Ausdruck der Volksseele.
   II. Kunst – Kraftquell des Volkes.
     a) Seelisch.
     b) Wirtschaftlich.
   III. Was ist nicht Aufgabe der Kunst.
   IV. Strenge und Härte gegen »Künstler«,
     die ein Zerrbild des Lebens darstellen.
   V. Der wahre Künstler und seine Aufgabe.
   VI. Baukunst: Form und Zweck.
D. Kunstschöpfungen sind Dokumente der Kultur eines Volkes.

Im Wechsel der Jahre hat das Schicksal das deutsche Volk zwischen größtem Heldentum und tiefster Verzweiflung hin- und hergeworfen, bis aus ihm selbst heraus ein Führer erstand, der ihm seine Ehre und seine Freiheit wiedergab und es sich wieder auf sich selbst und auf seine Aufgaben besann. Dazu gehört: auf künstlerischem wie auf kulturellem Gebiet überhaupt, wieder das gleiche an Unsterblichem zu schaffen, wie unsere Vorfahren es schon vor uns taten, und damit eine Epoche abzuschließen, in der man von wahrer Kunst und echten Künstlern nichts mehr wußte. […]

Alle großen Kulturschöpfungen sind aus dem Gemeinschaftsleben heraus entstanden und dadurch Ausdruck der Gemeinschaftsseele und -ideale. Indem die Kunst das Lebensniveau aller steigerte, hat sie das Selbstbewußtsein und die Leistungsfähigkeit des einzelnen erhöht. Aber nur dann ist sie dazu fähig, wenn sie allein das Schöne, Reine, Gesunde und Erhabene zum Ziel ihrer Schöpfungen setzt.

Die deutsche Kunst hat die Aufgabe, dem »wesensreinen Staat sein kulturelles Gesicht« zu geben. […]

Niemals ist es ihre Aufgabe, das Häßliche, Unnatürliche und Ungesunde darzustellen, um damit der Wirklichkeit zu dienen. Nie kann man ein Volk zu höherer Kultur führen, wenn man ihm nicht das Reinste und Erhabenste zum Vorbild gibt. Man kann deshalb solchen »Künstlern«, die sich berufen fühlen, das Minderwertige im Leben darzustellen, nicht gestatten, auf diese Art die Seele eines Volkes zu vernichten.

Es ist selbstverständlich, daß ein wahrer Künstler vor allem die Gabe hat, Künstlerisches zu leisten, und befähigt ist, eine Aufgabe richtig zu lösen.

Heute ist es besonders wichtig, daß auf dem Gebiete der Baukunst Großes vollbracht wird.

Es muß die Form gefunden werden, in der der Geist unserer Zeit und die Seele des Volkes klar erfaßt sind, ohne die Kunst früherer Epochen zur sinnlosen Nachahmung zu mißbrauchen.

Die Aufgabe des Künstlers ist es, Form und Zweck eines Bauwerkes so in Einklang zu bringen, daß äußerlich schon der Zweck klar zu erkennen ist.

Sein höchstes Ziel muß es sein, die Aufgabe, die in der Zeit gegeben ist, so zu erfassen und zu gestalten, daß es in der Verwirklichung zeitlos, das bedeutet ewig, ist.

Gerade die Dokumente des Gemeinschaftslebens müssen die Größe unserer Zeit bekunden. »Es gab Jahrhunderte, in denen die Werke der Kunst der seelischen Größe der Menschen entsprachen. Sie zwingen uns über die Bewunderung des Werkes hinweg zur Ehrfurcht vor den Geschlechtern, die der Planung und Verwirklichung so großer Gedanken fähig waren.«

Wir sind die Erben dieses Vermächtnisses. Unsere Pflicht und Aufgabe ist es, zu beweisen, daß das deutsche Volk in seinem Wesen deutsch ist und bleiben wird, seine Werke werden kommenden Geschlechtern von seiner Größe Kunde geben. Das deutsche Volk wird solange als achtunggebietendes Vorbild dastehen, solange seine Kunst, einzig in ihrer Größe und Vollkommenheit, die Menschheit zu höchstem und edelstem Wesen erzieht.

Note: 2

In der Abschrift ist ausdrücklich vermerkt, daß der Klassenlehrer an den Rand des letzten Absatzes zweimal »gut« geschrieben hatte.

Oh, wie sie wabert, die Volksseele! Und ich, als Teil von ihr, wabere mit.

An der Schularbeit zeigt sich, wie ich, gerade 16 Jahre alt, Hitlers krude Kunstidee ohne Wenn und Aber übernahm, erfolgreich eingewickelt, wie ein »gefatschter« Säugling, der die verschnürten Arme und Beine nicht mehr rühren kann, eins von vielen Beispielen für den Mißbrauch von Schülerinnen und Schülern, die sich eigene Gedanken nicht machen und nicht äußern durften. Der Kunstaufsatz stellte ihnen die Frage: Bist du bereit, dich einzuordnen, dich gleichzuschalten, nachzubeten, was Hitler sagt? Abweichungen wurden durch schlechte Zensuren geahndet. Die Note Eins wäre der Schülerin Lore wohl nur dann gegeben worden, wenn sie eigenständige Gedanken im Rahmen der vorgegebenen Richtung geäußert hätte. Auch die Lehrer gehörten ja zu der großen Masse, die Hitler wählten. Auch sie waren Handlanger Hitlers, der die Kunst pervertierte. Nie konnte er die Kränkung verwinden, mit seinen Ambitionen gescheitert, zum Kunststudium in Wien nicht zugelassen worden zu sein. Als gute Kunst galt ihm nur diejenige, die das Volk verherrlichte und den Menschen von seiner »besten« Seite zeigte, ohne seinen Schatten.

Unüberhörbar kündigte sich in diesem Aufsatz über Hitlers Rede an, was die Abweichler unter den Künstlern erwartete und wie die »Volksseele« auf sie reagieren würde.

6. Februar 1936
Da ich in der Zwischenzeit wieder mal sehr faul war und nichts eingetragen habe, will ich jetzt ganz summarisch nachtragen und nur das Hauptsächlichste herausgreifen. [...]

Am 28. August 1935 war nach dem Sprüchlein: »14 Jahr und 7 Wochen ist der Backfisch ausgekrochen, 16 Jahr und 14 Wochen ist er wieder eingekrochen« meine Backfischzeit zu Ende. Auf diese Tage hatte ich mich lang vorbereitet und war voll freudiger Erwartung. Unbedingt sollte der Tag gefeiert werden.

Da lud mich Tante Else zum Kaffee mit saftigem Zwetschgenkuchen ein (Pfarrer Metzler war auch da). Ich bin also doch zu Kaffee und Kuchen gekommen. – Leider war nach diesem denkwürdigen Tag keine Veränderung, die auf die angehende junge Dame hinwies, bei mir zu merken!

Am 1. September war Papas 50. Geburtstag. Leider konnte ich nicht mal zum Kaffee dabeisein, weil wir B.d.M.-Sportfest hatten. [...]

Günther war November in den Arbeitsdienst gekommen. Er kam zu Weihnachten nach Haus, am 22. abends, an diesem Tag war ich bei Tante Else. In einem langen, sehr schönen Gespräch habe ich mich mit Günther über die Streitfragen, die jetzt die Jugend bewegen, unterhalten. Unsere Meinungen sind grundverschieden. Wir unterhielten uns über Rasse, Glauben, Karl den Großen, Blut, Vererbung usw. Was mir an ihm so gut gefällt, ist sein Idealismus, den er sich trotz seiner schlechten Erfahrungen in seinem Beruf bewahrt hat. Er will Führer im Arbeitsdienst werden. Wenn er so bleibt, glaube ich, wird er ein sehr guter Führer. Denn er ist Kamerad.

Ach, wüßte ich doch noch, welche Positionen wir in diesem Gespräch vertraten, der 19jährige Vetter und ich! Sein Idealismus gefiel mir – ein Idealist war ein Mensch, der an das Gute glaubte, und auch darin fühlte ich mich ihm verwandt. Über *die Streitfragen, die jetzt die Jugend bewegen,* konnten wir diskutieren, uns einander annähern, auch wenn wir verschiedene Meinungen hatten; es entstand kein Gleichklang, aber auch kein Streit. Es war die Kameradschaft, die Nähe und Vertrauen zwischen uns schuf.

Weihnachten 1935: Wir hatten ein schönes Weihnachtsfest und sind noch nie so reich beschenkt worden. Unser Weihnachtsbaum, der sonst ganz weiß war, ist zum ersten Mal anders geschmückt gewesen. Grüne Edeltanne, viel Lametta, kleine rotweiße Pilze und rote Beeren und rote Kerzen. [...]

Silvester habe ich zum ersten Mal nicht bei Tante Else gefeiert, sondern bei Ks. [Familie einer Schulfreundin]. [...]

Mehr wie »ganz nett« kann ich nicht über die Feier sagen.

Es tut mir nur leid, daß ich an diesem letzten Abend des Jahres nicht in der Kirche war wie sonst.

Dieses Jahr war auch wieder reich an Erlebnissen. Die waren aber oft weniger erfreulich als die im vorigen Jahr. Der Abschied von der alten Schule war doch nicht so ganz leicht. Und dann das Umgewöhnen in der neuen Schule in Mainz, besonders in der Frauenschulklasse. Welch ein Kampf war es doch, als ich schon in der ersten Woche erkannte, daß die Frauenschule nicht das richtige war, daß es mich doch so sehr nach dem Wissenschaftlichen hinzog. Ich fühlte mich in der Schule so schrecklich unglücklich, und jeden Tag habe ich zu Hause geweint, und Mutti hat sich viel Sorgen gemacht. Und dann, sofort nach den Pfingstferien, kam dann der Wechsel in die W-Klasse, in der auch Hilde war, die mir so sehr gefehlt hatte. Diese Umgewöhnung war nicht leicht. Aber nach einiger Zeit war es doch geschafft, und jetzt weiß ich, wie gut es doch für mich ist, daß ich mein Wissen noch dauernd erweitern kann. Ich bin sehr, sehr dankbar, daß ich diese Klasse besuchen darf, ich habe das deutliche Gefühl, daß mein Gesichtskreis sich dauernd erweitert und als ob ich in diesem 3/4 Schuljahr viel mehr gelernt hätte als je sonst. Ich glaube, das kommt auch in meinen Aufsätzen, die immer reifer und besser werden, zum Ausdruck. Hierin kann ich mich jetzt neben Hilde gut behaupten, und wir zählen jetzt schon im Aufsatzschreiben zu den drei Klassenbesten (mit Hilde F.). Wir haben auch sehr gute Lehrer, vor allem unser Klassenführer und Deutschlehrer, wenn auch manchmal Sonderling, ist doch ein glänzender Lehrer und kennt nach kurzer Zeit seine Schülerinnen so genau, daß ich ganz erstaunt bin. − −

Erläuterungen zum Thema Schule sind angezeigt: Im Hause Walb herrschte gegen Ende meiner Schulzeit im sechsklassigen Alzeyer Lyzeum Ratlosigkeit. Was soll sie nur werden, die Lore? Das Abitur, gar ein Studium, zogen meine Eltern nicht in Betracht für mich, obwohl es in der Familie Akademiker gab. Und ich selbst?

Merkwürdiger Widerspruch: Einerseits war ich erfüllt von einem unbändigen Bedürfnis, zu lernen, Wissen aufzunehmen, bei einer Berufsberatungsstunde in meiner Klasse jedoch hatte ich die Frage nach meinen Berufswünschen zur Erheiterung aller ohne Umschweife mit »Hausfrau und fünf Kinder« beantwortet.

Dieses Lebensziel stimmte genau mit der Ideologie des Nationalsozialismus überein; dem »Wesen der Frau« und »wahrer Weiblichkeit« entsprach es, »Frau und Mutter« zu werden und den Beruf, zumal den qualifizierten, und die gehobenen Positionen dem Mann zu überlassen. Schul- und hochschulpolitische Maßnahmen lenkten die Frauen in die geplante Richtung, weg von der wissenschaftlichen Ausbildung. 1934 wurde die »Frauenoberschule« eingeführt. Sie veränderte die Lernziele, setzte mit Hauswirtschaft und »körperlicher Ertüchtigung« neue Schwerpunkte. Anders als das wissenschaftliche berechtigte das »Puddingabitur« nicht zum Hochschulstudium. (Die Einschränkung wurde 1939 stufenweise aufgehoben, als sich ein Mangel an Akademikern abzuzeichnen begann, eine Folge auch des reduzierten Frauenstudiums.)

An der Mainzer Mädchenoberschule existierten beide Schultypen nebeneinander. Die Schwester meiner Mutter, Tante Gertrud, unterrichtete dort Handarbeit und Sport. Ihrem Einfluß und auch der Tatsache, daß meine Schulfreundin Hilde dort Abitur machen sollte, ich also auf der täglichen Bahnfahrt Begleitung hätte, verdankte ich es, daß ich wenigstens die »Frauenschule« besuchen durfte.

Die Entscheidung für die Mainzer Schule bedeutete ein großes finanzielles Opfer für meine Eltern; Schul- und Fahrgeld aufzubringen fiel ihnen schwer. Angesichts meiner Interessen und Lernlust war das Fiasko an der hauswirtschaftlichen Schule, die tägliche Heulszene vorprogrammiert. »Den ganzen Morgen Kochen, als könnte ich das nicht bei dir lernen, und die Parallelklasse hatte Französisch, Deutsch, Chemie!« oder »Gartenarbeit! Und Hilde in der W-Klasse lernt Latein und Englisch und Biologie ...!« Entnervt und zugleich verständnisvoll erlaubten meine Eltern den Wechsel in die wissenschaftliche Klasse. Ohne es zu ahnen, stellten sie damit die wichtigste Weiche für mein Leben.

Aufsatz vom 15. 11. 1935

Luftschutz,
eine deutsche Schicksalsfrage

August 1914...
Es brennt!!!...

Im Herzen Europas hat es begonnen, das Feuer. Mit rasender Schnelligkeit breitet es sich aus, die Flammen züngeln, was sie erfassen können, fällt ihrer Gier zum Opfer.

> *»Sturm, Sturm, Sturm!*
> *Läuten die Glocken von Turm zu Turm!«*
> *Eine glühende Lohe schlägt zum Himmel:*
> *die ganze Welt steht in Flammen!*

Und mitten in diesem Brand steht der deutsche Adler, stark und stolz. Seine Krallen sind scharf und gefährlich, seine riesigen, dunklen Schwingen könnten das Feuer wohl zerschlagen ...?

Und er kämpft gegen die Flammen, hart und verbissen. Fast hätte er das Feuer erstickt, aber ein frischer Luftzug entfacht es von neuem. – Und weiter kämpft der mutige Vogel, aber seine Federn sind versengt, seine Schwingen sind halb zerfetzt und verbrannt, und seine Kraft geht zu Ende.

November 1918...

Das Feuer verschwelt, und auf der trostlosen Brandstätte liegt der Adler, kampfesmüde und todwund – und doch der wahre Sieger. Aber seine Schwingen sind lahm, und er blutet aus vielen Wunden. Wird er wieder fliegen – wie einst?

> *Im Buch der Geschichte wurden neue Blätter*
> *beschrieben, nichts als Namen stehen darauf.*
> *Sie sind mit dem Blut von zwei Millionen ge-*
> *schrieben, unauslöschlich und unvergänglich.*

> *Langemarck – Tannenberg –*
> *Verdun – Arras – Skagerrak –*

Langsam heilen die Wunden des Adlers, neue Federn wachsen ihm, und langsam bewegt er wieder die Schwingen. Ein großer Arzt hat ihn gerettet.

Und eines Tages, ein Rauschen und Flügelschlag, der Adler hebt sich in die Luft. Die Augen der Welt sind auf ihn gerichtet. »Ein Wunder ist geschehen, der deutsche Adler fliegt von neuem!«

Ja, und sein Flug ist kraftvoller und kühner denn je; er fliegt der Freiheit entgegen, und in seinen Klauen trägt er die Fahne!

--- *Wir leben in einem gesegneten Land. Seit der Wiedergeburt des Reiches ist überall ein Wachsen und Werden, ein Schaffen und Schöpfen: Deutschland geht unter der Führung einer starken Hand einer neuen Blütezeit entgegen. Und dieses Neue, Aufkeimende muß geschützt werden: Wir haben wieder unsre Wehrfreiheit: Krieg wollen wir nicht, aber wir sind auch nicht gewillt, fremde Mächte in unseren Aufbau störend eingreifen zu lassen.*

Deutschland ist gefährdet: Von allen Seiten ist es umgeben von Nachbarn, die hochgerüstet sind.

Wie es das Versailler Diktat forderte, hatten wir abgerüstet, alles zerschlagen, verschrottet, vernichtet. Arm und waffenlos standen wir da. Nichts war uns geblieben von dem, was einst die Welt mit Furcht und Schrecken und uns mit Stolz und Freude erfüllte: das siegreiche Heer, die stolze Flotte und die kampferprobten Helden der Luft. Es gab keine deutschen Streitkräfte mehr, die man fürchten mußte, weder zu Wasser, noch zu Lande, noch in der Luft.

Und die anderen, die nach uns abrüsten wollten, was taten sie? Sie haben ihr Wort nicht gehalten. Sie rüsteten auf. Heer, Flotte und Luftwaffe wurden erweitert, modernste Kampfmittel wurden geschaffen. Die Völker starren in Waffen. Konnte Deutschland da wehrlos bleiben? Es streifte die Ketten ab, die es mehr als ein Jahrzehnt ohnmächtig und erbittert geschleppt, sagte sich los von einem Vertrag, dessen Bedingungen nur von einem Partner erfüllt wurden.

Trotzdem bleibt die Gefahr. Ganz besonders hochgerüstet sind unsre Nachbarn in dem Kampfmittel, das seit dem großen Krieg an erster Stelle steht – der Luftwaffe.

Das Flugzeug von heute ist ein anderes als das vor zwanzig Jahren. Erneuert, verbessert, fähig zu leisten, was man vor Jahren nicht zu träumen wagte, ist es heute die gefährlichste Waffe des Krieges.

Von größter Bedeutung sind Geschwindigkeit, Zahl und Ausrüstung der Flugzeuge.

Ein Beispiel:

Krieg droht. Die Verhandlungen gehen hin und her, man will einen Krieg vermeiden, Bedingungen werden gestellt und abgelehnt, man kann sich nicht einigen. Die feindlichen Mächte erklären den Krieg.

Kaum haben die deutschen Vertreter ihre Regierung benachrichtigt, als schon die ersten feindlichen Flieger davonbrausen. Startbereit waren sie an der deutschen Reichsgrenze stationiert. Ungehindert überfliegen sie sie, denn die deutsche Reichsgrenze ist entfestigt und entmilitarisiert, die Wehrgrenze beginnt erst kilometerweit hinter der Reichsgrenze.

Dicht an der Grenze liegen alle unsre wichtigsten Wirtschafts- und Industriegebiete mit stärkster Volksverdichtung. Sie werden zuerst angegriffen.

Bereits nach einer Stunde haben die feindlichen Flieger fast alle bedeutenden Städte erreicht. Nach einer weiteren Stunde ist ganz Deutschland von feindlichen Flugzeugen überzogen. Und die Zerstörung beginnt.

Alle lebenswichtigen Punkte werden angegriffen, das heißt alle Verkehrseinrichtungen und alle kriegswirtschaftlichen Unternehmen. Die Front soll vor allem von der Heimat abgeschnitten werden. Nichts und niemand wird geschont. Es ist gleich, ob die Bomben und Kampfstoffe den Soldaten an der Front vernichten oder Frauen, Kinder, Greise und Kampfunfähige in der Heimat. Es gibt keinen Unterschied, alle sind Gegner.

Und die Mittel, die zur Zerstörung angewandt werden, sind furchtbar.

Außer den Beobachtungsflugzeugen und den Jagdflugzeugen, die den Gegner in der Luft angreifen, gibt es Bombenflugzeuge, die eigentlichen Zerstörer. Sie können große, schwere Bomben werfen, die in der Lage sind, dicke Betonblöcke zu zerschlagen, und die eine ungeheure Sprengwirkung haben. Oder sie werfen kleine, leichte Brandbomben, von denen sie ein paar Tausend tragen können. Rechnet man noch die große Zahl der Flugzeuge, so bedeutet das einen Regen von Bomben, die Tausende von Bränden entstehen lassen, die oft nicht mit Wasser zu löschen sind. Am gräßlichsten ist die Anwendung von Kampfstoffen, die den Menschen unbedingt vernichten, wenn nicht sofort Gegenmaßnahmen getroffen werden. Oder Bakterien werden ausgestreut.

Diese Art des Kriegsführens kann man nicht mehr menschenwürdig nennen. Der schöpferische und erfinderische Geist des Menschen hat Gewalten entfesselt, denen er fast machtlos gegenüber steht.

Ein Krieg in der Zukunft wird kein Krieg mehr sein, in dem Front gegen Front kämpft, nein, jeder ist an der Front, und Front ist überall. Es wird ein Vernichtungskrieg sein, in dem alles, was Gegner heißt, zerstört wird.

Und jetzt wird uns klar, welche ungeheure Bedeutung der Luftschutz hat. Man hat versucht, vertraglich gewisse Kampfarten aus einem zukünftigen Krieg auszuschalten. Es ist mißlungen.

Es bleibt nur noch eines: der Selbstschutz. Wir kennen den militärischen und zivilen Luftschutz, der alle die erfaßt, die nicht Soldaten sind. In allen Staaten wird der zivile Luftschutz in großzügigster Weise durchgeführt. Auch wir haben vor einiger Zeit damit begonnen. Vorträge werden gehalten, Zeitungen und Zeitschriften berich-

ten darüber. Überall und mit allen Mitteln wird dafür geworben. Aber noch ist nicht das ganze Volk von diesem Gedanken erfaßt, noch haben nicht alle die Bedeutung des Luftschutzes erkannt, sie wissen noch nicht, daß es die Lebens-, das heißt die Schicksalsfrage des deutschen Volkes ist. Von ihr hängt im Kriegsfall alles ab: Sein oder Nichtsein unseres Volkes.

Und darum ist es ungeheuer wichtig, daß alle aufgeklärt werden und, wenn es nottut, mithelfen können, Volk und Heimat zu schützen. Denn Deutschland darf nicht untergehen. Ein Volk, das auf allen Gebieten so Großes und Unvergängliches geschaffen hat, hat ein Recht zum Leben. Und wir wollen leben, denn das Leben ist schön, und die schöpferische Kraft des deutschen Volkes ist noch lange nicht zu Ende. Und wir werden uns behaupten und, wenn es sein muß, um unser Recht kämpfen, denn die Opfer der Zweimillionen und der Dreihundert, die nach ihnen fielen, sollen nicht umsonst gewesen sein. Und darum werden wir siegen.

Nie wieder soll der deutsche Adler flügellahm werden, immer soll er fliegen und wieder das werden, was er war, freier und stolzer König der Luft.

Dieser Aufsatz ist die Abschrift meines Hausaufsatzes, der am 15. November 1935 geschrieben wurde. Auch er war bei der engeren Wahl der Aufsätze, die an das Ministerium geschickt wurden.

Mein Klassenführer und Deutschlehrer gab ihm das Prädikat: »Fleißige Arbeit, anschauliche, gewandte Darstellung. 1⁻² « (Herr Hölzer)

Herr Hölzer bewertete gute Leistungen seiner Schülerinnen nach einem abgestuften System. Die eindeutige Note 1 – sehr gut – vergab er nach meiner Erinnerung grundsätzlich nicht. 1^{-2} bedeutete besser als 1–2. Seine beste Note war 1^-.

Ich erkenne das Mädchen wieder, das ich war.

Der deutsche Adler im Aufsatz symbolisiert, was wir erst heutzutage sehen, eine Paradoxie, nämlich den friedfertigen Krieger. Für den Frieden bringt er auch Opfer, läßt Federn, wird er gar zum Märtyrer; am Ende aber ist er der Sieger, denn der Große siegt immer.

Die Niederlagen des Adlers drücken sich in den Namen der großen Schlachten des Ersten Weltkrieges aus, sie waren auch uns Jungen der ersten Nachkriegszeit gegenwärtig. Noch heute steigt Trauer in mir auf, wenn ich den Namen Langemarck höre, zornige Trauer über irregeleitetes Heldentum und sinnlose Selbstzerstörung einer gläubigen Jugend: Bei dem hart umkämpften flandrischen Dorf sind Regimenter von jungen, noch nicht voll ausgebildeten Kriegsfreiwilligen, begeisterte Hurrapatrioten, unter ihnen viele Studenten, drei Monate nach Kriegsbeginn an einem Novembertag 1914 dem Feind und ihrem Tod entgegengestürmt. Das Buch »Kriegsbriefe gefallener Studenten« haben wir alle, oft unter Tränen, gelesen. Langemarck ereignet sich bis auf unsere Tage, immer wieder, immer noch, in aller Welt.

[6. Februar 1936]

Dieser Sommer war nicht ganz so schön wie der vorige, nicht so strahlend, ich war auch nicht ganz so oft wie im vorigen Jahr schwimmen. Aber in Frei-Weinheim waren wir doch mehrmals.

In dieses Jahr fiel Hermanns Konfirmation. Geselligkeit war nicht viel. Theater: Januar »Komödie der Irrungen«, 12. Februar in Alzey »Der Strom«, 30. März in Mainz: »Freischütz«, 11. April in Frankfurt »Toska«, im November in Alzey »Die endlose Straße«, 17. Dezember in Alzey »Hilde und 4 PS« (Lustspiel), das waren die Hauptsachen. Dann noch ein paar nichtige Kleinigkeiten.

Filme habe ich in diesem Jahr viele gesehen, fast alle waren gut. Es gibt überhaupt jetzt viele Spitzenfilme. Besonders zu erwähnen sind: »Königin Christine« (G. Garbo – John Gilbert, Anfang 1936 gestorben), »Regina« (nach G. Keller-Motiven), »Der alte und der junge König« (Friedrich der Große und sein Vater, kulturell wertvoll), »Bengali« (englischer Film/Kameradschaft!), »Die Heilige und ihr Narr« (nach dem Buch verfilmt). [...]

Das größte politische Ereignis war die Saarabstimmung.

1936

[...] *Januar und Februar fuhren wir bzw. fahren wir 2. Klasse* [in die Schule nach Mainz]. *Wegen dem schlechten Licht und um etwas mehr Annehmlichkeit im Winter zu haben. In Gedanken an das gemütliche Abteil kann ich auch trotz der Dunkelheit viel leichter aufstehen.*

Am 30. Januar trug ich zum ersten Mal in Mainz in der Schule vor. Ich weiß, es war gut. Auch darin reifer. Schenkendorfs »Frühlingsgruß an das Vaterland«. Viele Besucher haben mir ihre Anerkennung ausgesprochen.

6. Februar 1936!

Heute wurden die 4. Olympischen Winterspiele in Garmisch-Partenkirchen eröffnet. 28 Nationen nehmen an der Olympiade teil. Der Rundfunk übertrug den Vorbeimarsch der 1600 Teilnehmer an den

Winterspielen vor der Tribüne des Führers zum Olympiastadion, dem größten Skistadion der Welt.

Den Aufmarsch der Nationen eröffnet Griechenland, in Erinnerung an die alten Olympiaden der Hellenen vor 2000 Jahren.

Aus 5 Erdteilen sind die Zuschauer gekommen. Es ist wunderbar, daß jetzt so viele Ausländer in das neue Deutschland kommen und sich überzeugen können, daß Deutschland ein freies Land, ein geordneter Staat ist; sie alle sehen, wie schön Deutschland ist und welchen Führer wir haben.

Alle, die an der Tribüne des Führers vorbeikommen, senkten vor ihm die Fahnen. Große Begeisterung herrschte, als Franzosen und Engländer ihn mit dem deutschen Gruß grüßten. Und ein unendlicher Jubel herrschte, als die deutschen Österreicher den Führer mit dem deutschen Gruß ehrten. Tiroler, Steiermärker und Kärntner gingen in ihrer heimatlichen Tracht.

Den Schluß des Aufmarschs bildeten die deutschen Mannschaften, geführt von Reichssportführer von Tschammer und Osten.

Im Skistadion stellten sich die Teilnehmer auf. Der Führer des Deutschen Olympischen Komitees, Ritter von Halt, sprach zur olympischen Jugend. Dann erklärte der Führer die Olympischen Winterspiele für eröffnet. Die olympische Hymne wurde gespielt, die olympische Flagge, fünf ineinander geschlungene Ringe in weißem Feld, wurde gehißt, die Teilnehmer traten im Kreis zusammen. Dann sprach der deutsche Skimeister, Willy Bogner, den olympischen Eid vor.

Eine Symphonie von Beethoven schloß den feierlichen Akt.

8. Februar 1936. Winterolympiade.
Im Abfahrtslauf für Frauen hatte Christl Cranz, die große deutsche Hoffnung, Pech, sie stürzte und kam auf den 6. Platz. Aber: Bei den Ausscheidungskämpfen der Besten hat sie im harten Kampf im Slalom gesiegt, als Erste ging sie durchs Ziel und holte für Deutschland die erste goldene Medaille in dieser Olympiade! Käthe Grassegger, auch eine Deutsche, war Zweite und erkämpfte die silberne! […]

Es folgt die Beschreibung der einzelnen Tage und der jeweiligen Gewinner in den verschiedenen Disziplinen; 14. und 15. Februar fehlen, Raum dafür ist freigelassen.

16. Februar 1936. Siegerehrung in Garmisch. Einholen der olympischen Fahne.
Die Jugend, die in friedlichem, ehrlichem Kampf ihre Kräfte erprobt hat, verstreut sich wieder in alle Welt.

66

Aufsatz vom 8. 2. 1936

Eine Gestalt des Nibelungenliedes.
Hagen.

Hagen ...
nur ein Name –
und doch – keiner, der ihn nicht kennt. Noch in tausend Jahren
wird der Klang dieses Namens an das Herz des Menschen rühren:
Bilder steigen auf ...
und die Seele des Menschen öffnet sich weit und schaut in Andacht
und Staunen die hehre Größe der Vergangenheit.
Die Ewigkeit tut sich auf mit ihrem Licht und ihren Schatten.
»Hagen« –– das Wort verweht ––– und aus fernen Tiefen steigt
dunkler Glockenklang ... Unaufhörlich dröhnt die Glocke ... Sie
kündet den Schwur: Treue!
Und mit einem Mal – ein tausendfaches Tönen! ... Neue Glocken
erklingen, ehern und stark, stählern und hart, und dazwischen Sai-
tenspiel. Es ist, als ob brausender Sturm durch die Saiten fährt, und
sie erzählen von Kampf und Schlacht, Blut und Schwert, Schuld und
Sühne, Tod und Sieg – und grenzenloser Einsamkeit.
Und in der machtvollen Klangfülle erhebt sich die Stimme der
Geige. Jubelnd und jauchzend singt sie von Freundschaft und Verge-
bung! ...
Die lauschende Seele des Menschen ist erfüllt von einer unendli-
chen Melodie,
dem Lied des Heldentums.

Wie lang eine Nacht doch sein kann für einen einsamen Mann!! Im-
mer wieder kommen sie, die quälenden Gedanken! –– Wie oft hat er
ganze Nächte durchkämpft, wieviel wilde nächtliche Ritte auf gefahr-
voller Straße liegen hinter ihm! Nie hat er die Nacht als schrecklich
empfunden, sie war ihm eher ein tröstender Freund.
Jetzt ist es anders. Seit dieser König am Burgunderhof weilt, ist es
mit seiner Ruhe vorbei – Siegfried! Oh, wie er diesen Menschen haßt!
Ja, ein Sieger ist er, in seiner strahlenden blonden Schönheit. Keiner,
der diesen Augen, diesem Lachen widersteht. Alle lieben ihn, alle
scharen sich um ihn.
Und im Kampf? Ja, im Kampf! ... Der Gedanke daran gibt dem
finsteren Mann einen Stoß. Immer, solange er am Burgunderhof
lebt, war er der Erste gewesen. Keiner konnte sich mit ihm messen,
alle bezwang er.

Und nun! – Der junge König aus Niederlanden: er hat sich den ersten Platz erobert, im Sturm. Und damit hat er dem düsteren Kanzler eine schwere Wunde geschlagen. Mitten ins Herz hat er getroffen.

Der finstere Mann kann sich einer häßlichen Regung nicht erwehren ... Neid ...

Und dann kam diese verhängnisvolle Fahrt, Gunthers Brautfahrt – er, der Kanzler, hatte dazu geraten! Er wußte, welche Gefahr damit verbunden war.

Ein seltsamer Ernst hatte damals den jungen König erfüllt – – – er lachte grimmig, als er daran dachte. Ahnte er, wie dieser Betrug enden sollte? Hätte er seinem Weib gegenüber geschwiegen! Jetzt war es zu spät ...

Vor Stunden, oder waren es schon Ewigkeiten her, hatte ihm Brunhild ihr Leid geklagt. Und jetzt, wußte er, kam das Schwerste. Er mußte dieses in seiner Frauenehre so tief gedemütigte Weib rächen, er mußte ihrer Seele wieder Frieden geben. Denn der, dessen Pflicht es war, für sein Weib einzutreten, der rührte keinen Finger. Ja, dieser König! Wieder lachte er hohnvoll und schneidend. Wäre er König, dann müßte nicht der Lehnsmann die Ehre der Königin wiedergewinnen. Aber dem König hatte er ewige Treue geschworen, und die hielt er ihm und ihr, mochte kommen, was wollte.

Und darum mußte er auch diese Tat auf sich nehmen. Ja, hatte er denn das gewollt? Was störte ihn der König, der da fern in Xanten lebte?

Nein, hier gab es nichts zu überlegen. Er mußte handeln. Er wußte genau, was diese Tat bedeutete: eine große Schuld und den Verlust seiner Ehre, alles um einen Eid!

Schwere, dunkle Gedanken quälten den düsteren, einsamen Mann. Brütend blickte sein schwarzes Auge, unruhig schritt er in dem kleinen Raum auf und ab, auf und ab.

Ein einziges Mal ein Stöhnen, ein schweres Aufatmen. Die große, dunkle Gestalt richtet sich auf: Ein Entschluß ist gefaßt, unumstößlich.

Wenige Tage danach geschah der Mord, und der Mörder bekannte sich zu seiner Tat, die zwei Frauen traf. Die eine lachte mit todwundem Herzen, die andere schrie auf in gräßlichem Schmerz.

Wieder eine Nacht. Aber so dunkel war noch keine gewesen. Wieder schritt ein einsamer Mann auf und ab, auf und ab. Und an seinen Händen klirrten Fesseln. Manchmal streiften sie die rauhe Wand des Kerkers, dann gab es einen harten Klang.

Und der müde, schweigsame Mann sann und sann. Er dachte an einen Stamm, der noch vor kurzem stark und mächtig gewesen. Nichts war mehr übrig davon als der König und ein Mann und irgendwo, wo einmal Heimat war, viele verlassene Frauen.

Jetzt konnte er nicht mehr warnen, wie damals, ehe die Fahrt begann. Diese Fahrt! Nein, er war nicht feige zurückgetreten, als er wußte, daß sie dem Untergang entgegengingen. Sie hatten nur zu wahr gesprochen, die Wasserweiber!

Und dann der Kampf! Heldenmütig und trotzig hatten sie sich gewehrt, und so waren sie auch gefallen: Dankwart, der Bruder, Gernot, Giselher, das Kind, das in diesen Stunden ein Mann wurde, und Volker, der Freund. Das schmerzte am meisten. Nie wieder mit dem Kampfgenossen, der den Fidelbogen so gut führte wie das Schwert, Schildwache zu halten. Der einzige Mensch, der ihn geliebt, der einzige, der an ihn geglaubt. Nur einmal hatte ihn der Freund nicht verstanden, damals, als er Siegfried erschlug …

Der stille Mann strich sich mit beiden Händen über das Auge. Weg, vorbei …

Jetzt gab es anderes zu denken. Die Frau, der er alles genommen, den Gatten, das Gold und das Kind, sie hatte jetzt Gewalt über ihn, und er wußte, sie würde sie gebrauchen.

Für ihn gab es jetzt nur noch eines: zu sterben, wie er gelebt hatte, einsam, verlassen. Das rührte ihn nicht. Er hatte dem Tod oft genug ins Auge geschaut, einmal mußte es doch sein. Aber, daß er in Eisen lag und in der Gewalt dieses unmenschlichen Weibes! …

Aber auch das ging vorbei …

Und sein Leben war nicht umsonst gewesen, denn er war seinem König treu geblieben, treu bis in den Tod, wenn er auch sich selbst damit am meisten getroffen hatte. Er hatte die Ehre geopfert. Und jetzt war er müde, müde vom langen Kampf und der Einsamkeit.

In vielen Menschen erweckt der Name dieses Mannes Schauder und Schrecken. Aber die, die ihn erkannt haben, wissen, daß er so, wie er war, sein mußte, übermenschlich groß in seiner Treue, seiner Einsamkeit und in seinem tiefsten Leid.

Note: 1⁻
Bewertung: flüssig, schwungvoll, schöne dichterische Sprache, anschaulich, der Stoff vergeistigt.
Es war der beste Klassenaufsatz.

Wer in der »Volkerstadt Alzey« beheimatet ist, kennt zumindest durch Straßennamen die Nibelungen oder hat vom Nibelungen-

lied gehört, der Sage von Größe und Untergang des Königsge-
schlechts, das im nahen Worms hofhielt. Gefolgsmann von König
Gunther war Hagen von Tronje; dessen Freund und Kampfge-
fährte Volker, der ritterliche Spielmann, stammte aus Alzey, und die
Stadt führt denn auch die Fidel im Wappen. Schon durch meine
Herkunft hatte ich eine Gefühlsbindung an die Akteure der Nibelungengeschichte.

Die Gestalt Hagens bewegte mich wie keine andere; von all meinen Aufsätzen hat dieser mich immer am stärksten berührt. Die leidenschaftliche Sprache drückt die übersteigerten Gefühle meines
damaligen Alters aus, die mit dem öffentlichen Klima jener Zeit
übereinstimmten, das so empfänglich war für alles, was grandios
erschien. Und groß ist Hagen, groß in seinem einsamen Entschluß
zum Töten – Hagen, der Mörder aus Treue. Perversion der Werte:
das edle Motiv nimmt vom Täter den Makel, mit der Treue wird
Hagens Meuchelmord im voraus entschuldigt. »Die Treue ist das
Mark der Ehre« lautete die Devise der SS, unmöglich, nicht an sie
zu denken, damals beim Schreiben, heute beim Lesen. Hagens Kö-
nigstreue, die »Nibelungentreue«, entspricht der Treue zum »Führer«, der Zusammenhang stellte sich ohne Nachdenken her. Und
nicht von ungefähr galt das Nibelungenlied gerade in der Nazizeit
als Nationalepos, mit seiner Verherrlichung des blinden Gefolgs-
geists paßte es ins Konzept.

Der Ehrenkodex verlangt, daß die gedemütigte Königin gerächt
wird, der starke Diener handelt für den schwachen Herrn. Der ein-
same Mann, sein ruheloses Aufundabschreiten – die Parallele zu
den Entscheidungsqualen eines Hitler, die seine Anhänger sich vor-
stellten, bot sich an. Daß es zum alles vernichtenden Krieg kommen würde, sahen schon damals weitsichtige Menschen voraus.
Könnte es nicht allgemein eine unbewußte Ahnung von dem kommenden Unheil gegeben haben? Wie sonst wären »von der Diktatur diktierte Träume« zu erklären, die »die Struktur einer Wirklichkeit deuten helfen, die sich gerade anschickte, zum Alptraum zu
werden«? (Charlotte Beradt). – Auch in der Schicksalsschwere der
Nibelungengeschichte steckt eine Vorwegnahme. So wie alle Nibelungen umkamen, selbst *Giselher, das Kind,* nicht verschont blieb,
so fielen im Zweiten Weltkrieg die Männer und mit ihnen die gleich
Giselher zu den Waffen gerufenen Jungen. Krieg als Selbstvernich-
tung, auch dies ist ein Aspekt des Nibelungenlieds, den wir damals
noch nicht sahen.

Aufsatz vom 12. 3. 1936

Das Winterhilfswerk
des deutschen Volkes.
Ansprache.

Deutscher Junge, deutsches Mädel!

Ihr alle kennt das Winterhilfswerk. Was sagt dieses Wort nicht alles! Für wieviele bedeutet dieses Wort ein Quell des Segens, der Freude, des Glücks. Wieviele trübe Augen leuchten auf bei diesem Wort, wieviele fassen neue Hoffnung, neuen Mut!

Diese ideale Tat steht einzig in der Welt da. Aber Ihr wißt, daß sie nur möglich ist, wenn jeder einzelne mithilft, sich dafür einsetzt, opfert. Denn wieviel Not ist zu lindern!

Ja, wißt Ihr denn, was Not ist? Ihr habt noch in keinem Winter gehungert, gefroren. Ihr wißt nicht, was das heißt, tagelang nichts als trockenes Brot zu essen, in einer kalten zugigen Dachstube zu wohnen und nicht einmal einen Mantel zu besitzen, um sich gegen die Kälte zu schützen – und trotzdem den Mut und den Glauben nicht zu verlieren!

Da ist es doch als Deutscher unsre Pflicht zu helfen! Darum hat unser Führer das Winterhilfswerk geschaffen, darum sind die vielen Sammlungen, bei denen auch Ihr Eure ganze Kraft einsetzen könnt, die Eintopfgerichte, die Arbeitshilfen. Was kann man doch alles tun! Jeder kann etwas spenden, sei es Geld, Lebensmittel, Kleider oder, und das kann der Ärmste, ein gutes Wort.

Es kommt nicht allein darauf an, daß Ihr gebt, sondern auch wie Ihr gebt! Eine kleine Gabe, mit herzlichen Worten und freundlichem Lächeln geschenkt, wiegt unendlich mehr als die größte Geldspende. Ihr glaubt kaum, wie dieses eine Wort den Armen beglückt, erfreut, sein sorgenvoller Blick wird heller, froh, er glaubt wieder an ein Besserwerden! Denn ohne diesen Glauben ist das Werk wertlos. Dieser Glaube war es, der den Nationalsozialismus schuf und den Bolschewismus vernichtete, und diesen Glauben müssen wir erhalten und stärken. Dabei müssen alle helfen, auch Ihr!

Was könnt Ihr in Eurer jungen Arbeitskraft nicht alles leisten, wenn Ihr nur eine Viertelstunde Eurer Freizeit opfert, um vielleicht einer Mutter mit vielen Kindern bei der Hausarbeit zu helfen, oder einem alten Mann Holz zu hacken, oder einem alten Mütterchen vielleicht vorzulesen, weil ihre schlechten Augen das nicht mehr schaffen. Euch wiegt das Opfer nichts, den Hilfsbedürftigen unendlich viel.

Ihr wißt alle, daß in einem Volk oberstes Gesetz ist: Einer für alle, alle für einen! Danach müssen wir auch handeln. Keiner darf sich von der Gemeinschaft des Volkes ausschließen! Denn ohne den einzelnen ist kein Volk. Daran denkt, wenn Ihr glaubt, Ihr hättet genug geopfert. Helft, wenn es auch manchmal schwer fällt, denkt daran, um wieviel besser es Euch geht als manchem anderen. Habt Ihr noch nie die Freude des Schenkens empfunden?

Seid bereit zum Geben und Opfern, denn Nächstenhilfe ist Selbsthilfe, und bei allem helft Ihr Eurem Volk! Euer Leitwort sei: Ich bin nichts, mein Volk ist alles!

Jeder handle nach diesem Wort – und Segen liegt auf dem Volk.

Note 1–2

Das »Winterhilfswerk des deutschen Volkes« wurde nach einem Aufruf von Goebbels im trotz der begonnenen »Arbeitsschlacht« schlimmen Winter 1933/34 von der NS-Volkswohlfahrt gemeinsam mit den freien Wohlfahrtsverbänden gegründet; es sollte die materielle Not der sozial Schwachen beheben. Die Mittel für den »Kampf gegen Hunger und Kälte« wurden auf verschiedene Weise beschafft, vor allem durch Straßen- und Haussammlungen, festgelegte »Eintopfsonntage« – was durch billigeres Kochen eingespart wurde, floß dem WHW zu –, doch auch durch feste Lohn- und Gehaltsabzüge. 16,6 Millionen Menschen wurden im Winter 1933/34 unterstützt. Was wir aber nicht wußten: Besonders im Krieg flossen erhöhte Lohn- und Gehaltsabzugsraten in die Finanzierung der Rüstung.

Mit allen Mitteln der Propaganda wurde die Bevölkerung bearbeitet, der Aufsatz belegt es, auch durch seine Sprachklischees. Ich erinnere mich deutlich der Freude, mit der ich mich aktiv an Straßensammlungen beteiligte; es befriedigte mich, gebraucht zu werden, beflügelte mich, mein Redetalent einzusetzen. Daß ich nie leer ausging, war freilich nicht nur meinen Redekünsten zuzuschreiben, sondern dem allgemeinen Druck, der, in diesem Fall durch die Sammelbüchsen schwingenden Jugendlichen, auf die »Volksgemeinschaft« ausgeübt wurde.

Mit meinem Aufsatzappell an Helferwille, Mitmenschlichkeit, soziales Verantwortungsgefühl konnte ich mich, ohnehin zu Opferbereitschaft erzogen, völlig identifizieren wie Millionen von Deutschen. Das Winterhilfswerk gehört denn auch zu den immer wieder angeführten Beispielen dafür, daß »doch nicht alles schlecht [war], was die Nazis gemacht haben«. (Erstes Glied in dieser Argumentationskette ist stets die Autobahn: Arbeitslose fanden Arbeit, und das bessere Verkehrssystem war von hohem Nutzen für die Bürgerinnen und Bürger. Die Kehrseite aber bleibt unbeachtet: Der Autobahnbau war eine frühe Maßnahme der Kriegsvorbereitung, das Straßensystem ermöglichte einen schnellen Truppentransport an die Fronten und konnte als Landebahn für Flugzeuge genutzt werden.) Auch das Winterhilfswerk hatte dunkle Rückseiten; der Klassenaufsatz benennt den psychologischen Aspekt: *»Ich bin nichts, mein Volk ist alles«.* Im Klartext hieß diese zutiefst undemokratische Forderung: »Du bist nichts, der Führer ist alles«, da »das Volk« sich mit dem Führer eins glauben sollte, und folgerichtig wurde auch der Untergang des einzelnen als verantwortliches Subjekt in Kauf genommen. Als Menschen, die über ihr Leben selbst bestimmen und in eigener Verantwortung handeln, waren Volksgenosse und -genossin nicht erwünscht. So ist dieser Appell ein Musterbeispiel für den Mißbrauch mitmenschlicher Gefühle.

Der Glaube an bessere Zeiten, die da kommen werden, *dieser Glaube war es, der den Nationalsozialismus schuf und den Bolschewismus vernichtete, und diesen Glauben müssen wir erhalten und stärken* – was wollte ich damit ausdrücken? Meine eindringliche Rede hatte den Charakter einer Beschwörung: Jetzt, da der Nationalsozialismus stark geworden ist, kann, darf es den Bolschewismus, das Schlechte, nicht mehr geben! Das Imperfekt wollte sagen: Ich jedenfalls bin nicht mehr in Gefahr, daran zu glauben.

März 1936

In einer ganz großen Reichstagsrede erklärt der Führer den Locarno-Vertrag für ungültig und die Oberhoheit über das ganze Reichsgebiet, das heißt, daß es auch keine entmilitarisierte Zone mehr gibt. Zur gleichen Zeit, während er sagte, daß jetzt alle Garnisonen in dieser Zone wieder bezogen würden, zogen die Soldaten auch wirklich in ihre Friedensgarnisonen im Rheinland ein! Ich glaube, es war um 12 Uhr 54 nachmittags. Dann erklärte er die Auflösung des Reichstages bis zum 29. März, wo dann das Volk abstimmen sollte, ob es mit der Tat seines Führers einverstanden wäre.

Wieder haben wir einen Tag erlebt, dessen geschichtliche Bedeutung wir vielleicht gar nicht erfassen können. Leider habe ich den Truppeneinzug in Mainz nicht gesehen. Hätte man vorher etwas gewußt, wäre ich natürlich dort geblieben. Der Jubel der rheinischen Bevölkerung muß unbeschreibbar gewesen sein. In Mainz soll ein größerer Betrieb als an Fasnacht gewesen sein.

Welchen Mut hat doch unser Führer! Das Ausland sagt nun, wir hätten den Locarno-Pakt gebrochen. Sie sollen sich mal an Frankreich wenden!

Aufsatz zum 29. März 1936

Wahlzeit

Gib Deine Stimme dem Führer! Das Losungswort der kommenden Wahl. Jetzt hat das deutsche Volk die Möglichkeit, dem Führer zu danken.

Was wäre Deutschland ohne ihn? Er war es, der Deutschland frei machte von den Ketten von Versailles, er war es, der dem Arbeitslosen Arbeit gab, er war es, der dem Volk wieder Glauben und Hoffnung schenkte!

Drei Jahre sind vergangen, seit das greise Oberhaupt des Staates dem Führer vertrauensvoll die Hand reichte. Was war damals – was ist jetzt?

Aufschwung überall. Die Schlote rauchen wieder, der Bauer arbeitet hoffnungsfroh, Arbeitsdienst schafft Land und Boden, Siedlungen entstehen, das Heer marschiert, die Jugend singt und glaubt, die Saar kehrt heim.

Überall Gemeinschaftsarbeit, Gemeinschaftssinn, Kameradschaft, Opfer- und Einsatzbereitschaft.

Und alle bindet der Wille zum Aufbau, zum Schaffen und Schöpfen, und der Glaube an den Führer.

Wie wir an ihn glauben, so glaubt er auch an uns. Unsre heilige Pflicht ist es, ihn in seinem Glauben an das deutsche Volk, das deutsche Blut, zu stärken und zu festigen.

Jetzt muß das deutsche Volk der Welt zeigen, daß der Wille des Führers auch sein Wille ist, daß hinter dem Führer in geschlossener Front das Volk steht, beseelt von der Liebe zum Führer und dem Willen zum Frieden der Welt.

Abschrift meines Klassenaufsatzes (in 30 Minuten) vom 25. III. 36.

Note 1–2

Fazit: Wir müssen dankbar sein. Ohne den »Führer« sind wir, die einzelnen, nichts. Erst wenn er uns bestätigt, sind wir etwas wert. In der massenhaften Zustimmung, die Hitler fand, wirkte sich der patriarchalische Erziehungsstil der Kaiserzeit aus, in der unsere Väter aufgewachsen waren; ihrer eigenen Erziehung entsprechend erzogen sie uns zu Gehorsam, Anpassung, Dankbarkeit – den Kindespflichten.

Ich bin also entschuldigt. Ent-schuldigt, als Produkt meiner Erziehung ohne persönliche Schuld? Bin ich das? Bleibt da nicht ein aufklärungsbedürftiger Rest? Ein Unbehagen beginnt mich zu plagen, eine Frage zu bedrängen. Ich war, als ich diesen Satz schrieb, fast siebzehn. Warum habe ich nicht, wie manch ein junger Mensch gerade in diesem Alter, einen eigenen Standort gesucht, warum nichts, gar nichts in Frage gestellt? Wann werde ich denn wenigstens einen schwachen Umriß vom Kern der Person entdecken, die ich bin – i c h ? ?

30. März 1936
In diesen 2 Wochen verging fast kein Tag, an dem nicht einer unserer führenden Männer zur Wahl am 29. zum deutschen Volk sprach. Auf den Straßen, überall wurde man an die Wahl erinnert. Plakate überall, sogar an Elektrischen [Straßenbahnen], *an Lokomotiven, an allen Schaufenstern, Transparente auf der Straße, überall.*

Der Führer sprach im ganzen Reich, wie damals, als er noch um das deutsche Volk gekämpft. Er sprach in Karlsruhe, Frankfurt, Berlin, Hamburg, Ludwigshafen, Leipzig, in den Krupp-Werken in Essen. Und wie sprach er! Darüber kann man nichts sagen, das muß man hören. Am 28. März richtete er seinen letzten Appell an das deutsche Volk – in Köln. Wie überall, empfing ihn auch hier brausender Jubel. Zum letzten Mal bat er sein deutsches Volk, ihn in seinem Glauben zu stärken, indem es ihm seine Stimme gibt.

Der Schluß seines Appells war erschütternd:
»Meine deutschen Volksgenossen, so ist eine neue Gemeinschaft entstanden. Und dieses Volk von heute kann nicht mehr verglichen werden mit dem Volk, das hinter uns liegt. Und wir fühlen es: Die Gnade des Herrn wendet sich uns jetzt wieder ganz zu, und in dieser Stunde, da sinken wir in die Knie und bitten unseren Allmächtigen, er möge uns segnen. Er möge uns die Kraft verleihen, den Kampf zu bestehen für die Freiheit und die Zukunft und die Ehre unseres Volkes, so wahr uns Gott helfe!«

Nicht enden wollender Jubel. Dann sangen alle das Niederländische Dankgebet.
Ich habe auch gebetet.

Und am 29. März hat das deutsche Volk der Welt gezeigt, daß der Wille des Führers auch sein Wille ist:
Von den Wahlberechtigten wählten 98,95 Prozent; und 98,79 Prozent gaben ihre Stimme dem Führer! Ein beispielloser Sieg!
Wie stolz dürfen wir auf unseren Führer sein; und wie bewundern wir ihn. Wieder einmal hat sich, wie so oft schon, die Kraft des deutschen Blutes gezeigt. [*Blutes* ist über das ausgestrichene Wort *Volkes* gesetzt.] *Wir leben in einer großen Zeit. Eine Tat folgt der anderen.*

Wie groß muß der Glaube und Wille unseres Führers sein! Wenn er der Welt den Frieden geben könnte. Sein größter Wunsch, sein Ziel.

Der Führer sprach. Und wie sprach er! Darüber kann man nichts sagen, das muß man hören. Überall *brausender Jubel ...* Das habe ich geschrieben? Kaum eine Tatsache ist so schwer zu erklären wie die, daß dieser Redner mit der bellenden, sich überschlagenden Stimme Millionen von Zuhörern und Zuhörerinnen selbst über den scheppernden Volksempfänger zu ekstatischen Beifallsstürmen hinriß. Dieses historische Faktum ist heute nicht mehr vermittelbar. Hitlers Kritikern und Kritikerinnen war die Wirkung seiner Stimme schon damals unverständlich. Auch die Menschen unserer Zeit, selbst wir, die wir einst wie hypnotisiert waren, können sie heute nicht mehr begreifen.

Über dem fassungslosen Staunen wird eine Tatsache übersehen, auf die einer der schärfsten Gegner und genauesten Beobachter Hitlers, Sebastian Haffner, hinweist. Die belfernden Reden »hatten damals oft einen Tatsachenhintergrund, der dem Hörer innerlich die Widerrede verschlug. Es war dieser Tatsachenhintergrund, der wirkte, nicht das Bellen und Geifern. Hier ist ein Auszug aus Hitlers Rede vom 28. April 1939: ›Ich habe das Chaos in Deutschland überwunden, die Ordnung wiederhergestellt, die Produktion auf allen Gebieten unserer nationalen Wirtschaft ungeheuer gehoben ... Es ist mir gelungen, die uns allen so zu Herzen gehenden sieben Millionen Erwerbslosen restlos wieder in nützliche Produktionen einzubauen ...‹«

Aber genügt diese Erklärung, um das Jubelgeschrei begreiflich zu machen, mit dem die Masse der Bevölkerung auf Hitlers Reden reagierte? Gewiß ist der sich wandelnde Zeitgeschmack zu bedenken – die dramatisierende Sprechweise früherer Tonfilme, Wochenschauen, Sport- oder Kriegsberichte ist in unserer Zeit schwer erträglich. Doch mit solchen Hinweisen wird man dem Phänomen nicht gerecht. »Die Gabe, sich selbst überzeugend als Sendboten einer neuen Botschaft vorzustellen und andere von der Wichtigkeit ihrer Botschaft zu überzeugen«, kennzeichnet den Charismatiker, den Menschen mit unbeschreibbarer, besonderer Ausstrahlung. Ein jüdischer Zeitzeuge, der große Soziologe Norbert Elias, bescheinigt Hitler »eine ungewöhnlich große Redebegabung. Er war – je nach Einstellung – ein Volksredner, Hetzredner oder Demagoge.« Der emigrierte Elias kann aus eigener Anschauung sprechen: »Sein, so lange er stumm war, nicht besonders anziehendes Gesicht belebte sich, sowie er zu einem großen Publikum zu reden begann. Er erweckte den Eindruck, in persönlichem Kontakt mit dem Zuhörer zu stehen. Er faszinierte sein Publikum.«

Hitler, so lassen sich diese Gedanken fortspinnen, war ein genialer Populist, dank seiner Einfühlungsgabe verstand er es, das Volk zu gewinnen, jeden einzelnen anzusprechen. Er stellte sich nicht als der »Führer« dar, der aus sich selbst heraus stark ist, vielmehr forderte er Vertrauen, Glauben an ihn und sein Werk als eine Quelle, aus der er Kraft und Zuversicht schöpfen konnte. Die unausgesprochene Alternative hieß: Ihr könnt mich auch stürzen lassen, aber dann stürzt ihr mit mir!

Dem einzelnen, so die raffinierte Doppelbödigkeit der Botschaft, dem von allen Seiten, nach der Parole »Ich bin nichts«, eingehämmert wurde, wie unbedeutend er sei, wurde zugleich seine Wichtigkeit bestätigt, denn indem er dem »Führer« seine Stimme gab, stabilisierte und stärkte er ihn.

Der »Führer« brauchte also auch mich, so wie ich ihn, denn durch ihn »war ich wer«. Dieses Selbstwertgefühl mußte ich mir bewahren, indem ich an meinem Idol festhielt. Eine solche irrationale, im Unbewußten wurzelnde Bindung steht im Gegensatz zu demokratischer Selbständigkeit. Das Goebbels-Wort vom »Kritikaster« meinte alle diejenigen, die Durchblick hatten, dem Volksverführer nicht auf den Leim gingen, die Intellektuellen, Kommunisten und Sozialdemokraten; von ihnen drohte die Gefahr der Zerstörung dieser Art von Beziehung, sie mußten daher vernichtet werden. Sie waren Störfaktoren, weil sie, vom »Führer« unabhängige, denkende Menschen, aus der Masse ausscherten, sich nicht einbinden ließen in die im eigentlichen Wortsinn überwältigende Idee von gemeinsamer Größe und der Zusammengehörigkeit von Volk und »Führer«.

Die »neue Gemeinschaft« der »deutschen Volksgenossen«, die dank ihm entstanden war, erfuhr, wie der Wahlredner Hitler bekundete, *die Gnade des Herrn,* wurde von Gott wiedergeliebt, war gesegnet. Hitler, der Heilsbringer. Die religiöse Inbrunst, mit der die Masse das Niederländische Dankgebet sprach, mit der auch ich, zutiefst ergriffen, gebetet habe, bezog sich nicht nur auf Gott, sondern ebenso auf den Auslöser dieser Gefühle. »Gottesdienste unserer politischen Arbeit« nannte denn auch Goebbels solche Kundgebungen.

Daß das Wahlergebnis – *ein beispielloser Sieg* – der *Kraft des deutschen Blutes* zu verdanken sei, wie die Schreiberin, damals knapp 17 Jahre alt, feststellte, dokumentiert die Vernebelung des Denkens ebenso wie den Stolz auf die überlegene, vermeintlich »reine Rasse« der Deutschen.

Was fehlt im Tagebuch?

1933

Die Erinnerung unterschlägt das wichtige Kapitel der BdM-Mitgliedschaft genauso wie die vorausgegangene kurze Mitgliedschaft bei den Pfadfinderinnen. Namen, Gesichter, Gruppenerlebnisse im BdM, als Scharführerin der Jungmädel, als Teilnehmerin an Veranstaltungen der SA und der SS sind spurenlos abgedrängt ins Vergessen. Doch es gibt nicht nur die Tagebuchdokumente, erhalten blieb auch der abgegriffene Mitgliedsausweis mit Paßfoto (weiße Bluse, schwarzes Halstuch im vorgeschriebenen Knoten, die »Kletterweste«), eigenhändig unterschrieben: Das Beweisstück – »Walb, Lore … ist am 1. Sept. 1933 in den Bund deutscher Mädel aufgenommen und der Ortsgruppe Alzey zugeteilt worden« – wurde am 17. Januar 1934 in München, dem Sitz der Reichsjugendführung, ausgefertigt, versehen mit der Mitgliedsnummer 223918.

Gab es eine feierliche Aufnahme? Die Treueformel lautete: »Ich verspreche, in der Hitler-Jugend allzeit meine Pflicht zu tun in Liebe und Treue zum Führer und unserer Fahne.« Von dem Geist, den das Gelöbnis forderte, war Lore schon längst besessen.

1934

Die Niederschlagung einer angeblich drohenden Revolte der SA vom 30. 06. bis 02. 07., die anfangs nur spärlichen Meldungen über die Erschießung des Reichsministers und Stabschefs der SA, Ernst Röhm, der ein »alter Kämpfer« und Hitlers Duzfreund gewesen war, nährten wilde Gerüchte und beunruhigten die Bevölkerung. Die aufregenden Ereignisse müssen auch die Tagebuchschreiberin bewegt haben. Hitlers späte Rechtfertigungsrede am 13. Juli vor dem Reichstag, die seine Version der Entmachtung der SA und ihre Begründung dem Volk darlegte, wird sie mit Beifall, wie stets, bedacht haben: »Ich habe den Befehl gegeben, die Hauptschuldigen an diesem Verrat zu erschießen, und ich gab weiter den Befehl, die Geschwüre unserer inneren Brunnenvergiftung und der Vergiftung des Auslandes auszubrennen bis auf das rohe Fleisch.« Dazu Göring im Reichstag, als dessen Präsident: »Wir alle billigen immer das, was unser Führer tut.« Ich habe es sicher auch getan. In Erinnerung geblieben ist mir nur, daß viel von dem angeblichen »Röhmputsch« und den damit legitimierten Erschießungen gesprochen wurde. Gewiß wußte ich weder vom Ausmaß noch den Umständen des wüsten Mordens, noch davon, daß Göring und Himmler die Gelegenheit benutzten, um mißliebige Konservative zu beseitigen.

Von nachhaltigster Wirkung auf die Bevölkerung wie auf mich war die Publizierung und Diffamierung der Homosexualität Röhms und seiner Kreise, eine Tatsache, die Hitler seit Jahren bekannt gewesen war. Mein ohnehin anerzogenes Unbehagen gegenüber dem Phänomen gleichgeschlechtlicher Beziehungen verstärkte sich, systemkonform, zu massiver Ablehnung solcher »Abartigen«; ihnen hing das Etikett »widernatürliche Unzucht« an, die, sofern es sich um Männer handelte, seit der Kaiserzeit nach § 175 Reichsstrafgesetzbuch mit Gefängnis bedroht war. Bis zum Ende der fünfziger Jahre bereiteten mir Menschen, denen Homosexualität nachgesagt wurde, physisches Unbehagen. Erst die Freundschaft mit einer Kollegin im Bayerischen Rundfunk und ihrem Mann, einem Psychiater und Psychoanalytiker, befreite mich, die Vierzigjährige, aus dem Gefängnis meiner Vorurteile und lehrte mich, Homosexualität als eine existierende Lebensform zu sehen und vorurteilsfrei zu akzeptieren.

Hindenburgs Tod wird im Tagebuch anteilnehmend vermerkt, nicht jedoch seine bedeutsamen Konsequenzen: Fortan war Hitler als »Führer und Reichskanzler« auch Inhaber des Reichspräsidentenamtes und, wie zuvor Hindenburg, Oberbefehlshaber der Reichswehr.

1935

Das größte Ereignis war die Saarabstimmung, heißt es im Rückblick. Andere Ereignisse begannen in diesem Jahr schwarze Schatten zu werfen, die auch auf das Umfeld der Tagebuchschreiberin fielen: Nach zwei Jahren relativer Ruhe setzte Joseph Goebbels im Frühjahr eine neue antisemitische Hetzkampagne in Gang.

»Juden haben keinen Zutritt!« Ihre Aussperrung aus dem öffentlichen Leben betraf Schwimmbäder, Kinos, Parks, ganze Kurorte. Über ein Plakat mit dieser Inschrift an der Neptunschen Badeanstalt in Alzey informierte die nunmehr einzige lokale Zeitung am 24. Juli die Bevölkerung. Als ständige Besucherin muß ich es gelesen haben, und in Mainz muß mir aufgefallen sein, daß auch die Rheinbäder »judenfrei« waren.

Ein Anzeigentext aus den »Rheinhessischen Volksblättern« vom 23. August belegt, wie für die Austreibung jüdischer Geschäftsleute agitiert wurde: »Das Ehrenschild ›Deutsches Geschäft‹ – Dein Wegweiser«. Daß das Kaufhaus Levi, das größte jüdische Geschäft

Alzeys, Anfang September »arisiert« wurde, muß in der Familie Walb Gesprächsthema gewesen sein, denn Karl Levi, nun nur noch Abteilungsleiter im bisher eigenen Unternehmen, war mit meinem Vater gut bekannt, und die neuen Besitzer waren uns nah befreundete Verwandte.

Gelesen haben muß ich auch Hetzparolen des »Stürmers« in den im ganzen Land aufgehängten Schaukästen, den »Stürmerkästen«, die den »Kloaken-Antisemitismus« des Julius Streicher unter die Leute brachten. Streicher wurde durch das Nürnberger Tribunal als Kriegsverbrecher zum Tode verurteilt und 1946 aufgehängt.

Am 15. September wurden – das kann mir nicht entgangen sein – die »Nürnberger Gesetze« verkündet. Das »Reichsbürgergesetz« machte die Juden zu Bürgern zweiter Klasse, und das »Gesetz zum Schutze des deutschen Blutes und der deutschen Ehre« verbot insbesondere die »Mischehe« und außereheliche Beziehungen zwischen »Ariern« und Juden.

Als Abschreckung für die deutschen Frauen und Mädchen ging alsbald ein Foto durch die Presse, das zeigte, wie eine Hamburger »Rassenschänderin«, von SA-Leuten umringt, auf der Straße vorgeführt wurde: Eine junge Frau im hellen halbärmeligen Kleid und mit Hut trägt ein großes weißes Plakat vor der Brust: »Ich bin am Ort das größte Schwein und laß mich nur mit Juden ein!«

»Und das alles weißt du nicht mehr???« Nein, davon weiß ich nichts mehr. Ich habe das Unrecht, das vor meinen Augen an Juden begangen wurde, verdrängt. Ich konnte nicht genau hinschauen, weil ich, ein junger Mensch mit starkem Gerechtigkeitsempfinden, Schuldgefühle hatte. Das Wegschauen ersparte mir schwere Konflikte. Die Verdrängung ist perfekt und für immer gelungen. Meine Erinnerungen sind eingemauert. Ich finde zu diesen innersten Schächten keinen Zugang mehr. Ich kann nur aus Büchern Fakten nachlernen und die Einsicht akzeptieren, daß meine Person während dieser Jahre, wie Ralph Giordano es so genau auf den Punkt brachte, »in eine privat human gebliebene, politisch aber antihumane Hälfte« gespalten war.

Das gilt erst recht für die Masse der damals Erwachsenen. Die Schuldgefühle, die das Schweigen und Wegschauen den Mitläufern verursachte, speisten sich noch aus anderen Quellen. Unbewußt erhofften sie sich aus der Diffamierung oder Schädigung der Juden materielle oder ideelle Vorteile. Und Schuldgefühle verspürte auch die Minderheit derer, die aus Geschäftsgründen oder privat zunächst noch mit Juden umgingen und sich dem starken Druck, dem sie ausgesetzt waren, schließlich beugten.

TAGEBUCH II
1. Januar 1937 – 18. Oktober 1938

Mein Tagebuch,
gekauft von dem Geld,
das mir mein lieber Vater
an meinem 17. Geburtstag schenkte,
seinem letzten Geschenk.

Dieses Tagebuch schildert die Jahre 1936–38 fast ausschließlich im Rückblick. Bis auf einen spontanen Eintrag am 9. 4. 38 schrieb ich es in Form von Nacherzählungen an nur sechs Tagen innerhalb dieser zwei Jahre. Ausführlich dargestellt ist darin nur das 1. Halbjahr 1936 mit dem zentralen Ereignis meiner Jugend, der viermonatigen Krankheit und dem unerwarteten Krebstod meines 50jährigen Vaters. Politische Geschehnisse spielen in dieser Periode der Aufzeichnungen eine geringe Rolle.

Aufsatz vom 15. 12. 1936

Welche Bücher lese ich, kaufe ich, schenke ich?

»Wenn auch Bücher nicht gut oder schlecht machen, besser oder schlechter machen sie doch.« Es ist daher durchaus nicht gleichgültig, welche Bücher ich lese. [...]

Oft lese ich Übersetzungen fremder, meist nordischer Dichter und Schriftsteller, um andere Völker und Länder durch das Buch kennen und auch verstehen zu lernen.

Das Wesen fremder Völker verstehen?

Ja, darf ich das denn, ehe ich mich nicht zuerst einmal bemüht habe, die Eigenart und das Wesen des deutschen Volkes zu verstehen?

Hier erwächst mir eine Aufgabe: es ist meine Pflicht als Deutscher, im Buch, im deutschen Buch, dem Werk des deutschen Künstlers, die Seele des deutschen Volkes zu suchen! Erst wenn ich weiß, was deutsches Wesen ist, darf ich versuchen, fremdes zu verstehen.

Und darum bin ich auch verpflichtet, die Dichtung unsrer Zeit zu lesen, denn erst durch sie lerne ich unsre Zeit, ihre Dichter und damit unser Volk ganz verstehen. [...]

Note: 1–2

Bewertung: gelungener Versuch des sachlichen klaren Stils.

Das Wesen fremder Völker verstehen? Ja, darf ich das denn? Der zentrale Satz in diesem Auszug demonstriert einmal mehr meine kritiklose Unterwerfung unter die Ideologie des Nationalsozialismus. Hinter der sogleich weggewischten Frage steht die eingeimpfte Angst vor der Berührung mit dem Fremden. Wer sich einläßt auf das Fremde, lernt es verstehen, schätzen und stellt damit die eigene Einzigartigkeit in Frage. Die selbstverliebte, ständig wechselseitige Bestätigung von »Führer« und Volk, ihrer Wichtigkeit füreinander, wäre durch die Beschäftigung mit fremder Kultur und ihren Werten gefährdet worden und hätte eine viel zu komplizierte Situation geschaffen. Im deutschen Tempel durfte nur der deutsche Gott stehen – du darfst keine fremden Bücher lesen, weil ich keine fremden Götter neben mir dulde, tönte der unterschwellige Befehl. Durch Kontakt mit dem Fremden hätte die Orientierung, wer oben, wer unten, was falsch, was richtig ist, wer wir und wer die anderen sind, verlorengehen können; womöglich hätten wir die Russen verstehen gelernt oder gar die Juden, die wir uns doch vor allen anderen seit der Bücherverbrennung im Mai 1933 und durch die Verfemung »undeutscher« Autoren vom Leibe hielten! Der, den ich verstehe, den ich mir vertraut mache, am Ende lieben lerne, kann mein Feind nicht mehr sein.

1. Januar 1937
Ich blicke in das vergangene Jahr zurück, das so viel Leid und Schmerz gebracht hat. […]

Ich hatte zu meinem Vater stets vollstes Vertrauen, über alles konnte ich mit ihm reden, ganz offen, wie zu einem sehr guten Freund, und er gab mir seinen Rat. […] Er war ein Willens- und Tatmensch. Er hatte in seinem Leben ungeheuer viel gearbeitet, und dieser Arbeit haben wir es auch allein zu verdanken, daß wir heute das haben, was wir zum Leben brauchen, und daß wir auch später nicht ohne Mittel dastehen. Wenn je jemand gearbeitet hat, so hat er es getan. […] Uns ist es finanziell nie eigentlich gut gegangen.

Einmal, Hermann und ich waren noch sehr klein, gab es eine Scheinblüte. Und dann kam der Zusammenbruch der Fabrik, und die Not und der Kampf für unsere Eltern wurde immer schwerer. 1931, 1932 war es am schlimmsten. Sogar wir Kinder, oder wenigstens ich spürte es manchmal, daß es bei uns sehr oft hieß: sparen, verzichten. Wie schwer muß das erst für unsere Eltern gewesen sein, die all das bewußt erlebten. Aber nie haben sie den Mut verloren.

Und dann kam der Umschwung, das nationalsozialistische Regime begann. Seit 1931 war Papa Mitglied der Partei, als in Alzey eine Ortsgruppe gegründet wurde. Schon lange vorher war er aber mit seinem Herzen dabei gewesen. Mit dem Umschwung begann der Aufbau und mit ihm in erster Linie der wirtschaftliche Aufschwung, den die Firma Krupp und damit auch wir sehr bald spürten. Die Bauern hatten wieder Mut und kauften, und uns ging es langsam besser, von Jahr zu Jahr. 1935, 1936 ging es uns gut, konnte man sagen; es war ein so wunderbar befreiendes Gefühl, wenn auch wir jetzt mal etwas mitmachen, etwas kaufen durften, ohne sofort an die Kosten zu denken. Aber wir waren ja so gar nicht verwöhnt und für die kleinste

Freude so dankbar. Ich weiß noch genau, wie glücklich ich Weihnachten 1935 war, als wir zum ersten Mal einen reichen Weihnachtstisch bekamen. Weniger die Geschenke machten so viel Freude, es war das Bewußtsein, daß auch wir jetzt freier atmen konnten. Vielleicht sollte auch für uns mal der Wunsch – ein eigenes Häuschen – in Erfüllung gehen. Es war Papas Wunsch an das Leben. In seinem Alter wollte er keinen Kampf mehr.

Und dann war alles zu Ende. Papa konnte nicht mehr die Früchte seiner unermüdlichen Arbeit genießen, und für uns begann der Kampf von neuem. [...] Aber unsere Mutti war tapfer. Nicht ein einziges Mal ließ sie den Kopf hängen oder wußte keinen Rat. Das erste, was sie zu uns sagte, war, daß sie ihren Weg weitergehen wollte, wie es das Schicksal nun verlangt, und daß sie ihre Aufgabe erfüllen will: uns zu lebenstüchtigen Menschen zu erziehen.

Kann ich nicht stolz sein auf einen solchen Vater und eine solche Mutter? Beides Menschen, die »dem Schicksal in den Rachen greifen«. Gibt es eine bessere Haltung im Leben? Unsere Aufgabe ist: zu werden wie sie, Menschen des Willens und der Tat. Ich bin dankbar, daß ich solche Eltern haben durfte.

Unser Vater war ein Mensch, den jeder, der ihn kannte, gern hatte. Wo er war, scharten sich alle um ihn. Wenn er einmal seine Sorgen vergaß, dann war er heiter, vergnügt, wenn man sein herzliches Lachen hörte, freute man sich. Er war ein sehr geselliger Mensch, er liebte es, Menschen um sich zu haben, und hatte daher auch keinen starken Familiensinn. Er war ein Mensch, der das Leben liebt. Zu allen Leuten war er freundlich und überall beliebt. Und als er starb, war unsere ganze Stadt verstört, denn keiner konnte begreifen, daß er nicht mehr war. Und ihre Anteilnahme zeigten auch alle bei der Beerdigung. [...]

So denken auch wir an ihn voller Liebe. Wir sehen immer all seine schönen und guten Züge. Und an die anderen Seiten, die ja jeder Mensch hat, denken wir nicht. So, wie er war, dürfen wir stolz auf ihn sein.

Zu begreifen, daß wir keinen Vater mehr hatten, war am Anfang sehr schwer. Und auch heute habe ich es nicht begriffen, sondern mich nur an den Gedanken gewöhnt. [...] Am schlimmsten ist es für Mutti. Für sie ist alles vorbei. Vor uns aber steht noch das Leben. Wir müssen deshalb versuchen, ihn zu ersetzen, soweit es in unseren Kräften steht. Wir müssen ihr viel Freude bringen. – – –

In dieser Zeit waren alle sehr nett zu mir.

Marianne K., mit der mich damals echte Freundschaft verband, hatte ich am Abend dieses furchtbaren Tages selbst vom Tod meines Vaters gesprochen. Ich wollte nicht, daß sie es durch die Zeitung erfuhr. Sie tat in der folgenden Zeit alles, um mich wieder aufzuheitern.

Hilde B. lernte ich damals von einer Seite kennen, die ich nicht bei ihr vermutet hätte. Sie war so zart und behutsam mit mir, daß ihre Nähe wohltat.

Damals. Bilder, Gefühle. Die Nacht nach Vaters Tod mit der Mutter zusammen im Elternschlafzimmer, von Tränen erschöpft. Jähes Erschrecken auf dem Schulhof: Ich lache! Und Papa ist erst wenige Tage tot! Das schwarze Kleid in der Sommerhitze und der tägliche Gang zum Friedhof. Zwiesprache noch immer ...

Der Tod des vergötterten Vaters ereignete sich, bevor das siebzehnjährige Mädchen den Prozeß der inneren Ablösung, den Schritt ins eigenständige Leben vollzogen hatte. Der schon von dem Kind aufs Podest Erhobene, nun der Wirklichkeit Entrückte verharrte als Lichtgestalt in der Erinnerung der Tochter, als Mann ohne Schattenseiten. Mit seinem Tod begann die Verdrängung, die ein halbes Jahrhundert währen sollte: *Wir sehen immer all seine schönen und guten Züge. Und an die anderen Seiten, die ja jeder Mensch hat, denken wir nicht.* Soviel vermeintlich liebende Verleugnung der Wahrheit kostet einen hohen Preis. Ich zahlte ihn, als ich sechsundsechzig Jahre alt war. Erst damals befreite ich meinen Vater von seiner Überhöhung und erlaubte mir, auch seine Schattenseiten zu erkennen und zu benennen. Mit diesem späten, schweren Schritt gelangte ich auf den Weg, der zur schonungslosen Offenlegung der Irrungen und Täuschungen meiner Jugend und meinen heutigen Einsichten führte.

Das Sesam-öffne-dich zur Erkenntnis der Zusammenhänge war ein mehrfach wiederkehrender Alptraum aus Kindertagen, lange verdrängt, scheinbar vergessen:

Ich, ein kleines Mädchen, muß mit meinen dünnen, schwächlichen Ärmchen einen Mainzer Käse hochhalten, riesengroß und schwer wie ein steinernes Mühlrad. Übermäßig ist meine Kraftanstrengung. Ich muß sie leisten, muß es, damit ich nicht von der Last über meinem Kopf erschlagen werde.

Diesen Traum kann ich heute aus mehreren Blickwinkeln betrachten. Das kleine Mädchen muß das Bild der elterlichen Ehe hochhalten; die dunklen Flecken darauf, die der lebenslustige Vater verursacht, der nicht nur Augen für die eigene Frau hat, darf es nicht wahrnehmen. Wie jedes Kind braucht es zu seiner gesunden Entwicklung das schützende Elterndach über seinem Kopf; mit äußerster Anstrengung versucht es daher, sich dieses Dach zu erhalten. Besonders in der frühen Kindheit neigen Kinder dazu, so lange wie nur irgend möglich die Ehe der Eltern als gut anzusehen und in ihren geheimen, ihnen unbewußten Phantasien die Schuld an allen Störungen auf sich zu nehmen, etwa daß sie es nicht schaffen, die Eltern zu versöhnen, weil sie nicht brav waren. Über diesem entwicklungspsychologischen Aspekt darf der patriarchalische bei der Betrachtung des Traums nicht vergessen werden: Sicherheit gibt nur ein starker Vater. Für viele Menschen der damaligen Zeit galt: Ein Vater kann tun, was er will, als Mann wie als Krieger, er ist immer gut, einfach weil er als der Gute und der Beschützer gebraucht wird. In diesem Sinn sagt der Traum: Das kleine Mädchen muß sein Bild vom Vater hochhalten, wenn es nicht zugrunde gehen will. Schwächen und Fehlhaltungen des Vaters zuzugeben hieße das Vaterbild und mit ihm das Kind, sich selbst zerstören.

Aus der Sicht der erwachsenen, altgewordenen Tochter gehören zu meinem vollständigen Vaterbild nicht nur die privaten Schwachstellen, sondern auch die politischen. Daß mein Vater, ohne Durchblick und Weitsicht, seine Hoffnung auf Hitler setzte, nachdem seine ökonomische Lage sich mit jeder Wirtschaftskrise verschlechtert hatte, und daß er der NSDAP beitrat, eine Reaktion, die er mit zahllosen Deutschen gemein hatte, kann ich heute als Faktum hinnehmen. Seine Notlage, seine politischen Überzeugungen und Erwartungen prägten mich. Seine Haltung gegenüber den Juden darlegen zu müssen schmerzt und belastet mich. Wie so viele Deutsche unterschied er zwischen dem »guten« und dem »bösen« Juden. Für den hoch angesehenen jüdischen Besitzer des Alzeyer Kaufhauses hatte er freundschaftliche Gefühle, beide gehörten demselben Verein an. Bei seinen Geschäften machte er mit zahlungsunwilligen Partnern, »Ariern« wie Juden, zuweilen schlechte Erfahrungen; zweimal verlor er auch gegen kleine jüdische Händler, die einen Meineid geschworen hatten, den Prozeß. Die Szene, daß meine Eltern Silber und Porzellan für den Notverkauf auflisteten und taxierten, ereignete sich in einem solchen Zusammenhang. Das Geld, um den Verdienstausfall auszugleichen, war nicht vorhanden. Mein Vater war verzweifelt; er schimpfte und fühlte sich in seiner Meinung bestätigt, als er Göring auf einer Veranstaltung reden hörte: »Der sagt auch, ›die Juden sind unser Unglück‹.«

Daß er auf Juden schimpfen konnte, paßte gut ins allgemeine Bild jener Zeit. Der Antisemitismus hat eine lange Geschichte, immer wieder hilft er, sich von eigener Unsicherheit oder Schuld oder Existenzängsten zu entlasten. Wenn alle, zumal Goebbels oder Göring, auf die Juden schimpften, konnte Hermann Walb das gleichfalls tun und auf Kosten der Sündenböcke sein seelisches Gleichgewicht wiedergewinnen. Der »gute Vater« muß seine Sache gut machen.

Ungeachtet seiner finanziellen Probleme muß er sich als stark erweisen, als fähig, die materielle Existenz seiner Familie zu sichern. Doch das gelang meinem Vater aus vielen Gründen damals nicht. Statt nun alle Faktoren, die an seiner mißlichen Lage schuld hatten, zu überdenken, schob er die alleinige Verantwortung für sein Ungemach den Juden zu, die ohnehin allgemein als Sündenböcke benutzt wurden. Indem er die infame Behauptung der Nationalsozialisten – ursprünglich ein Wort des wilhelminischen Historikers Treitschke – »Die Juden sind unser Unglück« übernahm, konnte er sich in seinen Nöten entlasten. Daß die haßerfüllte Propaganda ein Klima schuf, in dem sogar die Vernichtung von Millionen Juden möglich sein würde, überstieg nicht nur seine Vorstellungskraft. Von der furchtbaren »Endlösung« der Judenfrage zu erfahren und seine eigene Rolle in dem Vorspiel der Tragödie zu betrachten blieb ihm durch seinen Tod erspart.

Mein Vater ist die Schlüsselfigur meiner Jugendgeschichte. Und der Alptraum meiner Kindheit, dem ich diese Erkenntnis verdanke, liefert auch den Schlüssel zum Verständnis meiner kritiklosen Begeisterung für Hitler und seine Ideologie: So wie ich im Traum als kleines, schwaches Mädchen das belastende Vaterbild hochhielt, so hielt ich mit all meinen Kräften Hitlers Bild hoch. Zwischen ihnen gab es Parallelen; mein Vater hatte sich abgearbeitet, um aus seiner Misere herauszukommen, ebenso hatte Hitler hart gearbeitet, um uns aus dem Elend zu befreien, und er war, wie ich es empfand, willensstark, durch Schicksalsschläge nicht zu beugen – wie mein Vater und meine Mutter griff er »dem Schicksal in den Rachen«. Vor allem aber – und darin befand ich mich im Einklang mit dem Kollektiv, mit der Masse des Volkes – liebte ich ihn wie meinen Vater, meinen Beschützer und erhöhte ihn zum Übervater. In den schwer verstehbaren, weil unbewußten Phantasien seiner Anhängerinnen und Anhänger waren, obwohl oder weil er keine richtige Ehe führte, alle Frauen der Nation des »Führers« Bräute, seine Frauen, die ihm die Kinder gebaren – »Schenkt dem Führer Kinder!«. Er war der eigentliche Vater.

Die Schilderung meiner Vater-Beziehung könnte den Anschein erweckt haben, als sei ich ganz und gar eine »Vater-Tochter«. Nicht erst seit meines Vaters Tod wurde ich auch zur »Mutter-Tochter«. Ohne meine Mutter, ohne ihre Einfühlung in meine ihr fremden geistigen Bedürfnisse, ohne ihre Lebenstüchtigkeit, ihre selbstlose, opfervolle Förderung und Unterstützung wäre ich nicht die geworden, die ich bin. Obwohl sie sehr einsam wurde, klammerte sie sich nie an mich, behinderte mich nicht auf meinem Weg. Ich kann ihr allenfalls vorwerfen, daß sie vom Leben zu wenig für sich selbst forderte, auf zu vieles verzichtete, und daß sie ihre Opferhaltung, nicht nur zu meinem Besten, an mich weitergab. Mit meiner Mutter mußte ich mich nicht in einem leidvollen Prozeß auseinandersetzen. Weder privat noch politisch zeigte sie Verhaltens- und Denkweisen, die mir so schwer zu schaffen machten wie die meines Vaters.

Nach dem Tod ihres Mannes entfaltete sie, 47 Jahre alt und ohne Versorgung, bemerkenswerte Initiativen, um sich und ihre zwei Kinder über Wasser zu halten. Zugleich emanzipierte sie sich von ihrer eigenen dominanten Mutter, in deren Haus wir wohnten. Entgegen dem Rat aller Verwandten benutzte sie die kleine Lebensversicherung ihres Mannes, um auf dem vorhandenen Gartengrundstück ein Häuschen zu bauen. Zwei möblierte Zimmer, für je 25 RM mit Frühstück vermietet, und geringe Einnahmen aus Obstverkäufen sicherten das Existenzminimum. Ein Versuch, im Souterrain eine kleine Mietwaschküche, damals etwas Neues, einzurichten, scheiterte schließlich am Kleingeist des Städtchens – »Man kann doch zu Frau Walb nicht seine schmutzige Wäsche bringen«. Für den äußersten Notfall waren auf dem Sparbuch 8000 RM angesammelt, Außenstände aus den Geschäften meines Vaters und Reste der Lebensversicherung. Entgegen der Verwandtenmeinung entschied meine Mutter auch, daß ich weiterhin – »die Lore lernt so gern« – die Mainzer Schule besuchen durfte und nicht ins Büro gehen mußte. Ich bekam eine »Freistelle«, doch für Fahrtkosten und Bücher mußte sie aufkommen.

Wir müssen versuchen, ihn (den Vater) *zu ersetzen, soweit es in unseren Kräften steht. Wir müssen ihr viel Freude bringen* – das im Tagebuch ausgedrückte verpflichtende Gefühl bestimmte fortan mein Leben. Es ist der Antrieb, der auch das generelle Schicksal von Kriegswaisen kennzeichnet. In dieser Situation des Verlustes stellt sich die alte Zweisamkeit zwischen Mutter und Kind vom Beginn seines Lebens wieder her.

[1. Januar 1937]
Gegen Ende des Sommers trat ich auch verschiedenen Mitschülerinnen näher. In erster Linie war es Eva E., bei der ich einige Male über das Wochenende zu Besuch war in Ingelheim. […]

Sie hat eine ruhige, feine Mutter, der passive Teil in der Familie. […] *Ihr Vater, lebhaft, sehr unterhaltend, ist ein reizender Mensch. Ich habe mich mit ihm ganz großartig verstanden.* […] *Ich glaube, er fand mich auch sehr nett. Von der ganzen Familie gefiel er mir am allerbesten.*

10. III. 38

Eva hat noch zwei ältere Geschwister [...] Der Bruder Peter ist auch ein Mädchenfreund, und von dieser Seite habe ich ihn denn auch kennengelernt.

Im Spätsommer war ich an zwei folgenden Wochenenden bei E.s. Wir haben herrliche Autofahrten gemacht. [...] Und so habe ich denn auch in diesen Tagen mit dem netten und gut aussehenden Peter (groß, schlank, dunkel) sehr nett geflirtet. Unterstützt wurde dieser Flirt wohl dadurch, daß ich gerade E.s Ansicht und Wunsch über derartige kleine zärtliche Freundschaften erfuhr: Es ist ihnen lieber, wenn ihre Kinder sich an solchen Zärtlichkeiten im eigenen Hause erfreuen als anderswo. Das vereinfachte die ganze Geschichte für uns wesentlich. Wir waren beide sehr verliebt und hatten unsere Freude daran.

Dann kam ich längere Zeit nicht zu E.s, und damit hatte auch dieser Flirt ein Ende, denn mehr, eine Freundschaft, war es ja nicht.

Es war mir damals nicht bewußt, daß das Ehepaar, vor allem Herr E., eine wichtige Rolle in meinem Leben spielte. Der weltläufige Fabrikant fungierte als Ersatzvater für die nun Vaterlose. Es war nicht nur großzügig und klug, die Liebeleien der Kinder unter dem eigenen Dach zuzulassen. Das scheinbare Laisser-faire diente der Kontrolle der Sexualität, die Emotionen, die dahin hätten treiben können, wurden auf diese Weise gesteuert; unter den Augen der Familie konnten sie nicht »außer Kontrolle« geraten. Nicht zufällig war der Flirt mit seinem Äugeln und Kokettieren gang und gäbe, ein Spiel, das über harmlose Zärtlichkeiten nicht hinausging.

Was hier so beiläufig und privat zutage tritt, muß im Kontext der damals herrschenden Anschauungen über Sitte und Anstand gesehen werden. Die Übernahme der bürgerlichen Moralvorstellungen des 19. Jahrhunderts durch den Nationalsozialismus prägte die Beziehungen der Geschlechter bis weit in die Nachkriegszeit hinein. Mehrere Faktoren bestimmten, ja diktierten das Verhalten: die Forderungen nach Keuschheit der Frau und Enthaltsamkeit des jungen Paares vor der Ehe; die heutzutage angesichts der Pille nicht mehr nachfühlbare, schwer belastende Angst vor ungewollter Schwangerschaft und »Mußheirat«, die so manche Karriere verbaute; schließlich die allgemeine Entsexualisierung im Dritten Reich, wie sie sich am Bild von Frau und Mann in der Kunst ablesen läßt.

Die anderen Mädels aus meiner Klasse, denen ich damals näher kam, waren Liselotte S., deren Vater in Oppenheim das größte Weingut besitzt, und Edith H. [...] Mit Liselotte und Edith [...] und Gi-

sela W.-M. [...] verlebte ich zusammen in Oppenheim unsere vier Tage Herbstferien. [...]

Von da ab haben wir uns wechselseitig über Wochenende manchmal Besuche gemacht. [...]

Im Sommer war dann die gewaltige Olympiade in Berlin, bei der Deutschland über alles Erwarten hervorragend abschnitt. Für uns alle war das eine ungeheure Freude, eifrig waren wir hinter diesen Siegermeldungen her und beneideten alle, die dieses einzigartige Ereignis miterleben durften.

Das Weihnachtsfest in diesem Jahr 1936 war ein sehr stilles, einsames. Wir sind ja jetzt nur noch drei.

Geschichtliches Geschehen in diesem Jahr:
9. Mai 1936: Kaiserreich Aethiopien
18. Juli 1936: Ausbruch des spanischen Bürgerkrieges
25. Nov. 1936: deutsch-japan. Abkommen gegen den Bolschewismus

Aufsatz vom Februar 1937

Rückblick
auf die nationalsozialistische Revolution 1933
nach der Rede des Führers am 30. I. 1937

In den Jahren nach dem Weltkrieg erlebte Deutschland seinen tiefsten Fall und seine höchste Not. Auf allen Lebensgebieten zeigte sich Niedergang, Verfall.

Das deutsche Volk war zerrissen in Klassen und Parteien, Deutsche kämpften gegen Deutsche. Der Kampf steigerte sich, die Regierungen wechselten. Und mit jedem Wechsel wurde die Hoffnung auf Besserung geringer, denn die Zustände blieben dieselben, sie wurden nur noch schlimmer. Es waren verschiedene Männer, die die Leitung des Staates übernahmen, aber die Grundlage, auf der sie aufzubauen versuchten, war immer die gleiche, das parlamentarische System. Und auf diesem Weg gab es keine Besserung mehr.

Nur etwas Neues konnte dem deutschen Volk Hilfe bringen, etwas Umwälzendes, das die alte Form zerbrach, beiseite schaffte, und etwas vollkommen Neues, Besseres, an ihre Stelle setzte. Und das konnte nur geschehen in Form einer Revolution. Und Träger dieser Revolution mußte eine neue Bewegung sein, deren Grundsätze und Ziele nichts gemein hatten mit den bestehenden Parteien, die bereit war, das Leben einzusetzen.

Und diese Bewegung wurde geschaffen, wuchs, breitete sich aus, er-

faßte schließlich das ganze Volk. Jetzt, nachdem die Grundlagen vorhanden waren, konnte die Revolution kommen.

Und die Revolution kam, aber ganz anders, als man dachte. Nichts wurde zerstört, vernichtet, weder Menschenleben noch Sachwerte. Und damit schuf die Revolution eine neue Auffassung der Revolution:

»Es kann nicht die Aufgabe einer Revolution sein, ein Chaos zu erzeugen, sondern etwas Schlechtes durch etwas Besseres zu ersetzen. Dies erfordert aber stets, daß das Bessere tatsächlich schon vorhanden ist.«

Und das war es. Und Träger dieses Besseren war die nationalsozialistische Partei. Die Forderungen und Grundsätze dieser Partei mußten nun auch für das neue Reich Gültigkeit erlangen.

Aber damit mußte auch die Revolution zu Ende sein. Es beginnt die Evolution, der Aufbau, der allerdings einen Umbruch in sich schließt. Und welche gewaltige Bedeutung diese Umwälzung für Welt und Geschichte hat, können wir kaum ermessen:

»Unser nationalsozialistisches Programm setzt an Stelle des liberalistischen Begriffes des Individuums, des liberalistischen Begriffes der Menschheit, das blutbedingte und mit dem Boden verbundene Volk.«

Und es ist daher die höchste und heiligste Aufgabe die Erhaltung des Volkes in seiner Art.

»Die größte Revolution des Nationalsozialismus ist es, das Tor der Erkenntnis aufgerissen zu haben, daß alle Fehler und Irrtümer der Menschen zeitbedingt und damit wieder verbesserungsfähig sind, außer einem einzigen: dem Irrtum über die Bedeutung der Erhaltung seines Blutes, seiner Art und damit der ihm von Gott gegebenen Gestalt und des ihm von Gott geschenkten Wesens.«

Es gibt also kein größeres Verbrechen als die Veränderung oder Zerstörung des Wesens und der Seele des Volkes. Denn wenn die Eigenart des Volkes einmal verloren ist, dann bleibt sie verloren.

Diese Erkenntnis ist das Verdienst der Revolution, die wirklich umfassend war:

In kürzester Zeit hat sie die vielen Verwirrungen und Mißstände beseitigt und Ordnung geschaffen.

Die Parteien sind verschwunden. Es gibt nur noch eine Partei, und sie bedeutet Deutschland.

Die Bewertung des einzelnen Menschen geschieht nicht mehr nach Herkunft und Geburt, sondern allein nach Können und Leistung. Damit ist der Unterschied zwischen Klassen und Ständen aufgehoben. Jeder Volksgenosse ist gleichberechtigt dem anderen.

Und der Wille und die Kraft des deutschen Volkes sind verkörpert durch die Person des Führers. Sein Wille ist der Wille des Volkes, und der Wille des Volkes ist sein Wille.

Bewertung: Etwas zu knapp, eng an die Rede angeschlossen.

Note: 1–2

Der schwache Aufsatz mit seiner Deutschtümelei, dem hohlen Pathos der Blut-und-Boden-Ideologie verursacht mir Unbehagen. Wie gut, daß ein Mensch sich ändern kann.

Ich stelle mir Hitler vor – mit welchen Gefühlen mag er sich im Spiegel angeschaut haben? Kein Musterexemplar germanischen Mannestums. Wie nötig hatte er es, sich einzureden, er habe das richtige Blut, er, der nie so ganz seiner Abstammung sicher war, mit schwankendem Selbstgefühl, aus schwierigen Verhältnissen, beruflich nicht erfolgreich. Sein persönliches Schicksal und das Schicksal der Deutschen nach dem Ersten Weltkrieg, die sich so minderwertig fühlten, paßten zusammen, die gleichen Ängste, die gleichen Emotionen – daher die stete Beschwörung der Gleichheit von Führerwille und Volkeswille. Zwischen Führer und Volk sollte es keine Unterschiede geben; was unterschiedlich, anders sein könnte, war zu eliminieren, aus dem »gesunden Volkskörper« herauszuschneiden.

Aufsatz vom 4. 3. 1937

Der Einzelne und die Gemeinschaft

Beispiel:

Ein Soldat steht an der Front in einer hellen Mondscheinnacht hinter einem Baumstumpf mit geladenem Gewehr auf Wache. Plötzlich erblickt er in geringer Entfernung einen keine Gefahr witternden feindlichen Soldaten. Jener bemerkt an sich eine wachsende Erregung, die von der Frage verursacht ist, ob er schießen soll oder nicht. –

––– Die Fackel des Krieges loht. Zwei Völker stehen gegeneinander in gewaltigem Ringen um den Sieg.

Tage- und nächtelang tobt oft der Kampf, dann wieder herrscht Ruhe, neue Kräfte werden gesammelt zu erneutem Kampf.

Wiederum ist eine solche Gefechtspause.

Es ist Nacht, Stille. Der Mond wirft sein bleiches Licht auf Freund und Feind.

Einsam steht der Soldat auf Wache, das Gewehr schußbereit, gedeckt durch einen Baumstumpf.

Nacht, Stille – sie verleiten zum Träumen. Man denkt an die Heimat, an den Frieden – und an den grauenvollen Krieg. – – –

Doch der Soldat steht und wacht, wacht über Freund und Kamerad.

Die Nacht ist hell –

Und – was ist das, dort, ihm gegenüber, im feindlichen Graben – ein Soldat?! Ruhig steht er da, blickt in die Nacht. Ja, ahnt er denn nicht, welche Gefahr ihm droht?

Nein, wie könnte er es sonst wagen, so, ohne Deckung, im Graben zu stehen und in die Nacht zu starren? Ja, hat der Kerl denn den Verstand verloren?!

Und jetzt bewegt er sich noch, geht ein paar Schritte – Herrgott – ist er denn wirklich ahnungslos?

Und er? Was besinnt er sich denn überhaupt noch, Feind ist Feind!

Er steht auf Wache, er hat das Gewehr schußbereit in der Hand – drüben steht der Feind – ja, zum Teufel, weshalb schießt er denn nicht? Er steht doch Wache!

Ja, aber der andere, er ist doch ahnungslos! Es wäre anders, wenn es im Gefecht wäre, aber so – kann man das denn, einen Menschen so einfach abknallen wie einen tollen Hund, nur weil es der Feind ist, der von einer Gefahr nichts weiß? Das kann man doch nicht, das wäre doch Mord! Ist das der Sinn des Krieges? Aber er ist doch ein gerader, ehrlicher Mensch, ein anständiger Soldat!

Soldat? Ist das der rechte Soldat, der, dem Feind gegenüber, sich besinnt, ob er schießen soll?

Was heißt denn Soldat?

Gehorsam, Pflicht!

Ist er in diesem Augenblick gehorsam, tut er eben seine Pflicht? Seine Pflicht wäre doch – schießen?!

Aber den dort drüben, – jetzt bewegt er sich schon wieder – Mensch, Kerl, geh' doch zurück in den Graben, hör' doch, ich warne dich doch, bist du denn ganz verrückt? Geh' in den Graben, Feind, Mensch,

Soldat, Kamerad – geh' in den Graben, – und ich hab' dich nicht gesehen!

Er hört nicht, er ahnt nichts!! Das ist doch ungeheurer Leichtsinn! Er ist doch Soldat!

Und auch er selbst ist Soldat! Noch Soldat! »Pflicht, Gehorsam«! Das Gesetz des Soldaten. Den Befehl ausführen, nicht denken, ist er recht, ist er falsch, nur seine Pflicht tun.

Das muß der Soldat können. Kann auch er es?

Aber dort – ein ahnungsloser Mensch! –

Nichts Mensch – feindlicher Soldat! Feind!
Herrgott – ist das recht?
Recht oder unrecht – tu' deine Pflicht! Sie allein ist recht.
Wachst du so über deine Kameraden? Ist das Wache? Nein, Verrat!
Nein – ich bin ein ehrlicher Soldat, ein treuer Soldat!
Treu deiner Pflicht?
Ja, treu meiner Pflicht!
Ich schieße! – – –
– – – Vergib, Kamerad, auch ich bin nur ein Soldat.
Bewertung: Thema nicht klar herausgearbeitet. (Nach meiner Meinung: nicht »der Einzelne und die Gemeinschaft« sondern »Neigung und Pflicht« behandelt.) Schilderung lebendig, dramatisch.
Benotung fehlt in der Abschrift.

Wurde tatsächlich das Thema *»Der einzelne und die Gemeinschaft«* verfehlt? Ich kann dem alten Deutschlehrer nicht mehr eindeutig recht geben. Die beiden Themen verschränken sich.

Der Soldat erschießt den ahnungslosen Gegner, weil er sich, eingebunden in die kollektive Aufgabe, der Gemeinschaft gegenüber verantwortlich, verpflichtet fühlt, nicht aber seinem Gewissen. Entscheidend ist: Der Soldat handelt nicht als Mitmensch, in eigener Verantwortung, sondern als Krieger, der seine Menschlichkeit eingebüßt hat. Der Feind ist für ihn kein Mensch mehr, *Feind ist Feind*. Dieser Denkweise folgend ist, ebenso hart, der Soldat auch kein Mensch mehr, er ist nur noch Soldat. Da spielt es keine Rolle, ob der feindliche Soldat, wie in diesem Beispiel, ahnungslos hinterrücks erschossen wird oder Auge in Auge im Nahkampf. Immerhin lassen sich, wenn man den Feind, wie im Ersten Weltkrieg, auf den die Szene zurückgreift, als sichtbare Erscheinung wahrnimmt, Gefühle nicht unterdrücken. Wer jedoch keinen leibhaftigen Feind mehr als Gegenüber, sondern nur noch ein abstraktes Tötungsziel im Visier hat, der Raketenschütze, der Pilot, der Brand-, Napalmbomben oder gar die Atombombe ausklinkt, der empfindet nichts mehr. Würde er nämlich seine Vorstellungskraft und seine Gefühle – das Entsetzen vor sich selbst, seine Verachtung und sein Schuldbewußtsein – zulassen und nicht unterdrücken, könnte er nicht als Soldat funktionieren, d. h. sein Tötungswerk nicht vollbringen. Hier wie dort lautet die Entschuldigung am Ende gleich, *Vergib, Kamerad, auch ich bin nur ein Soldat,* bzw. Ich war nur *treu meiner Pflicht.*

Wenn ich diesen Aufsatz gelegentlich einmal als Erwachsene las, bewegte mich wieder die Entscheidungsqual von damals, zusätzlich fielen mir Scham und Schuld als noch schwerere Last auf die Seele. Daß er, gegen den Strich gelesen, etwas von der »anderen Lore« zeigt, erkenne ich heute: Er spiegelt meine großen Zweifel an der Rechtmäßigkeit des Tötens im Krieg wider, bildet also meinen Konflikt ab, den ich bei anderen Gelegenheiten durch schablonenhafte Propagandareden unterdrückte. Möglich wäre auch gewesen, daß ich in dem Aufsatz nicht den Konflikt, sondern nur die Geschichte der Tat als Heldentat beschrieben hätte. Meine totale An- und Einpassung war also, ohne daß ich mir dessen bewußt gewesen wäre, noch immer nicht ganz gelungen.

Es ist das einzige Mal, daß das innerste »Stück von mir« in dieser Zeit in Aufsatz oder Tagebuch offenbar wird. Der Aufsatz war mir immer besonders lieb, und jetzt weiß ich auch, warum.

Der Konflikt, den er in Bilder und Worte faßt, wurde einige Jahre später in dem großen Drama, das sich dann ereignete, von einem ganzen Volk unterdrückt – wäre es anders gewesen, hätte der Krieg nicht so lange dauern können.

[10. III. 38]

1937

Dieses Jahr brachte mein letztes Schuljahr und einen ganz herrlichen Sommer. Beides wurde ausgekostet. [...]

Schon im März nahm ich Sonnenbäder, und bereits am 3. Mai ging ich zusammen mit Hilde zum ersten Mal [im Mainzer Rheinbad] *schwimmen.*

Auch beim Springen habe ich in diesem Jahr viel gelernt, allerdings erst im Spätsommer. Bei der Schwimmprüfung machte ich vom 3-Meter-Brett Salto- und Kopfsprung mit Anlauf. Das brachte mir dann auch meinen einer [= Note »Eins«] *im Turnen ein. Habe ich mich gefreut. Danach habe ich mir auch noch das Reichssportabzeichen erworben und bin nicht wenig stolz darauf. [...]*

Peter habe ich zusammen mit Eva und Hilde im April am ersten Sonntag seines Arbeitsdienstlebens besucht. Sonst nichts.

Am 8. Mai 1937 stand ich (aktiv) »auf den Brettern, die die Welt bedeuten«. Im Mainzer Stadttheater spielte ich in Sophokles' »Oedipus« dessen Gemahlin Jokaste. Das Spielen machte mir viel Freude. [...] (Gewaltig hat mir nach der Aufführung imponiert, daß ich, wie eine »richtige« Schauspielerin, mich, beide Arme voller Blumen, auf der Bühne verneigte.)

[...] Auch in der Schule war dieser Sommer schön. Es bildete sich

eine immer stärkere Klassengemeinschaft heraus. Wir haben eine sehr nette Idee verwirklicht: Wir haben uns ein »Klassenkleid« angeschafft, ein ganz entzückendes, duftiges Dirndl in gleichem Stoff und gleichem Schnitt. Es war unbedingt ein nettes Bild: 13 gleichgekleidete Mädels, und alle sehr vergnügt. In diesem Kleid waren wir immer guter Laune.

Uniformen kennzeichnen Mitglieder von Gruppen, die zusammengehören. Schuluniformen, da und dort noch heute üblich, werden, wie die meisten Uniformen, von der Obrigkeit entworfen und angeordnet. Die Mädchenklasse, die sich freiwillig, nach eigener Vorstellung, uniformierte, stellte höchst demonstrativ, fast möchte ich sagen lustvoll, ihr Wir-Gefühl zur Schau: Seht her, wir sind eine Gemeinschaft, wir gehen miteinander durch dick und dünn! Dieses Beispiel zeigt bildhaft, wie wir unsere Individualität zugunsten der Konformität buchstäblich an der Garderobe abgaben.

Aufsatz vom Sommer 1937

Elly Ney spielt vor der Mainzer Schuljugend

Wir leben in einer Zeit des Kampfes. Mitten im harten Ringen stehen wir und bauen auf mit all den Kräften, die in uns sind.

Unser ganzes Volk führt diesen Kampf, alle helfen – auch wir, die Jugend.

Wir, das Deutschland der Zukunft, stehen schon mitten im Kreis des tätigen Lebens unsres Volkes und erfüllen unsre Aufgaben und Pflichten.

Mitten im Werden sind wir. Lebensstarke, tüchtige Menschen wollen wir werden und stählen Körper und Geist.

Aber der Mensch hat auch eine Seele, die lebt und nicht hungern will.

Die Seele des jungen Menschen aber ist wie eine Knospe, die der Sonne bedarf, um Blüte zu werden.

Und diese Sonne bringt uns das innere Erlebnis von Ruhe, Harmonie, inmitten des alltäglichen Getriebes der Welt.

Wir brauchen stille Stunden, »Feste des Herzens«, damit unser inneres Leben reich wird. Solche Erlebnisse schenkt uns die Kunst.

Wir müssen die Kunst deshalb in unser Leben hineinholen, denn sie erfreut und beglückt, und wir lernen aus ihr, und sie führt uns zur Höhe.

Und deshalb geht gerade das Streben der Erzieher der Jugend da-

hin, sie mit der Kunst unsres Volkes vertraut zu machen, sei es die bildende Kunst, die Dichtkunst oder die Musik. Wir sollen die deutschen Meister kennen und lieben lernen und durch ihre Werke unser Volk.

»Wir werden Elly Ney spielen hören!« Das war die große Freude, die uns bevorstand, und in freudigster Erwartung saßen wir im Saal.

Und dann kam die Künstlerin. Wir wissen, daß sie eine große Künstlerin ist, aber deshalb steht sie in ihrem Ruhm nicht hoch über der Jugend, sondern – und das ist das schöne Menschliche – sie stellt sich mitten unter die Jugend.

In gewinnender Weise spricht sie zu uns von den großen Meistern der Tonkunst, von Brahms, dem ernsten, nordischen Menschen, dessen Kunst die nordische Seele widerspiegelt, und von Beethoven, dem Rheinländer, dessen Art uns verwandt und vertraut ist.

Sie hält uns keinen gelehrten Vortrag, sondern sie erzählt uns nur, einfach, schlicht, alle, auch die Kleinen, können sie verstehen.

Und dann spielt sie: eine Rhapsodie von Brahms. Und die Musik, dieses wundervolle Tönen, Klingen, braust über uns hin, reißt uns ganz mit, und wir fühlen nichts als einen gewaltigen Menschen, der in gewaltiger Sprache aus einer Landschaft der Größe, der Gegensätze zu uns spricht.

Und dann zeigt die Künstlerin uns, daß dieser selbe Mensch, dessen Sprache uns eben noch überwältigte in ihrer Stärke, in seinem tiefsten Wesen doch einfach, schlicht ist, denn in seinem Wiegenlied liegt eine solche Innigkeit, wie sie wohl nur ein Mensch mit einer ganz reinen Seele empfinden kann.

So bringt uns die Künstlerin den Tondichter nahe, wir lernen ihn kennen und sehen auch in der Einfachheit seine Größe.

Was mir an der Künstlerin so gut gefiel, war, daß sie selbst, ihr Instrument und alles Äußerliche ganz in den Hintergrund tritt und man im Augenblick nichts empfindet als die Musik und in ihr ihren Schöpfer.

Und nun erzählte uns die Künstlerin von Beethoven, diesem Feuerkopf, und ließ ihn selber sprechen. Und wir empfanden ganz tief diesen Großen, aus dessen Werken eine solche Reinheit und ein solcher Glaube spricht.

Aus einer Sonate griff die Künstlerin dann das herrschende Motiv heraus und machte uns durch wiederholtes Spielen damit bekannt.

Und dann war es für uns eine sehr große Freude und Überraschung, daß das Trio diese ganze Sonate spielte.

Über das Spiel kann ich eigentlich garnichts sagen, soviele Ge-

fühle beherrschten mich, und die Gefühle, die durch Musik ausgelöst werden, wiederzugeben ist wohl kaum möglich. Denn hier zerstört das Wort nur. Man lasse sich einfach von der Musik erfassen.

Und ich kann sagen, daß es der Künstlerin gelungen ist, mir – ich bin durchaus nicht musikalisch – ein wunderbares Bild von dem Wesen dieser beiden Tondichter zu geben. Und ich glaube, das war auch, was sie wollte.

Aber auch in sie selbst taten wir einen Blick und sahen nicht allein die große Künstlerin, sondern auch einen großen, gütigen, mütterlichen Menschen, eine Persönlichkeit.

Note: 1–2

Bemerkung: Erkennt, worauf es ankommt (weltanschaulich) und was die Künstlerin wollte. Thema ist richtig ausgeführt. Lebendige Darstellung, flüssige Sprache. (Hölzer)

(Klassenaufsatz, unmittelbarer Eindruck wiedergegeben. Zu Hause noch die Weltanschauung (Anfang) hinzugefügt)

Ein *Fest des Herzens* bereitete uns die erfolgreiche, gefeierte Pianistin. Die damals 55jährige hatte sich vor allem als Interpretin Beethovens und als Pädagogin einen Namen gemacht und war mit ihrem von prächtigen Haaren umrahmten Kopf, den lebendigen dunklen Augen eine beeindruckende Erscheinung – unverkennbar eine Künstlerin. Diese große Künstlerin und die großen Komponisten, deren Werke sie spielte, erlebte ich nun als Menschen, die mir verwandt erschienen, weil sie sich als *einfach, schlicht* darstellten. Daraus konnte ich schließen, daß auch ich, daß wir Deutschen insgesamt vielleicht eine verborgene Größe besitzen, obwohl wir uns bisher nur als klein und bescheiden erlebten. Wenn Brahms und Elly Ney gleichsam Geschwister waren und ich zu dieser Familie gehörte, war ich da nicht vielleicht auch etwas Besonderes?

Worauf es ankommt, weltanschaulich, hatte die Schülerin erfaßt: Die Einbindung der Kunst, hier der Musik, in die nationalsozialistische Ideologie war gelungen. Der Aufsatz führt die raffinierte Methode und ihre Wirkung vor. *Wir lernen aus ihr, und sie führt uns zur Höhe* – in diesem Satz zeigt sich das ganze Motiv, wozu Kunst damals verwendet wurde: Sie half auch mir, mich von Minderwertigkeitsgefühlen zu befreien, unter denen ich damals, wie alle Deutschen, besonders litt. Der Aufsatz verrät, wie verführbar ich war. Meine Herkunft, meine Erziehung boten kein Gegengewicht, gerade sie ließen mich zum Opfer der Ideologie werden.

[10. III. 38]

Und auch dieser Sommer brachte »etwas fürs Herz«.

Er hieß Friedl S., Dr. jur., war an das Alzeyer Amtsgericht ver-schlagen worden.

Dunkelhaarig, schlank, Sportfigur, ganz erstaunlich braun ge-brannt – so sah ich ihn beim Schwimmen. Ein Nicht-Alzeyer und dazu noch so gut aussehend, ich war begeistert. Und er wohl auch, denn noch am selben Tag begleitete er mich ein Stück. Wir waren also aufs heftigste verliebt. Mir schmeichelte es auch gewaltig, daß ein Mann von 28 Jahren sich für ein kleines Mädchen interessierte, das ihm in dem langweiligen Alzey ein bißchen die Zeit vertrieb. Denn über Sonntag und auch sonst, wenn es nur immer möglich war, fuhr er nach Hause, Darmstadt, zu seiner Freundin.

Das kleine Mädchen war also nur dann gut, wenn er eben notge-drungen in Alzey seinen Dienst tat. Diesem Mädel mal einen Sonn-tag zu opfern oder mit ihr auszugehen war höchst überflüssig. Diese Erkenntnis trug zur Verherrlichung des jungen Mannes, wie man wohl verstehen kann, wenig bei. Dazu kam noch manches andere. Seine ganze Einstellung zum Leben und insbesondere zur Weiblich-keit gefielen mir nicht gerade.

In der ersten Begeisterung sucht man bei solchen Erkenntnissen immer nach einem Entschuldigungs- oder Milderungsgrund oder will sie garnicht wahrhaben. Aber mit der Zeit brennt auch diese Flamme etwas weniger stark, und man sieht klarer und sieht ein. Und nach ei-nigen Begegnungen, nachdem ich aus Köln [von einem Verwand-tenbesuch] *zurückkam, ging auch dieser kleine Roman sang- und klanglos zu Ende.*

Die Lösung kam von meiner Seite. Es ist immer besser, man selbst geht zuerst. Angenehmer ist es, ich mache Schluß, anstelle des-sen: ich werde zurückgewiesen. Streit gab es keinen, bis zum Ende höflich.

Er hat sich aber bald getröstet, man kann nicht sagen, daß ich eine würdige Nachfolgerin bekam. Einige Wochen später kam er von Al-zey weg und soll sich dann verlobt haben. […]

Bemerkenswerter als die Erinnerung an das Kleinstadteinerlei, das durch ein fremdes Gesicht eine beinahe sensationelle Unterbre-chung erfuhr, bemerkenswerter auch als die kritische Selbstbetrach-tung der Schreiberin und ihre Einschätzung der Sommerepisode ist der Abstand zwischen den Geschlechtern, den sie aufgrund des Al-tersunterschiedes und ihrer Selbsteinschätzung als *kleines Mädchen* herstellte – sie war 18 Jahre alt! Jungen Menschen von heute, die in diesem Alter häufig in Beziehungen erfahren und nach dem Gesetz volljährig sind, führt diese Passage vor, in welcher Weise Frauen dazu beitrugen, die traditionelle Hierarchie der Geschlechter aufrechtzuerhalten und sich minder zu bewerten.

Und gerade in der Zeit, in der ich so stark engagiert war, schrieben wir an dem Aufsatz, der als eigentliche Reifeprüfung gewertet wurde. Ich hatte auf Herrn Hölzers Anraten den Erlebnisaufsatz genommen: »Ich spiele die Jokaste«. Es wurde mein bester. [...] Meine Aufsätze waren ja immer gut. Ich schrieb auch gerne. Mein flüssiger Stil war ja ein großer Vorzug. Ich bin sehr froh, daß ich sie mir alle abgeschrieben habe. Das ist ein sehr wertvoller und aufschlußreicher Besitz.

Zwei und einhalb Jahre lang bin ich jeden Tag nach Mainz in die Schule und wieder nach Hause gefahren. Im Winter, vor dem Abitur, wurde das nun zu anstrengend und zeitraubend. Und so wurde ich denn »Mainzer Bürger«. Mit Liselotte S. zusammen wohnte ich. Wir hatten ein Wohn- und Schlafzimmer zusammen. [...]

Wir hatten uns viel vorgenommen, aber wir gingen fast nicht aus, wir waren nicht einmal im Theater, denn schon allzu bald fing das große Arbeiten an. [...]

Weihnachten war ruhig. – Viele Urlauber waren in Alzey, unsere ganze Tanzstundengesellschaft war fast wieder da. Am 2. Feiertag ging ich mit Hermann und Vetter Karl zusammen zum Tanzen. Wir saßen am Tisch meiner Tanzstundenfreunde. Auch Ulrich W., der zukünftige Marineoffizier, war da und sah auch gut aus. Und es ist von jeher so, wenn wir beide zusammen in Gesellschaft sind: wir sind »entflammt«. Alle wissen das schon, und so hieß es denn auch gleich: »Ach Lore, Uli kommt etwas später.«

Früher hatte Uli, trotz aller Verliebtheit, immer Pech bei mir, er kam stets, wenn ich andere Interessen hatte. Diesmal aber hatte ich mir vorgenommen, zu ihm sehr nett zu sein. Wir haben sehr gut zusammen getanzt. – (Ich war wohl diesmal etwas aktiver.) Später hat er mich dann nach Hause gebracht, und ich war nett, und damit war diese Episode zu Ende. Denn Schreiben usw., daran dachte man nicht. Er fuhr am nächsten Morgen wieder nach Kiel. [...]

Entflammt waren sie, Lore und Uli, immer wieder einmal, aber mehr als ein zärtlicher Flirt kam ihnen nicht in den Sinn. Wenn ich mir heute genau überlege, was *ich war nett* bedeutet, dann heißt das: Ich habe das Spiel mitgemacht. Die Strohfeuer brannten schnell ab, große Gefühle ließen wir nicht aufkommen, und so vermieden wir auch den Aufbau einer Beziehung durch briefliche Kontakte. Die Neigung zur Unverbindlichkeit von Beziehungen, die hier deutlich wird, war, so meine ich, auch eine Folge der restriktiven Normen und der gültigen Vorstellung: Bevor man sich bindet, muß man erst einmal etwas werden.

Das geschichtliche Geschehen in diesem Jahr:
30. Jan. 1937: Zurückziehung der deutsch. Unterschrift unter die Kriegschuldlüge.
In Spanien geht der Kampf weiter, im Zusammenhang damit Überfall auf die »Deutschland«.
Ausbruch des japan.-chines. Krieges.
Staatsbesuch des Duce in Berlin, die »Achse Berlin–Rom« bildet sich. Italiens Austritt aus dem Völkerbund.

[10. III. 38]

1938

Am Tag vor Sylvester besuchten mich Eva und Peter, der jetzt Flak-Fahnenjunker ist. [...] [Sie baten,] daß ich doch mitkommen sollte und mit ihnen zusammen Sylvester feiern. [...] Im Nu waren alle guten Vorsätze vergessen, und ich fuhr also doch mit, froh, daß ich nun so nette Gesellschaft haben sollte. [...] An einen Flirt oder besser gesagt, an eine Wiederholung unseres Flirts dachte ich nicht, dazu war ja auch das Herzchen noch etwas zu sehr bewegt von dem Abschiedskummer an Weihnachten, noch ganz erfüllt davon. [...]

6. April 1938
Der arme Junge Peter hatte gerade eine schwere Enttäuschung erlebt. [...] Ich hatte wirklich Mitleid mit ihm und ganz neutrale tröstliche Gefühle und wollte also nett zu ihm sein. Aber schon ganz bald wurde es ein bißchen heftiger – nur das arme Herzchen schwankte noch zwischen Uli und Peter.

Und dann kam ein sehr schöner Sylvesterabend in Mainz im Zentralhotel mit der ganzen Familie E. Wir aßen dort fabelhaft zu Abend, alles war sehr nett geschmückt. Ich sah in meinem roten Kleid mit dem Goldkragen gut aus, ich wußte es und freute mich darüber. Wir haben sehr gut getanzt. [...] Und ehe ich es recht wußte, war aus einem niedlichen Tröstungsversuch so viel mehr geworden – wir wurden Freunde.

Herr E. sprach mit mir über diese Freundschaft, er freute sich sehr darüber, besonders, weil er weiß, daß ich auch wirklich nur an eine nette Freundschaft denke – und an nichts sonst. Wir schreiben uns jede Woche. [...] Zu einem Gedankenaustausch, einem wertvollen Briefwechsel kommt es nicht. [...] So ist unsere Freundschaft eigentlich keine richtige Freundschaft, ich weiß nicht, wie ich es nennen soll – sie [ist] *primitiv. Das Geistige spielt dabei keine Rolle. [...] Der liebe Junge ist eben trotz seiner 21 Jahre noch ein richtiger Junge und hat noch keine männlichen Züge. Ich komme mir ja auch so oft sehr viel älter vor und bin es wohl auch trotz meiner 19 Jahre [...]*

Er ist ein lieber Junge, sehr hübsch, hat ein nettes Wesen, alle Leute mögen ihn gerne. Aber das weiß er auch, und er ist sehr verwöhnt, sehr egoistisch – allen Leuten gegenüber, auch mir natürlich, und kann maßlos stolz und hochmütig sein. Er muß noch stark erzogen werden, am besten wohl von einer Frau, von der er sich viel sagen läßt, ich bin ja dazu zu jung. Trotz all dieser Erkenntnis, von der der Junge bestimmt nichts ahnt, ist unser Verhältnis ein sehr nettes. Wir, d. h. er will sehen, ob es ein Jahr durchhält, das ist ein Scherz, denn seine längste Freundschaft hat ein Jahr gedauert. Und immer haben ihm die Mädels den Abschied gegeben, jede hat ihn enttäuscht, sagt er, und nun will er mal sehen, wie es mit mir geht. Wenn einer von uns sich zu jemand anderem hingezogen fühlt, dann hat es ein Ende, so wollen wir es halten.

Ein Tröstungsversuch aus Mitleid, der schnell mit *neutralen Gefühlen* aufräumt und in Verliebtheit und Freundschaft mündet, die Ambivalenz der Empfindungen, die zwischen der Attraktion durch ein schönes junges Mannsbild und dem Bedürfnis nach einer reifen Beziehung zu einem Gesprächspartner, der die eigenen Interessen teilt, schwanken – nichts Ungewöhnliches.

Aufschluß hingegen über den Zeitgeist gibt die Tatsache, daß Herr E., wie schon früher, mit der Freundin des Sohnes Tacheles redete, aus beider Sicht einfühlsam und väterlich-wohlmeinend. Ohne wissen zu können, wie sich die angehende Freundschaft zu seinem Sohn entwickeln würde, akzeptierte und garantierte ich widerspruchslos, *daß ich auch wirklich nur an eine nette Freundschaft denke – und an nichts sonst.* Im Klartext: Eine Beziehung, die auf eine gemeinsame Zukunft hätte zielen können, wurde von Anfang an unterbunden. Ausschlaggebend war allein der Gedanke, was dient, was schadet der Entwicklung des Sohnes? Es war kein Einzelfall, daß ein Sohn, der sich dieser Außenlenkung seines Lebens widersetzte, enterbt wurde. So erfüllten »gute« Eltern ihre Pflichten. Sie verfügten über die Schicksale ihrer Kinder und machten sie in bester Absicht zu Objekten einer Liebe und Fürsorge, wie sie ihnen selbst anerzogen worden war.

In der Schule haben wir in der Zeit von Weihnachten bis zum Abitur, mit wenigen Ausnahmen, wahnsinnig gearbeitet. Die letzten Tage vor dem schriftlichen Abitur – Beginn: Freitag, 21. Januar, waren schon schlimm.

Freitag schrieben wir deutschen Aufsatz. Mein Thema war: »Die Erziehung des Prinzen von Homburg zur Staatsgesinnung«. […] Die anderen waren »Die Entwicklung des Nationalsozialismus bis 1933« und »Warum braucht Deutschland Kolonien?«. Der Stoff war in allen Fällen bekannt, es kam allein auf die Verarbeitung des Stoffes und auf die sprachliche Gliederung an. Ich glaube, ich habe nicht schlecht abgeschnitten.

Am Samstag schrieben wir dann französisch, Diktat und Übersetzung; Montag: Mathematik – mein großer Schrecken – ging auch ganz gut, Dienstag englische Nacherzählung, bei der ich, wie sich später herausstellte, unbegreiflicherweise am besten abschnitt, die einzige »Eins« der Klasse. Mittwoch: Chemie oder Physik. Ich schrieb Chemie, »Die Vergasung der Steinkohle und die dabei entstehenden Nebenprodukte.« […] Donnerstag als Abschluß schrieben wir Latein, Übersetzung aus Cäsar.

Unsere Einstellung zum Abitur war für Herrn Hölzer und auch für die anderen Lehrer eine Überraschung. Man hatte uns vorher so viel Angst vor dem Abitur gemacht, daß wir alle fest entschlossen waren, uns nun grade nicht unterkriegen zu lassen, und Heulszenen und Nervenzusammenbrüche – wie bei früheren Hölzer-Klassen – unbedingt vermeiden wollten. Wir waren also immer guter Dinge, so daß man uns schließlich vorwarf, wir nähmen das Abitur zu leicht. […]

Mittwoch, 23. Februar, war dann die mündliche Prüfung, allerdings ohne Regierungsvertreter. […] Zuerst drei Klassenprüfungen, Deutsch, Biologie, Chemie. Alles nur kurz. Dann kamen die Befreiungen [von der mündlichen Prüfung], fünf Mädels, ich war nicht dabei. Im ersten Augenblick war das ein starker Schreck für mich, denn wir hatten halt auch mit mir gerechnet, außerdem waren welche befreit, die schlechter waren als ich. Dann kam die Lösung: Lore Walb sollte ursprünglich auch befreit werden, aber da sind einige »Schönheitsfehler«, die zu verbessern wären. Sie gaben mir also eine Chance, und zwar in Französisch, Englisch und Mathematik. In allen drei Fällen war ich nicht umsonst geprüft worden. Die Chancen wurden ausgenützt. Nach diesen drei Prüfungen wurde dann auch ich befreit. Es war sehr interessant, daß ich dabei war, Hilde hat mich brennend darum beneidet und sich wahnsinnig über ihre Befreiung geärgert.

Um 1 Uhr nachmittags war die Prüfung zu Ende. Um 4 Uhr hat-

ten wir dann unten im Speisesaal ein nettes Beisammensein mit den Lehrern. Abends fuhr ich mit Hilde nach Haus, Mutti hatte einen sehr netten Empfang für die neugebackene Abiturientin, Blumen, Süßigkeiten und – ganz unerwartet meinen Herzenswunsch erfüllt – einen Photo[apparat]. Ich war glücklich und trotzdem traurig, daß die schöne Schulzeit nun vorbei ist. [...]

Meine großen Bemühungen und meine Liebe und mein Interesse für das Lernen haben sich belohnt gemacht. Das Reifezeugnis ist so gut, wie es für mich überhaupt nur möglich ist. [...]

Von Oppenheim aus fuhr ich mit Eva nach Ingelheim, von hier aus wollten wir dann in Mainz die 100jährige Fastnacht mitfeiern. [...] Samstags stieg mein erster Maskenball: der Ball vom Hockeyclub im Gutenbergcasino. In letzter Minute hatte Peter noch abgesagt, das war ein schwerer Schlag für mich.

Es wurde dann aber trotzdem sehr nett, sogar einen »Jüngling« habe ich mir geangelt, einen leichten »Ersatz« und auch geflirtet. Ich hatte ein entzückendes, farbenfrohes Kostüm, eine Ungarin, die mir sehr gut stand. Bis 6 Uhr hielten wir aus und fuhren dann mit dem ersten Zug nach Ingelheim. In den anderen Tagen sind wir dann durch Mainz gebummelt und haben das Faschingstreiben mitgemacht. [...]

In den folgenden Wochen war ich dann mehr in Ingelheim als in Alzey. Peter kam ja auch zweimal zu Besuch. Ich bin in Ingelheim ein gerngesehener Gast, sie freuen sich immer, wenn ich komme, besonders mein »väterlicher Freund«.

In diesen Tagen, am 12. März 1938, ging ganz unerwartet und unvergleichlich schnell die Jahrtausende alte Sehnsucht von Millionen Deutschen in Erfüllung:

Österreich ist deutsch,
Österreich ist heimgekehrt, ist eingegliedert in das deutsche Reich!!

Der Regierungswechsel hatte in Österreich große Schwierigkeiten gebracht, da bat der österreichische Sicherheitsminister Seiß-Inquart den Führer um Truppen.

Der »Anschluß« – so sah die Inszenierung eines Dramas aus, das die Mehrheit des Volkes hüben wie drüben frenetisch beklatschte. Nur unter massivem deutschen Druck hatte der österreichische Bundeskanzler Kurt Schuschnigg im Februar Hitlers österreichischen Gefolgsmann Seyß-Inquart als Sicherheits- und Innenminister in seine Regierung aufgenommen. Am 11. März mußte er sich Hitlers Ultimatum beugen, eine in letzter Minute geplante Volksabstimmung zurückziehen und zugunsten von Seyß-Inquart zurück-

treten. Die deutschen Truppen marschierten schon, noch bevor
Seyß-Inquart den verabredeten Hilferuf geäußert hatte.

*In wenigen Stunden marschierten deutsche Truppen in Österreich
ein, von der Bevölkerung mit beispiellosem Jubel empfangen. Am
Radio haben wir die grenzenlose Begeisterung miterlebt, beschreiben
kann man sie nicht. Und dann der Jubel, als der Führer eintraf!
Noch nie ist der Führer so begeistert empfangen worden wie an diesen
historischen Tagen von seinen Landsleuten.*

*Niemand hat an eine so baldige Lösung der großdeutschen Frage
gedacht. Wie er selbst bekannte, lag ihm die Rückkehr seiner Heimat in das deutsche Reich immer am meisten am Herzen.*

*Und nun wird am 10. April das gesamte deutsche Volk aufgefor-
dert zu erklären, ob es mit dieser Lösung einverstanden ist.*

*Ich glaube, unser Führer ist der größte Staatsmann, den das deut-
sche Volk jemals besaß.* [...]

*Schon seit langem beschäftigt mich nun die Frage meines zukünf-
tigen Berufes. Ich bin immer noch unentschlossen, ich kenne keinen
Beruf, von dem ich sagen könnte, das ist das allein Richtige für mich.
Vor zwei Jahren dachte ich einmal an technische Assistentin, im vorigen Jahr an Journalistin, aber beide Gedanken ließ ich wegen der
schlechten Bedingungen augenblicklich doch wieder fallen. Jetzt interessiert mich der Beruf der Dolmetscherin, aber bin ich auch genügend sprachbegabt dazu?* [...]

*Manchmal habe ich schon flüchtig bedauert, wenn ich von den be-
vorstehenden Verlobungen in unserer Klasse erfuhr, daß ich nicht
auch in der glücklichen Lage bin, nicht mehr nach einem passenden
Beruf suchen zu müssen. Aber heiraten, nein, das möchte ich in den
nächsten Jahren doch noch nicht. Ich komme mir viel zu jung dazu
vor. Ich will zuerst noch etwas erleben im Beruf, ich möchte vorher
mich schon einmal im Leben umgesehen haben und möchte etwas
von der Welt kennenlernen, ehe ich mein Leben einem anderen Menschen widme.* [...]

Vorläufig gehe ich zuerst in den Arbeitsdienst. [...]

*Am 2. April sind wir in unser neues Häuschen in der Römer-
straße, in unserem Garten, eingezogen.* [...]

Ich will zuerst noch etwas erleben im Beruf, [...] *ehe ich mein Leben
einem anderen Menschen widme.* Meine privaten Hoffnungen und
Vorstellungen deckten sich mit der offiziellen Frauenpolitik. Auch
ich bejahte die angeblich natürliche Polarität der Geschlechter, ihre
körperliche, seelische und geistige Verschiedenheit. Weiblichkeit,

Mutterschaft und Berufstätigkeit schlossen sich in meinem Frauenbild ebenso aus wie Ehe und Welterfahrung.

Von der Frauenbewegung der Weimarer Zeit wußte ich nichts,
»Frauenemanzipation« war ein Fremdwort für mich. Kein Wunder: »Die Emanzipation von der Frauenemanzipation ist die erste
Forderung«, brachte der Chefideologe Alfred Rosenberg das Erzie-
hungsprogamm auf den Punkt. Daß meine starken Wünsche nach
persönlicher Entwicklung, Bildung und Beruf hingegen auf Emanzipation abzielten und damit dem propagierten Frauenbild wider-
sprachen, begriff ich nicht. Ich war bereit, mich in der Ehe unterzu-
ordnen. Der Mann meiner Wahl sollte mir überlegen sein und ich
zu ihm »aufsehen« können. Und da solche Erfahrungen sich als rar
erwiesen, wünschte ich mir in jenen Jahren so manches Mal stoß-
seufzend: »Ach, hätte ich doch etwas weniger Verstand!« Kein Gedanke an Gleichberechtigung und Gleichwertigkeit von Frau und
Mann.

9. April 1938, abends 3/4 10 Uhr
Alle Glocken in Wien läuten, vor wenigen Minuten verklang das er-
greifende Gebet: »Wir danken alle Gott!«

In Worten, die jedes Herz ergriffen haben müssen, sprach der Füh-
rer zu seinem deutschen Volk am letzten Abend vor der Wahl. Ein
Rechenschaftsbericht und ein Dank an den Schöpfer.

Mögen alle Deutschen der Lebensarbeit des Führers danken mit
ihrem »Ja«.

Immer wieder hörte man heute abend: »Wir danken unserem Füh-
rer!« Wir alle müssen ihm danken, unser Leben lang.
Herr Gott, schütze unseren Führer!

18. X. 1938
Und das deutsche Volk zeigte dem Führer seinen Dank: 99% stimm-
ten »Ja«. Kein besserer Beweis für den Führer und die Welt, daß das
deutsche Volk wirklich hinter seinem Führer steht und daß sein Wille
Volkes Wille ist.

Wir danken alle Gott, wir danken unserem Führer: Wieder zeigt das
Tagebuch an diesem Abend vor der »Volksabstimmung« über die
Annexion Österreichs und der »Wahl« des Großdeutschen Reichs-
tags, wie religiöse Gefühle und Bedürfnisse in den Dienst des Nationalsozialismus gestellt wurden. Die Trennung von Kirche und
Staat wurde unscharf, die Grenze zwischen Gott und dem »Führer« verwischt. Für immer bleibt mir Hitlers Stimme im Ohr, die

»Gott, den Allmächtigen« beschwor, als seinen Zeugen anrief, mit dem er sich in seinen Allmachtsphantasien identifizierte.

Eine lange Zeit ist verstrichen. Meine Arbeitsdienstzeit ist vorüber. Zum ersten Mal in meinem Leben war ich lange Zeit fort von zu Haus, ganz auf mich selber gestellt. Ich glaube, das hat mir sehr gut getan. Ich habe in diesem halben Jahr sehr viel gelernt, mancherlei Erfahrung gesammelt (der Horizont hat sich wieder ein bißchen geweitet).

Ich kam in den Spessart, in das Lager Kempfenbrunn. Nach sechs Wochen wurde ich versetzt nach dem Vogelsberg, Lager Spielberg. Dort waren wir fast zwei Monate lang nur vier Arbeitsmaiden und eine, später drei Führerinnen. Wir bereiteten das Lager für die neue Belegschaft vor, die am 15. Juli kam. Eine herrliche Zeit war dieser Kleinbetrieb für uns. Mit der neuen Belegschaft kam meine liebe Liselotte. [...]

Wir vier haben es Liselotte und all den »Neuen« sehr schön und besonders den Anfang leicht gemacht, und die Mädels haben uns dies auch gedankt, wir waren sehr beliebt. Die Mädels behandelten uns halb als Führerinnen, fragten uns immer um Rat, ich weiß nicht, wir waren etwas Besonderes. Auch die Führerinnen nahmen uns gegenüber eine andere Haltung ein – wenn auch keine besondere Bevorzugung –, wir erhielten überall die Verantwortung und mancherlei Pflichten. Wir waren die Stubenältesten und damit verantwortlich für unseren Schlafsaal. Wir waren auch die Stützen der Schulung, man kann wohl auch sagen, daß wir – mit Liselotte – die »Köpfe« im Lager waren, das ergab sich ja aus unserer Ausbildung und Bildung. Das bedeutete aber den anderen Mädels gegenüber keine Kluft, es war ein Grund mehr für ihre Verehrung; überheblich waren wir nicht.

Die Lagerführung – ich denke, wenn ich von Lagerleben spreche, immer nur an das letzte Vierteljahr – war gut, straff, diszipliniert. Das war das Verdienst der Lagerführerin, die wirkliche Führertalente besaß und auch für Schulung und Sport begabt war. Aber sie hatte keinen guten Charakter, und das muß man von einer Führerin verlangen. [...]

Ein ganz großes Verdienst des Arbeitsdienstes: Wir haben die Schwere und Bedeutung der bäuerlichen Arbeit kennen- und schätzengelernt. Und wir selbst wurden an praktische und schwere körperliche Arbeit gewöhnt. Es ist uns oft schwer gefallen, sehr schwer, aber wir haben es geschafft, und es war wunderschön. Ich war überrascht, ich hätte mir so viel Kraft und Ausdauer gar nicht zugetraut. Mit

Ausnahme der Heuernte haben wir die ganze Ernte, Getreide und Krummet und Anfang der Kartoffelernte fleißig mitgemacht und tüchtig angepackt.

6. November 1938
Wir haben einmal gesehen, welch ein mühseliges Leben die Frau auf dem Lande hat. Dagegen haben wir es aber sehr gut. Zugleich haben wir erkannt, daß man unbedingt auch in den praktischen Dingen des Lebens Bescheid wissen muß.

   Der Arbeitsdienst brachte uns auch eine große Erweiterung unserer Lebenserfahrung und -kenntnis und vor allem Menschenkenntnis. Denn wieviel verschiedene Typen hat man da kennengelernt.

   Im Arbeitsdienst habe ich ein weiteres Stück meiner schönen hessischen Heimat kennengelernt, Spessart, Vogelsberg und die Rhön (auf Fahrt). [...] Aber das Allerschönste im Arbeitsdienst war das Erlebnis der Kameradschaft. [...]

Es war eine selbstverständliche Konsequenz meiner politischen Überzeugungen, daß ich mich nach dem Abitur 1938 für das Sommerhalbjahr zum Reichsarbeitsdienst (RAD) meldete; dieser »Ehrendienst« war damals für Frauen noch freiwillig.

Was die Tagebucheintragung kurz zusammenfaßt, verdeutlichen sehr ausführliche Briefe an meine Mutter: *Hebe bitte die Briefe alle auf ... Ich habe zum Tagebuchschreiben keine Zeit und will anhand der Briefe später alles aufschreiben.* Kempfenbrunn. *Das Lager gilt als das schönste in Hessen.* Im Vorjahr gebaut, bestand es aus zwei in Dorfnähe am Hang gelegenen Baracken. In der oberen, vor der die Lagerfahne wehte, schliefen in drei Räumen je zwölf »Arbeitsmaiden«, vier Führerinnen hatten ein eigenes Zimmer, und es gab auch ein kleines Büro. Die untere Baracke enthielt Tagesraum, Küche, Wäscherei, Bügel- und Nähzimmer, das Badezimmer mit zwei Wannen, einen Waschraum *mit Waschschüsseln, für jede eine, alles numeriert wie die Bettnummer, ein Regal für Seife, Bürste und Glas und darunter ein Säckchen für Kamm, Zahnpasta usw. Handtücher und Waschlappen im Nebenzimmer, auch numeriert, auf Stangen gehängt. – Die Lagerführerin ist groß, stattlich, ganz nett, aber ziemlich streng in manchen Dingen, z. B. Kleidung. So muß man zur Arbeit immer Lagerkleider anziehen, keine eigenen! Wir haben zwei davon bekommen, sie sind kornblumenblau, dazu rote Kopftücher. Schön ist anders. Man sieht eben nur blau. Die Führerin will jetzt sogar, daß noch ein drittes blaues Kleid ausgegeben wird, das nur nachmittags gehalten wird. Sonst kann man nachmittags wenigstens seine eigenen Sachen anziehen.* Sogar Unterwäsche wurde ausgegeben, die ich nicht benutzen mochte.

Der Tageslauf war genau geregelt:

5.10 Gymnastik

5.30 Waschen, Anziehen, »Bettenbauen«, Fahne hissen

6.30 Kaffee, *sehr wenig gut,* mit Marmeladebroten, anschließend *eine halbe Stunde Singen mit der Lagerführerin, dann staatspolitische Schulung. Heute gab sie ein kurzes Bild von der außenpolitischen und innenpolitischen Lage seit den letzten Tagen. Also, in dieser Hinsicht wird man hier nicht verdummen.*

8.30 Arbeitsbeginn

10.30 Frühstück, *Kartoffeln und Haferfrikadellen!!*

12.00 Mittagessen. *Suppe, Kartoffeln und Rohkostsalat von Rot- und Weißkraut –*

weitere Arbeit bis 16.30

17.00 – 18.00 Bettruhe (die ich verbotenerweise nach der Kontrolle oft für meine umfangreiche Korrespondenz nutzte)

18.30 Abendessen, *heute Kartoffeln, Blumenkohl und Klopse. Kartoffeln scheinen unvermeidlich. Davon esse ich so wenig wie möglich. Leider schöpfen aber die Führerinnen auf.*

Auch die Nutzung der Zeit nach dem Abendessen war festgelegt. Gemeinschaftsabende wurden mit Singen und Märchenvorlesen, Volkstänzen oder mit Flicken und Stopfen verbracht, ein Abend der Woche war reserviert für das Briefeschreiben oder private Lektüre. Anschließend formierten sich alle zum Kreis um den Fahnenmast, und die Fahne wurde eingeholt, *ein bißchen feierlich natürlich, schweigend marschieren, Lied usw.*

20.30 Vorbereitung auf die Nachtruhe, die spätestens um

21.30 begann. *Dann kommt der »Stab«, das sind die vier Führerinnen, und sagen Gute Nacht, jede Führerin gibt jedem Mädel die Hand.*

Wir »Neuen« wurden zunächst etwa sechs Wochen lang zur Arbeit im Lager eingesetzt. Auf das Hausamt (Putzen) folgte mein Dienst in der Wäscherei und der Bügelstube, als Besuchsdame und Pflegerin agierte ich im Krankenamt, *möglichst sauber angezogen und stets gut frisiert.* Häufig plagte mich im Innendienst das Gefühl, Zeit zu vergeuden. *Daheim beeilt man sich eben und gewinnt Zeit für sich. Das gibt es hier nicht.*

Kaum, endlich, zum Außendienst auf einem Bauernhof abkommandiert, wurde ich versetzt. Der familiäre, lockere Betrieb in Spielberg, wo ein neuer Brunnen gegraben werden mußte, bevor das Lager wieder voll belegt wurde, war, dank einer großzügigen, jungen Lagerführerin, ein Glücksfall; er unterbrach das Reglement.

Die besondere Situation verzögerte auch meinen Einsatz als Haushilfe in bäuerlichen Betrieben. Dazu kam ich erst in der knappen letzten Hälfte meiner Dienstzeit. Besonders eine schwer arbeitende Bäuerin wußte zu schätzen, *daß ich sie so gut verstehe und auch sehe, wie viel sie arbeitet. Denn der Bauer ist kein Schaffer.*

Vergnügungen waren im Arbeitsdienst selten, mal ein Ausflug, einmal ein »Schwoof« mit RAD-Kameraden – öffentliches Tanzen war nicht erlaubt. Urlaub, ein freies Wochenende, gab es bestenfalls einmal im Monat. Wenn wir ihn nicht zu Hause verbrachten, mußten unsere Eltern die geplante Übernachtung vorher schriftlich genehmigen, mit Angabe von Datum und Adresse.

Unvermindert interessiert verfolgte ich, wie die Briefe bezeugen, auch während der Arbeitsdienstzeit die politischen Ereignisse, traktierte meine Mutter mit der Bitte um Zeitungen, z. B. *alle Teile vom Führerbesuch in Italien* Anfang Mai, oder um Sonderillustrierte über den *Parteitag Großdeutschlands* Anfang September in Nürnberg. – Am 12. September hörte ich abends die »Führerrede« zur Sudetenkrise, begriff die Situation als *sehr, sehr ernst* und bekundete: *Vertrauen wir auf den Führer und warten* [wir] *ab.* Am 14. fragte ich beunruhigt nach der *Stimmung zu Haus* und rügte drei Tage später: *Ihr nehmt daheim die politische Lage nicht ernst genug.* [...] *Ich glaube wirklich fast, daß es zum Krieg kommt.* [...] *Was wohl bei der Unterredung Chamberlains mit dem Führer herauskommen wird?* Das »Münchner Abkommen«, das die Tschechoslowakei zwang, das Sudetengebiet ab 1. Oktober an Deutschland abzutreten, als Ergebnis der Münchner Konferenz zwischen Hitler, Mussolini, Chamberlain und Daladier Ende September, fand in meinen Aufzeichnungen keine Erwähnung mehr, die Rückkehr nach Hause stoppte erst einmal meinen Schreibtrieb.

In der *staatsbürgerlichen Schulung* des Spielberger Lagers schrieben wir gelegentlich auch kleine Aufsätze, am 27. 8. standen zwei Themen zur Wahl: *»Die Bedeutung des Staates«* und *»Warum treiben wir Rassenpflege?«* Ich habe das erste Thema gewählt, von allen Mädels nur wir drei *»Hölzerianer«* (die Mainzer Abiturientinnen). Einzelnen Bemerkungen kann ich Hinweise auf meine Lektüre entnehmen, *das herrliche Büchlein von Walter Flex,* eine Novelle von Rudolf Binding, *den ich so sehr liebe,* Werner Bäumelburgs »Bismarck«. Begeistert las ich Goethes »Faust« wieder und lernte die Monologe, *ganz* *herrliche und sehr berühmte Stellen,* auswendig. Auch Stricken und Fotografieren mit geschenkten Filmen gehörte zu meinen seltenen Freizeitbeschäftigungen.

Was zählte am Ende der Arbeitsdienstzeit? Das große Erlebnis der Gemeinschaft von Mädchen unterschiedlicher sozialer Herkunft und Ausbildung, die schönen Begegnungen mit Bauernfamilien – *Stadt und Land Hand in Hand* –, die Erfahrung, ich kann jede, auch schwere Handarbeit leisten, ich bin nützlich und werde deshalb geschätzt. Zum erstenmal, unbeschreibliches Glücksgefühl, verdiente ich Geld – 2 Mark in 10 Tagen! Kein Zweifel, die Arbeitsdienstzeit erweiterte meinen Lebenshorizont.

Ihrer Negativseite war ich mir lange nicht bewußt, abgesehen vom Übergewicht, das ich mir anschließend wegfastete. Staunend und erschrocken lese ich, wie bereitwillig sich die »Arbeitsmaid« einfügte und unterordnete, den Tagesplänen, der Arbeitseinteilung, dem Verhaltenskodex, den Führerinnen. Gegen Schikanen, wie ich sie gegen Ende der Arbeitsdienstzeit durch die Lagerführerin erlebte – *sie hatte keinen guten Charakter* –, revoltierte ich nur in meinen privaten Briefen. Gehorsam und Disziplin, Ordnung und Sauberkeit, Kameradschaftsgeist, Bejahung der Ideologie und ihres Schöpfers, dazu – Geschlecht: weiblich – Sinn für Schönheit im Hause, wahrhaftig, ich besaß die Qualifikation zur Lagerführerin; doch das Angebot – *Führerinnen sind rar,* die herausgehobene Position im Rahmen der Frauenarbeitsmöglichkeiten – lehnte ich erst einmal ab; irgendwie war mir nicht wohl dabei.

Nicht wohl ist mir heutzutage, wenn ich meine Selbstbeschreibung als Stubenälteste unter die Lupe nehme. Genau die Denk- und Verhaltensweise, die das Tagebuch suggeriert, *überheblich waren wir nicht,* muß ich mir, auch aufgrund meiner Briefe, leider absprechen. Wir vier Stubenältesten, die Schulfreundin Liselotte eingeschlossen, waren, mit Abitur oder hauswirtschaftlichem Fachschulabschluß in der Tasche, keineswegs frei von Standesdünkel und empfanden die soziale Kluft, die die »Arbeitsmaid« Lore in ihrem Tagebuch leugnete, deutlich. Wir verbargen unsere Überlegenheitsgefühle nur, auch vor uns selber, um unser idealisiertes Selbstbild von der vortrefflichen jungen Unterführerin aufrechtzuerhalten.

Wenn ich noch etwas tiefer zu graben versuche, um in mein Bewußtsein zu heben, was in der Selbstdarstellung des Tagebuches versteckt ist, entdecke ich Ängste, die sich merkwürdig verschränken, die Angst, überheblich zu sein, und die Angst, die Überheblichkeit zu erkennen und mir einzugestehen. Als Stubenälteste, *Stützen der Schulung, Köpfe,* standen wir in der Hierarchie dieser Gruppen oben; dennoch bedeutete dies, so redete ich mir ein, keine Kluft, denn wir blieben ja bescheiden, dünkten uns nicht überheblich, und eben das schien ein Grund mehr dafür zu sein, daß *die Mädels* uns verehrten. Diese Betrachtungsweise entsprach der damaligen Darstellung des Führertums: Wer oben war, stand zu Recht an der Spitze, erhöht, aufs Podest erhoben durch die Liebe und Verehrung des Volkes, gerade weil er nur ein *schlichter, einfacher* Mensch war. Das Volk prägte den »Führer« wie die Führer und Führerinnen, die ihre Überwertigkeitsgefühle ebenso verleugneten wie ihre Minderwertigkeitsgefühle. Es war also nicht nur ein persönliches Dilemma, das mein Tagebuch hier widerspiegelt.

Einmal während meiner Arbeitsdienstzeit habe ich meinen Urlaub nicht zu Haus verbracht, sondern in Ingelheim. Es war am 16.–17. Juli.

Und ich hatte sehr großes Glück – Peter konnte an diesem Tag von Iserlohn nach Hause kommen. An Pfingsten war er Fahnenjunker-Unteroffizier geworden.

Wie hab ich mich an diesem Tag gefreut, denn ich hatte vorher garnicht an soviel Glück glauben wollen. Und wir waren in diesen vierundzwanzig Stunden sehr glücklich und froh miteinander.

Sonntag früh waren wir in meinem geliebten Frei-Weinheim schwimmen, es war für mich das erste Mal in diesem Sommer, denn im Lager war es ja nicht möglich. Das Wasser war herrlich und ich sehr froh.

Ich schlief mit Eva in ihrem Zimmer. Damit die wenigen Stunden auch ausgenutzt und nicht verschlafen wurden, wollte mich Peter Sonntag früh, 7 Uhr, wecken. »Ich komme dann rein und wecke dich mit einem Morgenkuß«, kündigte er mir an. »Danach habe ich durchaus kein Verlangen«, äußerte ich, »und außerdem wirst [du] schön draußen bleiben und nur brav klopfen.« »Du wirst ja sehen.«

Es war ganz kurz vor 7 Uhr, als mich Eva morgens weckte. Punkt 7 Uhr klopft es, die Türe öffnet sich, mein Peter kommt herein, ganz unverfroren, schon angekleidet und fertig: »Guten Morgen, genau sieben Uhr! Äffchen bekommt einen Kuß, du natürlich nicht, du willst ja keinen!« Und Schwesterlein »Äffchen« bekam also ihren Kuß, und ich natürlich keinen zu meiner großen Erleichterung, mir lächelte er freundlich zu und verließ dann das Zimmer.

Das war doch stark, ich hatte nicht geglaubt, daß er seinen Ausspruch wahr machen würde, soviel Mut hatte ich ihm nicht zugetraut. Das war ja nur eine ganz harmlose Kleinigkeit, aber doch ein

Beweis, wie vertraut ich in dieser Familie war. Mutti lächelte, als sie es erfuhr, sie hat schon öfters gelächelt, wenn sie so hörte, wie ich zu den einzelnen Familienmitgliedern stehe.

Man stelle sich nur vor: ein junger Mann im Zimmer, und zwei Mädchen liegen im Schlafanzug im Bett. Wenn man die näheren Umstände nicht kennte, müßte man sich sehr wundern. Na, es war durchaus nicht gefährlich.

Nach Peters nächstem Brief zu urteilen, war er an diesem Tag sehr glücklich und sehr, sehr froh, daß er mich nach drei Monaten wieder mal sah. Uns beiden ist dann der Abschied auch sehr schwer gefallen. Er schrieb, schwerer, als ich ahnte. Er brachte mich an die Bahn, eine Stunde später ging sein Zug. Ich stieg ein, er stand an der Sperre. (Mit einem Kuß hatten wir uns vorher über das Geländer verabschiedet, so war es auch immer, als ich ihn an die Bahn brachte. Es geschah so selbstverständlich.) Und ich sehe noch genau das Bild vor mir, als der Zug anfuhr, ging er die Treppe hinunter, legte die Hand an die Mütze, er sah sehr ernst aus und rief mir zu: »Don't cry!« »Ist auch das Beste«, antwortete ich leise. Der Abschied ist ihm damals wirklich schwer gefallen, ich glaube es ihm.

Ich habe Peter seitdem nicht mehr gesehen und weiß auch nicht, ob ich ihn so bald mal wieder sehen werde. Denn unsre schöne Freundschaft ist zu Ende.

Nach diesem Brief, den er am nächsten Tag schrieb, hörte ich sechs Wochen lang nichts mehr von ihm, nur zwei Kartengrüße bekam ich. Da bat ich ihn denn um Aufklärung und – Ehrlichkeit. Ich war sehr beunruhigt.

Die Antwort kam bald. Mein lieber Peter hatte wohl nicht den rechten Mut, mir zu schreiben, und jetzt erfuhr ich auch den Grund. Ein liebes, kleines Mädel, sechzehn Jahre alt, hatte er kennengelernt, und seine ganze Neigung wandte sich ihr zu. Ich solle ihn verstehen, und er wäre doch sehr froh, wenn er ihm meine Freundschaft und unsren netten Briefwechsel erhalten wolle, und er bat mich darum.

Der Fall, mit dem ich immer gerechnet hatte, war also eingetreten. Nur umgekehrt, wie Peter immer dachte, denn er meinte, ich würde einmal durch andere Interessen beeinflußt unsere Freundschaft beenden. Und Ehrlichkeit hatten wir uns versprochen. Und er hat sich auch wirklich anständig benommen – mit diesem Schluß. Es war für mich schmerzlich, sehr, denn ich mochte ihn doch sehr gern, den großen Jungen. Sehr gut sieht er aus, groß, schlank, in Uniform fabelhaft, dunkelhaarig mit wunderschönen braunen Augen (wie Samt), mit langen schwarzen Wimpern und einem sehr lieben, jungenhaften Lächeln. Also zum letzten Mal ein bißchen ge-

schwärmt von meinem Freund Peter. Sehr nett war er immer, beim letzten Mal schien er mir viel reifer und älter. Ich hatte oft das Gefühl, als müßte ich ihn bemuttern, und er erkannte auch immer eine gewisse Überlegenheit bei mir an. Und ich weiß auch, daß er mich wirklich gern mochte.

Aber nun war eben ein Mädel da, der gegenüber er ganz der Überlegene sein konnte, und sie paßte ja auch im Alter viel besser zu ihm. Ich sah alles ein, konnte ihn vollkommen verstehen und war ihm auch wirklich nicht böse. Das schrieb ich ihm auch, und wir wollten nun unsre schöne Freundschaft nicht häßlich enden und also weiterhin gute Kameradschaft halten. Meinem väterlichen Freund, Peters Vater, schrieb ich dasselbe, er hatte ja immer so großen Anteil an unserer Freundschaft genommen.

Ich halte es für gut, daß es so kam, früher oder später wäre es doch so gekommen. Ich war eben eine Zeitlang die ältere, reifere Freundin gewesen, die er damals brauchte. [...]

Das Treffen mit Peter. Nach heutigem Verständnis waren wir erwachsen, einundzwanzig und neunzehn Jahre alt ...

Als alte Frau lese ich diese Passage, die ich ursprünglich nicht veröffentlichen wollte, kopfschüttelnd und -nickend zugleich, erheitert und mit leiser Wehmut. Sonst kein Gefühl? fragt plötzlich »Es« in mir. Sonst kein Gefühl?? Mit einemmal schießen, wie Wasser aus einem geborstenen Rohr, jahrzehntelang abgedrängte, kanalisierte Gefühle in mir hoch. Ich spüre Groll. Nein, Wut! Wut und Trauer. Erst jetzt, in meinem dreiundsiebzigsten Jahr, nehme ich sie wahr; im gleichen Maß, wie meine inneren Augen und Ohren sich auftun, verfeinert sich meine Fühligkeit.

Die harmlose Geschichte vor allem des Wochenendes mit Peter: Werden, so frage ich mich, die heute Jungen darüber lachen? Oder werden sie begreifen, daß es eher eine Geschichte zum Weinen ist? Sie beschreibt einen exemplarischen Fall. Sie illustriert, wie die Sexualität in meiner Jugend eingeengt, in Schablonen gepreßt, unterdrückt wurde. An ihr wird augenfällig, was die Zwänge der Konvention den Menschen angetan haben. Wir wurden um ein Stück Leben betrogen. Wahrlich, wir haben viele Gründe zu trauern. Es sollte noch einige Jahre dauern, bis ich mich von den gesellschaftlichen Verhaltensmustern zu befreien vermochte.

So also, und dies demonstriert die Beschreibung jenes Wochenendurlaubs, wirkte sich die sexualfeindliche bürgerliche Erziehung »höherer Töchter« und »Söhne aus gutem Hause« aus, eine Erziehung, die freie, ehrliche Gefühlsäußerungen und spontanes Handeln nicht zuließ: »Das gehört sich nicht«, »das tut man nicht«, »man bleibt anständig«, »mach mir keine Schande!«, »bring mir kein Kind ins Haus!« Wie hasse ich die Erinnerung an diese Sprüche.

Doch nicht nur rigide Autoritäten verbogen uns, verursachten Schuldgefühle aus nichtigem oder falschem Anlaß. Auch eine Autorität, die aus anderen Wurzeln erwachsen war, bewundert und verehrt von Millionen, beeinflußte Einstellungen und Verhaltensweisen über zwei Generationen hin. Wer von uns vergäße je Walter Flex und *das herrliche Büchlein,* das ich in der Arbeitsdienstzeit begeistert las, seinen »Wanderer zwischen beiden Welten«, zwischen Leben und Tod, wem bliebe nicht für immer das »nachdenksame Wort« im Ohr: »R e i n b l e i b e n und reif w e r d e n – das ist die schönste und schwerste Lebenskunst«? Auch diese Maxime erwies sich als Zügler von Temperament und Sinnlichkeit; doch das leidenschaftliche Ethos, der überhöhte Anspruch, der aus dem kleinen Buch und seinem Pathos sprach, deckten sich auch mit meinem eigenen idealistischen Menschenbild. Walter Flex, Kriegsfreiwilliger aus dem Geist von Langemarck und selbst 1917 dreißigjährig gefallen, hatte darin seinem gefallenen Freund, dem naturbegeisterten Wandervogel- und Kriegskameraden Ernst Wurche, ein literarisches Denkmal gesetzt; es beeinflußte nicht nur die Jugendbewegung – als Hoheslied von Kameradschaft und todbereitem Heldentum benutzten es die Nationalsozialisten auch zur Stützung ihrer Ideologie.

Noch einmal zurück zu Peter und unserem verqueren Verhalten. Wenn auch Evas und Peters Eltern, im damaligen Rahmen weltoffene und großzügige Menschen, ein bißchen Schmusen im Nebenzimmer zuließen, so war doch ein Kuß vor aller Augen nicht schicklich, also auch vor Peters Schwester nicht. Kein Wunder, daß meine Mutter ob der Erzählungen lächelte, sie konnte beruhigt sein und zufrieden mit ihrer »anständigen« Tochter. Die Abschiedsszene an der früher üblichen Bahnhofssperre, der Kuß übers Geländer, das das Pärchen trennte, hatte geradezu Symbolcharakter. Die Abtrennung von sexuellen Bedürfnissen war ganz und gar gelungen. *Zu meiner großen Erleichterung* bekam ich beim Wecken von Peter keinen Kuß – nicht einmal in meinem Tagebuch vermochte ich mir meine Wünsche einzugestehen.

Also zum letzten Mal ein bißchen geschwärmt von meinem Freund Peter: Wieder einmal gibt sich ein schon früh ausgeprägter Wesenszug zu erkennen, die Distanz zu mir selbst. Aber sie bezieht sich immer nur auf den privaten Bereich, der politische bleibt ausgeklammert. Und auch meine patriarchalisch geprägte Männer-

116

phantasie drückt sich unverhohlen aus. Ein richtiger Mann muß älter sein als die Frau, er muß schon etwas darstellen, muß ihr in seiner Entwicklung ein Stück voraus sein, vor der Ehe, in der Ehe, immer. Eine Partnerschaft zwischen Gleichaltrigen, die sich gemeinsam ihre Zukunft aufbauen, aneinander wachsen und miteinander alt werden, dieses Ehe- und Beziehungsmodell war nicht zeitgemäß und kam unter meinen Lebenswünschen nicht vor.

Die Freundschaft mit Peter gehört neben der ersten zu Walter Sch. zu meinen schönsten Erlebnissen. Und ich denke immer mit dankbarer Freude an die schönen Stunden, die wir zusammen verlebten.

Aber das, was mich mit diesem Ende am meisten getroffen hat, ist das, daß ich nun wieder allein bin. Es war doch ein angenehmes und schönes Gefühl, wenn man weiß, daß es da ein männliches Wesen gibt, für das man Sympathie hat, das gerne an einen denkt und sich freut, wenn es einen sieht. Ein junges Mädel braucht das, und es hebt auch das Selbstbewußtsein. Und das fehlt mir sehr.

Ich habe gerade heute abend mit Mutti gesprochen. Es ist so traurig, daß man in diesen schönsten Jahren so garnichts hat, kein Vergnügen, nichts. Man kann in Alzey nicht ausgehen, es ist keine Gelegenheit zum Tanzen, es gibt hier nicht einen einzigen jungen Mann, für den man sich interessieren könnte, nichts, aber auch garnichts ist los hier. Es ist einfach trostlos. Und so oft habe ich so große Lust zum Tanzen, so Sehnsucht nach ein bißchen Geselligkeit. Aber es fehlt ja bei allem die Gelegenheit.

Höchstens an einem Feiertag, Weihnachten oder Pfingsten, kann man mal ein bißchen tanzen. Dann findet sich ein Teil unsres alten Tanzstundenclubs wieder zusammen, denn dann kommen alle Jungens in Urlaub, aber wir werden doch auch langsam zu alt für die Jungens. [...]

... *und es hebt das Selbstbewußtsein,* wenn eine junge Frau einen Freund hat. Kann »frau« sich im Zeitalter der Singles, der freiwillig alleinstehenden Frauen, in eine derartige Abhängigkeit noch einfühlen? Zu meiner Zeit definierte sich die Frau nur über den Mann, nur wenn sie einen Freund hatte, war sie wer. Es lebte sich schlecht mit diesem Selbstbild.

Schlecht war es auch bestellt um Gelegenheit zur Geselligkeit, gerade in der Kleinstadt und auf dem Land. Eine Welt ohne Discos und Treffs und die jungen Männer beim Arbeitsdienst, bei der Wehrmacht oder zur Berufsausbildung weg von zu Hause – wahrlich *trostlos.*

Was fehlt im Tagebuch?

1937

Zwei Ereignisse im Juli müssen mich interessiert und im einen Fall mit Stolz, im anderen mit Abscheu erfüllt haben. Am 18. Juli, einem Sonntag, wurde morgens in München feierlich das neuerbaute »Haus der Deutschen Kunst« geweiht und dem Führer übergeben, der die »Große Deutsche Kunstausstellung« mit einer programmatischen und äußerst polemischen Rede eröffnete. Auch wenn sie nicht Thema eines Aufsatzes war, wie die Rede zwei Jahre zuvor, hörte ich sie und den Bericht über das gewaltige Spektakel des Festzugs am Nachmittag, vermutlich im Radio, und war begeistert.

»Kunst ist eine erhabene und zu Fanatismus verpflichtende Mission«, hatte der »Führer« bereits 1933 in Nürnberg verkündet. »Die wahre und ewige deutsche Kunst arischen Menschentums« wurde dem Volk im »Tempel der Kunst« vor Augen geführt. Die »zum Fanatismus verpflichtende Mission« erfüllte die am folgenden Tag eröffnete Ausstellung »Entartete Kunst«; sie zeigte auf engstem Raum rund 600 beschlagnahmte Kunstwerke von 110 Künstlern, die durch bösartige Begleitsprüche verunglimpft wurden.

Auch wenn ich die »Schandschau« der modernen Kunst nicht sah, glaubte ich doch längst zu wissen, was Kunst nicht sein sollte, der Aufsatz von 1935 belegt es: *Niemals ist es ihre Aufgabe, das Häßliche, Unnatürliche und Ungesunde darzustellen.*

»Deutsches Volk, urteile selbst!« forderte der »Völkische Beobachter« am 20. Juli auf der Titelseite der Münchner Ausgabe. Über zwei Millionen Besucher sahen allein in München bis November die »Ausstellung der Verfallszeit«. Sie wanderte noch vier Jahre lang durch deutsche und österreichische Städte und wirkte wesentlich mit beim Aufbau rassistischer, insbesondere antisemitischer und kommunistischer Feindbilder.

1938

Hier muß ich innehalten. Das zweite Tagebuch endet mit einer Eintragung vom 6. November. Die letzten Seiten sind leer geblieben, kein Rückblick zum Jahresende. Ich blättere die beiden Büchlein durch, die so unsystematisch darüber Auskunft geben, was fünfeinhalb Jahre lang den Kopf dieses Mädchens beschäftigte, was ihm ans

Herz rührte. Über die Distanz von mehr als einem halben Jahrhundert hinweg schaue ich es aufmerksam an: das heftige Auf und Ab der Gefühle, die hingebende Begeisterung, der Versuch, sich selbst gegenüber ehrlich zu sein, die Bereitschaft zum Einfühlen, Mitfühlen, der Wunsch, gut zu sein – dieser Lore fühle ich mich nah.

Mit der Vorbemerkung zögere ich hinaus, was ich an dieser Stelle sagen muß. Wieder einmal kommt es mich hart an, mir die bittere Wahrheit einzugestehen. Die leeren Seiten zum Ende des Jahres 1938 kommen mir wie ein Sinnbild vor. Da zeigt er sich wieder, größer als bisher, der weiße Fleck auf der Landkarte meiner Jugend: Über die sogenannte »Reichskristallnacht« vom 9. auf den 10. November schweigt das Tagebuch sich aus.

Aus Rache für die Abschiebung polnischer Juden aus dem Reich, unter denen sich auch seine Familie befand, hatte der junge Herschel Grynszpan auf den Legationssekretär Ernst vom Rath in Paris ein Attentat verübt. Es war den Nationalsozialisten willkommener Anlaß zum Losschlagen gegen die deutschen Juden gewesen; nicht der Volkszorn hatte zu »spontanen« Gewaltausbrüchen im ganzen Reichsgebiet geführt, vielmehr waren sie durch Goebbels angeheizt worden, von der SA organisiert, durchzuführen in Zivil, die Polizei durfte nicht eingreifen. Eingedenk der Tatsache, daß in meinen Tagebüchern noch viele Male das Ergebnis von Gewalt und Zerstörung voller Stolz aufgelistet werden wird, will ich diese beschämende Bilanz der Gewaltorgie zwischen dem 9. und 13. November hier aufschreiben: 91 Juden wurden ermordet, viele mißhandelt, verletzt, Frauen vergewaltigt; 191 Synagogen fielen Brandstiftung zum Opfer, 7500 jüdische Geschäfte wurden zerstört, geplündert, viele Wohnungen und fast alle jüdischen Friedhöfe verwüstet. 30 000 Juden kamen in Konzentrationslagerhaft. Den entstandenen Sachschaden bezifferte man auf mindestens 25 Milliarden Reichsmark. Die Juden mußten mehr als 1 Milliarde als Sondersteuer aufbringen. Die Versicherungsleistungen fielen an den Staat.

Bei dieser Aufzählung berührt mich der Gedanke an die Vergewaltigung jüdischer Frauen ganz besonders. Der Akt der Vergewaltigung, seit Jahrtausenden die schlimmste Demonstration des Männlichkeitswahns, zumal in Kriegszeiten und unter Unrechtsregimen, verletzt bewußt die Ehre der Frau und beschädigt die weibliche Identität. Die jüdischen Frauen wurden zweifach entwürdigt, als Frauen und als Jüdinnen. Und zweifach erniedrigt wurden damit auch deren Männer, als Ehepartner wie als Juden.

Ich lebte damals, sieben Wochen nach meiner Entlassung aus dem Arbeitsdienst, in Alzey. Was also hat das Gedächtnis der Zeitzeugin Lore Walb von den Schandtaten in ihrer Heimatstadt bewahrt? Nur die Erinnerung, daß ich von der nächtlichen Zerstörung der Synagoge in der Augustinerstraße, von splitternden Glasfenstern und der Verwüstung im Innern der »Juddekersch« erzählen hörte; den Namen eines Hitlerjungen, der als besonders gewalttätig beschrieben wurde, weiß ich, noch immer. Und genau erinnere ich mich an das panische Gefühl, das in mir hochstieg – Angst, Abwehr: Da gehe ich nicht hin, das will ich nicht sehen, damit habe ich nichts zu tun! Was ich nicht weiß, macht mir nicht heiß, wie wahr. Folgerichtig verweigerte ich mich der Konfrontation mit dem Terror gegen die deutschen Juden. Und folgerichtig ist mir heute, beim Nachdenken über diese Leerstelle im Tagebuch, elender zumute als beim Reflektieren aller bisherigen Aussagen.

Auch andere haben ihre Probleme, wenn sie an diese Untaten zurückdenken. Ein einstiger Alzeyer Hitlerjunge erzählte mir, SA-Leute hätten seine Jugendgruppe nach Schulschluß nachmittags (am 10. November?) zu einem Treffen bestellt. Mit den SA-Leuten seien sie in die Wohnung einer jüdischen Familie eingedrungen, und ein rabiater HJ-Kamerad (der gleiche, der sich bei der Zerstörung der Synagoge hervorgetan haben soll) habe in Gegenwart der verängstigten Familie die Möbel mit der Axt demoliert. »Ich dachte«, gesteht mein Altersgenosse, der, in der Türe stehend, die gewalttätige Handlung entsetzt beobachtete, »wenn das uns passierte!« Er tat nicht mit. Er schaute zu und schwieg schockiert, bis heute.

Was ging wohl in den Gaffern vor, diesen unbescholtenen Bürgersleuten, die in »wahren Prozessionen« durch das Haus eines Nichtjuden zogen, in dem sich der Betsaal befand, der inzwischen anstelle der Synagoge benutzt wurde, um die Verwüstung in Augenschein zu nehmen, was in jenen, die sich aktiv an der Aktion beteiligten? Zur Rechenschaft gezogen wurden sie nie. 1952, vierzehn Jahre nach den Untaten, konnten sich neun Beschuldigte vor dem Mainzer Landgericht an nichts mehr erinnern. Fünf Angeklagte wurden freigesprochen, ihnen war nur »Neugierde« nachzusagen; gegen vier Täter, denen schwerer Hausfriedensbruch nachzuweisen war, wurde das Verfahren eingestellt. Auf sie fand, laut Presseberichten, »das vom Bundestag verabschiedete Straffreiheitsgesetz Anwendung«.

Je stärker ich mich anhand der Tagebücher auf meine Jugend in der Nazizeit einlasse, desto wichtiger wird es mir, daß das Verdrängte, Vergessene nicht abstrakt bleibt, sondern Gestalt annimmt – betroffen waren Menschen wie wir, sie hatten Gesichter und Namen. »Reichskristallnacht« muß also für mich vor allem Pogrom in Alzey heißen, Untaten, an Juden begangen, die dort daheim waren wie ich. Es ist auch heute noch nicht zu spät dazu, nach ihnen zu fragen.

Liselotte Rosenthal beispielsweise: Sie wurde durch Fußtritte gezwungen zu sagen, wer den Schlüssel zur Synagoge verwahrte; sie wohnte im zurückgelegenen Gemeindehaus. »Während die Synagoge demoliert wurde, flüchtete sie mit ihren Kindern zu ihren Eltern, die ein Weingut in der Schloßgasse besaßen. Als die Zerstörung ihres Elternhauses begann, versteckte sie sich gemeinsam mit ihren Kindern sowie Mutter und Bruder im Viehstall. Ohne den Vater Karl Baum, der zusammen mit anderen jüdischen Männern verhaftet wurde, blieb die Familie auch noch die folgende Nacht im Stall. Nach Anbruch der Dunkelheit brachten Nachbarn den verängstigten Menschen etwas zu essen.« (Dieter Hoffmann)

Nichts von den Gewalttätigkeiten sollte mir, in der kleinen Stadt, zu Ohren gekommen sein, keine Spur davon vor die Augen? »Aus jüdischen Häusern flogen Möbel, Geschirr und Eingemachtes auf die Straße, vor einer Metzgerei wurde Fleisch und Wurst auf dem Pflaster zertrampelt, Federbetten wurden aufgeschlitzt und aus den Fenstern geschüttelt, daß die Federn wie Schneeflocken durch die Alzeyer Gassen flogen.« (Dieter Hoffmann)

Die nachlesbaren Tatsachen nageln mich fest, die Ausrede »vergessen« gilt nicht. Daß ich mich nicht mehr erinnere, nur noch das Abwehr-Gefühl »Nicht hinschauen!« im Gedächtnis habe, beweist, daß ich ein Unrechtsbewußtsein hatte und Angst, das Unrecht wahrzunehmen. Hätte ich den Terror, die Menschenfeindlichkeit zur Kenntnis genommen, wäre mein ganzes Orientierungssystem zusammengebrochen, nämlich die Überzeugung, alles, was Nazis machen, ist richtig, ein Nationalsozialist handelt ehrenhaft, ist ein guter Mensch, rechtschaffen, verläßlich, wahrhaftig. Daß das Idealbild vom charaktervollen Nationalsozialisten vor der Wirklichkeit versagte, in der die Juden mit der Begründung, sie seien »unser Unglück«, ausgegrenzt und verfolgt wurden, durfte ich mir nicht eingestehen. Mit anderen Worten: Hätte ich der brutalen Realität ins Antlitz geschaut, ich hätte, wie ein Gedicht es ausdrückte, »einen Schuft auch einen Schuft nennen« müssen. Vor der Erkenntnis, daß Recht und Gerechtigkeit auf der Strecke blieben, schützte ich mich, indem ich, wie früher schon, wegschaute, verdrängte, vergaß.

Mein Versagen als Mitmensch, das mir die unbeschriebenen Tagebuchseiten versinnbildlichen, ist der noch immer schmerzende wunde Punkt in meinem Leben, ein Punkt jedoch, von dem inzwischen fordernde Impulse ausgehen: Schau hin! Forsche nach! Wer sucht, der findet, und wer fragt, erhält Auskunft.

Vor Jahren, am 26. November 1988, hatte die Phantasie, die einstige jüdische Mitschülerin, die ich Leni nenne, klopfe an die Tür der Heidelberger Studentin Lore und bäte für kurze Zeit um Unterschlupf, meine Krankheit, die »unbewältigte Vergangenheit« hieß, ausgelöst. In der Realität war die junge Jüdin spätestens 1935, mit meinem Schulwechsel nach Mainz, aus meinem Leben und meinem Gedächtnis verschwunden. Doch in Leni personalisierten sich alle meine Unterlassungen und Schuldgefühle, und plötzlich bedrängte mich die Frage: Hat sie die Zeit des Nationalsozialismus überlebt? Als ob ein solches Wissen mich etwas zu entlasten vermöchte.

Prag, im Herbst 1990. Die Stadt war mit Touristen überfüllt. Nicht nur ich mußte auf das gebuchte Einzelzimmer im Hotel verzichten. Aufgebracht beschwerte sich eine Frau in meiner Gegenwart an der Reception bei einem jungen Hotelangestellten. Ich kannte sie, erkannte sie aber nicht wieder: Da stand der deutsche Herrenmensch und las den schluderigen Tschechen die Leviten. Ich schämte mich, so sehr, daß ich mich für diesen deutschen Auftritt entschuldigte. Trieb mich deshalb Lenis unbekanntes Schicksal wieder um, sprach ich deshalb dort zu zwei Frauen der Reisegruppe, die mir fast unbekannt waren, von Leni und meinen Schuldphantasien? Da schwappte wieder die Gefühlswelle über, wie so oft, wenn ich starkes Einvernehmen spüre. Eine der beiden Frauen lebte in Alzey. Ich nannte den Namen von Lenis Dorf, gab damit das Stichwort: Sie hatte eine Verbindung dorthin. »Zufall ist immer das Fällige, das uns trifft«, sagte Max Frisch.

Und so begann die Suche nach ihr, die 14 Monate später mit dem Brief einer Dorfbewohnerin endete. »Liebe Lore« – sie erinnert sich meiner, besuchte wie ich das Alzeyer Lyzeum –, »heute kann ich endlich die Adresse von Leni schicken.« Und Leni, erfahre ich, weiß inzwischen, daß ich mich nach ihr erkundigt habe.

Leni lebt! In der Schweiz. Entlastung, Befreiung. Nicht für lange. Angst überfällt mich, übergroße Angst: Es ist soweit, nun muß ich das ganze Paket aufschnüren, ihr a l l e s offenbaren, die Tagebücher, die Verdrängung, die Krise, die Krankheit, und wie ihr Name zur Chiffre wurde für meine Schuld. Die Last, die meine Seele drückt, bringt über Nacht meinen Körper zum Sprechen: Nacken und Schulter verspannen sich, als trügen sie ein Joch, behängt mit Schwergewichten rechts und links. »Die Angst im Nacken«. Sie tut elendig weh, treibt mich zum Arzt. Spritze, Salbe, Linderung. Am nächsten Tag eine Stunde Entspannungstherapie.

Die befreundete Therapeutin kommt sofort zum Punkt. »Was ist passiert?« Und dann: »Aber du kennst Leni doch gar nicht! Denkst du denn nicht daran, was du ihr mit deiner Radikalität antun könntest?« Sie weiß, wovon sie spricht, hat selbst eine teils jüdische Familiengeschichte. Sie hilft mir als erste, ein Stück meiner steinschweren Last abzulegen. Erst einmal beruhigen. Und nachdenken. Mein späterer Brief an Leni versucht eine vorsichtige Annäherung.–

Und nun beginnt ihre schattenhafte Gestalt aus dem stummen Dunkel herauszutreten. Schon hat sie eine Stimme; sie spricht leise, verhalten, mit rheinhessischem Anklang, sucht zuweilen nach einem Wort, sagt es auf englisch. »Kommst du nicht einmal in die Schweiz?« fragt sie, als sie mich auf meinen Brief hin anruft. Nicht mehr lange, und sie wird wieder ein Gesicht haben: Wir werden einander gegenüberstehen, zwei Fremde, die aus verschiedenen Welten kommen. Beide werden wir Angst haben vor der Begegnung mit der Vergangenheit. Wir werden viel Mut brauchen und sehr behutsam miteinander umgehen müssen.

Immer wieder suchte der schmerzhafte Gewissensdruck in den vergangenen Jahren nach einer Entlastung, manchmal auf ungewöhnlichen Wegen durch Kontakte und private Hilfsaktionen für fremde Menschen, denen Deutsche Leid zugefügt hatten – kleine Sühnezeichen, mehr nicht. »Wiedergutmachung« gibt es nicht.

Im Jahr 1938 ist Leni, sagt sie am Telefon, in die USA ausgewandert. »Ich habe es gegen meinen Willen getan. Ich hatte eine Bürgschaft, sie wäre nach drei Monaten verfallen.« Und auch: »Während der vierzig Jahre, die ich in den USA lebte, und den zehn Jahren in der Schweiz habe ich nie über meine Vergangenheit gesprochen.«

Zu dieser jüdischen Vergangenheit des Jahres 1938 gehören auch zwei Arten besonderer Stigmatisierung: Am 17. August wurden alle Jüdinnen und Juden gezwungen, die zusätzlichen Vornamen »Sara« beziehungsweise »Israel« anzunehmen, am 5. Oktober wurden die Reisepässe der Juden eingezogen, alle neu ausgestellten Pässe trugen den Aufdruck »J«.

Auch Karl Levi, Frontsoldat mit hohen Auszeichnungen und ehemals Mitglied des Alzeyer Stadtrats, emigrierte, nachdem er sein Kaufhaus und das große Firmengelände in zentraler Lage weit unter Wert verkauft hatte, kurz vor Weihnachten 1938 in die USA. Von Lenis Vertreibung wußte ich damals nichts. Mit welchen Gefühlen aber nahm ich die Nachricht von der Auswanderung des Mannes auf, den auch meine Eltern immer den »Wohltäter von Alzey« genannt hatten? Keine Erinnerung gibt Auskunft. Die Blockierung bleibt.

TAGEBUCH III
Januar 1939 – Februar 1940

Im Zeichen des Krieges

Herrgott, gib uns zu aller Zeit
Männer, die lieber zu sterben bereit
und lieber zu verbrennen,
als sich von der Wahrheit zu trennen,
und die das brauchen wie Atemluft,
daß sie einen Schuft
auch Schuft nennen

Will Vesper[1]

Gedichte gehören, wie Bilder, zu meinem Leben. Immer wieder habe ich Gedichte, die mir besonders wichtig waren, aufgeschrieben, auswendig gelernt. Daß ich die sieben Zeilen von Will Vesper im Tagebuch aufbewahrte, spricht für die Bedeutung, die sie für mich hatten. Und brachten sie denn nicht, auf eine sehr gradlinie Art, auf den Punkt, was Wahrhaftigkeit war, was Mannsein damals verkörpern sollte? Wer ein Schuft ist, wird Schuft genannt, wer kein Schuft ist, wird nicht Schuft genannt. Dieser ehrbaren Denkweise, die sich mit meinem Idealismus deckte, stimmte ich zu – was denn sonst. Der vertrackten Doppelbödigkeit der scheinbar so eindeutigen Aussage war ich mir nicht bewußt; wie viele Deutsche sah ich nur die Oberseite, nicht den Unterboden: Wenn der, der ein Schuft ist, Schuft genannt wird, muß auch die Umkehrung des Satzes gelten: Wer Schuft genannt wird, ist demnach auch einer. Das heißt, die Wahrheit wird zwar auf den Kopf gestellt, doch sie ist und bleibt die Wahrheit, ein Paradox – Ideologie pur, die mit größtem Erfolg angewendet wurde. Juden und Intellektuelle, »Zigeuner«, Zeugen Jehovas und Homosexuelle, Geisteskranke und Behinderte, politisch Andersdenkende und Widerstandskämpfer waren ihre Opfer.

1939

[undatiert]
Ganz kurz – nachträglich:
Meine Berufspläne waren nach dem Abitur garnicht klar. Zuerst
also wollte ich bis zum Frühjahr mal zu Hause bleiben, nähen, ko-
chen usw., auch Stenographie und Schreibmaschine. Dolmetscherin
war der Wunsch – angesteckt durch meine Klasse, wo dieser Gedanke
fast epidemisch auftrat. Also, zuerst ins Ausland! Eine Verbindung

---

1 Das Gedicht ist auf eine in das Tagebuch eingelegte Notizkarte geschrieben.

mit England zu bekommen war nicht möglich, mit Italien hätte es
eher klappen können, wenn –

Ja, Tante Gertrud, die manchmal allzu Praktische, war der Mei-
nung, daß ich als Dolmetscherin doch vor allem das Kaufmännische
beherrschen müsse, und da sei es wohl gut, wenn ich zuvor mal fest-
stellte, ob mir das Kaufmännische überhaupt Freude machen würde
(nach meinen bisherigen Ansichten darüber stand das garnicht so
fest). Und als sie zufällig durch eine frühere Schülerin erfuhr, daß
ich bei Opel unterkommen konnte, meinte sie, sie hätte das große Los
für mich gewonnen (sie hat sich da ja wirklich nett um mich geküm-
mert und Gedanken gemacht). Wenigstens den Versuch sollte ich
machen, riet sie mir zu. Und so trat ich denn, nachdem ich mich vor-
gestellt und die Formalitäten erledigt waren [...], am 1. Februar
1939 in Rüsselsheim bei Opel ein.

Die kaufmännischen Dinge, auch das Mechanische wie Stenogra-
phie und Maschinenschreiben, das ich nur in den geringsten Anfängen
beherrschte, fiel mir garnicht leicht. Mit der Zeit kam auch da die grö-
ßere Fertigkeit, aber, um es ganz kurz zu machen, die rechte Freudig-
keit fehlte mir bei diesen Arbeiten eigentlich immer. [...] Aber nicht al-
lein die Freude fehlte mir bei der Arbeit, sondern allmählich ging es
auch mit meiner Gesundheit bergab. Das etwas gebeugte stundenlange
Sitzen bekam mir schlecht, ebenso die tägliche 3-stündige Bahnfahrt,
mit dem Warten auf den Anschlußzug usw. Ich kam abends spät nach
Haus, mußte morgens wieder früh raus, für mich selber hatte ich keine
Zeit mehr. Und ich war immer müde. Im Juli, glaube ich, war es,
schickte mich mein liebenswürdiger Herr Chef bis auf weiteres nach
Haus, um mich zu erholen. Diese 2 Wochen waren die schönsten im
ganzen Sommer, und wie nötig war diese Erholung. [...]

Die Passage über meinen Berufsanfang als Sekretärin verrät mir
heute mehr als bei früherer Lektüre. In den gesundheitlichen Be-
schwerden steckte auch ein Protest gegen die weibliche Rolle des
Dienens – trotz Abitur soll ich nur zur Sekretärin taugen? Sehr genau erinnere ich mich, wie ich mich in Gedanken und bei meiner
Mutter beklagte: »Wieso soll ich nur immer schreiben, was andere
denken, ich kann doch selber denken!«

Fast in jedem Jahr ist der März der Monat großer außenpolitischer
Ereignisse. So war es auch diesmal.
15. März: Böhmen und Mähren Reichsprotektorat.
22. März 1939 – Rückgliederung des Memellandes in das Reich.
Litauen gab das Memelland mehr oder weniger freiwillig zurück.

Wieder sind Deutsche heimgekehrt. Als dann der Führer auf der »Schleswig-Holstein« nach Memel kam, waren es große Tage für die Memelländer.

Am [28. März:] Ende des spanischen Bürgerkrieges! Sieg der Nationalen Spanier mit Hilfe deutscher Flieger und italienischer Truppen. Die Leistungen unserer Soldaten erfuhren wir erst jetzt. Am [?] siegreiche Heimkehr der »Legion Condor«. Großer Aufmarsch in Berlin. Interessanter Film darüber.

An Pfingsten besuchte ich Edith in Köln und Hanna in Eschweiler […] Kurz danach habe ich Hilde und Liselotte in Heidelberg besucht. Es war herrlich. Unsere Hauptbeschäftigung war Tanzen, zwei Nächte wurden damit verbracht, von Samstag auf Sonntag sind wir garnicht ins Bett gegangen. Von diesen unbeschwerten fröhlichen Stunden bin ich noch jetzt ganz begeistert. […]

Alzey, 3. September 1939
In historischen Tagen nehme ich meine Aufzeichnungen wieder auf. Und der Anlaß ist schlimm, furchtbar.

Seit Monaten haben sich die Beziehungen Polens zu Deutschland sehr verschlechtert. Schuld daran ist Polen. In unverantwortlicher Weise haben die Polen ihr Benehmen gegenüber den Volksdeutschen in Polen geändert. Wie im vergangenen Jahr unter den Tschechen, haben jetzt die Deutschen unter dem polnischen Terror zu leiden. In fünf Monaten haben sich die Überfälle auf Deutsche, Mißhandlungen, Quälereien, Morde gehäuft und immer mehr gesteigert. Jeden Tag haben wir durch den Nachrichtendienst von neuen Schandtaten der Polen gehört. Unerträgliche Leiden mußten und müssen noch die Deutschen erdulden. Und die Grenzüberschreitungen dieser armen Gequälten mehrten sich.

Und all diesen Handlungen sah Deutschland zu, ohne weiter einzugreifen als auf dem Wege von Vorstellungen bei der polnischen Regierung, die natürlich erfolglos blieben.

Der polnische Terror aber ist deshalb so groß, weil England Polen einen Freibrief gegeben hat durch sein Versprechen, wenn Deutschland sich gegen Polens Provokationen zur Wehr setzt, wird England Polen militärisch zur Seite stehen. Und Frankreich fühlt sich ebenfalls verpflichtet, Polen im Falle kriegerischer Verwicklungen beizustehen. Solche Garantien konnten die polnische Unverschämtheit natürlich nur herausfordern. Und seitdem die Garantien gegeben wurden, ist der Terror, unter dem die Deutschen zu leiden haben, unerträglich geworden.

Es ist selbstverständlich, daß das deutsche Reich auf die Dauer solchen Provokationen nicht tatenlos zusieht, und so ist denn nun auch die Explosion eingetreten.

Mittwoch, den 23. August 1939 flog Reichsaußenminister von Ribbentrop nach Moskau und schloß dort den <u>deutsch-sowietischen Nicht-Angriffs- und Konsultativpakt</u> ab und unterzeichnete am gleichen Tag. Es war für uns alle eine Überraschung, wenn es auch irgendwie nicht ganz unerwartet so kam. Denn das Gerücht, daß Papen in Rußland sei, war lange im Umlauf. Und wo Papen sich betätigt hat, ist ja stets bald darauf ein diplomatischer Erfolg zu verzeichnen.

Für England und auch Frankreich bedeutete dieser Schritt Rußlands natürlich großen Ärger und Enttäuschung, da lange Verhandlungen der Westmächte in Moskau erfolglos geblieben waren und damit »le pacte franco-soviétique« aufgebrochen war.

Aber welch ein diplomatischer Sieg für uns! Es wäre bestimmt nicht angenehm, wenn Rußland hinter Polen stünde. Und wenn beide Mächte, Deutschland und Rußland, ihre Weltanschauung für sich behalten und sich da gegenseitig nicht dreinreden – gut.

Und nun schreitet die politische Entwicklung rasch fort:

24. August 1939: In Polen Mobilmachung

Polnische Truppen marschieren in Richtung Danzig.

25. August 1939: England schließt einen Beistandspakt mit Polen!

26. August 1939: Soldaten der Reserve werden nun bei uns eingezogen. Daladier richtet einen Brief an den Führer, es stünde in der Hand des Führers, den Konflikt mit Polen friedlich zu lösen.

27. August 1939 (Sonntag): Weitere Soldaten eingezogen. Verkündet wird die Herausgabe von Lebensmittelbezugsscheinen mit sofortiger Wirkung, das heißt ab Montag (vorbeugen gegen Hamstern). Ab Sonntag abend, 10 Uhr, beginnt der Kriegsfahrplan.

Des Führers Antwort an Daladier. Es steht nicht mehr bei ihm, ob es eine friedliche Lösung gibt, denn Polen geht auf keine Verhandlungen mehr ein.

Die ganze Zeit über – polnische Greueltaten.

28. August: Frankreich sperrt die Rheinbrücke. Letzter Zug von Frankreich nach Deutschland.

Donnerstag, 31. August 1939: Abends wird durch den Rundfunk bekanntgegeben: Der Führer hat am 28. Polen einen Vorschlag zur friedlichen Beilegung des Konflikts gemacht und wird zwei Tage auf einen Bevollmächtigten zur Verhandlung warten.

Der Vorschlag: Danzig wird deutsch. Im »Korridor« (genau angegeben, in welchem Gebiet) stimmt man ab unter der Kontrolle einer neutralen Macht. Abstimmung in 12 Monaten. Falls Abstimmung für Deutschland – dann eventueller Austausch der Bevölkerung. Po-

len dagegen erhält durch freie Benutzung der Weichsel Zugang zum Meer.

Zwei Tage lang wartet der Führer vergeblich auf eine polnische Botschaft oder einen Bevollmächtigten.

Freitag, 1. September 1939: Wir hören frühmorgens im Radio: Warnung an die deutsche Flotte und ausländische Schiffe – Ostsee (Längs- und Breitengrade angegeben) – Gefahrenzone. Danzig, Gdingen und Neufahrwasser nicht anlaufen! Der deutsche Luftraum ist für ausländische und deutsche Flugzeuge gesperrt. Nur Militärflugzeuge dürfen fliegen.

Um 10 Uhr vormittags: Reichstagssitzung!

Der Führer spricht! Als Nation von Ehre können wir uns diese Provokationen auf die Dauer nun nicht länger gefallen lassen und, da der Führer zwei Tage vergeblich auf einen polnischen Bevollmächtigten wartete (Unverschämtheit!), gibt es auch keine Verhandlungsmöglichkeit mehr. Und nun werden wir Polen antworten!

Seit 5 Uhr 45 antworten die deutschen Geschütze. Krieg mit Polen!

Der Führer wird den Soldatenrock nun nicht eher ausziehen, bis wir gesiegt haben »oder ich werde das Ende nicht erleben!« Falls ihm etwas zustößt, ernennt er als seinen Nachfolger Hermann Göring, falls diesem etwas zustößt, Rudolf Heß, und sollte auch diesem etwas zustoßen, dann wird ein Senat den Würdigsten auswählen. Wir wollen den Krieg möglichst ohne fremde Hilfe führen.

Und der Führer will einen fairen Kampf: Nur militärisch wichtige Punkte sollen angegriffen und bombardiert werden, solange Polen sich ebenso verhält.

Der Krieg mit Polen hat begonnen!

In den frühen Morgenstunden erläßt Danzigs Gauleiter Forster, das Staatsoberhaupt der Freien Stadt Danzig, ein Gesetz, das Danzig dem deutschen Reich und seinem Oberhaupt sofort unterstellt.

Danzig ist deutsch! Heimgekehrt.

Der Reichstag nimmt dies Gesetz an.

Rückblende: 1. September 1939 in Alzey. Ein warmer Spätsommermorgen. Ich sitze mit meiner Mutter auf dem kleinen Platz vor der Souterrainküche des neuen Häuschens, im Rücken den üppig bepflanzten Obstgarten, auf der niedrigen Bank. Wir entsteinen Zwetschgen, es ist Einmachzeit. Aus dem Volksempfänger dröhnt Hitlers Stimme: »Seit 5.45 Uhr wird jetzt zurückgeschossen.« Satz und Tonfall sind, abrufbar für immer, gekoppelt an das Gefühl, das sich in mir ausbreitet: Beklommenheit – »also doch« – und ahnungsschwere Trauer. Ich bin zwanzig Jahre alt. Ich weine …

Ja, ein historischer Augenblick. Der Zweite Weltkrieg, den er eröffnete, sollte 55 Millionen Menschen das Leben kosten. Das Hochgefühl der Kriegsfreiwilligen von Langemarck 1914 erfüllte uns nicht. Der Erste Weltkrieg war kaum zwanzig Jahre vorbei. Das Wort »Krieg« machte angst.

»Historisch« war eines der wichtigsten Kriterien, nach denen ich Begebenheiten dokumentieren wollte. Unter historisch verstand ich nur das Großartige. Was mit den Juden geschah, sah ich, wie sich gezeigt hat, lieber nicht als historisches Faktum an. Der Selektionsmechanismus, der hier wirkte, die Verengung des Begriffs »historisch«, war die Folge des ständig propagierten Schwarz-weiß-Denkens: Nach diesem Schema sind immer nur die anderen schuld; sie agieren, während wir nur reagieren. Das Böse, Aggressionen und Leid, kommt immer nur von ihnen.

Im Bewußtsein, »Historisches« aufzuzeichnen, hat sich im Tagebuch auch die Sprache verändert. Die Sätze folgen Schlag auf Schlag. Es spricht die Kriegsberichterstatterin. Linientreu folgt sie, ohne es zu wissen, wie bisher den Parolen des Propagandaministeriums, das über die gleichgeschalteten Medien das Volk psychologisch auf den Krieg vorbereitete. Goebbels: »Nach wie vor müssen die Polengreuel die entscheidende Aufmachung bleiben. Was das Volk oder das Ausland von den Polengreueln glaubt oder nicht, ist unwichtig. Entscheidend ist, daß die letzte Phase des Nervenkrieges nicht von Deutschland verloren wird.« In schweren Ausschreitungen von Polen gegenüber im Lande lebenden Deutschen entluden sich damals die politischen Spannungen; sie rührten ebenso her aus Hitlers sich steigernden Forderungen – Rückgabe Danzigs, Autobahnanbindung Ostpreußens – und der polnischen Irritation wegen seiner Revisionsansprüche wie aus dem von beiden Seiten geschürten Haß. Die polnische Regierung verhinderte die Exzesse nicht, die deutsche heizte die explosive Stimmung durch Übertreibung weiter an.

»Ich werde«, sagte Hitler am 22. August 1939 vor seinen Generälen, »propagandistischen Anlaß zur Auslösung des Krieges geben, gleichgültig, ob glaubhaft. Der Sieger wird später nicht danach gefragt, ob er die Wahrheit gesagt hat oder nicht.« Was längst Geschichte ist, wird eben jetzt noch einmal Gegenwart, und ich, die Zeugin, bin nicht länger auf einem Auge blind. Die historischen Tatsachen wieder nachlesend, spüre ich noch einmal die alte, schmerzhafte Bitterkeit der Gutgläubigen, Betrogenen und eine neue, brennende Empörung über den Zynismus, mit dem Hitler und seine Helfer ans Werk gingen.

Den »propagandistischen Anlaß« lieferten drei von der SS sorgfältig inszenierte Scheinüberfälle in polnischen Uniformen oder »Räuberzivil« am Vorabend und in den frühen Morgenstunden des 1. September auf ein Zollhaus, ein Forsthaus und den Sender Gleiwitz. Vor allem diese Aktion – auslösendes Stichwort: »Großmutter gestorben« – glich einem schaurigen Theatercoup. Die auf den Schauplätzen zurückgelassenen Toten waren eigens zu diesem Zweck vor Ort ermordete, verkleidete KZ-Häftlinge, »Konserven« in der Sprache des Unmenschen, und ein mit Polen sympathisierender Volksdeutscher. Die Fotos wurden der Weltöffentlichkeit als Beweis polnischer Aggression präsentiert. – Um 5.45 Uhr wurde nicht »zurückgeschossen«, vielmehr eröffnete das Schulschiff »Schleswig-Holstein« um 4.45 Uhr das Feuer auf die polnische Enklave Westerplatte, eine Landzunge vor Danzig. *Der Führer will einen fairen Kampf:* Hinterlistige Täuschung und Krieg ohne Kriegserklärung, so sah Hitlers »Fairneß« aus.

Ursachen und Wirkungen kann ich heute nicht mehr verwechseln. Schon am 23. Mai 1939 hatte Hitler in einer Rede vor den Oberbefehlshabern der Wehrmacht gesagt: »Die 80 Millionen Masse (der Deutschen) hat die ideellen Probleme gelöst. Die wirtschaftlichen Probleme müssen auch gelöst werden … Danzig ist nicht das Objekt, um das es geht. Es handelt sich für uns um die Erweiterung des Lebensraums im Osten und Sicherstellung der Ernährung … In Europa ist keine andere Möglichkeit zu sehen … Es entfällt also die Frage, Polen zu schonen, und es bleibt der Entschluß, bei erster passender Gelegenheit Polen anzugreifen … Der Grundsatz: Auseinandersetzung mit Polen – beginnend mit dem Angriff auf Polen – ist nur dann ein Erfolg, wenn der Westen aus dem Spiel bleibt. Ist das nicht möglich, dann ist es besser, den Westen anzufallen und dabei Polen zu erledigen … Der Krieg mit England und Frankreich wird ein Krieg auf Leben und Tod … Wir werden nicht in einen Krieg hineingezwungen werden, aber um ihn herum kommen wir nicht.«

Immer im Einverständnis mit dem »Führer«, folgte ich ihm auch dann, als er in seiner Rußlandpolitik eine Kehrtwende vollzog und den »Hitler-Stalin-Pakt« abschloß. Ich folgte seiner Autorität und bemühte mich eifrig darum, die überraschende, neue politische Beziehung zur bisher verteufelten Sowjetunion als eine andere Art der Konfliktlösung zu begreifen. Hatte früher die unterschiedliche Weltanschauung jegliches Miteinander verhindert, war das Bündnis nun *ein diplomatischer Sieg für uns;* die andere Weltanschauung wurde nun quasi ignoriert. Ganz leise klingt eine Erleichterung der Art »das ist noch einmal gut gegangen« durch: *Es wäre bestimmt nicht angenehm, wenn Rußland hinter Polen stünde.*

Das Tagebuch verrät einen großen Rechtfertigungsdruck – das vergebliche Warten des »Führers«, die Kränkungen, die Provokationen: *Als Nation von Ehre können wir uns das auf die Dauer nun nicht länger gefallen lassen.*

Hitlers Reichstagsrede ist durch die noch heute gängige Tabuisierung des Todes geprägt. Im Krieg muß jeder Beteiligte mit dem Tod rechnen, doch Hitler wählte die Umschreibung »etwas zustoßen«. Die sprachliche Verschleierung von Sterben und Tod – »wenn mir etwas passiert« statt »wenn ich sterbe« – ist angesichts der Kriegssituation besonders auffällig.

Am 1. September wurde der »Führer« zu dem Mann, der den einfachen Soldatenrock, in dem er bereits zur Reichstagssitzung erschien, bis zum Kriegsende nicht mehr ausziehen sollte. Sein Auftritt suggerierte, er, »der erste Soldat«, ist identisch mit seinen Soldaten, genauso wie wir mit ihm identisch sind. Immer wieder wurde das »Wir-Gefühl« beschworen. Was »wir« wollen, also auch ich will, erfuhr ich durch den Rundfunk. In mir, in uns war kein Platz für das »ihr«, die anderen, denen wir als »Feinde« gegenüberstanden. Hier wird eine Grundmelodie angeschlagen, die sich durch das ganze Tagebuch ziehen wird. Gute Gedanken, Wünsche, Gefühle bezogen sich nur auf uns, das Freund-Feind-Denken spaltete meine eigene Seele in Gut und Böse.

2. September 1939: Erfolgreiches Vorgehen unserer Truppen.

3. September 1939 (Sonntag): Um 9 Uhr früh stellt England an Deutschland ein Ultimatum (!), daß es sofort seine Truppen aus Polen zurückziehen soll, das heißt, daß bis 11 Uhr eine befriedigende Antwort eingetroffen sein muß in England – oder England tritt Deutschland gegenüber in den Kriegszustand!

Des Führers Antwort (selbstverständlich): Wir lassen uns kein Ultimatum stellen.

<u>*Krieg mit England*</u>

Nachmittags 17 Uhr: <u>*Frankreich*</u> *tritt ebenfalls Deutschland gegenüber in Kriegszustand.*

Aufrufe des Führers an die Nation, die Soldaten der Ostfront, der Westfront, die Partei. Der Führer begibt sich an die Front zur Ostarmee! Große Erfolge im Osten, unsere Luftwaffe beherrscht den polnischen Luftraum.

4. September (Montag): Versuchter Bombenangriff auf Wilhelmshaven und Cuxhaven durch englische Flugzeuge, die die holländische Neutralität verletzen. Die Hälfte der Bomber abgeschossen.

Im Westen keine Kampfhandlung! (Soldaten von der Front und Flüchtlinge aus dem Saargebiet, das in den letzten Tagen geräumt wurde, erzählen, daß an Bunkern usw. auf französischer Seite Schilder angebracht sind: »Kameraden, schießt nicht, wir schießen auch nicht!« – Wie wird das weitergehen?)

5. September 1939: Nach den wenigen Tagen Kampf sind unsere Truppen schon etwa 100 Kilometer auf polnisches Gebiet vorgedrungen.

Der größte Teil des oberschlesischen Industriegebietes ist schon in unseren Händen, es ging so schnell, daß die geplanten Zerstörungen der Grubenanlagen usw. nicht ausgeführt werden konnten. Im Korridor sind polnische Truppen abgeschnitten. Bis jetzt 40 Flugzeuge abgeschossen, viele Gefangene.

Im Westen nichts!

6. September 1939: Unsere Truppen gehen wunderbar schnell vor. Die gesamte polnische Schwerindustrie ist nun in unseren Händen. Krakau, Bromberg, Graudenz sind genommen. An Marschall Pilsudskis Grab in Krakau ist eine Ehrenwache aufgestellt, er war ein Freund Deutschlands und wünschte den Frieden mit uns.

Unsere Truppen marschieren auf Warschau und Lodz. […]

Im Westen nichts!

Am 8. September 1939 sind die ersten deutschen Truppen in Warschau einmarschiert, Panzertruppen. […]

Stolz auf des Führers Unbeugsamkeit, auf die deutsche Unberührbarkeit spricht aus der Formulierung *Des Führers Antwort (selbstverständlich): Wir lassen uns kein Ultimatum stellen,* so lassen w i r nicht mit uns umgehen!

Was aber ging wohl in mir vor, als ich niederschrieb: *Kameraden, schießt nicht, wir schießen auch nicht*? Blitzte da eine alternative Möglichkeit auf, die gleiche, die mich einst in meinem Aufsatz über die soldatische Pflichterfüllung in einen heftigen Konflikt gestürzt hatte? Die bange Frage *Wie wird das weitergehen?* zeigt meine Angst.

Sicherheit gaben die Erfolgsmeldungen. Ihre ständige Wiederholung, wie wir sie nun jahrelang hören sollten, verdeckte, wie ich spät begriffen habe, die unbewußten Schuldgefühle. Immer wieder mußte zur Selbstbestätigung der Erfolg beschworen werden, gemäß der Logik: Wer Erfolg hat, ist gut, ist im Recht, sonst hätte er ja keinen.

Inzwischen haben wir nun Näheres erfahren von den Kämpfen um Bromberg. Die »Bartholomäusnacht von Bromberg« wird wohl das

135

Scheußlichste sein, was die Soldaten im Osten erlebten. Während der Kämpfe, auch wohl schon vorher, ich weiß nicht genau, hat die polnische Zivilbevölkerung und auch die Soldaten ihren tierischen Instinkten den Volksdeutschen gegenüber freien Lauf gelassen. Die Scheußlichkeiten, die dort vorgekommen sind, sind so furchtbar, daß man nicht verstehen kann, wie Menschen sie vollbringen konnten. Es gibt wohl kein Verbrechen, das dort nicht vorkam, die bestialischen Ermordungen, Augenausstechen, Zunge abschneiden, Glieder abhacken – darf man solchen Menschen überhaupt die Freiheit eines eigenen Staates überlassen? Unzählige Volksdeutsche in Bromberg wurden so ermordet. Männer – deutsche – gibt es fast überhaupt keine mehr dort.

Überall wurden Volksdeutsche in das Innere Polens verschleppt, ihr Schicksal ist unbekannt.

Deutschen Fliegern, die auf polnischem Gebiet notlanden mußten, die also doch als Kriegsgefangene gelten, und solchen, die mit dem Fallschirm absprangen, wurden die Augen ausgestochen! Und sie wurden aufs grausamste ermordet. Es ist unfaßbar. Und nicht nur Zivilisten, nein auch Soldaten der polnischen Armee haben sich an diesen Verbrechen beteiligt.

Der Kampf um Warschau hält an. Die Straßen sind von den Polen so verbarrikadiert, daß die Feuerwehr zum Beispiel nicht durchkann, um die Brände zu löschen. Gefangene aus Zuchthäusern, Verbrecher wurden zur Verteidigung freigelassen und bewaffnet und haben viel Unheil angerichtet. Die Stadt wird nur deshalb so geschont, weil der Wunsch des Führers, nur militärische Objekte anzugreifen, geachtet wird. [...]

Die *Bartholomäusnacht von Bromberg,* die als »Bromberger Blutsonntag« in die Geschichtsbücher einging, gehört zu den tragischen Kapiteln der deutsch-polnischen Beziehungen. Sie markierte den Höhepunkt der absichtsvoll provozierten polnischen Ausschreitungen gegen Volksdeutsche im August/September 1939. Nach einer Dokumentation des Auswärtigen Amtes vom November 1939 kosteten sie insgesamt 5437 Volksdeutschen das Leben. In Bromberg gehörte damals jeder achte Einwohner zur deutschen Minderheit. Das Massaker in der Stadt ereignete sich, als die vom deutschen Überfall auf ihr Land überrumpelten polnischen Truppen zurückfluteten und eine Bürgerwehr eingesetzt wurde. Der deutschen Propaganda kam diese Explosion polnischer Wut-, Haß- und Ohnmachtsgefühle wie gerufen; sie goß kräftig Öl ins Feuer, indem sie die Zahl der ermordeten Deutschen verzehnfachte. Sie steigerte auf diese Weise die Empörung der Polen und Vergeltungswünsche, und sie schuf Vorwände für die sofort einsetzenden Vernichtungsaktionen. Bereits zwölf Wochen nach dem deutschen Einmarsch in Polen waren rund 60 000 Angehörige der polnischen Intelligenz systematisch umgebracht, außerdem Adlige, Geistliche und die ersten Juden »liquidiert« worden. Kein anderes Volk außer den Russen mußte im Zweiten Weltkrieg so sehr bluten wie die Polen. Von knapp 35 Millionen Einwohnern kamen etwa 2 500 000 christliche Polen und mindestens 2 700 000 jüdische Polen um.

Wenn wir uns auf die deutsch-polnische Geschichte einlassen, um Erinnerungsarbeit zu leisten, damit wir künftig in Frieden miteinander leben können, dürfen gerade wir, die Angehörigen der Kriegsgeneration, dies nicht vergessen: Am Anfang des großen Elends stand Hitlers Idee von der Erweiterung des deutschen Lebensraums im Osten und, in ihrer Folge, der Überfall auf Polen. Aufrechnen hilft nicht weiter. Es führt zur Legitimation der eigenen Scheußlichkeiten und zur Fortsetzung des Krieges. Wenn, wie das Tagebuch zeigt, die Polen als »Menschenbestien« beschrieben wurden, so war das ein Mittel, um eigene Untaten zu verleugnen und von ihnen abzulenken. Obendrein bestätigten wir uns, wie anständig und sauber wir diesen Krieg doch führten: *Der Wunsch des Führers, nur militärische Objekte anzugreifen, wird geachtet.* Nein, aufrechnen vergiftet die Beziehungen, die privaten wie die der Völker.

Niemand hat besser ausgedrückt als der ehemalige polnische Ministerpräsident Tadeusz Mazowiecki, welche Denkungsart diesen Teufelskreis aufzubrechen hilft. Am 14. November 1990, als das Abkommen über die Unverletzlichkeit der polnischen Westgrenze zwischen Polen und der Bundesrepublik unterzeichnet wurde, sagte er:

»Jedes Unrecht bleibt Unrecht.
Jedes Unglück bleibt Unglück.«

Und er wiederholte, was 25 Jahre zuvor die polnischen Bischöfe schon einmal bekundet hatten:

»Wir vergeben und bitten um Vergebung.«

Am 9. September: Görings Rede von einer Berliner Munitionsfabrik aus. Wunderbar.
Am [17. September] ist Rußland »zur Wahrung seiner Interessen in Weißrußland und der Ukraine« unter »Wahrung der Neutra-

lität« in den Krieg eingetreten und hat um 4 Uhr unserer Zeit mit dem Vormarsch begonnen. Unsere Truppen gehen im Osten immer weiter siegreich vor. Unzählige Gefangene, ganze Regimenter müssen sich ergeben, unzählige Geschütze wurden erbeutet. Der heftige Kampf um Warschau hält an.

Und inzwischen – unsere Erwartungen wurden schwer getäuscht – es hat im Westen angefangen. Zuerst wurden Flugblätter abgeworfen, aber diese »Reklame« war anscheinend zwecklos. Dann kleinere Kampfhandlungen. [...]
England – Görings Rede richtete sich allein dagegen – will uns aushungern. Aber dazu werden sie lange brauchen. Alles ist rationiert, wir können lange auskommen. Und unsere Gegenmaßnahmen werden sich nun auswirken. Eine Menge englischer Frachtdampfer wurde schon versenkt.
England schafft sich immer mehr Feinde in den Neutralen, deren Neutralität es am Anfang schon mit seinen Flugzeugen verletzte. Und nun geht es mit ganz gemeinen Mitteln vor. Nicht nur Munition, Chemikalien usw. hat England als Konterbande erklärt, sondern auch Lebensmittel. Und eine Menge Schiffe mit Getreideladungen aus Finnland z.B. für Holland und Belgien hat England zurückgehalten. Also wie im Weltkrieg – Blockade gegen Frauen und Kinder. [...] Und die lächerlichen englischen Lügen und Greuelmeldungen gehen weiter.

Der Zweifrontenkrieg hatte begonnen. Enttäuschte Hoffnung, leise Angst sprechen aus dieser Passage. Görings wunderbare Hetzrede gegen England lag ganz auf der neuen Linie, die Hitler, von Englands Polenpolitik enttäuscht, seit dem Frühjahr eingeschlagen hatte. Die doppelte Moral, die ich in bezug auf den Handelskrieg bekundete, fiel mir, der treuen Soldatin an der psychischen Front, nicht auf: Wenn w i r englische Frachtdampfer aufbrachten, war das in Ordnung, wenn England Schiffsladungen neutraler Länder zur Konterbande erklärte und also beschlagnahmte, war das gemein. Daß es nach »Prisenrecht« gemäß Völkerrecht handelte, wurde uns freilich auch verschwiegen.

Seit dem Samstag, 16. wissen wir nun auch endlich, was mit mir wird. Die Hochschule für Lehrerbildung in Darmstadt wird zum Wintersemester nicht geöffnet, statt dessen müssen wir auf das Pädagogische Institut in Jena. Das ist ja unbedingt schöner. Schon die Gegend ist herrlich und ganz neu für uns. [...] Darmstadt hätte nur

das Gute, daß ich nah bei Alzey wäre und Mutti ab und zu mal be-
suchen könnte. So ist sie doch sehr allein. [...] Ich darf nun keine
Zeit mehr verlieren. Ich freue mich sehr.
    Die Verwandtschaft nahm die Nachricht meines Studiums mit ge-
teilten Empfindungen auf. Keine freundlichen Gefühle. Es wird wohl
viel geklatscht unter diesen »lieben Verwandten«, mir kann's egal
sein. Aber es ist klar, dieses »plus« in unsrem Leben wird uns schon
nicht gegönnt.

Irgendwann im Sommer war die große Lebensentscheidung gefallen, der Entschluß zum Studium gefaßt worden. Gar zu unbefriedigt von der Rüsselsheimer Sekretärinnentätigkeit, durfte ich kündi-
gen. War es Tante Gertrud, die empfahl, an der Frankfurter
Universität bei der Studienberatung Rat zu holen? In jedem Fall plä-
dierte sie, da ich im Fach Sport die Klassenbeste gewesen war, für
das Sportstudium. Die Studienberater – »was interessiert Sie denn
am meisten?« – schlugen das Lehrfach, speziell Germanistik, vor.
Alle Überlegungen mündeten in »Sportphilologie«, einer in der Nazizeit hochgeschätzten und weitverbreiteten Fächerkombination,
gemäß der Ideologie vom »gesunden Geist im gesunden Körper«.
    Die Zulassung zum Studium an einer Universität setzte den Be-
such einer Hochschule für Lehrerbildung voraus. Wieder war
meine Mutter, nach dem Motto »die Lore lernt so gern«, bereit, für
das Fortkommen ihrer Tochter große Opfer zu bringen. Das erste
Studienjahr mußte sie weitgehend selbst finanzieren. Erst danach
konnte ich als Halbwaise und aufgrund der geringen Einkünfte
meiner Mutter mit einer Unterstützung von 100 RM monatlich
rechnen, die über das Finanzamt zur Auszahlung kam.

Sonntag, 24. September 1939
Etwas länger als drei Wochen dauert nun der Krieg. Und das Ergeb-
nis ist ein überwältigendes.
    Gestern erschien der große zusammenfassende Heeresbericht:
»Der Feldzug in Polen ist beendet«. Es dreht sich nur noch um ver-
sprengte Teile der polnischen Armee, die in Warschau und ganz we-
nigen Orten noch sitzen, eingeschlossen.
    Die große »Schlacht im Weichselbogen« (bei Kutno), in der große
Teile der polnischen Armee eingeschlossen wurden, ist beendet. Das
Ergebnis waren allein da 300 000 Gefangene, im Ganzen sind es bis-
her 450 000 Gefangene. Und die Flugzeuge, Geschütze und Muni-
tion, die erbeutet wurden, stehen noch nicht fest.
    Die rote Armee ist sehr schnell vorgegangen, die Demarkationsli-

nie wurde festgelegt, die deutschen Truppen sind dementsprechend teilweise zurückgegangen und von den Sowiets abgelöst worden. Um die Zitadelle von Brest-Litowsk wurde hart gekämpft. Auch sie ist gefallen.

In Polen könnte der Krieg jetzt zu Ende sein. Warschau wird sich wohl nicht mehr lange halten können. Es wird immer noch geschont wegen der Zivilbevölkerung. Aber die hatte inzwischen von den deutschen Truppen Gelegenheit bekommen, auf einer freien Straße die Stadt zu verlassen. Warschau hat, da auch die Zivilbevölkerung bewaffnet wurde, aufgehört, eine offene Stadt zu sein. Hier haben, wie in vielen anderen Orten, die Heckenschützen wieder gearbeitet. 1378 Ausländer, die noch in Warschau als Geiseln festgehalten wurden, konnten nun durch deutsche Hilfe Warschau verlassen.

Im Westen haben bei Saarbrücken und Zweibrücken teilweise schwere Kämpfe (vor den Bunkerlinien) stattgefunden.

Am vergangenen Dienstag, am 19., begab sich der Führer nach Danzig, wo er zu den Danzigern und dem ganzen deutschen Volk sprach. Ein ungeheurer Jubel und Begeisterung: »Wir danken unserem Führer«. Im Grunde war die Rede für die Westmächte eine Möglichkeit, »eine offene Tür«, nun doch Frieden zu schließen. Aber der Führer sagte auch, daß Deutschland sich nie ergeben wird, »und wenn der Krieg acht Jahre dauern sollte«. Für Danzig war es der schönste Tag.

Vor einigen Tagen wurde der englische Flugzeugträger »Couragious« versenkt. Natürlich von London wieder Greuelmeldungen. Es muß sehr schlechtes Wetter damals gewesen sein, Churchill fand es unmöglich, daß das deutsche U Boot bei dieser schlechten Sicht und der begleitenden englischen Zerstörer an den Flugzeugträger (fast 52 Flugzeuge) herankam. Eine unfreiwillige Anerkennung. Daß unser U-Boot dann von den englischen Zerstörern versenkt wurde, war wieder ein englisches Lügenmärchen, denn nach Stunden hatte der Kommandant die Versenkung in Deutschland gemeldet. Man kann England nur wünschen, daß es ihm noch recht schlecht gehen möge, vielleicht kommt es dann zur Vernunft.

Auf polnischer Seite ist schon zu Kriegsbeginn geschehen, was bei uns nicht vorkäme. Und wenn der Krieg jahrelang dauern sollte: Als die deutschen Truppen so wunderbar schnell vorangingen, auch natürlich Richtung Warschau, verließ die polnische Regierung die Stadt, flüchtete nach Lublin, als auch die bedroht war, in ein Grenzdorf und dann sehr bald nach Rumänien, wo diese verantwortungslosen Kriegsführer in Badeorten interniert lebten, während ihr Volk kämpfte. Feine Gesellschaft.

Aus meinen schlechten Wünschen für England spricht eine Erziehungsphantasie, wie Eltern sie gegenüber ihren Kindern hegen nach der Devise »Wart nur, du wirst schon noch sehen!«. Entsprechend eigener Erfahrung oder der Phantasie, daß ein Kind nur dann zur Vernunft kommt, wenn es ihm ganz dreckig geht, wünschte ich England möglichst üble Kriegserfahrungen.

Während der großmütige »Führer« nach meiner Überzeugung gewillt war, die Zivilbevölkerung Warschaus zu schonen, verließ die polnische Regierung das Land. Mit dem Urteil *feine Gesellschaft* drückte ich meine äußerste Geringschätzung aus. Die Formulierung entwertete die polnische Führung, die sich, wie die feine Gesellschaft zur Zeit der Jahrhundertwende, in Badeorten vergnügte, während das Volk um sein Leben kämpfte. Im Gegensatz zu diesen *Verantwortungslosen* blieb unser »Führer« bei seinem Volk, mit dem er eins war, aus dem die Kraft der Nation kam.

Am Freitag, den 27. September hat sich Warschau bedingungslos ergeben! und gleich darauf auch die letzte Festung Modlin. [...] Kaum vier Wochen dauerte also der Krieg. Wer das am ersten Tag gedacht hätte! Der letzte Widerstand auf der Halbinsel Hela und bei einigen Versprengten war nun auch bald gebrochen.

Rußland legte mit Deutschland die Demarkationslinie fest, die Interessengrenze.

Die deutschen Truppen marschierten und marschieren nun wieder zurück (sie sind ja viel weiter vorgegangen) auf diese Linie zu. Zwei Tage später, nachdem die polnischen Truppen Warschau verlassen hatten, zogen die deutschen Truppen in der Hauptstadt des ehemaligen Polen ein.

Unsere deutschen Truppen auf dem Lande, die Luftwaffe und die »blauen Jungs«, sie alle haben wunderbar gekämpft. Und wie stolz sind wir auf sie! Denn einen solchen Feldzug, die Vernichtung des Gegners, und dies in kaum 4 Wochen, hat die Weltgeschichte ja noch nicht erlebt. Es ist doch wunderschön, Deutsche zu sein.

Nachdem nun der polnische Krieg beendet ist, sollte man doch auch glauben, daß die Westmächte, da sie nun den ursprünglichen Kriegsgrund verloren haben, Frieden schließen. Aber es sieht nicht danach aus, denn sie wollen den »Hitlerismus« vernichten, aber das werden sie nicht erleben. Darüber können sie alt werden.

Graf Ciano, der italienische Außenminister, reiste wieder nach Berlin für zwei Tage. Danach sprach am 6. Oktober der Führer zum deutschen Reichstag: Eine Rückschau und wieder von neuem, zum letzten Male jedoch, bot der Führer den Westmächten die Hand zum

Frieden! Man kann ihm nie nachsagen, daß er den Krieg wollte. Denn er ergreift jede Gelegenheit, um seinen Friedenswillen zu dokumentieren. Aber welche Antwort wird uns darauf wohl gegeben?

Und nun, fast unglaublich, die ganz geringen Verluste der deutschen Truppen (bis 30.9.39)

gefallen: *10572*
verwundet: *30322*
vermißt: *3409 Mann.*

Mit den 20fachen Verlusten hatte man bei der Heeresleitung gerechnet, sagte der Führer.

Und »694000 Mann Gefangene haben den Marsch nach Berlin angetreten«! Zahlen, zu denen man kein Wort sagen kann.

Es ist doch wunderschön, Deutsche zu sein! Meine beseligte Identifizierung mit dem deutschen Vaterland und seinen blitzschnell siegenden Soldaten läßt mich zusammenzucken. Zu oft äußern Bürgerinnen und Bürger unterschiedlichster Länder mit genau diesen Worten jubelnde Zustimmung zu ihrer erfolgreichen Nation, die, perverse Logik, um des Friedens willen einen Krieg angezettelt hatte – wer erinnert sich nicht?

Mit diesem Tagebuchbekenntnis vergewisserte ich mich auch meiner selbst, meiner Standhaftigkeit im Glauben an uns und unseren »Führer«, und versuchte, Unsicherheitsgefühle damit zu bannen. Wie *wunderschön* es doch sei, *Deutsche zu sein,* bestätigte ich mir für den Fall, daß mir Zweifel kommen könnten. Die Hand, die der »Führer«, ein letztes Mal, den Westmächten entgegenstreckte – am 6. Oktober, dem Tag der polnischen Kapitulation – überzeugte mich zwar von seiner Friedensliebe, aber in die nächste Zukunft blickte ich voll Bangen, es ist nicht zu übersehen.

Die Statistik über unsere *ganz geringen Verluste* und meine Zustimmung dazu empfinde ich als besonders übel. Es kam nur auf die Schätzungen der Heeresleitung an, von ihnen hing es ab, ob die Verluste an Menschen bedeutsam waren oder nicht, also auch in meinen Augen. Leicht hätte ich die abstrakten Zahlen in faßbare, erschreckende Bilder umsetzen können: Allein die Zahl der Toten war höher als die Einwohnerzahl meiner Heimatstadt ... Betrachte ich ein Glas als halb voll oder als halb leer? Wieder einmal wird mir an diesem Beispiel klar, wie einfach es ist, einem Tatbestand Bedeutung zu- oder abzusprechen.

16. Oktober: Es gelang einem deutschen U-Boot, in die Bucht von <u>*Scapa Flow*</u> *einzudringen und, nachdem es das Schlachtschiff »Royal*

Oak« mit einem Torpedoschuß versenkte und den Schlachtkreuzer schwer schädigte – kampfunfähig –, wieder aus Scapa Flow herauszukommen! Das ist sogar im Weltkrieg den U-Booten nicht gelungen. Ein wundervoller Sieg gegen England! Die werden sich noch umschauen! Zuerst wurde natürlich von dem Lügenminister Churchill versucht, alles abzustreiten. Das ist überhaupt eine solche Lächerlichkeit, <u>wie</u> die Engländer »amtlich« lügen, daß man darüber kaum noch was zu sagen braucht. Es ist zu dumm.

17. Oktober: Der zweite Schlag für England: Angriff unserer Flieger auf den <u>Firth of Forth</u>, ein erfolgreicher Angriff, und die Engländer haben nun wohl doch einen Schreck gekriegt. Wenige Tage nach der herrlichen Tat in Scapa Flow wurden der Kommandant des erfolgreichen U-Bootes, Kapitänleutnant Prien, [nachträglich zugefügt: † Mai 1941] und die Besatzung vom Führer nach Berlin geladen. Mit ungeheurer Begeisterung wurden sie begrüßt. Alle erhielten das EK I und EK II und der Kommandant die größte Auszeichnung, die es für einen Soldaten heute gibt, das Ritterkreuz des Eisernen Kreuzes.

Es war Sonntag, 21., abends war die ganze Besatzung im Wintergarten, wo eine Vorstellung für diese Helden stattfand, da schaltete das Wunschkonzert dorthin um, und die Besatzung erfuhr, was alles im Reich für sie gestiftet wurde, Geld, Zigaretten, Urlaub in Pyrmont und Wiesbaden usw.

Eine besondere Bedeutung hat jetzt das Engelland-Lied von Hermann Löns bekommen mit der neuen mitreißenden Melodie von Herms Niel, »Wir fahren gegen Engelland!«

Sonntag Abend, 21. Oktober, sprach Dr. Goebbels im Rundfunk »<u>Der Angeklagte Churchill hat das Wort!</u>« Eine ungeheure Gemeinheit kann man diesem Ersten Lord der Britischen Admiralität vorwerfen: Der Fall »<u>Athenia</u>«. Zu Beginn des Krieges in den ersten Tagen wurde der britische Passagierdampfer Athenia versenkt. Viele Menschen mußten dabei ihr Leben lassen, auffallend ist, daß sich viele Amerikaner auf dem Schiff befanden, dagegen kein einziger deutscher Passagier. Sofort wurde natürlich von England verbreitet, deutsche U-Boote hätten das Schiff versenkt. Der Hintergrund: weil sich viele Amerikaner auf dem Schiff befanden, sollte dadurch Amerika, durch diese Tat verletzt, veranlaßt werden, auch in den Krieg einzutreten. Ein überlebender Amerikaner hat nun sehr interessante Zeugenaussagen gemacht. Und sehr merkwürdig ist, daß sich nämlich verdächtig nahe bei dem Schiff zwei englische Zerstörer befanden, die das Schiff, das nach der Explosion an Bord nach 14 Stunden noch nicht gesunken war, versenkten.

Ein ungeheures Verbrechen, bei dem die Engländer kaltblütig ihre eigenen Landsleute opferten und viele ganz unbeteiligte neutrale Menschen. Und all dies, um Deutschland zu verdächtigen (dadurch aber, daß keine Deutschen an Bord waren, waren wohlweislich unangenehme Zeugen vorsorglich ausgeschaltet). Aber durch die Zeugenaussagen des Amerikaners tritt Englands Schuld klar hervor. Man sollte garnicht glauben, daß es solche Gemeinheiten gibt. Kaum je ist wohl so viel von England gelogen worden wie in diesem Krieg. Es ist abscheulich, dies ständig anzuhören. Wundervoll schnell werden allerdings diese Lügen stets von uns (Propagandaministerium) widerlegt.

Dienstag, 23. Oktober 1939: Große <u>Rede</u> von Reichsaußenminister <u>Ribbentrop</u> in Danzig. Außer<u>ordentlich</u> klar und sachlich stellte er Englands Schuld am Kriege heraus. Die Rede war wunderbar, ein richtiges Meisterstück.

Von Soldaten im Westen hört man es oft, und nun sieht man es auch im Film: Dieser Krieg ist wirklich ein Propagandakrieg. An der Westgrenze werden stets Lautsprecher aufgestellt und Musik, Nachrichten und Berichte in französischer Sprache werden hinübergefunkt. In einer Wochenschau konnte man die französischen Soldaten sogar nach der Musik vorm Westwall tanzen sehen. Und in einer anderen brachten unsere Soldaten den »Poilus« ein Morgenständchen. Ausländische Nachrichten sind bei fast allen deutschen Sendern im Programm eingeschlossen. Es ist ganz merkwürdig, wir empfinden in diesem Krieg die Franzosen durchaus nicht als Feinde. Und es wird auch alles getan, daß auch die Franzosen zur Besinnung kommen. Von den Engländern muß man nach allem, was geschieht, ganz anders denken, das sind die wirklichen Feinde.

Das unerwartete nächtliche Eindringen des deutschen U-Bootes unter Kapitänleutnant Prien in den als sicher angesehenen britischen Marinehafen *Scapa Flow,* die Versenkung des Schlachtschiffs »*Royal Oak*« sowie die Beschädigung eines Linienschiffs und die glückliche Heimkehr der Besatzung des deutschen U-Bootes, zwölf Tage nach der englischen Kriegserklärung, war eine schockierende Erfahrung für die Engländer und löste in »Großdeutschland« höchsten Jubel aus. Das Tagebuch, das ihn widerspiegelt, gibt auch anschaulich Auskunft darüber, wie ein Kriegsheld »aufgebaut« wurde. Der Seeheld erhielt als erster das *Ritterkreuz,* die ganze Mannschaft wurde ausgezeichnet, vom Führer und zur Vorstellung im berühmten Varieté »*Wintergarten*« eingeladen, ein Medienrummel begann. Die täglichen Nachrichten schlossen fortan mit dem

Engelland-Lied – ein neues, wirkungsvolles Zubehör der Propagandaschlacht gegen das Inselreich.

Ein besonderes Stück führte Goebbels im *Fall »Athenia«* auf. Hier erweist sich das Tagebuch, im Licht der Geschichte betrachtet, als Zeuge der Anklage gegen den d e u t s c h e n *Lügenminister.* Ohne Warnung und befehlswidrig hatte am 3. September, unmittelbar nach der britischen Kriegserklärung, ein deutsches U-Boot das britische Passagierschiff »Athenia« angegriffen. Das konnte nicht zugegeben werden, der Spieß wurde umgedreht. Unter den 112 Todesopfern befanden sich 28 Amerikaner.

Bezeichnend erscheint mir, wenn ich dies heute lese, wie die junge Schreiberin die Propaganda wertete: Wenn, wie im Fall der »Royal Oak« behauptet, die Engländer die Versenkung abstritten, dann hieß das, *amtlich lügen.* Es kam mir überhaupt nicht in den Sinn, daß auch bei uns »amtlich« gelogen werden könnte. *Wundervoll schnell wurden diese Lügen stets von uns (Propagandaministerium) widerlegt.* Die unfreiwillige Komik dieses Satzes ging mir erst viel später auf.

Daß die Aussage *Dieser Krieg ist wirklich ein reiner Propagandakrieg* in einem tieferen Sinn ins Schwarze traf, konnte ich nicht erkennen. Ich bezog sie nur auf das Geplänkel an der ereignislosen Front. Das deutsch-französische Verhalten hatte in den ersten Monaten, da der Krieg sich gleichsam im Wartestand befand – »Sitzkrieg« nannte man ihn auf deutscher Seite – zuweilen komödienhafte Züge. Besonderes Schmankerl der »drôle de guerre« am 1. Oktober: Französische Soldaten in einem Bunker der Maginot-Linie bestellten beim großdeutschen Wehrmachtswunschkonzert das Lied »Parlez-moi d'amour« von Lucienne Boyer, das war, in der Sprache unserer Zeit, ein französischer Hit, der ganz oben auf der Bestsellerliste stand.

Das wahre Vorspiel zu diesem Drama, das »Blitzkrieg« in Frankreich heißen sollte, lief in diesem Herbst – wiederum »Im Westen nichts Neues« – hinter den Kulissen ab: Widerspruch und Zögern eines Teils der Generalität, Staatsstreichpläne eines anderen, Hitlers disziplinierender Tobsuchtsanfall und seine fieberhaften Kriegsvorbereitungen – Geschichte, inszeniert wie ein Krimi, aber wie bedrückend.

Die Tagebuchberichte über die Franzosen klingen, als habe es nie einen französischen »Erbfeind« gegeben, keinen Haß gegen das Land, das den »Schandvertrag von Versailles« wie Knute und Knebel benutzt und die nationale Ehre der Deutschen verletzt hatte. Die Nationalsozialisten und nicht zuletzt die Schule hatten, wie schon am Aufsatz-Beispiel klar wurde, solche Gefühle jahrelang geschürt. Mein Freund-Feind-Bild war offensichtlich nicht stabil. Haß und Zuneigung können, wie zwischen Menschen, auch zwischen politischen und militärischen Gegnern ins Gegenteil umschlagen. Die Phantasien – sich umarmen oder sich bekämpfen – liegen, wie bei einem Partnerkonflikt, nahe beeinander. Daß das so ist, ist schwer auszuhalten. Mit Entweder-Oder, d. h. klaren Fronten, lebt es sich besser. Das Tagebuch bildet den Zustand des Schwankens, der Ambivalenz, genau ab: Wie denn nun – eigentlich sollte doch Krieg geführt werden!? Doch das scheinbar auch vergnügliche Hin und Her an der Propagandafront ließ, so ist herauszulesen, Hoffnung auf ein gutes Auskommen mit den Franzosen zu, ungeachtet der Kriegserklärung. In Wirklichkeit war es das Warten auf ein Wunder.

Ein Feindbild blieb uns, das war gewiß – die Engländer. *Das sind die wirklichen Feinde.* Sie waren, gemäß dem Feindbildschema, die »Bösen«, wir die »Guten«. In der Sprache der Bibel heißt das: Wir sahen die Splitter in ihren Augen, die Balken in unseren eigenen Augen dagegen nicht. Indem wir das eigene Böse leugneten, konnten wir sie die »Bösen« nennen und als die »Bösen« bekämpfen. Wer nach diesem – unbewußten – Muster handelt, ob im Ehestreit, im Konflikt mit politischen Gegnern oder im Krieg, ist obenauf, hat ein gutes Gewissen, kann seine Schuldgefühle unterdrücken.

Es ist etwas Ungeheures geschehen, das ganze deutsche Volk und alle anständigen Menschen anderer Völker sind empört: Am 8. November sprach der Führer wie in früheren Jahren am Tag vor dem 9. November zu seinen alten Kämpfern im Bürgerbräukeller in München. Ursprünglich sollte der Führer garnicht sprechen, weil er wegen seiner Geschäfte nicht nach München kommen könnte. Stattdessen sollte Rudolf Heß sprechen. In letzter Minute konnte nun der Führer nach München kommen. Er hielt wie sonst seine Rede, in diesem Fall natürlich eine flammende Rede gegen England, und eine Drohung, es wird wohl bald allerlei geschehen.

Am nächsten Morgen brachte der Rundfunk die furchtbare Meldung, daß ein Attentat auf den Führer im Bürgerbräu verübt worden sei, aber Gottseidank, der Führer war schon abgefahren, und es hat ihn nicht mehr getroffen, nicht ihn und nicht die Führer der Partei. »Die Vorsehung hat den Führer geschützt« heißt es überall, und es ist wirklich so. Der Herrgott kann solches Unrecht nicht zulassen. Er hat den Führer bewahrt für neue Taten. Wir müssen alle Gott danken, und es gibt auch wohl nur wenige Deutsche (und sicher sind das nur schlechte Menschen), die nicht bei der Nachricht von dem Atten-

tat einen furchtbaren Schreck bekamen und die dann ganz glück- und dankerfüllt waren, daß unser Führer noch lebt und gesund ist. Der liebe Gott meint es doch gut mit uns Deutschen, und mit uns ist ja auch die Gerechtigkeit und Wahrheit.

Wegen seiner dringenden Geschäfte hatte der Führer statt wie sonst um 1/2 9 schon um 8 Uhr mit seiner Rede begonnen und sie auch eine halbe Stunde früher als sonst beendet. Nicht wie in anderen Jahren hielt sich der Führer nach der Rede noch länger bei seinen alten Kameraden auf, sondern er begab sich gleich zum Zug, um nach Berlin zurückzufahren, und alle führenden Persönlichkeiten begleiteten ihn. Und so kam es auch, daß der Führer, als die Explosion erfolgte, um 9 Uhr 20 nicht mehr anwesend war, kurz nach 9 Uhr war die Rede zu Ende. Und es waren zum Glück auch nicht mehr sehr viele Menschen im Saal. Aber einige hat es doch getroffen, 6 Männer und eine Frau mußten ihr Leben geben, mehr als 60 Menschen wurden verletzt. […] Und nach wenigen Tagen ist nun auch das achte Opfer zu beklagen.

Die Explosion erfolgte etwa 3 Meter vom Rednerpult entfernt; wo der Führer vorher stand, befand sich danach ein 3 Meter hoher Schutthaufen. Die einzige Säule des Saales stürzte zusammen und damit auch die Decke und Träger. Rudolf Heß war einer der ersten, die mithalfen, die Verletzten zu bergen. Die Nachricht von dem Attentat erreichte den Führer unterwegs im Zug.

Und nun wird nach dem Täter gesucht. 600000 RM sind im Reich und 300000 RM in ausländischer Währung für den Täter oder die Spur, die zu ihm führt, ausgesetzt. England steckt sicher dahinter. Der »Secret Service« ist ja berüchtigt für solche Taten. Und muß man nicht auch da an eine englische Schuld glauben, wenn ein englischer Staatsmann, nämlich der Außenminister Chamberlain, davon spricht, daß man Hitler vernichten müsse! Aber nach dieser Tat ist die Liebe zu unserem Führer nur noch größer geworden. Niemals wird es England gelingen, uns vom Führer zu trennen. Hoffentlich wird der Täter bald gefunden und die Hintermänner! Wie ist eine so teuflische Tat möglich?!

Am Samstag, dem 11. November, war der Staatsakt in München vor der Beisetzung der Opfer des Attentats (an der Feldherrnhalle). Der Führer war aus Berlin gekommen, was mag er gedacht haben, als er vor den Särgen stand? Rudolf Heß sprach in ergreifenden Worten. Er gab dem Ausdruck, was wir alle fühlen, diese Tat hat uns nicht vom Führer getrennt, sie hat uns dem Führer nur noch näher gebracht. Und das ist die Meinung von zwei Frauen, deren Männer auch dem Attentat zum Opfer fielen: Wie schmerzlich es ist, einen lieben Menschen zu verlieren, vermag nur der zu verstehen, der schon

einen solchen Verlust erlitten hat. Aber trotzdem, es ist wichtiger, daß
der Führer lebt, als daß unsere Männer leben. So denken Deutsche.
Wieder haben Kämpfer ihr Leben für den Führer und damit für
Deutschland gegeben. Gott gebe uns ein baldiges Ende des Krieges!
England aber hat eine Strafe Gottes verdient.

Schockiert, erregt, empört – die Chronistin des mißglückten
Münchner Attentats spiegelt sehr genau die allgemeine Stimmungs-
lage dieser Tage wider und läßt das propagandistische Trommel-
feuer erahnen, das auf die Bevölkerung niederging. Besonders kraß
äußert sich in diesem prekären Zusammenhang das Schwarz-weiß-
Denken; auf der einen Seite wir, die Masse der »Anständigen«, auf
der anderen die Minderheit der *schlechten Menschen,* die nicht dafür dankbar waren, daß *die Vorsehung* den »Führer« gerettet und
für seine zu erwartenden großen Taten bewahrt hatte, und vorne-
weg natürlich die Engländer. Die deutsche Propaganda nutzte auch
diese Gelegenheit zur Volksverdummung und Diffamierung des
Gegners.

Die Meinung, Gott ist mit uns, weil wir die Gerechten, die Guten sind, zeugt von einem selbstgerechten Nationalismus; dies ist
eine besonders schmerzhafte Stelle im Tagebuch, doppelt beklem-
mend, weil diese Haltung bis auf unsere Zeit bei uns und in der ganzen Welt zu finden ist. Wieder auch drückt sich in diesem Bericht
die totale Identifikation mit dem »Führer« aus; mit den beiden
Frauen, deren Männer dem Attentat zum Opfer fielen, glorifizierte
ich die scheinbar grandiose Selbstentäußerung entsprechend der
vertrauten Haltung »ich bin nichts, der Führer ist alles«.

Der Satz *Gott gebe uns ein baldiges Ende des Krieges!*: Drückt er
nicht doch mehr aus als einen wunschbeladenen Stoßseufzer –
Angst? Etwas war mir offenbar nicht so ganz geheuer.

16. November 1939
Neben den politischen Ereignissen gehen ja auch die Geschehnisse im
privaten Leben weiter. Und mein Tagebuch soll ja alles enthalten,
was mich bewegt. Ich muß also nun auch einmal von dem Vielen
schreiben, was mich ganz persönlich angeht.

Nach den sechs Wochen in Rüsselsheim, die mir so manche bitte-
ren und interessanten Erlebnisse brachten, war ich also seit 15. Au-
gust wieder zu Hause. Wochenlang gab es Arbeit in Hülle und Fülle,
den ganzen Tag hindurch mit der Obsternte und dem Obsteinma-
chen. Mutti jedenfalls war ich eine große Hilfe.

Für mich stand bei allem aber jetzt die baldige Verwirklichung meiner Pläne im Vordergrund. Der Krieg brachte natürlich auch hier Veränderungen, auch für mich. [...]

Die *Veränderungen* schlugen sich zunächst in einer großen Unsicherheit der Hochschulbehörden nieder. Die Lage Darmstadts, nicht weit von der Westgrenze, ließ, wenige Wochen nach der Kriegserklärung Frankreichs und in Erwartung von Kriegshandlungen, zunächst die Hochschule für Lehrerbildung als gefährdet erscheinen; die Studierenden sollten nun das Semester in Jena absolvieren. Jena war alsbald hoffnungslos überfüllt, und es fehlte an Zimmern. Nach langem Hin und Her und in letzter Minute vor Semesterbeginn nahm auch in Darmstadt die Hochschule für Lehrerbildung ihren Betrieb auf.

Darmstadt, 22. November 39
Den letzten Teil meiner Epistel schreibe ich nun am ersten Abend »in der Fremde«. Zu tun habe ich ja eben noch nichts, und das Schreiben macht mir Freude und hilft ein bißchen über die anfängliche Leere und Fremdheit hinweg. [...]

Und nun soll auch mal wieder von meinen eigenen Dingen die Rede sein, von meinen netten Erlebnissen (die leider ziemlich selten sind).

Seit 1. September haben wir Einquartierung, einen Feldwebel, im Beruf Kaufmann (Herrenausstattung) aus Rudolstadt, Thüringen. Er ist wirklich nett, unterhält sich ab und zu mit uns, wir merken sonst nicht viel von ihm. Er schläft in Hermanns Zimmer. Am Vormittag des 29. Oktober, dieses Unglückstags, kam morgens früh sein Freund zu ihm, er stellte uns ihn vor. Dr. Rudi B., Regierungsrat in Rudolstadt. Seine Heimat ist aber Würzburg. Ein sehr feiner, netter Mensch, 33 Jahre alt, verheiratet. Aber trotzdem ist er im Augenblick das männliche Wesen, das mich sehr stark beeindruckt hat, er gefällt mir sehr gut, und ich weiß, daß er mich auch gerne mag.

Eine Woche später brachte Feldwebel M. Mutti Leber und Kartoffeln, alles roh und die Zutaten, und bat darum, daß sie es zubereiten möge, und lud uns dazu ein. Sein Freund war mit dabei, und mit Fräulein K. [Untermieterin] zusammen war es ein nettes Abendessen und anschließend ein gemütlicher, sehr netter Abend. Ich unterhielt mich viel mit Dr. B., während der Feldwebel wieder debattierte über ein Thema, das ihn stark beschäftigt. Er ärgerte sich ungemein darüber, daß die Alzeyer Mädchen den Soldaten gegenüber so unzugänglich sind. [...] Die Soldaten sind tatsächlich so frech oft, daß wir uns zurückhalten. [...] Um ihn zu beruhigen, sagte ich, daß ich mich aber trotzdem mit Soldaten sehen lassen wollte und also mal mit ihm ausgehen würde.

Und so gingen wir denn Samstag abend ins Schloßcafé, 6 Herren waren am Tisch und ich. Dr. B. saß neben mir und unterhielt mich sehr nett, erst am Schluß wurden auch die anderen Herren aufmerksam. Es waren alles ältere Herren, Dr. B. war der einzige junge dabei. Ich war von ihm begeistert, besonders weil ich auch merkte, daß ich ihm gut gefiel. Er bedauerte sehr, daß er nun nicht auch gerade studierte, er wollte mir dann gerne allerlei beibringen. Und er möchte mich gerne mal sehen, wenn ich einige Semester hinter mir habe.

Köstlich amüsiert hat mich, daß alle Herren am Tisch es unbegreiflich fanden, daß Herr M. mich nicht früher »entdeckt« und mitgebracht hat. Das hat mir natürlich auch ein bißchen geschmeichelt.

Vor unserem Haus wollte mich ein Leutnant, ein weißhaariger älterer Herr, Oberamtsgerichtsrat oder sowas ähnliches, dessen Schutz ich mich bedenkenlos anvertraute, küssen, dieser alte Knabe. Das paßte mir natürlich garnicht. Ja, wenn er zwanzig Jahre jünger gewesen wäre, hätte ich alles verziehen. Das habe ich auch Dr. B. gesagt, als ich ihm bei Gelegenheit die Geschichte andeutete. Der hat sich natürlich über dessen Abfuhr amüsiert und meint, dann käme er ja gerade noch unter die Kategorie derer, denen es verziehen wird. Mutti habe ich nichts erzählt, sie hätte mich sicher nicht mehr mitgehen lassen. Den »alten Herrn« habe ich auch nicht mehr gesehen.

Einige Tage später bin ich nochmal mit ausgegangen. Der Feldwebel konnte nicht gleich mitkommen und kam etwas später nach. Dr. B. holte mich allein ab. Als ich fragte, ob es ihm auch kein Opfer bedeute, meinte er, wie ein verliebter Pennäler sei er zu uns gekommen. Diesmal waren es nur drei Herren. Und es war wieder nett. [...] Sonntag abend hatten wir beide Herren und Fräulein K. gegen 9 Uhr eingeladen. Tee und Kuchen und dann eine Pfirsichbowle. [...] Das amerikanische Kleid wollten sie mal sehen, ich habe es später angezogen, und sie waren ganz begeistert. Dieser Abend war wieder riesig nett, gegen 3 Uhr sind sie erst weggegangen.

Und ich ging am Montag abend nochmal zum Abschied mit Dr. B. ins Kino, anschließend ins Schloßcafé. Bekannte waren nicht da. Wir konnten uns also noch einmal richtig unterhalten. Schon von Anfang an, als er mich zum ersten Mal sah, vertrat er die Meinung, daß ich mein Studium nicht beenden würde, sondern heiraten würde. Wird er recht haben?

Ich habe manchmal furchtbare Minderwertigkeitskomplexe. [...] Mutti will mir alles ausreden und will nichts dergleichen mehr hören. Sie meint, ich hätte ein Gesicht, dem man es ansähe, daß ein geistig interessierter Mensch dahintersteckt, und reden könne ich doch sonst auch immer so gut, und ich solle mich nur nicht zur Seite schieben lassen.

Ich habe auch Dr. B. meine Nöte geklagt, er hat neulich schon etwas davon gemerkt und kann es garnicht verstehen. Um mir etwas »aufzuhelfen«, erzählte er mir, er wolle mir doch etwas sagen, was ja komisch klänge, weil er es mir gerade sagen würde (weil er ja kein freier Mann mehr ist). Er hätte mit den Herren, die mich kennen, darüber gesprochen, alle seien der Meinung, man müsse in Alzey lange suchen, bis man ein Mädel wie mich finden würde. Soll ich es glauben? Es könnte mir wirklich »aufhelfen«. [...] Also, jedenfalls ist er der Ansicht, daß ich mich mit jedem anderen Mädel vergleichen kann. Er hat auch meine Kleidung bewundert, es sei immer eine besondere Note, so ganz persönlich. [...]

Er hat vor Weihnachten Urlaub, der Feldwebel wahrscheinlich während des Festes. Deshalb hat er sich zum Weihnachtsfest bei uns eingeladen, »allerdings nur, wenn ich als Weihnachtsgeschenk aus Darmstadt nicht gleich den Bräutigam mitbringe!« [...] Aber ich glaube, da freuen wir uns zu früh. Denn am letzten Abend erzählte er, er sei zu einem Offizierslehrgang vorgeschlagen, und wenn er angenommen würde, könne er in wenigen Tagen nicht mehr in Alzey sein. [...] Er würde mich auch sehr gern wiedersehen, weil er neugierig ist, wie ich mich entwickele. [...] Als er sich verabschiedete, mit einem Handkuß übrigens, sagte er – es war bestimmt ehrlich gemeint –, daß er sich sehr gefreut hat, daß er mich kennengelernt hat und daß er hofft, mich einmal wiederzusehen.

Das ist im Augenblick auch mein größter Wunsch. Eine solche Verliebtheit kann ja schrecklich sein, mir ist es ganz gleich, daß er verheiratet ist (d.h., ich bedaure es im Grunde), aber damit ist er für mich nicht »tabu«. Er hätte mich küssen dürfen, ich hatte Sehnsucht danach. Darf man das eigentlich denken?

Aber ganz gleich, wenn auch diese Bekanntschaft nun zu Ende sein sollte, es war ein nettes Erlebnis. Und die ehrlich gemeinten Komplimente will ich mir wirklich mal merken, denn in dieser Hinsicht darf mein Selbstbewußtsein wirklich größer werden.

Aber einen solchen Mann würde ich mir wünschen. Mutti äußerte sogar, das wäre ein Schwiegersohn, wie sie ihn gern hätte. Auch ein solcher Altersunterschied wäre mir recht.

Immer mehr erweist sich die Arbeit an diesem Buch als Basis für späte Selbsterkenntnis. Da habe ich mich ein ganzes Berufsleben lang mit der Situation und Position der Frau befaßt und begreife erst jetzt, in welchem Ausmaß ich das Rollenverständnis des Dritten Reiches verinnerlicht hatte. Beim Wiederlesen der Tagebücher, als längst erwachsene Frau, schämte und ärgerte ich mich vor mir selbst über die immer wieder geäußerten Minderwertigkeitsgefühle. Warum nur hatte ich mich so klein gefühlt, ich hatte das doch gar nicht nötig. Ich war nicht dumm, nicht auf den Mund gefallen und auch keine graue Maus – erst recht nicht im auffallenden Sommerkleid, einem Geschenk der Washingtoner Verwandten, mit dem ungewöhnlichen Muster, den großen roten und gelben Blüten auf blauem Grund!

Die langatmige Darstellung einer folgenlosen Verliebtheit beschreibt mehr als meine privaten Gefühle, Phantasien und Ängste. Sie bildet Rollenvorstellung und Rollenverhalten der Geschlechter im Dritten Reich ab. Der Mann ist groß und stark und steht oben in der Hierarchie, die Frau, klein und schwach, steht unter ihm. Und so ist denn Herablassung das eigentliche Kriterium dieser Beziehung, hier aktiv, dort passiv erlebt. Dr. B. will mir *aufhelfen,* er möchte sehen, *wie ich mich entwickle.* Ich andererseits bestätige das Oben und Unten, indem ich einen großen Altersunterschied in der Ehe wünschenswert für mich fände. Im Rückblick fällt mir eine Gespaltenheit auf: Ich fühlte mich unterlegen, zugleich aber wußte ich um meine Qualitäten, und ich hatte, ohne daß mir das damals klar war, in Mutter, Tante und Großmutter starke Frauen als Vorbild, die sich im Rahmen ihrer Möglichkeiten gut zu behaupten wußten.

Aus der heutigen Perspektive, die durch die Studenten- und vor allem die Frauenbewegung verändert wurde, läßt sich das Pendeln zwischen Anziehung, Zurückhaltung und Triebverzicht, das die Beziehung zu Dr. B. bestimmte, nicht mehr verstehen. Die Verhaltensnormen der Zeit müssen mitbedacht werden. Eben diese wollte ich gerade vergessen, als ich mir damals eingestand, daß der verheiratete jüngere Mann, im Gegensatz zum *alten Knaben,* nicht *tabu* für mich wäre, doch rief ich mich sogleich zur Ordnung: *Darf man das eigentlich denken?* Dieser Satz ist erkennbar nachträglich eingefügt, dem Schriftbild zufolge unmittelbar nach der Niederschrift. Er bedarf der Ergänzung. Selbst wenn es zur Tabuverletzung gekommen wäre, das anständige Bürgermädchen und der wohlerzogene Mann, der im Haus meiner Mutter ein und aus ging, wären nicht über Küsse und Zärtlichkeiten hinausgegangen.

Und schließlich erhellt aus diesem ermüdenden, banalen Bericht über eine Pseudobeziehung auch dies: Da die Realität so ganz anders war als eine 20jährige sie gebraucht hätte, da Leben nicht stattfand, weil die gesellschaftlichen Normen einer Unverheirateten Sexualität nicht erlaubten, mußten die unausgelebten Gefühle sich andere Bezugspunkte suchen. Sie befaßten sich mit fremden Völkern, schlugen um in Lebensverachtung und Haß gegenüber dem »Feind«. Das erklärt, warum die Kriegsberichte in meinem Tagebuch eine so große Rolle spielen, was hinter ihrer spürbaren Emotionalität und der ausführlichen Beschreibung des Kriegsgeschehens steckt. Überpointiert ausgedrückt: Ich fand mein Leben dort, wo Leben vernichtet wurde.

22. November 1939.
Der Münchner Attentäter ist gefaßt! Er heißt Georg Elser, 36 Jahre alt, am 14. legte er endlich das Geständnis ab. Er wurde verhaftet, als er heimlich am Abend des 8. die Schweizer Grenze überschreiten wollte. In wochenlanger Arbeit baute er die Höllenmaschine in der Tragsäule ein. […] Auftrags- und Geldgeber war der »Intelligence-Service«, der Organisator des Verbrechens Otto Strasser (der wollte sich wohl rächen am Führer). […] Er ist im Ausland, während die zwei Leiter des britischen Geheimdienstes für Westeuropa, als sie am 9. November die holländische Grenze nach Deutschland überschritten, verhaftet wurden. Unglaubliches Verbrechen.
Wundervoll ist, wie Deutschland auf englische Anmaßung antwortet. Vor etwa einer Woche sagte Churchill im Rundfunk, daß das Klima und das Wetter nun im Winter England doch zur Insel machten. Aber schon am nächsten Tage wurde er belehrt, daß der Führer recht hat, wenn er sagt, »es gibt keine Inseln mehr«. Sofort am nächsten Tag wurden die Shetland-Inseln von deutschen Fliegern überflogen, und am folgenden Tag waren wieder deutsche Flieger über England. Gestern und vorgestern wurde London überflogen. Und immer kehren unsere tapferen Flieger wohlbehalten zurück. So wie in England wurde in dieser Woche auch der französische Luftraum aufgeklärt. Unsere Luftwaffe ist wirklich wunderbar.

Daß der schwäbische Möbeltischler und Mechaniker Johann Georg Elser ein Einzelgänger war, glaubten die Nazis zunächst nicht. Die vermuteten Hintermänner konnten nur Erzfeinde sein, der Emigrant Otto Strasser z. B., ein Vertreter des radikalen linken Flügels der NSDAP, der sich mit Hitler überworfen hatte, und die Engländer! Wieder gab es einen Grund, sie öffentlich anzuprangern. Überführt wurden sie nie. Alle Taten, die sich gegen den verhaßten »Feind« richteten, konnten meines Beifalls sicher sein: Die Anmaßung, sich auf ihrer Insel gegen Gefahren gefeit zu fühlen, wurde den Engländern ausgetrieben – recht hatte er, der »Führer«! Hinter dem triumphierenden Bericht steckt die Empörung darüber, daß die Engländer sich als unverwundbar ansehen und aus dem Krieg heraushalten könnten. Womöglich wären sie uns moralisch überlegen? Das wäre nicht zu ertragen gewesen.

Darmstadt, 23. November 1939
[...] In der Mensa hörte ich, daß samstags nie Unterricht sei. Das
wäre ja herrlich. Dann würde ich doch morgen wohl nochmal heim-
fahren. [...]
Darmstadt, 27. Nov. 1939
[...] Mutti hat einen furchtbaren Schreck bekommen, als ich herein-
kam und sagte, »sie haben mich rausgeschmissen«. [...] Dem Feld-
webel hatte ich abends einen Brief für Dr. B. gegeben, eine Brief-
karte, auf der ich ihm mitteilte, daß ich wieder zu Hause sei, »Sie
sehen also, ewiger Abschied liegt mir garnicht.« Und dann fragte ich
wegen dem Kino. Ich wußte genau, daß er diesen Brief ganz richtig
auffaßt und ihm keinerlei Bedeutung zumißt, die ihm garnicht zu-
käme. [...] Mutti war diese briefliche Botschaft wohl nicht ganz
recht, und der Feldwebel glaubte sicher Gott weiß, welche Heimlich-
keiten wir hätten. Aber ich finde, so gut kenne ich ihn, daß ich ihm
sagen kann, daß ich wieder da bin, wollen wir etwas unternehmen?

Aus dem Gang ins Kino wurde dann am Samstag abend aber
nichts, weil er tags zuvor drin war. Statt dessen nahm er mich zu ei-
ner K.d.F.-Veranstaltung für die Soldaten mit. [...] Die Vorstellung
war nichts Besonderes, der Ansager hatte sich ganz auf das Solda-
ten-Publikum eingestellt, ich habe also trotz meiner großen Emp-
findlichkeit in diesen Dingen die mehr oder weniger zweideutigen Ge-
schichten über mich ergehen lassen. [...]

KdF war die hochsubventionierte Freizeitorganisation »Kraft durch
Freude«. Sie gehörte zur »Deutschen Arbeitsfront« (DAF), die an
die Stelle der Gewerkschaften getreten war. Besonders als Urlaubs-
veranstalter und mit seinen Kreuzfahrten ist KdF im Gedächtnis geblieben. In der »Stadt des KdF-Wagens«, in Wolfsburg, wurde, von
300 000 Käufern vorbestellt, das »KdF-Auto«, der spätere Volkswa-
gen, gebaut, der zunächst jedoch für Kriegszwecke verwendet wurde
wie z. B. die bisherigen Passagierdampfer.

Wieder ein Handkuß bei der Verabschiedung, es berührt mich selt-
sam, weil ich weiß, daß dies ja nicht eine Höflichkeitsform ist (die
man ja bei einem jungen Mädel auch garnicht anwendet). Irgendwie,
vielleicht zufällig, kam ich ihm, als er mir die Hand reichte, einen
Schritt näher. Zu nah für mein augenblickliches, etwas heftiges Ge-
fühl, es hatte fast den Anschein, als wollten wir uns küssen – aber ich
glaube, das würde er nicht tun, dazu ist er zu korrekt und anständig.
Er behauptet ja, er würde mich vollkommen durchschauen, in Bezug
auf meine Wünsche, die ich gerade jetzt habe an das Leben, einen

Freund und was dazu gehört. Und vielleicht merkt er dann auch, daß mein Gefühl im Augenblick für ihn etwas anders ist als es besser sein würde. Ich glaube aber, daß es ihm ähnlich ergeht, und daß er sich, eben weil er anständig ist, zurückhält. Höchstens in Sektlaune wäre es vielleicht anders. Zwei Flaschen Sekt hat er noch aufgehoben und wartet nun auf eine Gelegenheit, sie mit mir zu trinken, wie er sagt. Als wir Tanzmusik hörten im Café, äußerte er den Wunsch nach einer »dezenten Bude«, wo er Zivil anziehen könnte, und dann möchte er mich mitnehmen und das Radio anstellen und tanzen und den Sekt trinken. Alles Phantasien, das haben wir dann beide festgestellt.

Hermann war auch am Samstag ganz überraschend auf Urlaub gekommen. Er macht sich nun Sorgen um seine Zukunft. Ob das Gesuch was nützt, daß er zum Studium entlassen wird? Fast alle seine Kameraden sind zu diesem Zweck jetzt entlassen worden.

Nachmittags haben wir dann die beiden Herren zu einer Tasse Tee eingeladen. Die Unterhaltung drehte sich schließlich wieder um das alte Thema, die Liebe, die Ehe usw. Der Feldwebel, dessen zweite Frau 12 Jahre jünger ist als er, fragte mich auf Herz und Gewissen, ob ich, wenn er noch so ein »Sausewind«, d.h. Junggeselle wäre, Dr. B. vielleicht heiraten würde, ob mir der Altersunterschied etwas ausmachte. Ja, ich würde ihn vielleicht heiraten. Dr. B. aber, dessen Frau 3 Jahre jünger nur ist, äußerte sich dazu: Er würde mich nicht heiraten, weil er fürchtete, mich unglücklich zu machen. Nur wenn er sehr egoistisch wäre, würde er mich junges Mädchen heiraten. Ich denke dabei oft, ich muß einmal einen Mann heiraten, der bald 10 Jahre älter ist als ich. Denn diese Männer wissen dann das junge Mädel als jung zu schätzen. Oder der Mann müßte jung sein, aber so reif, daß ich es nicht empfände. Wer weiß, was kommt. Dr. B. meinte, ein junger Mann wäre nichts für mich, »er kann die Lore nicht bändigen«, auf Muttis Frage, wie das gemeint sei, körperlich oder geistig, antwortete er, »beides«.

Wenn der liebe Dr. B. wüßte, daß er in meinem Tagebuch eine solche Rolle spielt! [...]

Von der Kinderzahl sprachen wir. Er sagte mir, er hätte seine Frau erst geheiratet, als sie versprach, daß sie ihm wenigstens drei Kinder schenken wolle. Aber nachdem das erste so schwierig gekommen sei, würde sie es sich nun doch überlegen. Er sei sehr traurig darüber. Meinen Standpunkt, vier Kinder, wenn es irgend geht, findet er sehr richtig.

Warum ich eigentlich soviel darüber schreibe? Wenn ich etwas Wirkliches erleben würde, würden diese Berichte sicher viel kürzer. Aber so bleibt es beim Träumen. [...] Die Jungens im Semester sind aber alle noch so jung, teils jünger als ich. [...]

Illustriert werden hier die damaligen großen Unterschiede im Verhaltensmuster der Geschlechter. Die Phantasie ersetzte die reale Beziehung; anders als heute wurde die Theorie über die Liebesbeziehung ausphantasiert, bis hin zur Frage der Kinderzahl, weil die bürgerliche Moral das Ausleben der Sexualität nicht zuließ, auf beiden Seiten nicht. Ausnahmen, zumal in Großstädten, heben die Wahrheit dieser Aussage nicht auf.

Warum ich eigentlich soviel darüber schreibe? Es ist dies eine der wenigen Passagen, in denen die Tagebuchschreiberin nach ihren Motiven fragte. Sie ahnte nicht, daß Entlastung eine typische Funktion des Tagebuchs ist, die auch heute noch, und gerade in diesem Alter, zahllosen Frauen und Mädchen hilft, sich im Leben zu behaupten.

Darmstadt, 4. Dezember 1939
Man kommt hier aus den Überraschungen nicht mehr raus. Nun hatten wir glücklich angefangen, uns hier einzugewöhnen, der Lehrplan war kaum aufgestellt, und ich hatte noch nicht einmal alle Vorlesungen der Woche gehört – da wird uns am Donnerstag, 30. November, genau eine Woche nach der Eröffnung des Semesters, verkündet, daß wir, einer neuen Verfügung zufolge, sofort von der Hochschule für Lehrerbildung zu entlassen sind und unser Studium mit dem kommenden Trimester, das am 8. Januar 1940 beginnt, auf der Universität anzufangen haben. Unser Studium wird also um 2 Semester [Pädagogik] *verkürzt, die restlichen 6 Semester müssen dann natürlich ordentlich studiert sein an der Universität. Dadurch und durch die Einführung des Trimesters wird das Studium statt in 4 in 2 Jahren fertig sein, bzw. soll es. Wir sind die reinsten Kriegsgewinnler.* […]

Dr. B. ist am Samstag auf Urlaub gefahren, ich habe ihn nicht mehr gesehen und auch nicht versucht ihn zu sehen. Manchmal denke ich, daß ich mich in dieser Beziehung auch wieder sehr rasch auf »normale« Gedanken umstellen kann. »Aus den Augen, aus dem Sinn«, hat sich bei mir schon oft als richtig erwiesen, aber wenn man in der Nähe ist, dann ist er auch bald wieder »im Sinn«. […]

Jetzt, wo der Krieg leider eine so große Rolle im Leben aller spielt, muß ich doch auch wieder darauf zu sprechen kommen, wenn mein Tagebuch all das enthalten soll, was mich berührt. Militärisch ereignet sich im Westen nicht allzuviel. Dafür wird auf dem Wasser wieder, oder noch immer, viel gekämpft. Vor allem geht es da um die Blockade, und da hat Deutschland außerordentliche Erfolge. Und vorige Woche hat auch Kapitänleutnant Prien wieder mal mit seinem U-Boot die Engländer in Aufregung versetzt. […]

Aber es hat sich, für mein Empfinden wenigstens, auch etwas Be-
dauerliches ereignet. <u>Der finnisch-russische Konflikt.</u> Beide Staaten
unterhielten seit dem Herbst Verhandlungen miteinander, die aber zu
keinem Ergebnis kamen. Was wollte auch Rußland? Stützpunkte
für seine Luftflotte, indem Finnland einige seiner Inseln austauscht,
und eine Verschiebung der Grenze an der karelischen Landenge nach
Finnland, damit Leningrad besser geschützt sei. Finnland solle dafür
ein Gebiet mit vorwiegend karelischer Bevölkerung bekommen. Ich
kann nun wirklich verstehen, daß Finnland nicht seine Selbständig-
keit aufgeben will, denn das müßte es doch zum Teil, als »Interessen-
sphäre Rußlands«.

Es kam auch zu Grenzzwischenfällen. Ob Finnland wohl tatsäch-
lich zuerst aggressiv war? Ich kann es nicht glauben. Das wäre doch
Wahnsinn bei einem so kleinen Staat. Die diplomatischen Beziehun-
gen wurden abgebrochen. Der finnisch-russische Nicht-Angriffspakt
wurde als hinfällig von Rußland erklärt. Am 30. November gings
dann los. Russisches Militär überschritt die Grenze, Luftangriffe
auf Helsingfors und andere Städte. Siegreiches Vorgehen Rußlands,
heißt es, von Finnland wird das bestritten. Mir tut nun meine liebe
schwedisch-finnische Brieffreundin Dorrit leid, daß sie nun mitten in
diesem Wirrwarr stecken muß, weil viel mehr gefährdet als wir hier
(bei uns war ja bisher auch kaum je die Bevölkerung in Gefahr).
[…] Müssen denn alle Völker jetzt Krieg führen?

Mit Japan scheint sich Rußland nun auch wieder zu verstehen.
Aber die Engländer treiben es ganz toll. Ab heute wollen sie deutsche
Exportware auch beschlagnahmen. Für England gibt es wirklich
kein Recht. Wie wird sich Deutschland verhalten? Und die Neutralen?

Der Schülerinnenbriefwechsel mit Dorrit, einer zur schwedischen
Minderheit gehörenden Finnin, bestand seit 1936. Dorrit war der
erste Mensch anderer Nationalität, den ich kennenlernte; wir sind
uns bis heute verbunden.

In dem Maße, wie sich freundschaftliche Gefühle zu Dorrit ent-
wickelten, gewann ich auch eine Beziehung zu ihrem Land. Finnland, das war Dorrits breites, freundliches Gesicht, das ich von Fotos kannte, und ihre großzügige Handschrift. Was Dorrit betraf,
ging auch mich etwas an, das Tagebuch bestätigt es. Auslandskon-
takte, gerade zwischen Jugendlichen, sind friedensstiftend. Wer mir
vertraut wird, ans Herz wächst, kann nicht »Feindin« oder »Feind«
werden; wo Wissen über den anderen herrscht, haben Vorurteile
und Klischeebilder so wenig Chancen wie Gewalt und Krieg. Im
Fall Finnlands zeigt das Tagebuch denn auch den einzigen Ansatz zu

eigenständigem Denken und Mißtrauen gegenüber den öffentlichen Verlautbarungen. Und, endlich einmal, Mitgefühl für ein anderes Land und sein Kriegsschicksal. Es läßt sich auch eine gewisse Beunruhigung und Verunsicherung erkennen. Die seelischen Mechanismen, die im Unbewußten wirksam sind, begreife ich beim sehr genauen Hinschauen erst heute: Diese Zeilen enthüllen Angstgefühle, die ich mir nicht eingestehen konnte, weil ich sie verdrängte. Ich äußerte sie auf einem Umweg, indem ich besorgt über Dorrit schrieb. Ich fürchtete, daß ich selbst in diesen »Wirrwar« hineingeraten und gefährdet sein könnte. Wenn ich meine Angst zugegeben hätte, hätte das bedeutet, daß ich dem »Führer« nicht mehr vertraute.

In der auf die Finnen bezogenen Frage *Müssen denn alle Völker jetzt Krieg führen?* verbarg sich der Wunsch, »wenn w i r doch keinen Krieg führen würden!«. Hatte ich noch kürzlich angeprangert, daß die Engländer versuchen könnten, sich auf ihrer Insel aus dem Krieg herauszuhalten, fürchtete ich nun die Ausweitung des Krieges, wie diese Formulierungen verraten: *Die Engländer treiben es ganz toll – wie wird sich Deutschland verhalten? Und die Neutralen?*

Alzey, 20. Dezember 1939
Also, nun bin ich wieder zu Hause, das ganze Intermezzo Darmstadt hat nur zwei Wochen gedauert. Gottseidank, nun sind alle Universitäten wieder geöffnet zum Januar, also auf nach Heidelberg! Ich freue mich ja so darauf! Vorige Woche habe ich mir dort ein Zimmer gesucht. […]

Der finnisch-russische Krieg wird wohl für Finnland ein schlechtes Ende nehmen. […] Finnland hat den Völkerbund angerufen, aber wir wissen ja, das ist, als ob man in den Wind spricht. Wer wollte sich auch richtig gegen die Sowjetunion stellen. Da sehe ich sehr schwarz. Ich bedaure Dorrit sehr. […]

Für Deutschland haben die letzten Wochen viel gebracht, worauf wir ungeheur stolz sein können, Tage, die wirklich in die Geschichte eingehen.

Vorige Woche griffen 20 englische Bomber Wilhelmshaven an, d.h. sie wollten es, aber es kam nicht dazu. 10 Bomber wurden abgeschossen!

Dann: Am [13.12.] das Seegefecht an der La-Plata-Mündung: Unser großer Zerstörer »Graf Spee« kämpfte erfolgreich gegen die englische Übermacht. Zuerst der Kampf gegen den englischen Kreuzer »Exeter«, der vollkommen kampfunfähig geschossen wurde. Und nach einer kurzen Pause ging der Kampf weiter gegen drei englische Kreuzer, aber unser »Graf Spee« konnte sich behaupten. Wie stolz

wir darauf sind! Dann: eine freudige Begrüßung unserer tapferen
Seeleute durch die Deutschen im Hafen von Montevideo. Und nun
das kaum Faßbare: Die uruguaysche Regierung verweigerte dem
»Graf Spee« die Zeit im Hafen Montevideo, die erforderlich war, um
ihn wieder seetüchtig zu machen. Da hat der Kommandant auf Be-
fehl des Führers den »Graf Spee« am [17.12.] *abends gegen 20 Uhr*
versenkt, damit er nicht in die Hände der Engländer fällt! Seit
Kriegsbeginn ist der »Graf Spee« schon auf See und außerordentlich
erfolgreich als Handelszerstörer gewesen. Und die Engländer haben
unser schönes Schiff nun doch nicht bekommen! Es ist wirklich
wahr, wir können mehr stolz als traurig sein! Die Mannschaft ist
nun in Argentinien. Etwa 35 sind bei dem Seegefecht gefallen. Sie
liegen in Montevideo begraben.

Ein herrlicher Streich ist gelungen: Am [Datum fehlt] *kehrte*
unser schönster Dampfer, die »Bremen«, die sich bei Kriegsausbruch
in den russischen Hafen Murmansk gerettet hatte, heim, über die
Nordsee, ohne daß es den Engländern gelang, sie auch nur anzugrei-
fen. Mehrere Flugzeuge schützten ihren Weg, ein U-Boot, das an-
greifen wollte, wurde sofort unter Wasser gedrückt von einem Flug-
zeug (was die Engländer endlich auch zugeben mußten, nachdem sie
zuvor behaupteten, daß die »Bremen« nur aus Humanitätsgründen
und weil man das schöne Schiff nicht zerstören wollte, nicht torpe-
diert worden sei!)

Am 18. Dezember 1939 die erste große <u>Luftschlacht</u>*, bei Helgo-*
land. Von 52 Bombenflugzeugen wurden 36!! von unseren Jägern
abgeschossen. Wir haben 2 Flugzeuge verloren. Ist das nicht ganz
herrlich?! So muß es weitergehen, damit den Engländern endlich mal
klar wird, <u>wer</u> *ihnen eigentlich gegenübersteht …*

Nachdem er die Besatzung der »Graf Spee« in Argentinien in Si-
cherheit gebracht hat, »ist der Kommandant seinem Schiff in den Tod
gefolgt«, so heißt es. Den alten Ehrbegriffen des Offizierskorps treu
hat sich [Kapitän z. S. Langsdorff] *selbst den Tod gegeben. Es ist*
eine große Tat, wir können diese Handlung verstehen. Er wurde auf
dem Friedhof von Buenos Aires beigesetzt. Das sind die Helden
Deutschlands.

Der Bericht über das Schicksal des Panzerschiffs »Admiral Graf
Spee« demonstriert, wie ich den Stolz gegen die Trauer einsetzte –
Wir können mehr stolz als traurig sein; das sind die Helden
Deutschlands: 35 Gefallene sind vermerkt, doch Trauergefühle ließ
ich nicht aufkommen; wer trauert, wird untauglich zum Kriegführen, draußen und an der Heimatfront.

Die paradoxe Formulierung »In stolzer Trauer«, die nun immer häufiger in Todesanzeigen auftauchte, drückt bespielhaft aus, wie zur Erhaltung der Kampfmoral die Trauer verdrängt wird. »Die Unfähigkeit zu trauern«, die Alexander und Margarete Mitscherlich den Nachkriegsdeutschen anlasteten, manifestierte sich also schon im Krieg.

Mit der Meldung *Ein herrlicher Streich ist gelungen* bestätigte ich mir mein Vertrauen in die deutsche Überlegenheit, das angesichts der Selbstversenkung der »Admiral Graf Spee« hätte ins Wanken kommen können.

31. Dezember 1939
Der letzte Tag des Jahres. Er darf nicht vorübergehen, ohne daß man das ganze Jahr noch einmal überdenkt. Was hat mir das Jahr 1939 gebracht?

Das halbe Jahr in Rüsselsheim mit sehr vielen schweren Stunden, aber auch manchen schönen. Und es hat wieder geholfen, den Blick ein bißchen zu weiten für das Leben.

Und dann der endgültige Entschluß, und das verdanke ich allein Mutti, die nun noch die schwere Zeit auf sich nehmen will, daß wir uns entschlossen haben zum Studium. Und die große Freude darüber, immer ein klein bißchen vermischt mit der Angst, daß in letzter Minute irgend etwas dieses ganz große Glück unmöglich machen könne. Denn das Studium bedeutet für mich so unendlich viel, daß ich nun auch einmal hinauskomme in die Welt, daß ich weiter lernen darf und ganz das tun, was mir Freude macht, daß ich mit jungen Menschen zusammen sein kann und daß ich auch teilhaben darf an den Freuden der Jugend (was ja in Alzey unmöglich war) und des Studentenlebens. […] Heidelberg also, es wäre wunderbar. Auch Liselotte und Hilde werden da nun weiterstudieren.

Was eine Freundschaft, irgendein Herzenserlebnis anbetrifft, so war dieses Jahr ein ganz armes. Das ist nicht gut für mich.

Dr. B. gegenüber habe ich Gott sei Dank wieder eine ziemliche Gleichgültigkeit und Unbefangenheit. Das macht wohl die Entfernung. Er kommt ab und zu noch zu uns – Weihnachten war es ihm nicht möglich – und ich gehe auch nochmal mit ihm aus. Ich unterhalte mich immer gut mit ihm, er versucht neue Eigenschaften an mir zu entdecken (er glaubt aber jetzt nicht mehr, daß ich »schwer zu bändigen« sei, im Gegenteil, »leicht zu lenken«!) und hält an seiner Meinung fest, daß ich vor Ende meines Studiums heirate und daß für mich das Studium mehr eine Spielerei, eben eine schöne Studienzeit sein wird als eine Lebensaufgabe. Es wäre ja schön, wenn er recht be-

hielt! Aber es hat den Vorteil, daß solche Ansichten dazu beitragen, mein Selbstbewußtsein zu heben, was manchmal nötig ist.

Aus meiner Klasse haben gegen Jahresende drei Mädels geheiratet. [...]

Wie die Männer auf Frauen herabschauten – hier wird es deutlich von neuem vorgeführt. Der Mann, der sich so eingehend mit der Vorhersage beschäftigt, daß »das Mädchen« heiraten werde, betrachtet – er weiß ja alles schon – die Frau von oben herab. Dr. B. drückte mit seiner Vorhersage aus: »Für mich bist du unerreichbar.« Auf diese Weise wehrte er die Anziehung, die er empfand und die im Widerspruch zu seinem Reden stand, ab. Ich reagierte auf die ambivalente Haltung mit meinem »Ich weiß schon, mein Selbstvertrauen ist schlecht« und schwächte es damit erst recht. *Es hat den Vorteil, daß solche Ansichten dazu beitragen, mein Selbstbewußtsein zu heben, was manchmal nötig ist*: Mit dieser Phantasie, es müsse von außen gehoben werden, bestätigte ich das Gefälle zwischen Mann und Frau; er blieb groß, oben postiert, ich unten, von meinen Minderwertigkeitsgefühlen klein gemacht und klein gehalten. An der Stabilisierung der Vorstellungen von männlicher Überlegenheit und weiblicher Unterlegenheit sind immer beide Geschlechter beteiligt, ach, hätte ich dies damals schon begriffen!

Wieso glaubte Dr. B. nun nicht mehr, ich sei *schwer zu bändigen,* sondern, *im Gegenteil, leicht zu lenken?* Leicht lenkbar ist doch gerade die Frau, die bis über beide Ohren verliebt ist, und eben das war ich nicht mehr. Ich muß die Aussage hinter der Aussage hören, darf sie hier nicht mehr wörtlich nehmen. Nach seinem Gefühl war ich jetzt leicht lenkbar, weil ich ihm nicht mehr gefährlich wurde; er konnte weiter flirten, ohne daß er Angst haben mußte, aus dem Spiel könne Ernst werden. Nicht ich als Frau war weiterhin anziehend, sondern die Situation, die er jetzt im Griff zu haben schien, während doch meine neue Gleichgültigkeit sie verändert hatte. Schwierig und schwer zu bändigen wäre ich ihm erschienen, wenn ich mich als Frau gezeigt hätte, die weiß, was sie will – z. B. studieren, trotz Ehe- und Kinderwünschen.

Frauenschicksal damals: *Es wäre schön, wenn er recht behielte,* d. h. als Frau mußte ich froh sein, wenn ich geheiratet wurde und das Studium aufgeben durfte, dieses Studium, das ich mir doch aus dem starken Bedürfnis heraus erkämpft hatte, selbständig zu denken, meine Begabung zu entfalten, Selbstverwirklichung aus eigenem Vermögen zu erleben! Statt dessen sollte ich das Studium nun als Spielerei abtun und darauf verzichten, mir auf diesem Weg eine

Lebensaufgabe zu schaffen. Die schiere Selbstverleugnung – wider besseres Wissen, wider meine innerste Neigung war ich drauf und dran, die Vorhersage, »sie heiratet ja doch«, und also braucht sie nichts zu lernen, zu bestätigen, ganz im Sinn der NS-Frauenpolitik. In den bürgerlichen Schichten bedeutete Beruf in der Regel Verzicht auf die Ehe oder, als Folge der Männerverluste im Ersten Weltkrieg, Eheersatz, wie im Fall meiner Tante Gertrud.

Endlich habe ich vor zwei Tagen auch wieder in einem Brief von meiner finnischen Freundin Dorrit gehört. Es war ein sehr, sehr trauriger Brief. Ich kann verstehen, daß sie sehr unglücklich ist, denn wie wird der finnisch-russische Krieg enden. […] Sie tut mir sehr leid, denn sie muß ja zu dem Krieg, den ihr Vaterland führt, eine ganz andere Einstellung haben wie wir. Die Aussichten auf einen finnischen Sieg scheinen mir sehr gering. Wir dagegen, wir können diesen Krieg nur gewinnen!

»Wir werden niemals kapitulieren«, sagte der Führer. Und sein Wort wurde immer Wahrheit. Wir glauben an den Führer, und damit glauben wir auch an unseren Sieg. In diesem Krieg muß Gott auf Seite der Gerechtigkeit stehen, und die ist bei Deutschland.

Und die bisherigen Erfolge des Luft- und Seekrieges zeigen ja, was deutscher Soldatengeist vermag. Es heißt, das sei noch kein Krieg gewesen. Der Krieg werde erst kommen. Im Frühjahr oder Sommer muß etwas ganz Entscheidendes geschehen. Wer weiß, was wir da erleben? […]

Hermann hat sich entschlossen, bis zu seiner Entlassung zum Militär im Frühjahr noch beim R.A.D. zu bleiben. Und Mutti will es mit dem Geschäft doch aushalten, bis mein Studium zu Ende ist. Es ist ein großes Opfer!

Dorrit muß ja zu dem Krieg, den ihr Vaterland führt, eine ganz andere Einstellung haben als wir: Die Psycho-Logik, die sich in diesem Satz kundtut, besagt, wir Deutschen, stark und groß, wie wir sind, können den Krieg nur gewinnen und haben darum eine positive Einstellung zu ihm; die kleinen, schwachen Finnen hingegen, denen die Sowjetunion ohne Kriegserklärung einen Krieg aufgezwungen hat, können nicht gewinnen und lehnen den Krieg deshalb ab. Den Gedanken, daß auch wir – ich – dem Krieg kritisch, gar ablehnend gegenüberstehen könnten, vermochte ich, weil nicht sein kann, was nicht sein darf, nicht zuzulassen.

Immer wieder mußte ich mir meine Überzeugungen bestätigen: Ich glaube doch an den »Führer«, also auch an unseren Sieg! Wer solcher Beschwörung zu seiner Selbstvergewisserung – »so ist es doch?!« – bedarf, muß insgeheim von Unsicherheit und Zweifeln geplagt werden. Daß sie sich schon so früh zeigten, sehe ich erst jetzt ganz deutlich. Die Angst, *der Krieg werde erst kommen*, war allgemein verbreitet, bedrückte uns alle. Im Westen, das war klar, stand Unheimliches bevor.

In der Politik war das Jahr 1939 ein großes Jahr (was dürfen wir doch alles erleben!). Erlebte Geschichte!
1. Am 15. März – Böhmen und Mähren – Protektorat. Slowakei unter Deutschlands Schutz.
2. 22. März – Memelland deutsch!
3. Dann das Ende des Spanienkrieges – Legion Kondor
4. Der deutsch-sowietische Konsultativ- und Nicht-Angriffspakt.
5. Der polnische Feldzug und Deutschlands Sieg! (»Der Krieg der 18 Tage«)
6. England und Frankreich im Krieg gegen Deutschland
7. Der finnisch-russische Krieg beginnt.
Und der japanisch-chinesische Krieg ist noch immer nicht zu Ende.
Und der Anschlag auf den Führer, den die Vorsehung so gütig und wunderbar mißlingen ließ.
Wir dürfen Gott danken für dieses Jahr.
Heute abend bin ich zum ersten Mal mit Mutti an Silvester zusammen. Wir gehen nur ins Kino, in den großen Film vom deutschen Fliegergeist »D III 88«, und bleiben dann auf bis 12 Uhr.
Hermann ist wieder im R.A.D., in Kreuznach.
Am Ende dieses trotz allem reichen Jahres 1939 muß ich danken.
Aber ich sage auch meine Wünsche für das kommende junge neue Jahr. (Was wird wohl davon in Erfüllung gehen?)
Unserem lieben Deutschland wünsche ich den Sieg und den Frieden und unserem lieben Führer weiterhin Gottes Segen. Möge dieses Jahr unserer kleinen Familie weiterhin Gesundheit schenken und weniger Sorgen. Und möge das Jahr 1940 mir eine schöne reiche Studienzeit bringen und Freude, wie sie auch andere junge Menschen haben dürfen. [...]

1940

Heidelberg, 10. Januar
Drei Tage bin ich nun in Heidelberg. Leider sind sie keine reine Freude. Es ist noch unentschieden, ob der Sportlehrgang hier gehal-

163

ten werden kann, weil nicht genug Lehrkräfte hier sind. Also immer noch das dauernde Hin und Her, ewige Ungewißheit. Ich habe, um mir wenigstens einen Platz an einer Universität zu sichern, gestern München angerufen. Es hieß, ich könnte noch ankommen, muß aber zuerst ein Gesuch an den Rektor dort machen. [...] Der Lehrgang beginnt am 16. [...]

Liselottes wegen bedauere ich, daß ich weggehe. [...] Aber ich will alles in Kauf nehmen, wenn auch der Anfang schwer wird, so allein. Ich sichere mir auf diese Art unbedingt meine innere und äußere Selbständigkeit, und das ist das Wichtigste für mich. Und fast glaube ich, es ist auch finanziell besser so für mich. Sie [die einstigen Mitschülerinnen] *geben mit einer solchen Leichtigkeit Geld aus, das kann ich mir nicht leisten. Mutti verdient es so schwer, und es ist ja alles unser Kapital, was da aufgebraucht wird (denn vom Finanzamt bekomme ich in diesem Semester noch kein Stipendium). Das ist mir schon so schwer aufs Herz gefallen, da kann ich aber wirklich nicht mitmachen.*

Also es spricht wohl alles dafür, daß ich hier nicht studieren soll. [...] Es muß durchgebissen werden. [...] Ich werde schon zurecht kommen. Sage ich nicht immer, mein Lieblingswort wäre das Beethoven-Wort:»Ich will dem Schicksal in den Rachen greifen, ganz niederbeugen soll es mich gewiß nicht!«? Und sogar Dorrit habe ich es zum Trost geschrieben. Also müßte ich doch zuerst selbst danach handeln. Ich muß mich einfach über meine innere Schwerfälligkeit hinwegsetzen. [...]

München, 12. Februar 1940, abends
[...] Sonntag früh, 15. Januar, 4 Uhr 15, Abfahrt nach München. Hier konnte ich mich gleich in die Obhut der netten Familie H. [Geschäftsfreund meines Vaters] *begeben, und so war der Anfang nicht so schwer.*

Dienstags: Die Sportprüfung: Genaugenommen ein Reinfall. Das heißt aufgrund meines Sportabzeichens und meiner Schwimmerei hätte ich wohl den Anfang machen können, aber mit dem Risiko, es vielleicht doch nicht bis zur Prüfung zu schaffen. Ich habe halt in den zwei vergangenen Jahren keinen Sport treiben können, und das macht sich nun empfindlich bemerkbar. Also vorerst nun rein wissenschaftlich, vielleicht auch für immer? Fast glaube ich es.

München, 23. Februar 1940
[...] Wenn ich wirklich etwas erlebe, dann habe ich keine Zeit und auch keine Zeit zum Schreiben. [...] Hier habe ich nun Arbeit und komme kaum zur Besinnung. [...]

Zum eigentlichen Einleben hier habe ich im Grunde doch vier Wo-
chen fast gebraucht. Anfangs hatte ich doch recht oft das Gefühl, sehr
verlassen zu sein. Das habe ich nun fast überwunden. Denn jetzt
habe ich auch Bekannte.

Ich kenne die Mädels eigentlich durchs Rote Kreuz, also springt
doch was Positives bei dem Kurs raus. [...] *Die beiden Volkswirt-*
schaftlerinnen Irmgard M., genannt »Irms«, nettes Mädel aus
Schwaben, still, hatte wohl wenig Freunde. [...] *Daneben Hilde V.,*
genannt »Häschen«, [...] *der Liebling aller.* [...] *Ich hab sie gerne*
und bin froh, daß sie auch im Sommer noch hier sind. [...]

Die Teilnahme am Erste-Hilfe-Kurs beim Roten Kreuz war Pflicht.
Sie brachte mich in Kontakt zu Studentinnen anderer Fakultäten.
Wieder muß ich an Max Frisch denken: »Zufall ist immer das Fällige, das uns trifft.« Denn daß ich Irms kennenlernte, sollte sich als
wahrlich lebens-entscheidende Begegnung herausstellen, das erste
Glied einer Kette von »Zufällen«, die zu meinem Rundfunkberuf
führten, wie am Ende dieses Buches erkennbar sein wird.

[23. Februar 1940]

Auf den Sommer freue ich mich, habe im innersten Herzen aber die
Furcht, daß der Krieg alle Freude zunichte macht. Denn der Sommer
bringt bestimmt viele Kämpfe und sicher viel Not und Tränen.

Hermann hat sich nun zur Luftwaffe gemeldet. Hoffentlich
kommt alles zu einem guten Ende, auch für ihn.

Die deutschen Vorlesungen sind sehr interessant und gefallen mir
gut. Englisch macht mir dagegen wenig Freude. [...] *Italienisch An-*
fängerkurs habe ich noch, ob als 3. Fach oder nur als Liebhaberei,
ich weiß noch nicht. [...] *Überhaupt hab ich wohl zu viel belegt.* [...]

Die Galerien und Museen sind leider fast sämtlich geschlossen –
Luftgefahr. Auch jetzt das Haus der Deutschen Kunst. [...]

Mit dem ersten Schritt, allein zuerst in die Oper zu gehen, »Ma-
dame Butterfly«, hat nun meine Theaterleidenschaft begonnen. [...]
Zuerst stürzte ich mich mit einem wahren Musikhunger auf die
Oper, jetzt interessiert mich aber auch das Schauspiel. [...]

Man kann ja auch allerlei seltsame Erlebnisse haben: neulich saß
ich unten im Erfrischungsraum und kam mit einem Studenten, des-
sen nettes, etwas vergeistigtes Gesicht mir in meiner Vorlesung schon
auffiel, ins Gespräch (Theaterwissenschaft, 8. Semester). Er wollte
sich mit mir verabreden, aber wo? Seine Wohnung! Gut, daß ich
wußte, daß eine Studentin das nicht tun darf, so wußte ich sofort, was
damit gemeint war. Ich habe gelacht und abgelehnt. Er erklärte mir

dann, daß er, was andere unmoralisch fänden, moralisch fände usw.
Er hätte mir ganz gut gefallen, aber unter diesen Umständen! Das
ist nämlich anscheinend die einzige Basis für seine Bekanntschaften.
Heute fragte er mich, als er mich zufällig sah, ob ich mir seinen »Vor-
schlag« überlegt hätte, ich konnte ihm nur erklären, daß ich konse-
quent an meinen Prinzipien festhalte. Damit scheint auch sein Inter-
esse für meine Person erloschen. Man dürfte kein Mädel
unaufgeklärt studieren lassen. [...]

Oh, diese Kleinstädterin! Nein, sie war kein *Mädel,* das *unaufge-*
klärt zum Studium kam. Ich sehe noch die Szene vor mir, wie wir
eines Abends, einige Wochen vor dem Beginn meiner Studienzeit,
durch die Alzeyer Gassen schlenderten, die Schulfreundin, ein Semester lang schon erfahren in den Sitten und Gebräuchen des Studentenlebens, und ich, und ich höre, wie sie mich einwies ins gute
Studentinnenbenehmen. Sie hatte mich vorgewarnt. Und sollte sie
nicht recht behalten? Aber, so frage ich mich heute, eingedenk des
netten, etwas vergeistigten Gesichts und da er mir doch *ganz gut ge-*
fallen hatte: Mußte ich denn das Spiel schon im Vorfeld aufgeben,
hätte ich nicht besser meine Prinzipientreue in der Praxis getestet?
Was für eine Idee! Einer »anständigen« Kleinstädterin konnte sie
nicht kommen. Nicht die Schulfreundin schuf den Maßstab, sondern die bürgerliche Erziehung.

Das Verhalten von Frauen war, wie die Episode zeigt, festen Regeln unterworfen, ein »Budenbesuch« hätte gegen sie verstoßen
und dem Studenten Einverständnis mit seinen möglichen Vorhaben
signalisiert. Was sich heute so erheiternd liest, berührt ein tabuisier-
tes Thema. Sexualpädagogik gab es nicht, es kam durchaus vor, daß
eine Achtzehnjährige unaufgeklärt zum Studium kam, und manch
eine Frau dieser Zeit ging nicht nur »unschuldig«, sondern auch un-
wissend in die Ehe.

28. Februar 1940
Ein furchtbar trauriges Ereignis beendet dieses Buch. Gestern habe
ich die Nachricht bekommen, daß <u>Gerhard W.</u> *mit dem Flugzeug im*
Sudetenland abgestürzt und tot ist (24.II.40). Es hat mich furchtbar
erschüttert. [...] Um ihre beiden schönen stattlichen Jungens konnte
man Tante Else W. beneiden. Und gerade Gerhard war der nettere
und liebenswertere von beiden. Kaum 20 Jahre alt, wenige Monate
erst Leutnant und gerade vom Land her umgeschult zu den Fliegern
– es muß einer seiner ersten Flüge gewesen sein. [...] Ich sehe ihn
noch so ganz deutlich, wie er mit mir sprach und lächelte. Ich habe

ihn wirklich gern gehabt. [...] Ich war ganz erschlagen, als ich es er-
fuhr, und tief, tief traurig. Immer muß ich an ihn denken. Seine Ju-
gend, daß er nur so kurz leben durfte. Ein unerfülltes Leben! Wen die
Götter lieben, der stirbt jung – man kann sich damit nicht trösten.
Die Allerbesten kommen zu allererst. In diesem Augenblick habe ich
das Grauen des Krieges zum erstenmal ganz nah gespürt. Der arme
Gerhard. Es ist unfaßbar, ganz unfaßbar.

Die ersten sechs Monate des Krieges. Ich wiederhole sie in Gedanken und prüfe nach, wie habe ich eigentlich diesen Krieg erlebt?

Stimmen, die wie Fanfaren klangen, meldeten Siege, Siege. Sieg!
dröhnte das Radio. Sieg! verkündeten die Schlagzeilen der Zeitungen. Die Wochenschauen zeigten, wie »unsere siegreichen Truppen«
den polnischen »Feind« überrannten und wie eine geschlagene
Armee in Gefangenschaft zog. Die U-Boot-Erfolge, das Engelland-
Lied, die Propagandasprüche, die Haßtiraden, die Stimmen von
Hitler und Goebbels und wie sie sich überschlugen. Und das Gefühl immer in Wallung, Jubel und Stolz. Verluste? Dann und wann,
Zahlen auf dem Papier.

Aber mit einemmal war einer tot, einer, den ich kannte, Gerhard, der mit mir im Klassenzimmer der »Löwenschule« saß, der
den Pfingstausflug mit uns ins Vorholz machte, an Sommersonnta-
gen im Rhein mit mir schwamm, mit seiner Familie zum großen
Freundeskreis meiner Eltern gehörte, schmalgesichtig und blond
auf so manchem Foto dabei, wie Heinz, sein Bruder – jetzt erst erlebte ich: Krieg heißt Tod, Krieg bringt Leid. Auch Gerhards Bruder sollte eines Tages fallen ...

»Gefallen, ist das nicht ein verharmlosendes Wort?«, fragen
mich eine Frau, ein Mann der jüngeren Generation. Nicht für mich.
Meine Vorstellung von »gefallen« hat einst ein Bildberichterstatter
dokumentiert: Ein Infantrist mit Stahlhelm fällt, das Gewehr in der
Hand, tödlich getroffen rücklings zur Erde, sein Körper scheint
sich im Fallen noch einmal aufzubäumen – untrennbar mit dieser
im Bild erstarrten Bewegung verbunden ist das Wort »gefallen«.
Der Krieg fügte Gesichter hinzu, lauter vertraute Gesichter. Und
alle sind jung. Und während ich sie mir schreibend in Erinnerung
rufe, überfällt mich, noch nach einem halben Jahrhundert, das alte
Schmerzgefühl *es ist unfaßbar, ganz unfaßbar.* Dieser sinnlose Sol-
datentod, vieltausendmal in Todesanzeigen stolz gerühmt: »Gefallen auf dem Felde der Ehre«.

Was fehlt im Tagebuch?

1939

Da lese ich nun wieder, mehr als 50 Jahre später, eine Aufstellung von Ereignissen, *erlebte Geschichte*, und höre, was unausgesprochen mitklingt, ich bin Zeitzeugin, bin dabei! Ein Strahl vom Glanz der großen Zeit fällt, so kommt es der jungen Zeitgenossin L. W. vor, auch auf sie, macht sie ein bißchen bedeutend, wie die Eigenliebe es wünscht.

Doch mehr als dieser Gedanke beschäftigt mich der Inhalt der Liste, auf die ich – *was dürfen wir doch alles erleben!* – so erkennbar stolz war. Alle einzelnen Geschehnisse waren mit Gewalt verbunden, offener oder versteckter Androhung von Gewalt. Und dieser Gedanke ist mir nie gekommen!

An die Legion Condor ist besonders zu erinnern. Ihr Name darf nicht vergessen werden. Mit dem geheimen Einsatz von Freiwilligenverbänden der deutschen Wehrmacht auf seiten Francos im spanischen Bürgerkrieg hatte Hitler nicht nur die Faschisten im Kampf gegen den Kommunismus unterstützt, die Legion Condor erprobte in Spanien auch deutsche Waffen. Ihre Bomber waren es, die am 26. April 1937 Guernica, die heilige Stadt der Basken, zerstörten und wehrlosen Einwohnern den Tod brachten. Die ganze zivilisierte Welt empörte sich. Guernica ist zum Symbol des barbarischen Luftkrieges geworden, Picassos berühmtes Gemälde erzählt für immer von deutscher Schuld.

An dieser Stelle müßte ich nun wieder nachforschen, welche Geschehnisse des Jahres ich im Tagebuch ausgespart habe und warum? Nichts, könnte die Antwort lauten, ich war eine gründliche Berichterstatterin. Doch das ursprüngliche Konzept ist längst ins Fließen geraten, in den Sog des Prozesses, der mich an- und umtreibt, Gestern und Heute ineinander verwebt und Schicksalsfäden zusammenführt.

Und so ist mir jetzt, beim Schreiben, Leni gegenwärtig, an die ich 1939 gewiß nicht dachte, und ich frage mich, wie könnte, hätte s i e damals Tagebuch geschrieben, ihr Rückblick ausgesehen haben, nach mehr als einem Jahr des Exils in Amerika? Vom Leiden an der Austreibung und vom Heimweh hätte sie geschrieben, von Kriegsangst und Sorgen um ihre nicht ausgewanderten Lieben in Deutschland, von Fremdheit und Einsamkeit, auch von einem wahrscheinlich ungeliebten Job. Welche Arbeit hatte sie wohl gefunden und wo, an welchen Ort hatte das Schicksal sie verschlagen?

Ich habe sie nicht gefragt, als wir uns trafen, in der Schweiz. Wiedersehen nach 57 Jahren. War sie auch so unruhig am Tag davor und konnte in der Nacht kaum schlafen? Als wir uns vor dem Fahrstuhl meines Hotels gegenüberstehen, meine bang fragenden grauen Augen in ihre freundlich lächelnden braunen blicken, sagen wir fast gleichzeitig, »ich erkenne dich nicht wieder«. »Du weißt, ich bin klein«, hatte sie am Telefon gesagt, auch das habe ich nicht mehr gewußt. Und wie zierlich sie gewesen sein muß, sie ist es heute noch. Wir fremdeln nicht, so fremd wir einander auch sind. Lang, lang ist's her, aber das Bewußtsein einer Gemeinsamkeit – die Alzeyer Schulzeit, die Heimat Rheinhessen – verbindet uns noch. Wir entdecken, daß wir uns ähneln in Haltungen, Engagement. Wie sie von jungen, gefährdeten Menschen erzählt, mit einer Verkäuferin spricht – sechs Stunden sind lang genug, um einen spontanen, hilfsbereiten, großzügigen Menschen zu entdecken, auch Mutterwitz und unverblümte Rede, geradeheraus. »Ich habe immer meine Meinung gesagt, überall«, »Ich durfte mich frei entwickeln.« Sie gehört nicht zu den Konservativen, und eigentlich, denke ich, paßt sie nicht in die Schweiz, wäre auch, höre ich heraus, lieber in Amerika geblieben, lebten nicht zwei Schwestern hier und wäre ihr Mann nicht schon lange tot. Wo also fühlt sie sich heute daheim?

»Ich denke am liebsten an das, was damals schön war,« sagt sie und spricht von ihrem Dorf, der geliebten Tante, die für sie die Mutter war. Sie fragt mich, ob ich nicht mehr wisse, daß ich sie öfters besucht hätte. Doch, ja, irgendwann einmal, meine Erinnerungskanäle bleiben verstopft. Sie erkundigt sich nach Mitschülerinnen, nennt Namen, die mir aus dem Kopf herausgefallen sind. Ungefragt spricht sie davon, daß sie einmal aus der Alzeyer Schule gewiesen wurde, die Wunde schmerzt noch immer. An den Lehrer, der in einer Einzelaktion vorwegnahm, was später zur offiziellen Judenpolitik gehörte, erinnert sie sich nicht mehr. War es jener, von dem Mitschülerinnen erzählen, daß er in der braunen SA-Uniform, das Hetzblatt, den »Stürmer«, lesend vor der Klasse zu sitzen pflegte? Oder der Direktor? Sie weiß noch, daß die Tante nach einer Woche sagte, »du mußt wieder in die Schule gehen« und daß sie sie erst einmal alleine vorschickte.

Davon spricht sie nicht: Daß ich sie, wie sich die frühere Schulfreundin im Gegensatz zu mir heute noch erinnert, in einer Art Solidaritätsaktion begleitete, als sie mit ihrer Tante zusammen in die Schule zurückkehrte. Hingegen meint sie, wir seien sehr gute Freundinnen gewesen. Ich muß das bezweifeln. Es gibt ja doch nicht selten Verschiebungen im Erinnerungsgefüge, das hieße, sie könnte die Tatsache vergessen, aber das gute Gefühl für mich bewahrt haben. Doch auch die Schulfreundin könnte sich irren. So ist nun dieser für mich wichtige Punkt, der während meiner Krankheit 1988/89 in psychotherapeutischen Gesprächen eine Rolle spielte, wieder offen. Aber die Frage hat plötzlich weniger Gewicht.

Wieder, wie schon am Telefon, sagt sie, daß sie mit niemandem, ihren Mann und ihre Geschwister ausgenommen, über ihre Vergangenheit gesprochen habe, nicht in den USA, nicht in der Schweiz – »bei Dir ist das jetzt eine Ausnahme« –, und sie fügt hinzu, »Ich will auch keine Jüdin sein«. Ihr Mann, irischer Herkunft, war Katholik. Zum Judentum gab es keine Brücke. Immer wieder geht dieser Satz in mir um.

Einmal fragt sie, ob ich einer Partei angehöre. Und später, ob ich aktiv gewesen sei, irgendwo. Mir wird heiß vor Schrecken, es ist die Frage nach der Nazizeit. Doch kaum kann ich antworten, »nein, aktiv nirgendwo, aber Mitglied«, sagt sie, und in ihrem Gedächtnis sind wieder die schwierigen wirtschaftlichen Zeiten Anfang der dreißiger Jahre lebendig, wenn Hitler nicht gegen die Juden gewesen wäre, wäre sie auch dabeigewesen, »mitgelaufen sind doch alle«.

»Mitläuferin«. Dieses beschönigende, entlastende Wort. Ich habe mitgejubelt, mitgeschwiegen, wie so viele weggeschaut, verleugnet, verdrängt. Was soll ich antworten? Ich sage einen kurzen Satz. Mir ist sehr elend zumute … Ich muß an Hängebrücken in entlegenen Ländern denken, wie schmal sie sind, und wie sie schwanken. Aufgebrochen von fernen Ufern, haben wir uns, unsicher gehend, in der Mitte eines schwingenden Stegs getroffen. Ich werde noch lange warten müssen, bevor ich, mit meinen Lasten beladen, zu Leni fahren, ihr meine Geschichte und die Rolle, die sie darin ohne ihr Wissen spielt, erzählen kann. Werde ich eine Brücke bauen können, die mich trägt?

TAGEBUCH IV
31. März – 24. November 1940

»Memoiren«

Alzey, 31. März 1940

[...] Mein erstes Trimester[1] habe ich nun also schon hinter mir und kann mir nun überlegen, was es mir gebracht hat. Es war schön, wirklich schön, selten hatte ich das Gefühl einer so glücklichen Zeit. Und ich bin Mutti unendlich dankbar, daß ich studieren darf. [...] Nachdem ich in München nette Mädels kennengelernt hatte, [...] gefiel es mir in München endlich gut. [...] Gerade in letzter Zeit habe ich noch einige Studenten – Juristen – kennengelernt, einer davon stellt sich mir furchtbar nett ganz zur Verfügung, wenn ich mal Lust habe auszugehen, brauche ich mich nur an ihn zu wenden. Ein richtig netter, kameradschaftlicher Standpunkt. Hoffentlich kommt nichts dazwischen, und er ist noch in München! Aber wer weiß, welche unangenehmen Überraschungen uns der Krieg im Laufe des Sommers noch bringt! [...]

Freitag abend, 8. März. [...] Das Schöne waren zwei großartige Theateraufführungen im Prinzregententheater: »Iphigenie« und »Peer Gynt« (mit Alexander Golling in der Hauptrolle – sehr sympathisch als Schauspieler). [...]

Die letzten Tage in München waren noch ausgefüllt mit anstrengender Arbeit. Am Donnerstag, 14. März, war die Prüfung vom Roten Kreuz. Sie war ziemlich eklig, dauerte entsetzlich lang, weil ein Generalstabsarzt, der dabei war, soviele Zwischenfragen stellte. [...] Um 1/2 1 Uhr nachts konnten Renate und ich glücklich weggehen, und da war die Prüfung noch nicht zu Ende. Natürlich ging keine Straßenbahn mehr, wir mußten noch eine Stunde lang durch die verdunkelte Stadt laufen. [...]

Normenvorstellungen anno dazumal: Es war nicht schicklich, daß eine Frau oder ein Mädchen allein ausging, und so hatten Männer,

---

1 Zur Verkürzung der Studienzeit war seit Januar 1940 die Trimestereinteilung eingeführt worden. Sie wurde ab Sommer 1941 wieder aufgehoben.

die, wie der Student, sich *kameradschaftlich* als Begleiter zur Verfügung stellten, eine Chance, die Rolle des uneigennützigen Beschützers zu spielen. Es vergißt sich leicht, daß man einer Frau, die es wagte, allein ein Lokal, ein Tanzcafé zu betreten (sofern man sie ohne Begleitung überhaupt einließ), grundsätzlich unterstellte, sie suche einen Mann. Doch selbst wenn das so war, nur Männer durften zeigen, daß sie nach einer Frau Ausschau hielten; Frauen konnten nicht aktiv werden, ohne »sich etwas zu vergeben«. So hatte die Frau zu meiner Zeit nur die Wahl zwischen Inaktivität, Abhängigkeit von einem netten »Retter« oder einem Regelverstoß, mit dem sie sich entwertete.

18. April 1940
Wieder in München ...
Die Segnungen des Geldes lerne ich immer mehr schätzen, gerade weil ich es so schwer empfinde, daß wir es nicht besitzen. Mir persönlich wäre es garnicht so schlimm, aber wegen Mutti muß ich mir doch schwere Sorgen machen. Sie fühlt sich in ihrer Tätigkeit mit der Mietwäscherei vollkommen unglücklich. [...] Auch körperlich ist es zu anstrengend für sie. [...] Immer überlegt sie, wie sie noch mehr sparen könnte – und ob es vielleicht möglich wäre, noch mehr Zimmer zu vermieten. [...] Es sind ewige Sorgen für sie, und an mir gehen sie wirklich auch nicht vorbei. Dann sind von Zeit zu Zeit die Aufregungen wegen der Geldforderungen von Onkel Ernst [Bruder meines Vaters, Universitätsprofessor]*, der nach Papas Tod versprochen hatte, solange es uns nicht gut ging, nie an uns wegen der Zahlung* [der verliehenen Summe] *heranzutreten. Wirklich eine »feine« Verwandtschaft. Macht Besitz wirklich so gefühllos für die Nöte anderer?*

So war es nun ein schwerer Schlag, als wir erfuhren, daß ich nun vorerst, während des Krieges, kein Stipendium vom Finanzamt, die eigentliche Grundlage für mein Studium, die einzige Möglichkeit zur Durchführung, bekommen kann. Die Schule in Mainz will mich nun [als Stipendiatin] *für das Studentenwerk vorschlagen. [...] Ich will nun sehen, ob ich noch nachträglich die Hörgeldprüfung machen kann, wieder eine Mehrbelastung. Die Mädels, mit denen ich zusammen bin, haben alle viel Geld, es stört mich eigentlich wenig, daß ich keines habe. Aber wegen Mutti fällt es mir immer schwer auf die Seele. [...] Ihretwegen wünschte ich mir in erster Linie, daß ich einmal zu Besitz kommen möchte. [...]*

Höchstens 100 RM monatlich standen mir zur Verfügung, es ließ sich damit leben, sparsam freilich. Ein Zimmer – in Untermiete, wie es üblich war – kostete 30 bis 40 Mark, das Essen in der Mensa 50 Pfennige; es wurde auf Essenmarken abgegeben wie das fleischlose Stammessen im Lokal, das 70 Pfennige kostete.

Meine Mutter versorgte mich außer mit frischer Wäsche auch mit zusätzlichen Lebensmitteln, d.h. mit Obst aus dem ertragreichen Garten, von Johannisbeeren, sorgfältig verpackten Aprikosen bis hin zu den vielen Apfelsorten; im Winter konnte ich zum Wochenende hin auch mit großen Portionen Kartoffel- und dem hochgeschätzten Rosenkohlsalat rechnen, die in Blechbüchsen eingefüllt waren. Expreßpakete wurden am Tag nach der Absendung zuverlässig ausgeliefert.

Fahrtkosten für Wege in der Stadt und für Ausflüge ließen sich durch das Fahrrad sparen, und trotz aller Geldknappheit konnte ich mir Kulturgenüsse leisten; ein Stehplatz für Studenten kostete in der Oper 1 RM.

Gering bemittelte Studierende erhielten durch Hörgeldprüfungen die Chance, daß ihnen Studiengebühren erlassen wurden, wenn sie nachweisen konnten, daß sie sich den betreffenden Vorlesungsstoff angeeignet hatten. Es prüften die zuständigen Professoren.

Nach dem ersten Studienjahr kam das Stipendium vom Finanzamt, entgegen der ursprünglichen Verlautbarung, auch während des Krieges zur Auszahlung.

Hermann ist noch immer im R.A.D., schon im 13. Monat jetzt. Die letzten Abteilungen sind nun entlassen, auch er ließ sich seine Zivilkleider schicken, und nun ist seine Abteilung doch noch nicht entlassen. Jeden Tag erwarteten wir ihn, ich hätte mich so gefreut, ihn zu sehen, bevor ich wegging. Und Mutti wäre die nächste Zeit auch leichter geworden. Diese Enttäuschung und das Weggehen von zu Hause überhaupt haben mir das Fortgehen diesmal sehr schwer gemacht. Ich war in einer sehr trüben Stimmung.

Nun hat sich auch Rotraut verlobt, am 13. April, mit dem Oberarzt Oberleutnant Wolfgang K., den sie bei der Hochzeit ihres Bruders kennenlernte. Die Anfänge dieser Bekanntschaft erlebten wir im R.A.D. so schön mit. Ich kann mir denken, sie ist restlos glücklich. Ich wäre es auch. Dies ist doch das Beste für ein Mädchen. Alles andere bleibt nur ein mehr oder weniger guter Ersatz. Aber heute steht es mir wirklich noch nicht zu so zu reden. Wenn ich in 10 Jahren noch nicht verheiratet bin, dann eher. Jetzt wünsche ich mir nur einen guten Freund, nicht nur immer so oberflächliche Flirts.

In 5 Wochen werde ich volljährig.

In der Politik, d. h. im Krieg, hat sich nun doch etwas ganz Großes ereignet. Nachdem England mit der Aufputschung der Neutralen in Finnland nichts erreicht hatte, stiftete es in Skandinavien Unruhe und plante dort, Truppen zu landen, um von da Deutschland besser angreifen zu können. England sprach aber nur und plante – der Führer dagegen handelte wieder. Kurz zuvor hatte er eine Begegnung mit Mussolini am Brenner gehabt.

Am Montag, 8. April, verletzte England Norwegens Neutralität durch Minenlegen in dessen Hoheitsgebiet. Darauf erfolgte am <u>9. April der Einmarsch und Landung der deutschen Truppen in Dänemark und Norwegen!</u> Zehn Stunden war der Führer der gleichen Absicht der Engländer zuvorgekommen. Die Besetzung dieser Gebiete ging wunderbar schnell – wieder eine herrliche Leistung.

Das Ganze geschah – laut Radio – um erstens zu verhindern, daß England unsere Erzzufuhr aus Schweden abschnitt, und zweitens zum Schutz der Neutralen. Dänemark war gleich damit einverstanden und stellte sich Deutschland zur Verfügung. In Norwegen dagegen kostet es Kämpfe. Es wird dauernd Widerstand geleistet vom norwegischen Heer. Was dieses störrische Benehmen die Norweger Blut kostet! Unsere schönen Kreuzer »Blücher« und »Karlsruhe« sind dabei zugrunde gegangen. Es wäre besser, sie nähmen Vernunft an. Wären wir nicht gelandet, so wäre es England gewesen. Und das wäre doch für die Neutralen nur unangenehmer. Nun sind fast täglich Kämpfe mit den Engländern, die zur Luft und zu Wasser in Norwegen eindringen wollen. Sie haben viele Verluste.

Manchmal könnte man glauben, auch in Holland würden noch Truppen einmarschieren, da von englischer Seite dies nun als letzte Möglichkeit genannt wird. Und der Führer käme ihnen auch da gewiß zuvor. Unsere Spionage muß phantastisch arbeiten. Hoffentlich nimmt der Krieg nun einen schnellen Fortgang.

Einmarsch und Landung der deutschen Truppen in Dänemark und Norwegen – das unter dem Namen »Weserübung« geplante Unternehmen war geglückt. Ich registriere ein besonderes Unbehagen beim Nachlesen dieser Art von Berichterstattung. Sie gibt die historischen Fakten vorwiegend richtig wieder, doch was sagen mir die Begründungen heute? Da ist sie wieder, die Einäugigkeit der gehorsamen Propagandistin, die totale Projektion: Blind war ich für unsere eigenen kriegerischen Absichten, für die deutsche Angriffslust; aggressives Denken und Handeln legte ich nur den anderen zur Last, entlastete damit uns, obwohl wir es waren, die zuerst zuschlugen, eine den befürchteten Ereignissen vorauseilende Reaktion. Besetzung *zum Schutz der Neutralen?* Hier erübrigt sich der Kommentar. *Störrisch* benehmen sich die Norweger, tadelte ich, als hätte ich es mit Kindern zu tun – wieder stellte ich mich aufs Elternpodest.

Hoffentlich nimmt der Krieg nun einen schnellen Fortgang – Zweifel und Angst schimmern hier durch: Wenn denn schon Krieg sein muß, so der verborgene Seufzer, möge er rasch vorbei sein und uns nichts Schlimmeres bringen!

21. Mai 1940
Ein Monat – seitdem ich hier nichts mehr schrieb – ist in der augenblicklichen Zeit sehr lang und sehr ereignisreich. Was ist nun nicht alles geschehen!
In Norwegen waren heftige Kämpfe, wie unnötig waren sie doch. In wenigen Wochen war natürlich auch der Widerstand Norwegens gebrochen. Die Kriegsgefangenen gab der Führer wieder frei. Er ist immer großmütig.
Und nun das Große, Gewaltige – der Krieg im Westen hat begonnen!! Am 10. Mai 1940 haben Holland, Belgien, Luxemburg erklärt, sich mit uns im Kriegszustand zu befinden, und an diesem Morgen sind unsere Truppen dort einmarschiert. Diese Neutralen zeigten stets eine englandfreundliche Haltung und waren bereit zum Einmarsch englischer Truppen.
Wir aber können uns wirklich auf unseren Führer und seine Fähigkeit, den rechten Augenblick zu erfassen, verlassen. Er hat wieder gehandelt und ist wiederum England zuvorgekommen. Wie herrlich, daß das deutsche Volk in dieser Stunde einen solchen genialen Menschen an seiner Spitze hat. Wir werden siegen. Es gibt keine andere Möglichkeit. Der Führer wird es schaffen.
Der Vormarsch aber ist beispiellos, von unerhörter Großartigkeit:
13. Mai: Lüttich in deutscher Hand!
14. Mai: Rotterdam kapituliert
15. Mai: Holland hat sich ergeben
17. Mai: Deutsche Truppen in Löwen, Mecheln, Brüssel!
18. Mai: Eupen, Malmédy gehören wieder zu Deutschland!
20. Mai: Laon genommen.
Ist das nicht ungeheuer groß. Kaum hat man das letzte Ereignis ganz erfaßt, schon wieder etwas Neues. Jetzt sind unsere Truppen bereits auf den Schlachtfeldern an der Somme. Wie im Weltkrieg, aber mit anderen Kräften.

Der »Führer« gibt die norwegischen Kriegsgefangenen frei, denn *er ist immer großmütig.* Ich baute vor, entlastete Hitler, bevor mir

Zweifel kommen konnten. Mißtrauisch inzwischen gegenüber jedem Wort oder Satz im Tagebuch, der sich auf Hitler, den Nationalsozialismus oder den Krieg bezieht, begreife ich, daß die Propaganda ein sich selbst verstärkender Prozeß ist. Je mehr einer/eine sieht oder sehen könnte, was wirklich los ist, desto mehr muß er/sie sich der Propaganda ausliefern, um der Wahrheit auszuweichen (oder muß in die innere Emigration gehen).

Lange schon hatten wir darauf gewartet: *Der Krieg im Westen hat begonnen.* 29mal hatte Hitler den Angriffstermin wegen schlechten Wetters verschoben. Doch was war nun *das Große, Großartige,* das sich am 10. Mai 1940 ereignete, was zeigt der Vergleich von Tagebuch und Geschichtsbuch? Aus strategischen Gründen überfiel die deutsche Wehrmacht in einer konzertierten Aktion ohne Kriegserklärung drei strikt neutrale Nachbarländer. Die Niederlande, Belgien und Luxemburg hatten keineswegs zuvor den Krieg erklärt, wie unser Lügenministerium uns in die Ohren blies. Die laue Rechtfertigung, *diese Neutralen zeigten stets eine englandfreundliche Haltung,* lautete im Klartext: Wer nicht für uns ist, ist gegen uns, die Freunde der »Feinde« sind unsere »Feinde«.

Ist das nicht ungeheuer groß – Siegphantasien des Unbewußten, wie sie uns bis in unsere Gegenwart demonstriert werden, verhelfen den Menschen dazu, daß sie die schlimme Kehrseite der grandiosen Siege aus ihrem Bewußtsein ausklammern können, gemäß dem immer gleichen Schema, daß der Sieger stets der Gute ist. Denn wohin käme die Welt, lautet die Frage, mit der wir uns auf seine Seite schlagen, wenn dem nicht so wäre? Der Sieger muß es schaffen, damit es gerecht zugeht, allüberall. Folgerichtig bedurften wir, je mehr wir unsere unbewußten Schuldgefühle verdrängten, immer neuer Siege.

Die atemlose Aufzählung – *Lüttich in deutscher Hand! Rotterdam kapituliert. Holland hat sich ergeben …* dokumentiert den allgemeinen Gefühlsrausch, in den die raschen Erfolge der Wehrmacht die meisten Deutschen versetzten. Den Beschwörungscharakter der lapidaren Sätze *Wir werden siegen. Es gibt keine andere Möglichkeit. Der Führer wird es schaffen* kann ich jedoch heute nicht mehr überlesen.

In den ersten drei Tagen wurden 1000 Flugzeuge vernichtet (und wie groß schien uns der Luftkampf, bei dem 30 Flugzeuge abgeschossen wurden). Nicht alle sind natürlich im Luftkampf abgeschossen oder durch Flak, viele auch am Boden zerstört worden.

Ganz ungeheuer heldenmütig muß die Leistung der Fallschirmjä-
ger und Luftlandetruppen sein, wie der Führer und Göring betonen,
und wie man auch durch die Auszeichnungen erfährt. Es sind gewal-
tige, erbitterte Kämpfe, sie kosten viel Blut. Die Verluste unserer
Truppen sind jedoch prozentual gering. Jeden Tag werden mehr als
100, 150 Flugzeuge vernichtet. Unaufhaltsam rücken unsere Trup-
pen vor.

In England ist nun der Kriegshetzer Churchill an Chamberlains
Stelle neulich getreten.

Und in diesen entscheidenden Tagen wurde auch die französische
Regierung umgebildet. Der Kriegsminister Gamelin (wohl noch der
vernünftigste) mußte abtreten, an seine Stelle kam der Marschall des
Weltkrieges Weygand. Wie alt sind die französischen Generäle.

Der ehemalige deutsche Prinz von Lippe-Biesterfeld, der Prinzge-
mahl der holländischen Thronfolgerin, ist jetzt in Paris – Landesver-
räter. Wird es nun so sein, daß zuerst Frankreich geschlagen wird
und dann die Strafe auf England kommt? Alles liegt in der Hand un-
seres Führers und unserer tapferen Soldaten.

Wie groß unser Führer ist, das können wir wohl erst jetzt ganz
ermessen. Sein Genie als Staatsmann hatte er bewiesen, aber nicht
geringer ist sein Feldherrngenie. Alle die Pläne zu diesen Feldzügen
stammen von ihm selbst. Und oft kümmert er sich um die kleinsten
Einzelheiten – sagt Göring. Er besitze ein unglaubliches militäri-
sches und technisches Wissen – und war selber bereits einmal Soldat.
Mit diesem Führer kann das Kriegsende für uns nichts anderes brin-
gen als den Sieg! Das ist die feste Überzeugung aller.

Wie verhält sich nun Italien weiterhin? Vor zwei Tagen sprach
Ciano in Mailand – die letzte Entscheidung bliebe dem Duce. Der
Ruf nach Malta, Korsika ist sehr laut. Es wird wohl nicht lange
dauern, bis auch sie eingreifen!

Was machte die Faszination der *Heldenmütigen* aus? Sie sind tapfer,
risikofreudig, vor allem aber todesmutig, allzeit zu sterben bereit –
erbitterte Kämpfe, sie kosten viel Blut. Ohne daß ich mir dessen bewußt war, glorifizierte ich, die Helden verehrend, den Tod. Indem
ich auf die *heldenmütigen* Kämpfer meine Hoffnung setzte, baute
ich gegen meine Ohnmachtsgefühle einen Wall. Auch mein Schicksal lag in der Hand unserer Soldaten, die im Bund mit dem »Führer«, dem *Feldherrngenie*, standen.

Alle die Pläne zu diesen Feldzügen stammen von ihm selbst. Und
oft kümmert er sich um die kleinsten Einzelheiten – sagt Göring.
Wer mit der Kriegsgeschichte nicht vertraut ist, könnte diese sim-

plen Sätze als propagandistisches Lobhudeln abtun, auf das ich hereingefallen war. Doch sie beschreiben, jedenfalls für die erste Phase des Krieges, im großen und ganzen die Tatsachen. Das von General von Manstein formulierte Überraschungskonzept, der Panzerdurchstoß durch die dicht bewaldeten Ardenner Berge und die Aufmarsch-Strategie des »Sichelschnitts«, wurde von Hitler gegen den Widerstand des Oberkommandos des Heeres durchgesetzt und überrumpelte die Alliierten. Auch die höchst effektiven Einsätze kleiner Spezialtrupps von Fallschirmspringern hinter der Front oder die Ausrüstung der Sturzkampfbomber mit »Jericho-Trompeten«, demoralisierendem Sirenengeheul, gingen auf Hitler zurück.

In Churchill sollte Hitler einen illusions- und kompromißlosen Gegner finden. Als neuer Premierminister faßte Churchill die demokratischen Kräfte in einem Allparteienkabinett zusammen und bereitete in seiner Antrittsrede sein Land auf nichts als »Blut, Mühsal, Tränen und Schweiß« vor. So sah die Wahrheit des *Lügenministers* Churchill aus. Sein Kabinett gab sofort den Bombenkrieg gegen das deutsche Hinterland frei. Der Luftkrieg begann.

Wie verhält sich nun Italien weiterhin? Diese angstvolle Frage stellten sich alle Deutschen.

Aber nun zu mir persönlich! Ich bin nun mitten drin in meinem 2. Trimester. Arbeit, wohin ich blicke. Man sieht kein Ende. Aber es ist schön. Herrlich ist das Studium. Man fühlt sich innerlich ganz weit werden und oft ganz glücklich dabei.

Mein erstes Referat habe ich nun gehalten: am Freitag, 17. Mai: »Walther von der Vogelweide und die Hohenstaufen«. Während ich daran arbeitete, fühlte ich (wie in seliger Schulzeit) einen Alpdruck. Es war sehr interessant. Von 4 Arbeiten wurde die meinige zum Vortrag gewählt.

Nachträglich konnte ich noch meine beiden ersten Hörgeldprüfungen machen (9. und 21. Mai) bei Borcherdt über die deutsche Klassik, bei Hartl über die deutsche Dichtung des 14. und 15. Jahrh. Beide mit 1.

21. Mai 1940
Kurz vor 11 Uhr abends.
Den heutigen Tag, der einen sehr netten Abschluß hatte in einer glänzenden Aufführung der »Widerspenstigen Zähmung«, diesen letzten Tag, bevor ich mein 21. Lebensjahr vollende, kann ich nicht zu Ende gehen lassen, ohne noch einmal schnell zurückzublicken und vorwärts zu schauen.

Morgen werde ich mündig, erwachsen also auch dem Buchstaben nach. An sich ist dies für mich ohne Bedeutung, aber wie ich nun einmal bin, suche ich in diesem Tag doch das Besondere.

Wie war meine Jugend bis jetzt? Schön war sie, aber nicht voll ungetrübter Freude. Uns zeigte sich neben der Sonnenseite stets auch die Schattenseite des Lebens. Was wird mir wohl mein ferneres Leben bringen?

Ich wünsche mir nichts, als daß ich Mutti alles vielfach vergelten kann, was sie uns an Liebe gibt und an Opfern bringt. Mit Hermann möchte ich weiterhin ein dauernd geschwisterliches Verstehen und immerwährenden Zusammenhalt. Möge uns das Schicksal noch lange beieinander bleiben lassen.

Und mir wünsche ich aus tiefster Seele ein Leben der Erfüllung, das Leben einer Frau und einer Mutter. Nur in einem Kinde kann ich den Sinn des Lebens erblicken.

Dank für alles, was mir das Leben alles schenkte, Gutes und Schönes, Dank für meine liebe Mutti, meinen lieben Papa. Dank für das Leben. [...]

Der Sinn des Lebens? Im Geist sehe ich die Tagebuchschreiberin plötzlich noch einmal auf der Schulbank sitzen und einen Klassenaufsatz schreiben. Und ich stelle mir vor, das Thema hätte »Der Sinn meines Lebens« gelautet, und wie die Primanerin, ansonsten bekannt für ihre Neigung zu Dramatik und Bewegung, ob es um Inhalt oder Sprache ging, sich mit einem einzigen Satz begnügt und wie sie ihn, in deutscher Schrift natürlich, aufs Blatt gebracht hätte, gleich einem Setzer auf gute Form bedacht:

Der Sinn
meines Lebens
ist
Ehe und Mutterschaft

und wie Herr H., der Klassenlehrer, nicht gezögert und »sehr gut« daruntergeschrieben und hinzugefügt hätte: »Überzeugende Kurzform. Erkennt, worauf es für das Volk und den einzelnen ankommt.«

Was treibe ich da gerade? Ich phantasiere. Am erfundenen Aufsatzbeispiel verdeutliche ich mir, daß sich meine private Lebensvorstellung mit der Lehrmeinung meiner Zeit – nur als Frau und Mutter ist die Frau etwas wert – vollkommen deckte. Auf diese Weise versuche ich Distanz herzustellen zu einem Kapitel, das an tiefe, alte Emotionen rührt. Über 50 Jahre liegen zwischen der Einund-zwanzigjährigen, die ich war, und mir, die diese lange Zeitspanne überblicken kann. I c h weiß, was die Junge mit ihrer eindimensionalen Lebenssicht erwartete, und darum dauert sie mich, diese Lore. Hätte sie es wenigstens für m ö g l i c h gehalten, daß es Alternativen gibt, andere Formen eines äußerlich und innerlich reichen, Sinn-vollen Lebens, ein langer und steiniger Weg wäre ihr erspart geblieben. Sie wußte um ihre schöne Mitgift, den nie erlahmenden Trieb zu lernen, sich weiterzuentwickeln, aber sie erkannte die darin verborgene kreative Kraft nicht. Noch einmal, junge Lore, du dauerst mich!

Sachlich ausgedrückt: Das Tagebuch einer einzelnen lichtet das Klischeebild einer ganzen Generation junger Frauen ab, die sich, vorgeprägt von elterlicher Erziehung, doppelt leicht und überzeugt einpaßte in die nationalsozialistische Rollenschablone – Frau und Mutter und sonst gar nichts. Die Frau im Haus und im Wochenbett, die »dem Führer Kinder schenkt«, sie zu guten Nationalsozialisten erzieht, auf Beruf verzichtet und auf Mitsprache im öffentlichen und politischen Leben …

München, 10. Juni 40
Bedeutende, große, herrliche Tage!
26. Mai: Calais ist gefallen!
  28. Mai: Belgien kapituliert (König Leopold tut es gegen den Willen seiner Minister!)
  In diesen Tagen Höhepunkt der Flandernschlacht.
  4. Juni: Das Oberkommando der Wehrmacht gibt bekannt: »Der große Kampf in Flandern und im Artois ist zu Ende«: »bisher größte Vernichtungsschlacht aller Zeiten«.
  Das englische Expeditionsheer wurde völlig aufgerieben, ebenso die französische Armee. Diese Zahlen sind beispiellos: Über 1,2 Millionen Gefangene! Waffen usw. von 75–80 Divisionen erbeutet! Die Luftwaffe schoß vom 10. Mai – 3. Juni 1841 feindliche Flugzeuge ab, am Boden außerdem 1600–1700 vernichtet. Viele, viele Schiffe versenkt, zerstört.
  Unsere Verluste dagegen:
  10252 Tote   )
  * 8463 Vermißte   )   vom 10. Mai – 1. Juni*
  42523 Verwundete   )
  Um am nächsten Tag schon werden die Truppen an anderen Stellen eingesetzt.
  4. Juni: erster Großangriff auf Pariser Flugplätze usw. (am 3.

und 4. Juni feindliche Flieger über München! Wir saßen im Keller etwa 1 Stunde, nachts)

9. Juni: Wieder ein englischer Flugzeugträger vor Narvik zerstört!

10. Juni: Narvik kapituliert!

10. Juni 1940! Eintritt Italiens in den Krieg!

Immer größer wird mein Glaube an ein baldiges Kriegsende.

Häschens Bruder und ihr Zukünftiger sind gefallen. <u>Klaus R.</u> ist gefallen! Er war ein feiner Kerl, einer der wenigen, mit denen ich mich noch verstand. Es ist sehr traurig. Wie genau erinnere ich mich noch an die Tanzstunde.

Erfreuliche, persönliche Dinge: das sind meine Wochenendfahrten [mit dem Fahrrad], *auf denen ich die große Schönheit des bayerischen Landes kennenlerne.*

25.–26. Mai: <u>Fahrt nach dem Tegernsee</u> mit Irms, mit der ich mich so gut verstehe. [...] *An diesem Sonntag abend sah ich eine glanzvolle Aufführung von »Aida«.* [...]

7. Juni: <u>Exkursion</u> mit Borcherdt nach <u>Oberammergau</u>. Auf dieser Fahrt habe ich eine – ich glaube ziemlich gute – Freundschaft geschlossen: Gisela S., eine Berlinerin, mit der ich zum Arbeiten manchmal zusammen war, ein lieber, feiner Kerl. [...], *herb, verschlossen, klug, klarer Blick für die Menschen. Sie studiert Germanistik und Kunstgeschichte.* [...]

Meine arme Rotraut! Eine Woche nach meinem Geburtstag, zu dem sie mir so herzlich gratulierte und empfahl, möglichst bald ihrem Beispiel zu folgen und mich zu verloben, erhielt ich die furchtbare Nachricht, daß Wolfgang gefallen ist! Und sie waren so glücklich. Sie ist ganz verzweifelt. Sie tut mir so leid, und ich leide aus der Ferne mit ihr, denn ihr Glück hat mich auch richtig glücklich gemacht.

Wie oft noch werde ich mich wundern über diese Notate, die Daten, Schlagzeilen, Ziffern, diesen Drang – oder Zwang? – zur Aufzählung an einem Frühlingstag, wahrscheinlich abends, nach der Arbeit oder einem Spaziergang vielleicht? Ein Radiogerät, den »Volksempfänger«, besaß ich nicht. Habe ich mir Notizen gemacht, Zeitungen aufgehoben und nachgetragen, wenn Zeit dazu war? Wenn ich das noch wüßte!

Bedeutende, große, herrliche Tage! Wie sahen sie wirklich aus? Ich lese einmal, zweimal, ich lese schnell. Wieder zeigt sich, schärfer jetzt, das bekannte Schema. Nur Erfolge konnte ich sehen, auch die vergleichsweise »geringen« Verluste auf deutscher Seite verbuchte ich hier. Das wahre Gesicht des Krieges, die Toten auf b e i d e n Seiten und das Chaos bei den Besiegten in diesen Wochen, blendete ich aus meinem Bewußtsein aus. Meine Mitmenschlichkeit mußte stumm bleiben, denn hätte ich Mitleid und Schmerz, Angst- und Schuldgefühle hochkommen lassen, hätte ich den Krieg verdammen müssen. So wie ich reagierte die Masse der Bevölkerung.

Immer größer wird mein Glaube an ein baldiges Kriegsende. Mein Glaube, immer größer? Immer größer wurde mein Schmerz. Wieder war ein junger Mann gefallen, den ich mochte, und es hatte der Krieg die Beziehungen von jungen Frauen, die mir lieb waren, zerstört. Rotrauts Verlobungsglück währte sechs Wochen. Die unverhüllte Trauer läßt meinen inneren Zustand erkennen.

Korrektur einer Kriegsnachricht: Die eingekesselte Armee der Alliierten wurde nicht *völlig aufgerieben;* in einer Rettungsaktion der britischen Marine (»Unternehmen Dynamo«) – dem »Wunder von Dünkirchen« – wurden fast 340 000 Soldaten, darunter über ein Drittel Franzosen, auf rund 850 Schiffen evakuiert.

München, 16. Juni 40
14.VI.40: Feldzug in Norwegen zu Ende!
Frontalangriff auf die Maginotlinie *beginnt! Freitag, 14. Juni 1940, genau 5 Wochen, nachdem der Kampf im Westen angefangen hatte:* Paris in deutscher Hand!

Paris hat sich – offene Stadt – ergeben. Welch eine moralische Wirkung muß das auf die Franzosen haben. Für Paris war es gewiß ein Glück – es wäre schade um die Stadt gewesen, und uns ist viel Blut und Kampf erspart geblieben. [...]

Samstag, 15. Juni:
Verdun mit allen Forts gefallen! [...]

München, 17. Juni 1940
Ein wunderbarer, großer Tag! Wir erleben wirklich große Geschichte.

Heute Mittag hörte man im Radio, daß unsere Truppen die Maginotlinie an der Saar durchbrochen, die Schweizer Grenze südlich Besançon erreicht haben! Der Ring um die französischen Truppen in Elsaß-Lothringen ist geschlossen.

Der englandhörige Minister [Präsident] *Reynand ist gestürzt. Wie alle diese Feiglinge ist er geflüchtet, nach Amerika, Marschall Pétain bildete eine neue Regierung, die Krise in Frankreich ist also auf dem Höhepunkt.*

Und nun das Herrliche, Unfaßbare: Um 17 Uhr 50 kommt aus dem Führerhauptquartier die Meldung:
Frankreich legt die Waffen nieder!
Und ist zu Friedensverhandlungen bereit!!! Der Führer und der Duce werden deshalb nun eine Zusammenkunft haben.
Oh, man kann dies Glück kaum fassen! Alle waren wir optimistisch, glaubten an den Sieg des Führers, aber daß Frankreich in 5 Wochen kampfunfähig wäre, das hat keiner erwartet. Gottseidank! Wieviel Blut bleibt uns erspart. Und die Franzosen konnten auch zur Rettung ihres Landes und Volkes nichts Klügeres tun.
Welch einen Schrecken müssen nun die Engländer haben, was für eine Angst! Ich habe nie furchtbare Haßgefühle gehabt – aber eines wünsche ich: Der Führer soll diesmal nicht so human sein und soll den Engländern einmal einen kräftigen Denkzettel geben – denn an all dem Unglück und Elend, in das so viele Völker gestürzt wurden, sind allein sie schuld. Und es ist nur gerecht, wenn sie diesmal nicht unversehrt aus dem Kampf hervorgehen. Alle haben geblutet, sie sollen auch spüren, was der Krieg bedeutet. Man kann nur wünschen, daß es nicht all den Kriegshetzern gelingt, sich vorher noch in Sicherheit zu bringen!

Immer wieder diese Bestätigung, *wir erleben wirklich große Geschichte,* jeder Tag ist *historisch,* noch unsere Nachkommen werden darüber sprechen, und wir waren die Macher, brauchten uns dem Schicksal nicht ausgeliefert zu fühlen. *Oh, man kann dies Glück kaum fassen!* Eigentlich, so die unterschwellige Aussage, vermochten wir ja gar nicht zu glauben, daß ein solcher Sieg wirklich möglich sein würde und gar ohne schwerste deutsche Verluste – jetzt wagte sich leiser Zweifel hervor.

Meine eigene Angst übertrug ich auf die Engländer, *was für Angst* müssen sie nun haben! Zugleich entlarvt sich ein Gefühl, das mir eigentlich fremd war, wie ich meinte – Haß. Ich panzerte mein Herz gegen das Mitgefühl. Nun sollen sie auch bluten! Hitlers Enttäuschung über die Briten, die ihm die Neutralität verweigert hatten, welche ihm die Öffnung des deutschen Lebensraums nach Osten absichern sollte, läßt sich im Tagebuch wiedererkennen, und wieder erweist es sich als Sprachrohr der NS-Propaganda: *Es ist nur gerecht, wenn sie auch spüren, was der Krieg bedeutet.*

München!, 18. Juni 1940
Es war doch nicht ganz richtig, wie wir gestern dachten. Noch geht der Kampf im Westen weiter. Die Franzosen haben nur das Angebot

185

gemacht, das anscheinend erst nach der Führer-Duce-Besprechung angenommen wird, wenn die Franzosen andererseits die Bedingungen annehmen. Welche werden es sein? Unterdessen gelang heute ein ganz großer Schlag: Le Creusot, Frankreichs Waffenschmiede, ist genommen, ebenso Belfort, Dijon, Metz, Kolmar. Um so mehr können nun die Franzosen unter Druck gesetzt werden.

Und das ganz Unerwartete: Mit keinem Gedanken habe ich daran gedacht, daß die Unterredung des Führers mit dem Duce in München stattfinden könnte! Ganz ahnungslos bin ich heute morgen in die Uni gefahren. Alle Vorlesungen fielen aus.

Mit Gisela, Irms, Hase machte ich mich auf den Weg in die Stadt, ganz München war auf den Beinen. In der Neuhauserstraße standen wir einige Stunden, als um 1/2 1 Uhr etwa der Führer kam, ernst, blaß, er sah schlecht aus, kein Wunder bei diesen Sorgen. Um 3 Uhr kam er dann gemeinsam mit dem Duce, den er am Bahnhof abgeholt hatte; ein ganz großer Jubel. Abends gegen 1/2 9 Uhr kamen Mussolini und Ciano von der Unterredung und fuhren über den Odeonsplatz, wo wir standen, zu dem Palais in der Prinzregentenstraße, wo der Duce wohnt. Etwa 4 Stunden muß die Besprechung gedauert haben. Was wird das Ergebnis sein? Es ist ein eigenartiges Gefühl, wenn man sich überlegt, daß diese Augenblicke von historischer Bedeutsamkeit sind und man selbst erlebt ein Stückchen davon mit. Ich glaube, die Größe dieser Zeit, die wir leben und erleben, ganz zu erfassen, gelingt uns noch nicht völlig.

25. Juni 1940

Im Westen ist seit heute früh, 1 Uhr 35, Waffenruhe – Gott sei Dank! Sechs Stunden, nachdem die Franzosen auch den Waffenstillstand mit Italien unterzeichnet hatten, trat der Waffenstillstand in Kraft.

Es ist unsagbar schön zu wissen, daß im Westen der Kampf nun zu Ende ist, daß dort kein Blut mehr fließt. (Es ist grauenvoll zu denken, wieviel deutsches Blut auf westlichem Boden im Laufe der Generationen dahingeströmt ist! Wird das nie ein Ende nehmen?)

Am 22. haben die Franzosen den Waffenstillstand mit Deutschland unterzeichnet: Es war an der gleichen Stelle wie 1918, im Wald von Compiègne. In Gegenwart des Führers wurde ihnen eine Präambel vorgelesen – Deutschland wird Frankreich wie einen tapferen Gegner behandeln; der Waffenstillstand soll Deutschland aber die Weiterführung des Krieges gegen England sichern. Wie wird es in England in 6 Wochen aussehen?

Gestern habe ich die Wochenschau gesehen – Bilder vom Kampf im Westen und vom Einzug der deutschen Truppen in Paris. Es ist einfach grauenhaft, wieviel in Frankreich durch den Krieg zerstört wurde. Wir müssen ewig dankbar sein, daß deutsche Städte und Dörfer von dieser Vernichtung verschont blieben. Es wird Jahre dauern, bis Frankreich wieder alles aufgebaut hat, glaube ich. Wunderbar ist, bei all den Kämpfen wurden die herrlichen Kunstwerke in Frankreich geschont: die schönen Kathedralen in Reims, Rouen usw.

Wie wird sich der Verlust an jungen Männern in Frankreich auswirken? In Deutschland reißen die Gefallenen schon eine große Lücke – aber wir haben doch doppelt so viel Menschen in unserem Volk. Aber Frankreich, eine vergreiste Nation, rassisch nicht mehr einwandfrei – wird es sich erholen? Wenn sein Geist so stark wäre wie der deutsche nach Versailles, dann müßte es diesen Krieg überwinden können. Ob wohl auch das Rassenproblem in Frankreich, in Europa überhaupt, eine Lösung findet, wenn Frieden geschlossen wird?

Heute fielen an dem großen Tag ab 9 Uhr alle Vorlesungen aus (10 Tage lang Flaggen, 7 Tage Glockenläuten). Vormittags waren wir, d.h. mit Irms und Gisela, 2 Stunden schwimmen, leider gab es starken Gewitterregen. Gegen 5 Uhr sind wir dann in ein Café gegangen und haben uns ewig lang unterhalten. […]

München, 6. Juli 40
Vor wenigen Tagen wurden die Verluste, die unsere Truppen vom 10. Mai bis zum Waffenstillstand im Westen hatten, bekanntgegeben:

27074 Gefallene
18384 Vermißte
111034 Verwundete.

Es müssen sehr harte Kämpfe gewesen sein. Ich habe Wochenschauen gesehen, da konnte man sich ein Bild machen. Sehr interessant war die Wochenschau, die den Führer im Wald von Compiègne und die Verlesung der Waffenstillstandsbedingungen in dem historischen Salonwagen zeigte. Ein Bild war ganz reizend – als der Führer das Ende im Westen erfuhr, sah man, er war vergnügt wie ein Bub – schlug sich auf das Knie und stampfte mit dem Fuß auf den Boden und strahlte über das ganze Gesicht.

Das Verhältnis der Franzosen zu den Engländern gestaltet sich direkt tragisch oder amüsant, wie man will. Am 3. Juli hat zwischen beiden eine Seeschlacht! bei Oran stattgefunden, als die Franzosen die Übergabe ihrer Schiffe verweigerten. So behandeln die Engländer ihre Verbündeten.

In einer Vorlesung sprachen wir davon, daß in England eine zunehmende Entnordung festzustellen ist und daß diese sich besonders in der Umwandlung des seelischen Gefüges bemerkbar macht. Darüber habe ich nie richtig nachgedacht. Es leuchtet mir sehr ein. Es gibt unzählige Beispiele dafür.

Der Höhepunkt in dieser ganzen Sache ist aber der Abbruch der diplomatischen Beziehungen Frankreichs zu England!! Gestern am 5. Juli!!!

Die Engländer geben im Westen und Norden Deutschlands keine Ruhe. Dauernd Fliegerangriffe auf freie Städte usw. Bei uns daheim merken sie viel davon. Mutti schrieb, daß fast jede Nacht Alarm sei. Zwar wären die Flieger bisher nicht nach Alzey selbst gekommen – in der Nacht vom 1. zum 2. Juli aber haben sie 80 bis 100 Brandbomben über Alzey abgeworfen! Gottseidank richteten sie keinen Schaden an, brannten meist in Gärten usw. aus. Außerdem haben sie sie in Felder geworfen wie auch irgendeinen weißen, kalkähnlich aussehenden Stoff – zur Vernichtung der Ernte! Ist das noch menschenwürdig? Solche Nachrichten von zu Hause sind sehr beunruhigend.

Gestern habe ich aus Frankreich heimkehrende Truppen gesehen. Ein ganzes Armeekorps aus Österreich kam hier durch. Dieser Jubel, dieses Strahlen der Soldaten, die vielen Blumen und Geschenke, die ihnen zugeworfen wurden!

Waffenruhe im Westen, Entlastung. Und sogleich begegne ich wiederum, schwarz auf weiß, der Einseitigkeit meiner Gefühle. Ob es um den Ersten oder Zweiten Weltkrieg ging, meine Gedanken und Gefühle nahmen einzig und allein das Sterben deutscher Soldaten auf den Schlachtfeldern westlich des Rheins wahr.

Ich mache auch neue Entdeckungen. Nun, da die »Schmach von Versailles« getilgt war, hatte ich gegenüber den Franzosen auch keine Triumphgefühle mehr nötig. Im Tagebuch fehlt daher die Schadenfreude über die Demütigung der Besiegten im Wald von Compiègne. Am Ort der deutschen Kapitulation, die den Ersten Weltkrieg beendete, mußten nun die Franzosen die deutschen Waffenstillstandsbedingungen unterzeichnen. Die besondere Kränkung bei der Zeremonie erwähnte ich in meinen sonst so genauen Aufzeichnungen nicht: Der alte Salonwagen, in dem die Besiegten von 1918 ihre Unterschrift geleistet hatten, wurde aus dem Museum herbeigeschafft, und Hitler benutzte den Stuhl Marschall Fochs, des damaligen alliierten Oberkommandierenden.

Hitlers »Freudentanz« vermerkte ich mit Vergnügen. Der »Füh-

rer«, wie er bei der Nachricht vom französischen Waffenstillstands-
angebot lacht, sich auf den angewinkelten Schenkel haut, das war,
wie wenn ein Vorhang beiseite geschoben wurde; ein bißchen, so
schien es uns, durften wir den wahren Menschen sehen, denselben,
der immer die Köpfe der Kinder tätschelte, die ihm Blumen schenkten. Wer die oft gezeigte Wochenschauszene genau ansieht, mag Unterschiede zum Bild des Kinderfreundes finden. Dieser handelte bewußt, auf Wirkung bedacht, und kam bei seinen Anhängern damit
immer an. Der Auftritt vor der Wochenschaukamera könnte von anderer Art gewesen sein. Glaubte er sich da nicht doch selbst seine zur
Schau gestellten Gefühle? Wie auch immer, die Szene wirkte. Gerade
eben hatte ich mir im Tagebuch erlaubt, die Kehrseite des Krieges und
damit unsere Schuld zu sehen – die Zerstörungen sind *grauenhaft*.
Auch Mitgefühl mit der französischen Nation vermochte ich jetzt zu
empfinden und zu zeigen, dieser Nation, die, ohnehin *vergreist*, den
Tod so vieler junger, potentieller Väter zu beklagen hatte. Der Freudentanz des »Führers« vermittelte mir nun jedoch die Botschaft, daß
es mit den *harten Kämpfen* am Ende so schlimm denn doch nicht
sein konnte, sie beschwichtigte Unsicherheit und Skrupel; seine de-
monstrative Vergnügtheit wischte Angst, Trauer und Schuldgefühle
wieder weg, ja, sie riß uns mit und löste auch bei uns Freude aus.

Der unvermittelte Übergang vom Eingeständnis sehr harter
Kämpfe und der Aufzählung der Verluste (die damals wahrheitsge-
mäß mitgeteilt wurden) zur genauen Beschreibung von Hitlers
Freudenäußerung erhellt, wie das Unbewußte die Verdrängung ins
Werk setzt.

Zum erstenmal tauchen hier auch Rassenschlagworte auf. Ich
muß mir eingestehen, und das macht mir ein sehr elendes Gefühl,
daß ich die Unwerttheorien der nationalsozialistischen Ideologie
ohne den geringsten Zweifel, ohne die kleinste Anstrengung zu
eigenständigem Denken übernahm. Gegenüber dem *rassisch nicht
mehr einwandfreien* Volk der Franzosen kehrte ich unverhohlene
Überlegenheitsgefühle heraus. Ich fühlte mich der »germanischen
Rasse« zugehörig – ich, die Rheinhessin, in deren Heimat einst die
Kelten gesiedelt und die Römer geherrscht, wo französische Soldaten nicht nur Land verwüstet, sondern auch Kinder gezeugt hatten ... Selbst hinter den größten propagandistischen Unsinn setzte
ich, damals einundzwanzig Jahre alt, kein Fragezeichen. Wie eine
Studentin sich das Denken vernebeln ließ – hier wird es vorgeführt.
Die Engländer, unsere Hauptfeinde, die als nächste vernichtet werden sollten, mußten schlechtgemacht werden. Um den Haß aufzu-
laden, wurden Feindbild und Rassenwahn vermischt. Bisher hatten

die Engländer als Nordländer gegolten. Da man ein Mitglied der germanischen Rasse nicht angreifen konnte, wurden sie durch Diffamierung – *Entnordung, Umwandlung des seelischen Gefüges* – aus der Gemeinschaft der Herrenvölker ausgestoßen, rassisch degradiert. So werden Feindbilder aufgebaut und aufrechterhalten.

München, 24. Juli 40, abends 1/2 7 Uhr.
Großer, etwas banger Tag heute. Abschiedskummer von Gisela [...].
Koffer sind gepackt, Zimmer aufgegeben (sie hat sich noch ganz übel entpuppt, diese Wirtin), und nun geht's los, ins Ungewisse, d.h. zum Landdienst ins Protektorat. Es ist mir nicht restlos wohl zu Mute dabei. Obwohl ich mich doch vorher fast drauf gefreut habe. Fünf Wochen sind lang. Schon jetzt freue ich mich dann auf zu Hause.

Um 1/2 12 Uhr heute nacht müssen wir am Bahnhof sein, um 1/2 3 Uhr soll's losgehen. Na, es wird wohl ganz interessant.

Und Gisela bleibt nun 5 Wochen hier und arbeitet. Und dann wird sie doch noch nach Berlin fahren, wenigstens einige Ferientage. Hoffentlich kommt sie wieder nach München zurück! Es ist noch ungewiß. Ich wünsche es so sehr. Ich habe sie richtig gern und bin so glücklich, daß ich sie kennengelernt habe. [...]

Heute habe ich erfahren, daß Hermann in Warschau ist – als Rekrut. Er hat strengen Dienst.

Und nun mir selber ein Glückauf zum Landdienst!
Will ich nun auch hier mal wieder Optimist sein.

Otten/Mähren, 29. ~~Juli 40~~
Landdienst!
Nun ist es also so weit. Und wieviel besser ist alles gegangen und wieviel netter ist es, als ich gedacht habe. [...] Die ganze Halle war voller Studenten, überall suchten sich die Gruppen, die zusammengehörten – bei der verdunkelten Beleuchtung von einiger Schwierigkeit. Dann wurden wir im Sonderzug verfrachtet, und Gottseidank um 1 Uhr verließen wir den Bahnhof. [...] Die Strecke war München – Fürth a. Wald – Pilsen – Tabor – Iglau. In Tabor kamen wir gegen 2 Uhr mittags an. Auf dem Bahnhof stand uns zu Ehren eine deutsche Militärkapelle, wir marschierten durch die nette kleine – tschechische! – Stadt zum Marktplatz, dort kurze Begrüßung, dann bekamen wir alle Mittagessen aus einer Feldküche. An den Geschäften, überall tschechische Namen – es war eigenartig, für mich das erste Mal, daß ich in einem fremden Land bin. Um 4 Uhr fuhren wir weiter, kamen nach 7 Uhr abends in Iglau an.

Unsere Koffer blieben am Bahnhof, wir marschierten, die Jungens in Uniform, wir im dunklen Rock und weißer Bluse, die Mädels als Gruppe zwischen den Jungens, zum Marktplatz. Die Begrüßung durch die deutsche Bevölkerung, die die Straßen säumte, war ergreifend. Wie strahlten die Leute und jubelten den deutschen Studenten aus dem Reich zu! Der Aufmarsch auf dem Marktplatz klappte tadellos. Es folgten kurze Ansprachen, dann gingen wir zu einer Schule, wo wir Abendessen bekamen, auf Matratzen oder Strohsäkken schliefen wir.

Der folgende Tag, Samstag, war dann ganz »Einführungslager«. Und das war aber viel netter als wir erwartet hatten. Die Reden am Vor- und Nachmittag, die uns über Verwaltung, Bauerntum, Volkstum der Sprachinsel gehalten wurden, waren nicht langweilig und nicht unendlich lang. Und im übrigen hatte die Studentenführung großes Verständnis für unsere Bedürfnisse und Wünsche, mittags gingen wir schwimmen, abends durften wir ausgehen. [...]

Im Protektorat Böhmen und Mähren – dem Deutschen Reich seit der »Zerschlagung der Resttschechei« am 16. März 1939 angegliedertes »Schutzgebiet« – lebten unter 7,5 Millionen Einwohnern 225 000 Deutsche. Der Ernteeinsatz, zu dem etliche hundert Münchner Studentinnen und Studenten im Sonderzug gebracht wurden, war, in heutigem Deutsch, ein pflichtmäßiger Solidarbeitrag der studentischen Jugend während der Semesterferien im Interesse volksdeutscher Bauern, kostenlose Erntehilfe ebenso wie eine Demonstration der Verbundenheit, der »Gemeinschaft aller Deutschen«. Die »Deutsche Iglauer Sprachinsel«, im 12./13. Jahrhundert entstanden, umfaßte 70 Dörfer; nach 1918 bildeten die Deutschen dort nicht mehr die Mehrheit.

Tabor, *die nette kleine – tschechische! – Stadt,* das Ausrufezeichen unterstrich die Sensation: Als Einundzwanzigjährige erlebte ich zum erstenmal Ausland, Menschen, die nicht deutsch sprachen, eine freundliche Kleinstadt, bewohnt von Tschechen, dem Volk, das die NS-Propaganda monatelang attackiert hatte. In Iglau – *der Aufmarsch klappte tadellos* – präsentierten wir uns, uniform gekleidet, als propere Deutsche, so, wie man uns sehen sollte. Wie wir die Volksdeutschen und die Tschechen sehen sollten, das wurde uns im »Einführungslager« beigebracht.

Otten, 7. August 40
Am Samstag, 27. Juli war dann die Verteilung der Jungens und Mädels mit Koffern und Rädern auf Lastwagen den Dörfern entsprechend zusammen, und dann gings los. [...] Mit Otten habe ich gera-

dezu das große Los gezogen für den Landdienst. Ich kam bei dem »Sklavenmarkt« zur Familie Johann B., ein Ehepaar in den 30er Jahren, zwei Jungens von 6 und 5 Jahren. Die Leute sind sehr nett. Besonderes Glück habe ich mit meiner Unterbringung, ich habe ein helles, freundliches Zimmer mit 2 Betten, für mich allein (das Haus ist neu). Die ganze Familie schläft in zwei Betten in der Küche. Wie gut ich es mit meinem »Einzelzimmer« habe, das erkannte ich sehr bald, denn die Jungens schlafen fast alle mit dem Bauernpaar zusammen oder gar mit der ganzen Familie. Und das wäre mir sehr unangenehm. Mängel gibt es bei mir natürlich auch, das Zimmer hat z. B. keine Vorhänge, geht dazu noch auf die Straße – jeder, der vorbei geht, schaut sehr interessiert herein.

Das größte Manko ist die Waschgelegenheit. Die Waschschüssel muß ich erst eine Viertelstunde bearbeiten, bevor ich sie benützen kann. Morgens wasche ich mich deshalb an der Pumpe, abends manchmal am Teich. Ja, das ist das schönste, der kleine Teich beim Dorf. Nach der Arbeit gehn wir gewöhnlich dorthin, nette Stunden haben wir da schon verlebt. ...

»Wir hier«, das sind 2 Mädels [...] und 5 Jungen. [...] Wir haben hier ein fabelhaftes Clübchen aufgetan. [...] Von mir kann man wohl auch sagen, ich sei »auf Draht«, ich gelte hier so etwas als Mittelpunkt. Das freut mich so sehr, daß mich alle gern mögen, denn in früheren Jahren, zu Hause, war ich ja nicht so sehr beliebt. [...] Aber hier haben ja alle Geist, und da ist es oft sehr amüsant.

In diesen zwei Wochen war die Arbeit noch nicht so ganz doll, denn die Ernte fängt ja erst nächste Woche an, dann ist die Hälfte der Zeit schon vorbei. Ich habe es sehr gut, ich schlafe bis kurz nach 8 Uhr, denn im Stall brauche ich gar nichts zu helfen. Ich war schon öfters auf dem Feld, im Heu, beim Kleeheu, Mistbreiten, gerade heute helfe ich Mistaufladen, die unangenehmste Arbeit, weil sie so schwer ist. Alle diese Arbeiten sind Arbeiten, die wir im R.A.D. nicht machten, weil dies Sache der Männer war. Die Erfahrungen des R.A.D. sind mir jetzt wieder ganz wertvoll, ich weiß doch gleich, wie eine Arbeit angepackt wird.

Am meisten freue ich mich immer auf den Abend, da treffen wir uns gewöhnlich alle, entweder bei einem Bauern, oder am Teich oder wir gehen vielleicht nach Stannern zum Dorfabend oder Tanzen.

Mittwochs und samstags ist das Tanzverbot ja nun aufgehoben, und da haben wir vergangenen Mittwoch einen furchtbar netten Tanzabend gehabt, und ich habe mich nach Herzenslust »ausgetobt«. Mit mir tanzen alle gern, an Stimmung fehlt mirs nicht, ein solcher Abend macht mir Heidenspaß.

Am Samstag hatten wir hier in Otten einen Dorfabend veranstaltet, die Jungens wußten sehr nette, lustige Sachen, er fand großen Beifall. Hinterher haben wir noch getanzt; dann waren wir so in Stimmung und Hitze, daß wir ganz »Eisernen«, Gerd, Sepp, Pit und Jule und ich noch um 2 Uhr nachts in den Teich zum Schwimmen gingen. [...] Die Jungens haben mich aus dem Fenster gehoben und [so] kam ich auch später wieder herein. Selbstverständlich hat sich dieser Spaß in unsren beiden Dörfern schnell herumgesprochen. »Dein guter Ruf ist hin«, haben mir die Jungens erklärt – was haben wir schon darüber gelacht.

Unser Clübchen unternimmt fast alles gemeinsam, das ist der große Unterschied zu denen in Stannern, wo es nur Einzelgänger oder Pärchen gibt. Dazu haben wir einen viel besseren Kontakt mit den Bauern, wir kennen alle, können zu jedem ins Haus kommen. Wir besuchen uns auch öfters mal schnell gegenseitig.

Interessant ist es hier, denn zum ersten Mal kommt man, d.h. ich, mit einem fremden Volk zusammen, wenn auch der Boden hier deutsch ist, deutsch gesprochen wird, daneben wird doch auch mal tschechisch gesprochen, 5 Häuser im Dorf sind tschechisch. Die Tschechen halten sich ganz für sich. Interessant ist, was die Bauern über den Anschluß des Protektorats zu Deutschland erzählen. Hier haben sie allerdings nicht so viel mitgemacht wie in Nordmähren, dort waren die Tschechen viel aggressiver. Im vorigen Jahr haben unsere Studenten in Stannern die Schule wieder deutsch gemacht, d.h. die Tschechen vertrieben.

Am Sonntag früh waren hier zwei Beamte aus Iglau, die sich danach erkundigten, wie wir untergebracht waren. Sie haben uns Verschiedenes von den Problemen hier erzählt, es ist doch nicht ganz so gut mit dem Deutschtum hier bestellt, wie wir dachten.

Noch drei Tage, bevor die neuen Grenzen festgelegt wurden, haben die Tschechen 3000 Deutsche oder deutsch Gesinnte ins Sudetenland versetzt und dafür die doppelte Zahl Tschechen hereingenommen. Mitten im Sieg ein ungeheurer Blutverlust für das Deutschtum. Das größte Problem hier ist wohl das der Nachkommenschaft. Die 5 tschechischen Familien hier im Dorf haben eben so viele Kinder wie die 29 Deutschen. Man kann sich ein klares Bild davon machen, wie es in der nächsten Generation hier aussieht, wenn das so weitergeht. Und sehr häufig sind die Mischehen. Die Leute hier haben im allgemeinen sehr helle Köpfe, die Bauern sind sehr intelligent, besonders in politischen Dingen sehr auf der Höhe. [...]

Wieder belegt das Tagebuch mein kritikloses Einverständnis mit Hitlers Eroberungspolitik und meine Unkenntnis historisch-politischer Tatbestände. Von der komplizierten Geschichte des Territoriums hatte ich ebensowenig Ahnung wie von der Geschichte des jungen, demokratisch verfaßten Staatswesens Tschechoslowakei, das nur zwanzig Jahre existierte, dem einzigen der Region. Eine volle Demokratie wie die Schweiz war die ČSSR nicht geworden, sie hatte die Verfassung nicht in die Praxis umgesetzt und ihren Minderheiten, allen voran der großen deutschen (22,4 % der Bevölkerung), die Gleichstellung mit Tschechen und Slowaken versagt, was Hitler zum Vorwand nahm für seine aggressive Politik.

In meiner deutschen Engstirnigkeit konnte ich mir nicht vorstellen, daß nicht alle Deutschen Heimweh nach Großdeutschland hatten, sondern daß man sich auch als Deutscher verstehen und zugleich ein loyaler tschechoslowakischer Bürger und Staatsdiener sein konnte, der sein multikulturelles Land liebte. Erst recht nicht vermochte ich mich in die Situation der Tschechen einzufühlen, die das Münchener Abkommen vom 30. September 1938 zur Abtretung des Sudetengebietes gezwungen hatte. Durch den *Bevölkerungsaustausch,* die zwangsweise Aussiedlung von Deutschen, von der die Iglauer Beamten berichteten, hatten sie sich offenbar noch kurz vor der »Zerschlagung« ihres Staates der Parteigänger Hitlers zu entledigen versucht. *Mitten im Sieg ein ungeheurer Blutverlust für die Deutschen,* klagte ich – immer ist es meine Sprache, die mein Denken zeigt: *Im vorigen Jahr haben unsere Studenten in Stannern* ~~die Schule wieder deutsch gemacht, d. h. die Tschechen vertrieben. Ag-~~ gressiv erschienen mir immer nur die anderen, z. B. die Tschechen in Nordmähren; daß dort viele Deutsche lebten, die unter dem Einfluß der Sudetendeutschen Partei und Hitlers Politik den *Anschluß* an das Reich anstrebten, und welche Ängste dadurch bei den Tschechen ausgelöst worden waren, bedachte ich nicht.

Persönlich gesehen verdankte ich dem Landdienst in Mähren das schönste Gruppenerlebnis meiner Studienzeit und, weil oft im Mittelpunkt studentischer Aufmerksamkeit, die Stärkung meines Selbstwertgefühls.

Otten, 13. August 40
[…] Vor Monaten schon habe ich mir gewünscht, in Briefwechsel mit einem »unbekannten Soldaten« zu treten, um den Krieg irgendwie persönlicher zu erleben. Aber es sollte doch jemand sein, bei dem ähnliche Interessen vorhanden sind, ein gebildeter Mensch, daß ich auch was davon hätte. Deshalb schrieb ich damals Rotraut, ob sie keinen

Bekannten wüßte, dem das Spaß machen würde. Sie schrieb mir dar-
aufhin die Adresse ihres Vetters Franzl [...]

Nun habe ich eine ganz reizende Antwort bekommen, mein Brief
hat ihm anscheinend Freude gemacht. [...] Er ist Leutnant, Inge-
nieur auf einem U-Boot, in Norwegen war er dabei und klagt nun,
daß er im Augenblick nicht zum Kämpfen kommt.

Jetzt habe ich wieder etwas zum Träumen und Phantasieren. [...]
Wieviel Zeit habe ich in meinem Leben doch schon verträumt!

Ich kann mich in das Motiv für den Wunsch, mit einem »unbekannten Soldaten« Briefe zu wechseln, nicht mehr einfühlen, spüre aber,
daß die Aussage wichtig war. Offenbar erhoffte ich, die ich nur Be-
obachterin und Faktensammlerin war, durch »Feldpost« in einen
Kontakt zur Wirklichkeit des Krieges zu kommen. Paradox erscheint
mir heute die Klage des jungen Offiziers darüber, daß er nicht zum
Kämpfen kam: Der Lebenssinn des Kriegers ist der Krieg, der ihn
das Leben kosten kann.

Daß insgeheim auch ein zweites Motiv bei meinem Bemühen um
einen Frontbriefwechsel eine Rolle spielte, nämlich vielleicht auf
diesem Weg einen Freund zu finden, verrät die Feststellung, *jetzt*
habe ich wieder etwas zum Träumen und Phantasieren. Darüber
freute ich mich, wertete das Träumen und Phantasieren zugleich
aber ab: *Wieviel Zeit habe ich in meinem Leben doch schon ver-*
träumt. Verträumte Zeit hielt ich für verlorene Zeit. Hätte ich doch
schon früher etwas von den kreativen Kräften der Seele gewußt und
davon, was sie für das Leben und Überleben bedeuten!

Otten (Mähren), 18. August 40
Ein trüber, verregneter Sonntag. Schon der vierte Sonntag im Land-
dienst.

Erster Sonntag: Spaziergang in das entfernte Dorf Vilens, zweiter
Sonntag: herrliche Sonne, den ganzen Tag am Teich, dritter Sonn-
tag: »Sportfest« in Stannern, Fuß- und Handball haben unsre Jun-
gens gegen die Dorfjugend verloren, Leichtathletik waren sie gut.
Abends Dorfabend in Stannern. Sehr nett war es für uns, daß ich mit
Erika und zwei Studenten in den schönen Iglauer Trachten erschien,
wir eröffneten den Abend mit einem Walzer. [...]

Samstags, am Tag vorher, waren wir bei Seyß-Inquart eingela-
den, es war nichts Besonderes, die Einladung bei Prof. Borcherdt hat
mir in München mehr Eindruck gemacht; Seyß-Inquart ist kein
Gesellschafter. Er ist ruhig, ein einfacher Mann. Tüchtig in seinem
Fach ist er gewiß. [...]

Arthur Seyß-Inquart, der mir weit weniger Eindruck machte als der Münchner Germanist, mag sich damals in seinem Heimatdorf Stannern bei Iglau auf Urlaub befunden haben. Als Politiker, der beim »Anschluß« Österreichs eine entscheidende Rolle gespielt hatte, tauchte er zuerst im Tagebuch auf. Es war nur der Anfang seiner Karriere. Über ein Jahr fungierte er als Reichsstatthalter der »Ostmark«, wie Österreich nun hieß, unter anderem auch kurz als stellvertretender Generalgouverneur in Polen, bevor er im Mai 1940 Reichskommissar in den besetzten Niederlanden geworden war.

Tüchtig in seinem Fach ist er gewiß – wie wahr sprach da eine Ahnungslose. Er war verantwortlich für die Verschleppung von 5 Millionen Niederländern als »Fremdarbeiter«, d. h. Zwangsarbeiter ins Reich, für Geiselerschießungen, die Ausbeutung der niederländischen Wirtschaft und die Beschlagnahme von wertvollsten Kunstwerken. Vor allem aber brachte er 117 000 von 140 000 holländischen Juden den Tod; die Deportierten kamen in den Vernichtungslagern um. Unter ihnen befanden sich auch deutsche Juden, die in den Niederlanden im Exil lebten, z. B. die junge Frankfurterin Anne Frank. Seyß-Inquart wurde im Oktober 1946 in Nürnberg als Kriegsverbrecher hingerichtet.

Der schönste Abend bisher war am Samstag. Hier war ein katholischer Feiertag, nachmittags also keine Arbeit. Drei von uns »Ottenern« hatten Geburtstag. […] Ganz romantisch wars. Auf einer Wiese mitten im Wald; gegen Abend Lagerfeuer. Ente am Spieß gebraten, Kartoffeln in der Glut, Gurkensalat, reihum aus dem Topf gegessen, Himbeeren. Anfangs viel Ulk und Spaß, dann stiller, schöne Lieder, Gedichte, Rilke, Novalis' »Hymnen an die Nacht«. Besinnlicher, verträumter Ausklang. Wunderschön.

Montag, 19. August 40
[…] Eine Weile schien mir der Krieg ganz fern. Radio, Zeitungen, alles hört man nicht. Aber in letzter Zeit haben wir den Engländern doch allerlei Schaden zugefügt. Mehrere 100 Flugzeuge in wenigen Tagen vernichtet, viele Flugplätze zerstört. Von jetzt ab uneingeschränkte Blockade. Zu Hause müssen sie noch immer des öfteren in den Keller. Seit 14. August: uneingeschränkter Seekrieg gegen England.

Otten, 24. August 1940, Samstag
Während der ganzen vergangenen Woche konnten wir auf dem Feld nichts tun, nur einige Verlegenheitsarbeiten. Das Wetter ist scheuß-

lich, dauernd Regen und ganz unangenehm kalt. [...] Seit dem häß-
lichen Wetter und der oft vorhandenen Langeweile tagsüber habe ich
mich nun doch auf das Ende des Landdienstes gefreut. Und nun ist es
bald so weit. Wie freue ich mich auf zu Hause! Und wie herrlich, daß
wir vorher noch viel Schönes sehen werden: Prag, die alte deutsche
Stadt! Ich bin ganz glücklich. Morgen, Sonntag, Volksfest in Iglau,
am Montag letzter Arbeitstag und am Dienstag fahren wir.

Alzey, 10. September 1940
[...] Die letzten Landdiensttage waren noch schön. [...] Dienstag
früh fuhren wir mit dem Omnibus nach Iglau, dann drei Stunden
mit dem Zug nach Prag. [...] Am Abend vorher war in Stannern of-
fizieller Abschied gewesen, Kranzniederlegung am Kriegermal,
kurze, gewandte und schlichte Reden der Bauern und ihr Dank für
unsere Hilfe. Schön war das. [...]
Um 1/2 1 Uhr mittags kamen wir in Prag an. Im »Langemarck-
haus« aßen wir zu mittag. Gegen 4 Uhr war eine Stadtrundfahrt für
uns, nur zum Hradschin stiegen wir aus, sahen den Veits-Dom, den
Spanischen Saal und einige Zimmer. Um 6 Uhr war im Tschernin-
Palais Empfang, nicht durch den Reichsprotektor selbst, sondern
durch einen Unterstaatssekretär, der sehr nette Worte für uns fand.
[...]
Am nächsten Vormittag Bummel durch die schöne Altstadt. [...]
Nachmittags nochmal Hradschin. [...] Prag hat wirklich den Cha-
rakter einer ganz deutschen Stadt. [...]

Die Aufmerksamkeit, mit der die Repräsentanten des Protektorats
die Erntehelferinnen und -helfer der Münchner Universität bedach-
ten, charakterisiert den Stil der Jugendpolitik des Dritten Reiches.
Wir wurden beachtet, hofiert, erkennbar wichtig genommen und
auf diese Weise erst recht vereinnahmt.

Prag vermochte ich nur durch meine chauvinistische Brille zu sehen. Wie stark ich bei unserem Gang durch die Stadt atmosphä-
risch spürte, daß wir in der Fremde waren und unwillkommen, ist
im Tagebuch nicht vermerkt. In meinem Gedächtnis verankert sind
jedoch als einzige Erinnerung an meinen ersten Besuch in Prag die
feindseligen Blicke, die uns, die Kinder der Besatzer, auf Schritt und
Tritt trafen.

Der Vernichtungskrieg gegen England hat nun wirklich begonnen.
Da die Engländer aber immer nichtmilitärische Ziele bombardieren
– viele Kinder, 78 bis heute, sind dabei ums Leben gekommen – An-

*griffe auf Berlin – – so hat der Führer als Vergeltung den Angriff auf
militärische Ziele in London begonnen – heute sind es nun drei Tage,
seitdem London angegriffen wird – es muß ungeheuerlich sein, keine
Ruhe mehr für die Bevölkerung – gestern 9 1/2 Stunden Fliegeralarm in London! Es ist sinnlos, hier Mitleid zu haben, wenn ein
Engländer sagt, die deutsche Rasse müsse vernichtet werden! Die
Nerven der Bevölkerung müssen in London aufgerieben werden, nur
so kann der Krieg schnell beendet werden. Überall muß es dort bren-
nen – furchtbar. Gott gebe, daß sie bald auf die Knie gezwungen sind!*

Es kommt mich hart an, daß ich mich zu dieser Passage äußern
muß. Zunächst die Fakten, die echten und die falschen Münzen auf
den Tisch gelegt: Am 13. August 1940 – Deckname »Adlertag« –
begann die deutsche Bomberoffensive, die »Luftschlacht um England«, die die geplante Landung deutscher Truppen auf den britischen
Inseln vorbereiten sollte. Die deutschen Angriffe galten zunächst
militärischen Zielen, doch in der Nacht vom 24. auf 25. August fielen, weil Funkgeräte versagten, auch Bomben auf Londoner Wohn-
häuser. Churchill antwortete darauf in der folgenden Nacht mit
Bomben auf Berlin, etwa 20 Menschen kamen dadurch ums Leben.
Zwei weitere Nächte flog die Royal Air Force Angriffe auf Berlin.
Am 4. September drohte Hitler, er werde »London vom Erdboden
vertilgen« und verschärfte am 7. den Luftkrieg. Und so sah die deutsche »Vergeltung« aus: Bei 268 nächtlichen Luftangriffen allein im
September warfen über 4000 deutsche Flugzeuge mehr als 5000 Ton-
nen Sprengbomben und über 7000 »Brandschüttkästen« (Brandbomben zu je 1 kg) auf die englische Hauptstadt und keineswegs
nur auf *militärische Ziele.* Wie die bedrohten Menschen sich zu
schützen suchten, hat Henry Moore, der große englische Bildhauer,
in seinen bewegenden »Shelter Drawings« dokumentiert: In endlosen Reihen drängen sie sich auf den Stationen der Untergrund-
bahn, liegen sie Leib an Leib in einem neuen Tunnel, dem noch die
Geleise fehlen.

Zum Tagebuch: Was ich auf den ersten Blick als erbarmungslose
Kälte interpretieren möchte, verrät auf den zweiten Gefühlsbrüche
und Zwiespältigkeit. Ich folgte der Propaganda, der *Angriff auf militärische Ziele in London* sei eine Aktion der *Vergeltung.* Zugleich
hatte ich genügend Phantasie, um mir vorzustellen, *es muß ungeheuerlich sein,* was jetzt den Londonern widerfuhr. Mitleid wollte
sich äußern, doch ich wischte es sofort weg als *sinnlos, wenn ein
Engländer sagt, die deutsche Rasse müsse vernichtet werden.*

Diese Tagebuchstelle rührt auch an einen ganz persönlichen, sehr wunden Punkt. Beim Lesen taucht sogleich ein vertrautes Gesicht vor mir auf, und ich versuche mir vorzustellen, wie es damals ausgesehen haben mag, das schmale Gesicht einer agilen, knapp dreißigjährigen Engländerin mit grauen, humorvollen Augen, und wie die Angst in ihnen nistete. Ich will sie Mary nennen, meine englische Freundin seit drei Jahrzehnten. Gesehen haben wir uns selten, aber ihre briefliche Teilnahme an meinem Denken und Fühlen, vor allem ihr warmherziges Bemühen, mir bei der Auseinandersetzung mit der Nazi-Vergangenheit, die für sie so unbegreiflich war, beizustehen, gehören zu den Kostbarkeiten meiner Freundschaftserfahrungen.

Mary, heute achtzig Jahre alt, ist ein Opfer deutscher Luftangriffe. Sie war verschüttet, begraben unter den Trümmern eines Hauses. Das traumatische Erlebnis zeichnete sie für immer. Über die Arbeit an diesem Buch war sie von Anfang an informiert, aber erst vor einigen Monaten vermochte ich es, ihr meinen einstigen Haß auf England einzugestehen und daß ich auch ihr gegenüber Schuldgefühle habe. Erst in jüngster Zeit habe ich begriffen, daß ich nicht denken muß, ich hätte ihr, dem konkreten Menschen Mary, mein Mitgefühl versagt; damals ging es nicht um sie, die ich gar nicht kannte, sondern um das Feindbild und meine ambivalenten Gefühle, denn im Fall Englands waren die Menschen doch nicht völlig aus meinem Blick geraten. Bis heute wird mir übel bei dem Gedanken, daß Mary damals in London gelebt hat und dem deutschen Terror aus der Luft ausgesetzt war.

Einzelheiten von dem, was ihr im Krieg zugestoßen ist, kenne ich nicht. Vor einiger Zeit bat ich sie, mir Näheres mitzuteilen, falls es ihr möglich sei. Sie lehnte es ab. Das muß ich hinnehmen. In ihrem Antwortbrief beendet sie dieses Kapitel mit einem Schlußwort.

»Soweit ich betroffen bin, ist alles vorbei und vergessen, bitte, akzeptiere dies. Ich spreche niemanden schuldig. Wir haben alle Fehler gemacht: Ich gebe den Nazis keine Schuld, aber ich verstehe sie nicht. Ich habe nie einer Rasse gegenüber eine solche Abneigung empfunden wie sie – bis ich sie den Nazis gegenüber selbst fühlte. Und zwar deshalb, weil ich Angst hatte und Nacht für Nacht keinen Schlaf fand. Aber, Lore, zwischen uns hat das nichts mehr zu sagen, die Sache ist erledigt. Und zwischen anderen fängt alles wieder an. Das Menschengeschlecht macht sich schuldig. Du und ich, wir beide haben unsere Lektion gelernt und können nur hoffen, daß andere sie auch lernen, ehe es zu spät ist. Fühle Dich nicht länger schuldig. Du kannst nur für eine einzige erwachsene Person verantwortlich sein – für Dich selbst.«

München, 3. Oktober 1940

[…] Das ist wohl das Allerschönste an diesem dritten Trimester: wir drei sind noch einmal, zum letzten Mal zusammen! Es ist zu schön, manchmal kaum faßbar – wie gut wir uns verstehen, in allen Dingen! Auch Gisela und Irms geht es wie mir – auch sie haben das große Bedürfnis, die Sehnsucht nach einem Freund –– und in die Zukunft gesehen, nach Liebe. Es ist wirklich ein brennendes Problem! Ob es andern Mädels wohl auch so geht? Und den jungen Männern vielleicht auch – und doch findet man sich nicht zusammen.

Auch diesmal sind fast nur Jüngelchen in unsrem Gesichtskreis – an der Uni – keine jungen Männer! Wie schön wäre alles, wenn Frieden wäre!

Wir drei können über alles reden, das ist herrlich. Und es ist ein sehr feines, wahres Wort, das Gisela neulich von einer Bekannten hörte, daß man auch mit Frauen sehr glückliche Stunden verleben kann! […]

Zum ersten Mal, seitdem Krieg ist, ist mein immerwährender Optimismus wankend geworden. Es gibt mit England keinen Fortschritt. Es sieht aus, als stimmte da was nicht bei uns. Und wenn der Herbst und Winter da ist – dann müssen wir auf die Entscheidung im nächsten Jahr warten! Oh, er ist gräßlich, dieser Krieg! Unser aller Jugend leidet darunter. In der Uni sieht man nun schon die Studenten mit den zerschossenen Beinen – grauenhaft – so junge Menschen!

Ich glaube fest daran, daß wir den Krieg gewinnen – aber nicht mehr in diesem Jahr.

Ich erinnere mich gut an das Glücksgefühl von damals, drei Studentinnen, Freundinnen, die in allem, was ihnen wichtig war, übereinstimmten. Keiner von uns fiel das *sehr feine, wahre Wort* ein, *daß man auch mit Frauen sehr glückliche Stunden verleben kann,* so fest gemauert war das Stereotyp, wenn du jung bist, kannst du nur mit einem Mann glücklich sein. Männer hatten in Beziehungen immer Vorrang vor Frauen. Folglich dauerte es noch lange, bis ich aufhörte, ein Wochenende, das ich nicht zusammen mit einem Mann verbracht hatte, als »verloren« anzusehen. Das war nicht nur eine groteske Einstellung, sie war tragisch, weil die Frauen dieser Kriegsgeneration besonders aufeinander angewiesen waren – allzu viele erlebten die gleiche Not und ein ähnliches Schicksal. Daß Frauen als Frauen, d. h. durch sich selbst wer sind, daß weibliche Identität und Selbstwert nicht von männlicher Bestätigung oder einer Männerbeziehung abhängen, machte erst die Frauenbewegung den Frauen bewußt. Was sie ihr zu verdanken haben, können die Frauen jüngerer Generationen an unserem Beispiel ablesen.

Das wahre Gesicht des Krieges, das wir nun auch in den Hörsälen in Gestalt der Arm- und Beinamputierten, der lebenslänglich beschädigten jungen Männer vor Augen hatten – trug auch dieser Anblick, mir unbewußt, dazu bei, mich in meiner Siegesgewißheit zu verunsichern? Irritierend war vor allem: *Es gibt mit England keinen Fortschritt,* d. h., die erwartete deutsche Invasion blieb aus. Ich gestand mir zwar ein, daß *mein immerwährender Optimismus wankend geworden* war, rief mich jedoch sofort wieder zur Ordnung. *Ich glaube fest daran, daß wir den Krieg gewinnen – aber nicht mehr in diesem Jahr.*

Am Freitag, 27. September: Drei-Mächte-Pakt *zwischen Deutschland, Italien, Japan geschlossen! Neuordnung in Europa und Asien durch die Partner zugesichert (und Rußland?). Richtet sich gegen Amerika. Wunderbar, wie der Führer gerade wieder den rechten Augenblick erwischte.* […]

Freitag, 4. Oktober 40
Wieder Unterredung zwischen Führer und Duce am Brenner. – – –

13. Oktober 1940, 1/2 11 Uhr abends, Sonntag.
Eine unvergeßliche Stunde habe ich gerade mit Gisela erlebt. Um 6 Uhr waren wir, nachdem wir den ganzen Tag gearbeitet hatten, im Kino, ein erschütternder Film mit Paula Wessely und Joachim Gottschalk (»Ein Leben lang« – Ausdruck der treuen Liebe einer Frau.)
Dann haben wir uns von Irms getrennt, um nach Hause zu gehen – und kamen auf den herrlichen Gedanken, noch etwas durch den Englischen Garten zu gehen. Es ist so warm draußen, der Mond so voll und klar, das Wasser floß so schön durch den Park, und auf den Wiesen standen weiße Nebel – es war wundervoll. Und dazu wir beide, die sich so herrlich verstehen, wir hatten wieder mal die Probleme zu bereden, die uns immer so stark beschäftigen – der Krieg, unsre Zukunft, unser Schicksal – was wird noch geschehen? […]

Das Mondlicht und die Nebel über den Wiesen habe ich heute noch vor Augen und darum auch im Gedächtnis, das Gespräch mit der Freundin nicht und nicht den Inhalt des Films.

Doch auch der Name Joachim Gottschalk rührt Gefühle auf, erst recht im Kontext mit den Formulierungen *von der treuen Liebe einer Frau* und *erschütternd,* die ich mit meinem heutigen Wissen lese. Treue eheliche Liebe wurde Joachim Gottschalk zum Verhängnis, denn seine Frau war Jüdin. Die Nationalsozialisten setzten den sympathischen jungen Schauspieler, der durch Filme wie »Ein Leben lang« zu großer Popularität gelangte, massiv unter Druck, doch er verweigerte die Scheidung. 1941 – er war damals 37 Jahre alt – griff die Gestapo zum äußersten Mittel, bezichtigte seine Frau der außerehelichen »Rassenschande« und verlangte, daß sie, zusammen mit dem achtjährigen Kind, das Land verließe. Man gab ihr nur einen Tag Zeit. Gottschalk und seiner Frau blieb keine Chance. Sie töteten ihr Kind und entzogen sich am 6. November 1941 durch Selbstmord dem Zugriff der Gestapo. Die Öffentlichkeit erfuhr über den tragischen Hintergrund von Gottschalks Tod nichts.

16. Oktober 1940
Heut hab ich wieder was zum Freuen! Einen Brief von Oberleutnant E.! Der arme Junge, nun hatte er ein Frontboot bekommen, eine Woche vor dem Auslaufen kam dann der Befehl, daß die kleinen Boote als Schulboote verwendet werden! Er war sehr wütend, scheint mir, daß er nun wieder nicht zur Front kam. Nun hat er Bedenken, daß mir der Briefwechsel zu uninteressant wäre, weil er nicht »draußen« steht! […]

Der arme Junge – heute gelesen, bekommt dieses teilnehmende Bedauern einen Hintersinn. Wäre er so wütend gewesen über den ~~vorerst verweigerten Fronteinsatz, wenn er gewußt hätte, daß die~~ »Feindberührung« ihn eines Tages das Leben kosten würde? Im Krieg pervertiert Leben zu Kampf, nur als Kämpfer vermeint der Soldat sich zu spüren, nur so ist er wer, ist er »interessant« und wird in der Heimat wahrgenommen. Wer denkt denn schon an Marinesoldaten auf einem Schulboot?

München, 25. Oktober 1940
Ich bin, vielleicht durch ein Gespräch mit Gisela, zu dem Entschluß gekommen, mein Tagebuch zu einem »Tagebuch« im eigentlichen Sinne zu gestalten. Das soll nicht heißen, daß ich jeden Tag ausführlich beschreiben will, sondern daß ich mehr von mir selbst schreiben will. 7 Jahre lang schreibe ich nun schon auf, was mir wert erscheint, festgehalten zu werden, in vielen Fällen aber bin ich am Wesentlichen vorübergegangen. […] Allerdings hatte ich in der Hauptsache nur die Absicht, von äußeren Ereignissen meines Lebens zu schreiben, in erster Linie aber Daten aus der Politik festzuhalten, weil ich er-

kannte, daß ich in einer Zeit, in der Weltgeschichte geschieht, lebe. Und da war es mir nun wichtig, ein Bild der Zeit zu bekommen, ganz unmittelbar aus dem Augenblick heraus. [...]

Nun erkenne ich aber doch, daß ich damit nicht den richtigen Weg gehe. Denn das wirklich Schöne und einzig Richtige ist doch, wenn man aus Tagebüchern die seelische und geistige Entwicklung eines Menschen verfolgen kann! Und danach strebe ich nun, ein <u>ganzes</u> Bild von mir zu geben, mit <u>allem</u>, was mich berührt. [...] *Bis jetzt ist aus meinen Tagebüchern über mein Studium als solches garnichts zu erfahren, das soll nun anders werden. Mein Tagebuch soll nun auch ein treues Spiegelbild all der Nöte und Sorgen werden, die man während des Studiums hat, und aller kleinen und – sofern es auch solche gibt – aller großen Freuden.*

In der vorigen Woche habe ich zum erstenmal ganz intensiv eine fremde Stadt erlebt: <u>Innsbruck</u>. Von der germanistischen Fachschaft wurde eine Exkursion dorthin unternommen, an der ich mit Gisela teilnahm. [Es folgt eine sehr ausführliche Beschreibung.] *Jetzt habe ich eine Vorstellung von Tirol, von der spätmittelalterlichen Kultur dort.* [...]

Ich habe nun am Mittwoch angefangen, für mein <u>Referat</u> bei Borcherdt zu arbeiten: »*Problem des Tragischen bei A. <u>W. Schlegel</u>*«. *Vor mir ist vorerst Chaos und Dunkelheit.* [...]

Wenn nur im Krieg ein Lichtpunkt erschiene! Als der Feldzug in Frankreich zu Ende (war) und Göring gegen England antrat, glaubte man, nun würde ein schnelles Losschlagen den Krieg mit England zu Ende bringen. Aber ganz Großes, Entscheidendes geschieht nicht. Und nun ist wohl keine Hoffnung mehr auf ein Ende vor dem Winter, denn jetzt ist doch eine Landung in England unmöglich, bei diesem Seegang und dem Nebel. [...]

Mittwoch, 23. Oktober 1940:
Zusammentreffen des Führers mit General Franco an der spanisch-französischen Grenze.

Donnerstag, 24. Oktober 40:
Der Führer traf Marschall Pétain, den französischen Ministerpräsidenten.

Montag, 28. Oktober 40:
Der Führer in Florenz. Beginn des <u>italienisch-griechischen Krieges</u>. Italienische Truppen überschreiten die albanisch-griechische Grenze. [...]

München, 4. November 1940

[…] *Vorgestern, Samstag abend, war ich mit meinem Vetter Gerhard W. in den »Nibelungen« – wundervolle Aufführung. Die ganze Trilogie stark zusammengestrichen, Herausarbeiten des Problems Gattentreue, Gefolgschaftstreue – Schluß nur Hagens Tod, nicht Kriembilds. Dietrich von Bern, alle Anspielungen aufs Christentum fehlten. Trotzdem fabelhaft.* […]

München, 4. November 1940

[…] *Hermann ist seit einiger Zeit von Warschau nach der Nähe Paris gekommen, zu seinem großen Schmerz nicht als Bordfunker, sondern als Lastwagenfahrer, er ist in einem Fahrlehrgang.* […]

München, 22. November 40

[…] Wir müssen es uns eingestehen, was in unserem Studium uns unbefriedigt läßt. Uns fehlt die Freundschaft. Aber da alle älteren und wirklich netten Studenten im Krieg zu sein scheinen, besteht keine Möglichkeit, irgend jemand kennenzulernen. […] Wenn ich jetzt Gisela nicht gehabt hätte. […] Wir wollen doch auch Frau sein dürfen. Aber ob uns da der Krieg nicht noch die letzte Hoffnung zerstört? Wenn man so ernsthaft darüber nachdenkt, könnte man sehr unglücklich werden.

Gerade heute bekam ich von Rotraut die Bilder ihres gefallenen Verlobten geschickt. Sie hat ein Glück erlebt – aber wie schnell war es zu Ende! Aber ist es nicht vielleicht besser, zu besitzen und dann zu verlieren – als nie zu besitzen? Wenn auch das Leid dann erst groß ist? Aber müßte nicht auch Rotraut vorher eine Erfüllung erlebt haben? So wurde ihr nur der Kelch vom Munde gerissen. Möge der Himmel alles zum Guten wenden.

München, 24. November 40

Der Krieg nimmt keinen solchen Fortgang, daß man an eine Friedensweihnacht glauben könnte.

Italienische Truppen überschreiten albanisch-griechische Grenze. Krieg zwischen Italien und Griechenland! Ungarn und Rumänien traten dem Dreimächte-Pakt zwischen Deutschland, Italien, Japan bei. […]

Molotow, der russische Außenminister, war in Berlin!

Was fehlt im Tagebuch?

1940

Meine Aufnahme in die NSDAP, auch ein Lehrstückchen über die sogenannte »Vergangenheitsbewältigung«. Was tut ein Mensch, der Schuldgefühle und Angst davor hat, zur Rechenschaft gezogen zu werden? Er leugnet, er lügt: Im Fragebogen zum Entnazifizierungsverfahren nach dem Krieg behauptete ich wider besseres Wissen, ich sei, weil über 21 Jahre alt, »automatisch« vom BdM in die Partei »übernommen« worden. In einer eidesstattlichen Erklärung gegenüber den Amerikanern vor einer Reise in die USA 1951 beteuerte ich gar, die »zwangsweise Überschreibung« habe ohne mein »Wissen und Zutun« stattgefunden und so sei ich »lediglich unfreiwillig ein zahlendes Mitglied gewesen«. Hat hier der Verdrängungsprozeß schon begonnen? Aufgrund meines Alters fiel ich unter die Jugendamnestie; erleichtert konnte ich das fatale Thema beiseite schieben, so weit weg, daß es allmählich sogar meinem Gedächtnis entschwand. Am Ende fragte ich mich, ob ich denn überhaupt Parteimitglied gewesen sei, zumal sich unter meinen sorgsam verwahrten Dokumenten kein Beleg dafür findet. Doch das Unbehagen, das die seltenen Gedanken an diesen dunklen Punkt in meiner Vergangenheit begleitete, bewies, daß da ein Fragezeichen nicht wegzuwischen war.

Je mehr mich in den letzten Jahren Gewissensnot und Schuldbewußtsein heimsuchten, desto dringlicher meldete sich das Bedürfnis nach verbindlicher Auskunft. Eine gleichaltrige Zeugin zeigte, selbst betroffen, eigene Verdrängungstendenzen. Ich forschte bei amtlichen Stellen. Nach zwei Jahren schließlich, ziemlich genau ein halbes Jahrhundert nachdem das Karteiblatt angelegt worden war, hielt ich meine Personalakte der NSDAP in der Hand – Walb, Lore, Ortsgruppe Alzey, Gau Hessen-Nassau, Aufnahme beantragt am 1. 4. 1940, am 1. Juli 1940 als Mitglied unter der Nummer 8395732 aufgenommen, Mitgliedskarte ausgestellt am 1. 9. 1941.

So also war's. Eine »automatische« Übernahme von HJ-Angehörigen in die NSDAP gab es zu keiner Zeit. Die Mitgliedschaft war freiwillig, ein Antrag Voraussetzung. Ich will es noch genauer wissen. Die Aufnahme in die NSDAP erfolgte in zwei Schritten: »Die Eintragung in die Zentralkartei der Reichsleitung der NSDAP war sozusagen der urkundliche, parteirechtliche Vollzug der Aufnahme. Andererseits aber galt gemäß § 3 Abs. 3 der Satzung der NSDAP die Aufnahme erst dann als rechtswirksam, wenn der in die Zentralkartei bereits Eingetragene seinen von der Reichsleitung der NSDAP ausgestellten Mitgliedsausweis durch den Ortsgruppenleiter ausgehändigt bekam.« Dieser Ausweis war in der Regel eine rote Mitgliedskarte. Die obligatorische Bewährungszeit (für alle Mitglieder nach dem 30. Januar 1933) betrug zwei Jahre, nur selten wurde das Mitgliedsbuch sofort ausgehändigt. Mein Mitgliedsbuch wäre am 1.9.1943 fällig gewesen. Die Überlastung der Parteiverwaltung während des Krieges, die seit 1942 zu einer partiellen Aufnahmesperre führte, könnte die Ursache dafür gewesen sein, daß es nicht mehr ausgestellt wurde.

Der feierliche Vorgang, »daß der Ortsgruppenleiter dem Volksgenossen die von der Reichsleitung ausgestellte rote Mitglieds k a r t e aushändigt und ihn gleichzeitig durch Handschlag als Parteigenossen verpflichtet«, findet sich in meiner Erinnerung nicht. Soll ich deshalb annehmen, daß ich nicht »PG«, keine »Parteigenossin« war? Dieses Schlupfloch kann ich nicht benutzen. Ich halte mich an die Auskunft, die ich nun schwarz auf weiß besitze, und komme zu dem Schluß, daß ich die Mitgliedskarte, die sich nicht mehr finden ließ, gegen Kriegsende vernichtet habe. Denn an eines erinnere ich mich genau: an meine Angst, die Angst vor der Strafe der Sieger.

Verdrängt habe ich auch eine schlimme Begebenheit, die sich in Berlin ereignet hat. Sie könnte mir zu Beginn des letzten Trimesters in München, im Frühherbst, zu Ohren gekommen sein, als Gisela aus den Semesterferien zurückgekehrt war. Sie erzählte mir, daß ihr Vater, der Leiter eines großen Berliner Buchverlages, einen inhaftierten Autor besucht und sich danach zu Hause in seinem Zimmer eingeschlossen hätte, tief verstört und entsetzt über dessen Verfassung – er hatte einen schwer Mißhandelten gesehen. Gisela, die, wie alte Briefe belegen, Hitler und seiner Politik gegenüber damals eine ambivalente Einstellung hatte – sie bejahte seine Ziele, kritisierte aber die Methoden, mit denen er sie zu erreichen suchte, ja, sie sah die Niederlage voraus –, Gisela war empört. Ihr Bericht stürzte mich in ein schweres Dilemma. Doch weil nicht wahr sein konnte, was nicht wahr sein durfte, mußte ich den Schreckensbericht vergessen. Er ist mir erst nach dem Krieg wieder eingefallen. Diese Verdrängung war es auch, die mich auf die Idee brachte, mich zu fragen, »was fehlt im Tagebuch?«

Doch die Frage meint schon längst nicht mehr nur meine eigene Geschichte, die ich nicht mehr erinnern wollte. Sie mußte auch auf Geschehnisse zielen, die mir nicht bekannt waren, die Antwort mußte wenigstens einige exemplarische Fälle benennen.

In der Geschichte der Judenverfolgung und Vernichtung wurde im Jahr 1940 ein neues Kapitel aufgeschlagen. In Großdeutschland heizten die Nationalsozialisten das Klima auf, in dem der Antisemitismus seine Giftblüten treiben sollte: Propagandaminister Goebbels persönlich förderte das Filmprojekt »Jud Süß« (Regie: Veit Harlan). Am Beispiel einer historischen Figur wurde »der Jude« als das Böse schlechthin denunziert. Goebbels am 18. August 1940, wenige Wochen vor der Uraufführung des Films in Venedig, in seinem Tagebuch: »Ein ganz großer, genialer Wurf. Ein antisemitischer Film, wie wir ihn uns nur wünschen können. Ich freue mich darüber.« Unmittelbar nach den Vorführungen ereigneten sich oft antisemitische Ausschreitungen. Nach dem Krieg wurde der Film als »Verbrechen gegen die Menschlichkeit« eingestuft. Unterdessen hatten die deutschen Besatzer in Polen, im sogenannten »Generalgouvernement«, damit begonnen, Juden in Ghettos abzusondern, zuerst, am 30. April, in Łódź. Im Warschauer Ghetto waren am 14. November 350 000 Juden – einheimische und »umgesiedelte« – auf engstem Raum zusammengepfercht, getrennt von der Stadt durch Mauern und Stacheldraht. Nur wer für deutsche Betriebe arbeiten durfte, hatte ein minimales Einkommen.

Am 20. Mai, einen Tag bevor ich im Tagebuch dem »Führer«, der die norwegischen Kriegsgefangenen freigelassen hatte, attestierte, *er ist immer großmütig,* wurde das KZ Auschwitz »in Betrieb genommen« und in der Folgezeit zur größten Todesfabrik ausgebaut. Längst schon stand für Hitler damals der Eroberungs- und Vernichtungsfeldzug gegen die Sowjetunion fest, mit der er erst im Jahr zuvor einen Nichtangriffsvertrag, den »Hitler-Stalin-Pakt«, abgeschlossen hatte. Am 31. Juli teilte er hohen Generälen seinen Entschluß mit, elf Monate später begann das »Unternehmen Barbarossa«.

»Wenn sie unsere Städte angreifen, dann werden wir ihre Städte ausradieren«, hatte Hitler, Ursache und Wirkung umkehrend, am 4. September den Engländern gedroht. Die Eskalation der Gewalt in der Sprache, an die ich längst gewöhnt war, leitete die Eskalation der Luftschlacht um England ein. Die Londoner spürten sie 65 Nächte lang hintereinander, ein Zehnstundenangriff zerstörte das Zentrum der Industriestadt Coventry fast völlig. »Coventrieren« nannte Goebbels fortan zynisch die neuartige Form der Flächenbombardements, die die Royal Air Force später übernahm und perfektionierte. Bald wurden deutsche Städte »coventriert« und »ausradiert«.

Zäsur: Zwischenbericht zur Person – heute

Fast acht Monate sind vergangen, bleiern und chaotisch zugleich. In den Innenraum, in dem sich die Konfrontation mit meiner Jugend vollzog, brach die Außenwelt, die Gegenwart ein, mit Hakenkreuzen und Brandflaschen, mit Krieg, Folter, Hunger. Rostock und Mölln, Bosnien und Somalia ... Die Schreckensberichte und -bilder überschwemmten die Seele. Verstört, überfordert, unfähig, mich abzugrenzen, verlor ich mich in einem Netz von Ängsten. Ich konnte nicht mehr schreiben.

Die Ängste betrafen auch mich ganz persönlich, und am Ende verschob und reduzierte sich der krankmachende Druck auf die Frage: Will ich denn wirklich mich, meine ureigene Geschichte, fremden Menschen aussetzen, das Verfangensein im Ungeist und in den Konventionen meiner Jugendzeit dem Kopfschütteln und Gelächter der Nachgeborenen preisgeben? Oder gar, weil ich Scham und Schuld bekenne, Aggressionen gegen mich provozieren? Will ich, nach so langer, zwanghafter Pause, ein, womöglich zwei weitere Jahre meines Lebensabends dem quälend langsamen Schreib- und Verarbeitungsprozeß opfern und alle Wünsche und Vorhaben zurückstellen? Habe ich nicht, was mir abverlangt war, vollbracht?

Erst als ich alles Fragen und meinen Widerstand aufzugeben vermochte, als mich ein Unfall zum Innehalten zwang und mir Gelassenheit bescherte, stellte sich die Antwort ein: Ich will die Arbeit, bei der ich so viel gelernt und über mich erfahren habe, zu Ende bringen, langsamer vielleicht, meinen Kräften gemäß und nunmehr ohne Wegbegleitung durch meine psychoanalytischen Gesprächspartner – ich spüre, ich bin im Begriff, mich freizuschreiben. In einer Morgenandacht im Rundfunk hörte ich, nur wenige Stunden nachdem ich mich für die Fortführung entschieden hatte, dieses Wort: »Wer seine Schwächen nicht annehmen kann, der verleugnet einen Teil seines Lebens.« Ich akzeptiere es, wenn dieses Buch in zwei Teile zerfallen sollte, die sich nach Inhalt und Form unterscheiden. Wichtig ist, daß der Prozeß der späten Verarbeitung eines bedeutsamen Teils meiner Lebensgeschichte erkennbar wird. – Eine neue Phase meiner inneren Entwicklung hat begonnen.

Zu dieser Standortbeschreibung gehört auch ein Nachtrag. Er betrifft Leni, die wiedergefundene jüdische Mitschülerin aus der Alzeyer Schulzeit. Unsere Hoffnung auf eine Beziehung hat sich nicht erfüllt. Leise und fast wortlos, wie von selbst, hat sie sich, nicht einmal ein Jahr nach unserer ersten späten Wiederbegegnung, aufgelöst. Zweimal hatten wir einander noch besucht, uns mit großem

Elan um eine Annäherung bemüht. Sie mißlang. Über die Gemeinsamkeiten im Gestern kamen wir nicht hinaus, zu verschieden waren die Lebensverläufe, in denen sich Interessen und Bedürfnisse entwickelt hatten. Wir spürten Zuneigung und schätzten uns, aber wir hatten einander nichts zu sagen, was eine tragfähige Altersbeziehung hätte schaffen können. Und beide gaben wir einander nur spärlich Auskunft über uns selbst und unsere Lebensgeschichte.

Leni hat nicht erfahren, warum ich nach ihr zu forschen begann. Wir kamen uns nicht so nah, daß ich ihr von meinem weiten Entwicklungsweg hätte erzählen können. Einmal wunderte sie sich: »Daß du all die Jahre an mich gedacht hast!« Es war eine Frage. Meine Antwort bekannte nur die halbe Wahrheit. »Ich habe sehr lange nicht an dich gedacht. Erst vor ein paar Jahren, als meine Gedanken sich meiner Jugend zuwendeten, bist du mir wieder eingefallen.« Wird sie je wissen, welche bedeutende Funktion sie für mich hatte? Ich bin unsicher, ob ich ihr die schmerzhafte Lektüre meiner Aufzeichnungen zumuten könnte. Da sie bis heute verschweigt, daß sie als Jüdin nach Amerika auswandern mußte, da sie ihre Erinnerungen an ihre Herkunft und Jugend in Rheinhessen sogar vor ihren Freunden ein Leben lang verbarg, muß ich annehmen, daß sie auf diese Weise einen Halt gefunden und die Ausstoßung aus ihrer Heimat bewältigt hat – vielleicht ihre Strategie des psychischen Überlebens? Weil sie in mir, der einstigen Mitschülerin, einem Stückchen Heimat und einem Teil ihrer Kindheit und Jugend, in der sie behütet und glücklich gewesen war, wiederbegegnen konnte, wurde ich für sie auf kurze Zeit wichtig. Mir hingegen wird immer die Rolle im Gedächtnis bleiben, die sie im Prozeß meiner Wandlung spielte. Sie schenkte mir in einem Punkt Entlastung. Ich muß nun nicht bis zu meinem Lebensende phantasieren, d i e s e Leni hätte als Verfolgte Unterschlupf bei der Heidelberger Studentin Lore gesucht. Sie hat, auch ohne daß ich ihr Schutz gab, den Holocaust überlebt. Ich durfte es nicht nur erfahren, ich durfte es selbst sehen.

Es scheint der Versuch einer Begegnung gewesen zu sein, bei der wir uns nicht ganz aufeinander einlassen konnten und letzten Endes sprachlos blieben. Die Angst vor der Wiederbelebung der Vergangenheit war offenbar zu groß.

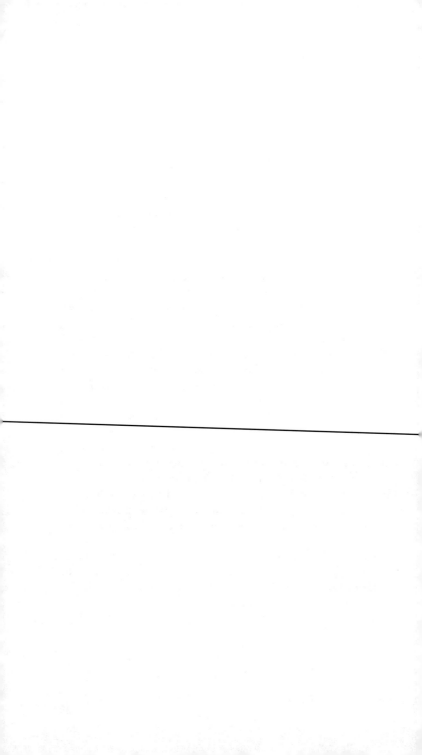

TAGEBUCH V
1. Januar – 23. Mai 1941

Alzey, 1. Januar 1941!
[...] *Die letzten Tage in dem geliebten München waren eine große Hetze. Auf das Referat bei Borcherdt folgte das geschichtliche bei Pölnitz, dann die Hörgeldprüfungen.* [...]

Wenn ich an München denke, so werde ich auch immer an die Kunst denken, nicht an die Gemäldegalerien, die ja im Krieg geschlossen sind, sondern an Oper und Theater, und da ist mir – besonders gegen Schluß des Jahres – das Schauspiel zum ganz großen Erlebnis geworden. Mehr als 20 Opern sah ich und noch mehr Schauspiele in diesem Jahr in München. [...]

Immer sage ich: Drei Dinge hätte ich am liebsten für immer aus München mitgenommen:

Das Theater: Anne Kersten – P. Wagner,
den Englischen Garten und
Gisela! ...

Und nun ist also endgültig beschlossen, daß ich im kommenden Trimester in Tübingen weiterstudieren werde. [...]

Tübingen, Donnerstag, 9. Januar 1941, Hotel »Prinz Karl«, 9 h abends.
Heute habe ich nun diese umständliche Reise hinter mich gebracht und sitze nun in dem fremden Zimmer im Hotel und fühle mich recht ungemütlich. [...]

Es hebt keineswegs meine Stimmung, daß ich nun schon in der knappen Stunde, die ich hier bin, von mehreren Seiten gehört habe, daß hier eine große Zimmerknappheit herrsche. [...]

Wie gut, daß ich mein Tagebuch habe, es ist beinahe wie Briefeschreiben, man spricht sich allen Kummer von der Seele und fühlt sich nicht so ganz allein.

Tübingen, Freitag, 10. Januar 41
Der erste Tag hier ist nun vorbei – aber was für ein Tag! Acht Stunden Zimmer gesucht, bei 22 Leuten nachgefragt, nur 2 davon noch

213

frei, aber ganz unmöglich da zu wohnen!! [...] *Ich bin ganz verzwei-felt!* [...]

Tübingen, 11. Januar 1941, 21 Uhr, Reutlingerstraße 28 bei E.
Gott sei Dank, ein Zimmer ist gefunden! [...] *Ich fand das Zimmer in letzter Minute, ich stand wirklich im Begriff abzureisen.* [...] *Morgen kommt Irms. Ich freue mich.* [...]

Dienstag, 21. Januar 1941
Heute Muttis Geburtstag!
Nun habe ich also schon eine Woche lang Vorlesungen gehört – ich kann damit wirklich zufrieden sein, besonders die Kapazitäten, Schneider und auch Kluckhohn, sind sehr nett, außerordentlich persönlich, ganz anders als in München. Ausgezeichnet ist auch Englisch, dafür werde ich diesmal auch am meisten arbeiten. [...] *Zeitlich ist für Latein diesmal wirklich eine günstige Gelegenheit.* [...]
Im Augenblick lese ich – mit großer Freude – Ricarda Huchs »Romantik«. Caroline, die mir stets sympathisch war, trotz mancher anderer Urteile, schildert sie aus ihrer weiblichen verstehenden Natur heraus. »Sie konnte nicht ohne Liebe leben«, *sagt sie. Das ist es gewiß auch, was mir immer fehlen würde – nur hätte ich nie den Mut und die Unbedingtheit darin konsequent zu sein. Doch was rede ich von Liebe – wo noch nicht mal von einer Liebelei die Rede sein kann?*

Tübingen, 10. Februar 1940
Mein Tagebuch wird leider immer schlecht behandelt – zu meinem eigenen Nachteil. Das beste Bild meiner Gedanken und meines Erlebens geben zur Zeit meine Briefe an Gisela. Es ist eben doch schön, wenn auf ein Schreiben ein Echo erfolgt. [...]
Ich habe in diesen Wochen zeitlich außerordentlich intensiv gearbeitet – keine unnötige Nebenbeschäftigung oder Ablenkung. [...]
Zum 4. Wochenende (1.–2. Februar) hatte ich eine Einladung zu einem Kameradschaftsfest. [...] *Die Räume hübsch geschmückt, kleine Darbietungen, langes Abendkleid, schöne Tänze. Samstags habe ich von nachmittags 5 Uhr bis 3 Uhr morgens durchgehalten. Sonntag war dann noch »Austanz«, fast ebensolang, ich bin bis 12 Uhr geblieben. Ich hatte so richtig das Gefühl, in diesen zwei Tagen vieles, was ich an Tanz versäumt, nachgeholt zu haben. Sehr angenehm war mir, daß alle sehr nett stets die Form wahrten, niemand aus der Rolle fiel.*
Im allgemeinen tanzten meistens nur die Tische untereinander. Ich hatte jedoch auch häufig einen anderen Tänzer, einen sehr großen Mediziner, etwas älter schon, der ganz fabelhaft tanzte. [...]

Gestern war ein Tag wie im März – der erste Frühlingstag, dachte ich. […] Ich stand erst spät auf, machte über Mittag einen kleinen Bummel und pilgerte dann nach Hause in dem recht traurigen Gefühl meines Alleinseins an diesem herrlichen Tag befangen. […] Ich war gerade dabei, Gisela einen Stimmungsbericht zu geben, da bekam ich Besuch! Der gute Tänzer von neulich. […] Er hatte seinen Freund mitgebracht. […] Das sind nun Mediziner, wie man sie nicht häufig findet, sehr klug, außerordentlich interessiert und bewandert in Literatur (ich weiß garnichts dagegen!), Norddeutsche, ich schätze sie auf Ende zwanzig. […] Sie haben ein unerhörtes Verständnis für Dichtung und ein ganz unheimliches Sprachgefühl, besonders der Freund. Fast glaube ich, daß sie selbst etwas schon geschrieben haben. […]

Sie erklären mir, ich müßte hier auffallen (ist mir jedoch unbegreiflich – höchstens mein »make up«.) Es sei so selten, daß ein Mädchen mit Geist nicht auch häßlich sei! Dies äußerte Heinz, der Freund (ich will sie mit Vornamen nennen), der sein Gefallen an meiner Person mehr zeigt als Günther.

Wir sind auf Heinz' Bude gegangen (ich konnte ohne weiteres mitgehen!) um Kaffee zu trinken. […] Sie lasen Hölderlin vor, von dem sie sehr begeistert sind, und in Rilkes Übersetzung den »Kentaur« von Guérin. Es war schön zuzuhören. […]

Die Schilderung eines Festes und eines Besuchs zweier Studenten illustriert, wie »man« sich kleidete, sich benahm und wie »man« Frau und Mann wertete und einordnete. *Daß alle sehr nett stets die Form wahrten, niemand aus der Rolle fiel,* entsprach der Etikette, dem konventionellen Rahmen des studentischen *Kameradschaftsfestes* und zeugte von guten Manieren, die ich immer schätzte.

Es sei so selten, daß ein Mädchen mit Geist nicht auch häßlich sei! – derart unverblümt äußerte sich das männliche Vorurteil gegen weiblichen Intellekt. Ich nahm es hin, ohne dagegen zu protestieren, weil ich mich persönlich geschmeichelt und anerkannt fühlen konnte.

Beim »make up« siegte die Eitelkeit über die Anpassungsbereitschaft: Das NS-Postulat »die deutsche Frau raucht nicht, die deutsche Frau trinkt nicht, die deutsche Frau schminkt sich nicht« mißachtend, fiel ich aus der zudiktierten Rolle und dermaßen auf, daß im kleinstädtisch-engen Tübingen zuweilen die Kinder hinter der dezent, doch erkennbar geschminkten Studentin dreinliefen.

11. II. 41

Mein Gefühl war ganz richtig – Heinz' Sprachempfinden und Sensibilität ist nicht alltäglich. Ich traf ihn heute auf dem Weg zum Essen mit Günther und bin dann mit ihm zum Essen gegangen. Er war außerordentlich niedergeschlagen, was bei mir sofort das Gefühl von Helfen-Wollen hervorrief. [...] Die Ursache seiner Niedergeschlagenheit: der Inselverlag hat seine Gedichte nicht angenommen, nicht wegen mangelnder Begabung – die gestehen sie ihm zu –, sondern weil sie augenblicklich keine neuen Schriftsteller aufnehmen. Also kein Grund zu kapitulieren! Er schreibt also Gedichte. [...]

21. II. 41

[...] Ich bin in kurzer Zeit Heinz durch einen kleinen Flirt nähergerückt, gleichzeitig habe ich mich, d.h. danach habe ich mich innerlich aber wieder rasch von ihm entfernt. [...] Vorigen Sonntag hat er mir Prosa und mehrere Gedichte vorgelesen. [...] Es ist mir ganz verschlossen, was er etwa über mich denkt. [...] Ich glaube nicht, daß er für mein Scherzen und Spötteln rechtes Verständnis hat.

Am Sonntag mittag suchten wir nach dem Essen Günther in seinem Zimmer auf, tranken bei ihm Tee. Es ist immer eine merkwürdige Situation mit den beiden und mir: Zuweilen vergessen sie mich ziemlich, reden ganz interessiert von Medizin, dann bin ich ihnen plötzlich wieder gegenwärtig, sie versuchen sich mit mir zu beschäftigen, Günther macht Komplimente usw. Es gefällt mir jedoch nicht, wenn ihr Verstehen, ich meine, ihr Einverständnis als Männer, bei bestimmten Themen so deutlich zutage tritt. [...] Ich bin auch wenig begeistert, daß sie mich, oft gerade in solcher Beziehung, aber auch allgemein, als kleines Mädchen behandeln, während sie, als sie mich kennenlernten, gleichsam als Grund sagten, meine Klugheit gefiele ihnen, und daß ich dabei doch kein Blaustrumpf sei. Das ist ja auch mein Streben, die Einheit des Lebens auch bei mir zu wahren, keine Einseitigkeit – das Leben hat viele Seiten: Universalität! Als Mensch kann meine verehrte Caroline Schlegel wirklich Vorbild sein. [...]

Doch noch kurz von den beiden Medizinern: [...] Was mich wohl von ihnen trennt, ist das Bewußtsein, daß sie geistig die Bedeutung einer Frau garnicht sehen, ich spreche ganz allgemein. Dann sehe ich Günther in seiner Überheblichkeit vor mir – ich habe wohl recht. [...]

Meine Orientierung an den intellektuellen Romantikerinnen, die zugleich leidenschaftliche Liebende waren, sowie mein Aufbegehren gegen die mir entgegengebrachte frauenfeindliche Herablassung zeigt die emanzipatorische Seite der jungen Lore. Der Männlichkeitswahn der Nationalsozialisten verdarb mir die Lust am Flirten.

Nächstes Wochenende werde ich Hilde und Liselotte in Freiburg besuchen, ich freue mich sehr. Ich werde auch am Montag einige Vorlesungen hören mit Hilde. Zugleich haben die beiden einen Budenzauber vor. […]

Tübingen, Donnerstag, den 20. März 1941
[…] In letzter Minute hatte mir Hilde mitgeteilt, daß ich doch nicht bei ihr übernachten könne, ihre Wirtin erlaube es nicht. […] Abends war also dann der Budenzauber. […] Wir waren nur vier Paare. […] Mit dem Budenzauber habe ich nun etwas kennengelernt, was mir im ersten Studienjahr nicht beschieden war, ein kleines Fest in ganz kleinem Rahmen und vor allem: originell (und original!).

Diese Studenten, d.h. zwei von ihnen bewohnten ein Dachgeschoß allein […], neue Tapeten aufgezogen, und diese hatte ein Student, ursprünglich Maler, entsprechend bebildert. […] Es war alles à la Bohème, und eine ähnliche Stimmung hatten wir auch. Das Motto des Abends »Eine Nacht auf Tahiti«. […] Unvermeidlich in dem kleinen Rahmen war natürlich ein allgemeiner Flirt, gut, daß mir mein Herr gefiel und umgekehrt. […] Tanzen, Küssen, Lachen, Essen, Erzählen --- so war's. Wir waren zwanglos angezogen, trugen Sommerkleider (ich das amerikanische), Blumen im Haar. […]

Hier in Tübingen fand ich dann mehr Arbeit, als ich erwartet: Das englische Referat (Vergleich zwischen »Sommernachtstraum« und »Sturm«) sollte in der Woche fertig werden, dann am Wochenende Vorbereitung zur Hörgeldprüfung. […]

Tübingen, Freitag, 21. März 1941, 20 Uhr
Jetzt bin ich schon wieder reisefertig. […] Alle meine Gedanken sind nun schon vorwärts gerichtet auf das Sommersemester. […] Ob in Berlin? […] Ich glaube es immer weniger, es ist doch unsinnig, jetzt im Krieg. […] Ob Mutti Königsberg erlauben würde? […] Doch was nützen alle Wünsche, Hoffnungen, Pläne – der größte ist doch der, Gott gebe, daß der Krieg bald zu Ende sei!

Am 2. März sind <u>unsere Truppen in Bulgarien</u> einmarschiert. Die Fronten werden immer größer. Jetzt kämpfen sie auch mit den Italienern in Afrika.

Hermann ist seit einiger Zeit bei dem berühmten Jagdgeschwader Galland – doch als Kraftfahrer und dabei nicht allzu glücklich. Der Himmel beschütze ihn. […]

Heidelberg, 13. Mai 1941

[...] In bester Laune und Gesundheit kam ich nach Hause, konnte die ersten 10 Tage gut arbeiten (Romantik). Dann fühlte ich mich fast zwei Wochen wenig wohl. [...] Ich bekam eine schwere Angina. [...] Während der Krankheit eröffnete mir Mutti dann, daß ich nicht nach Königsberg dürfte, wegen meiner Krankheit. [...] Der Hauptgrund aber war doch der, sie wollte mich in ihrer Nähe haben, nicht nur, falls ich krank würde, sondern falls Hermann etwas zustoßen würde, denn gerade in diesen Tagen kamen sehr beunruhigende Nachrichten von Hermann, der in die Nähe von Brest versetzt wurde, auf einen Flugplatz. Es sind dort viele Angriffe, er schrieb gerade von vielen Toten, Jungens wie er ---

[...] Keineswegs bei voller Gesundheit zog ich dann am 2. Mai nach Heidelberg ab. Zum Glück konnte ich [...] sofort ein Zimmer bekommen. [...] Sonntags machte ich Besuch bei Onkel Theodor und Tante Helene; Elfriede ist auch dort mit der kleinen Waltraut, solange Otto eingezogen ist. [...] Erst jetzt lerne ich diesen Familienzweig mal richtig kennen. [...]

Inzwischen ist auch in der Weltpolitik wieder vieles geschehen, vom 6.–18. April Feldzug und Niederlage der Jugoslaven. Ein Tag nach deren Beitritt zum Dreimächtepakt wurde die Regierung durch einen Militärputsch gestürzt. Prinzregent Paul floh, der junge Peter wurde König. Provokation gegen Deutschland!

Am gleichen Tag greifen wir auch in den Kampf der Italiener in Griechenland ein – und wo deutsche Soldaten kämpfen, wird auch was erreicht: Auch Griechenland hat den Kampf verloren, am 27. April nahmen unsere Panzertruppen Athen! Die Engländer aus Griechenland vertrieben! – Herrlich, wie schnell und sicher alles ging! Gleichzeitig wurden unsere Truppen nun auch in Afrika mit den Italienern eingesetzt (um die verlorenen Stellungen wieder zu gewinnen, anscheinend). Auch hier herrliche Leistungen, aber doch auch erhebliche Schwierigkeiten, die Entfernungen, Klima usw.

Mit erneuter Wucht setzte unser Luftkampf gegen die britische Insel ein. Anfangs keine besonderen Gegenstöße der Engländer, jedoch in den letzten Wochen haben sie starke Angriffe ausgeführt (ist das die amerikanische Hilfe?) gegen Hamburg, Bremen, Kiel, Berlin, Mannheim. Bisher mußten wir etwa jeden 3. Tag in den Keller, es ist uns sehr unbehaglich zumute. Wann wird der Krieg enden? An ein ganz rasches Ende, noch in diesem Jahr, kann ich nicht mehr glauben.

Hoffentlich gibt es keine Schwierigkeiten mit Rußland! Molotow mußte zurücktreten![...] Spannungen sind jedenfalls vorhanden. Es sind viele Truppen an die Grenze gekommen.

Gestern haben wir einen großen Schrecken gehabt. Durch eine merkwürdige Radiomeldung: Rudolf Heß ist seit 2 Tagen verschwunden! Trotz Verbot des Führes, wegen einer fortschreitenden Krankheit nicht mehr zu fliegen, eignete er sich ein Flugzeug an, startete --- Heute wurde nun mitgeteilt, daß er in Schottland landete oder absprang, wohl verletzt. Habe die Absicht gehabt, auf eigene Faust Friedensverhandlungen zu unternehmen. Eine ganz unbegreifliche Tat! Der Stellvertreter des Führers bei eventuellem Tod des Führers und Görings zum Reichskanzler bestimmt! War er wirklich schon lange krank (geisteskrank, zeitweise?), warum behielt er dann seine leitende Stellung? Oder hatte er seine eigenen Pläne? Es ist ganz schrecklich! Ausgerechnet in Feindeshände – was wird das Ausland reden! Schon der zweite Mitarbeiter des Führers. [...]

Eine große Ambivalenz der Gefühle spricht aus diesen Passagen. Die Freude über militärische Erfolge konnte die Ängste – *Hoffentlich gibt es keine Schwierigkeiten mit Rußland!* – nicht überdecken.

Die allgemeine Aufregung über die *unbegreifliche Tat* von Rudolf Heß, einem der getreuesten Gefolgsleute Hitlers, verstärkte die Irritation. Heß, seit 1920 Mitglied der NSDAP, am Putschversuch Hitlers vom 8./9. November 1923 beteiligt, wie dieser des Hochverrats angeklagt und zu 18 Monaten Festungshaft verurteilt, vergötterte Hitler nicht nur, sondern war auch ein fanatischer Antisemit. In der Landsberger Haft hatte Hitler ihm »Mein Kampf« diktiert. Er war sein Privatsekretär geworden und zu den hohen Ämtern aufgestiegen, ohne jedoch zu Einfluß oder Macht zu gelangen. Sein heimlicher Flug nach Schottland sollte ihn in Kontakt mit den Briten bringen; er wollte sie für einen Friedensschluß mit dem Dritten Reich gewinnen, um Hitler für den geplanten Rußlandfeldzug den Rücken freizuhalten. Eine so verrückte Tat – Deutschland in dieser »schwierigen Zeit« zu verlassen! – konnte man damals nur begreifen, indem man Heß für geisteskrank erklärte. Sie war eine Sensation ohnegleichen, enttäuschend und peinlich zugleich: *Was wird das Ausland reden!* Der Zwiespältigkeit meiner Empfindungen, wie sie das Tagebuch zeigt, war ich mir nicht bewußt.

Rudolf Heß wurde von den Engländern gefangengesetzt und im Nürnberger Prozeß zu lebenslanger Haft verurteilt. Als letzter Einzelhäftling verbrachte er, da die Sowjets alle Vorstöße zugunsten seiner Entlassung ablehnten, bis zu seinem Tod 1987, 41 Jahre im Spandauer Gefängnis.

20. Mai 1941

Ich befinde mich nun in einer merkwürdigen Stimmung: der Wunsch, daß ich Franz E. mal sehen würde, wird nun schneller in Erfüllung gehen, als ich dachte. Vor einer Woche sagte er sich für Himmelfahrt an – gerade mein Geburtstag. Heute kam nun die Nachricht, daß er vielleicht schon einen Tag früher kommt, also morgen. Heute hat es den ganzen Tag geregnet, das hat mir die Laune verdorben. Wenn es nur morgen schön wäre! (Ein Sommerkleid ist auch netter als ein alter Regenmantel!)

Ich habe so schrecklich Angst, es könnte eine Enttäuschung werden, diese Begegnung ... Wenn er so nett ist wie in seinen Briefen, bin ich sicher gleich verliebt. [...]

Heute war die feierliche Immatrikulation. Dabei eröffneten sich für den Sommer Aussichten, die ich in den letzten Wochen schon ahnte: in den Ferien Fabrikdienst! Macht mir an sich nichts aus, wie ich jedoch meine Arbeit bewältigen soll, ist mir schleierhaft, ich hatte so sehr mit den Ferien gerechnet. [...]

Himmelfahrt ist diesmal auf Sonntag »verlegt«. Aber an meinem Geburtstag werde ich doch nichts tun. Nun schon 22 Jahre! Es ist furchtbar, wie rasch das Leben vergeht, es rauscht vorüber, so kommt es mir vor, und man steht in der Ferne und muß zuschauen!??

Heidelberg, 23. Mai 41

Nun war er also hier, Franz E. Er kam wirklich schon am Mittwoch, mittags 1/2 5 Uhr, als ich schon nicht mehr damit rechnete.

Anfangs, in den allerersten Minuten, waren wir etwas befangen. Er brachte mir ein paar Maiglöckchen mit. So etwa hatte ich ihn mir vorgestellt. Mit einer fabelhaften Figur, schmal, schlank (wie es mir immer am besten gefällt). Ein gutes Stück größer als ich, aber nicht zu groß. Die Uniform stand ihm ausgezeichnet. Doch gestern in Zivil sah er nicht weniger gut aus.

Sehr rasch hatten wir einen netten Ton gefunden. Wir schlenderten zuerst durch die Hauptstraße, gingen durch die Gasse, die die Gebäude der Uni durchquert, und hinauf zum Schloß und in den Schloßpark. Dort saßen wir eine Weile, anschließend aßen wir im »Perkeo« zu abend, gut und nett. Danach zog ich mich zu Hause um, ein Sommerkleid, und wir besuchten ein nettes Weinlokal. [...]

Unser Gefallen aneinander war offensichtlich gegenseitig und nicht gering. »Damit wir gleichen Schritt halten könnten«, fand er es nötig, meinen Arm zu nehmen. Ich fühlte mich herzlich wohl an der Seite eines so flotten Marineoffiziers! Auf dem Nachhauseweg war es furchtbar dunkel, ich hatte schon Sorge, ich könnte das Haus verfeh-

len. Es kam dann so, wie ich es in Gedanken vorausgesehen (und ge-
wünscht?) hatte. Wir sind ja beide so jung und anscheinend gleich
leicht empfänglich für einen Flirt, und so war es wunderschön.

Gestern wollten wir vormittags zum Königstuhl laufen, mittags
dann ein Gang über den Philosophenweg. Doch alles kam ganz an-
ders. Franzel verspätete sich um eine Stunde. Inzwischen kam Frau
S. [die Zimmerwirtin] wieder aus der Kirche, fand mich allein und
erzählte, ahnungslos, von einer Bekannten, deren Besuch nun plötz-
lich am Nachmittag abreisen müßte, da der Nachtzug nach Mün-
chen wegen Truppentransporten ausfiele. Ich war entsetzt: Franzels
Zug! Als er dann kam, konnte ich ihm dann die Hiobsbotschaft mit-
teilen. […] Kaum drei Stunden blieben uns noch. […]

Es war so kurz gewesen, aber doch wunderschön. Wer weiß, wann
und ob wir uns mal wiedersehen. Doch vielleicht ist dann der eine von
uns nicht mehr daran interessiert? Für die Entstehung eines wirkli-
chen Gefühls war die Zeit zu kurz – so blieb es rauschhaft, ein
Traum fast und wahrscheinlich nur eine Episode. […]

Er ist noch jungenhaft und doch irgendwie männlich, sogar sehr;
sehr sicheres Auftreten. Doch natürlich kein Interesse für das, was
mein Gebiet ist und auch wohl keines für tiefere Gespräche … Am
besten gefiel mir eben diese herrliche Unbekümmertheit. Es war
zu schön, an seinem Arm so froh und beschwingt daher zu gehen,
bei wunderschönem Wetter, in meinem hübschesten Kleid und net-
ten Hut, einige ältere Ehepaare, die im Park des Europ saßen, wo
Franzel wohnte, sahen uns mit lächelnder, wohlwollender Miene
nach, diesem Pärchen, dem Jugend und Freude so aus den Augen
strahlte[n]. […]

Franzel fragte mehrmals, ob ich nicht mitkommen wolle nach
München! Wie herzlich gern wäre ich da mal leichtsinnig gewesen
und mitgefahren, fehlte nur ein überflüssiger 50-Mark-Schein! […]

Diese Begegnung sollte sich nicht wiederholen. Im Gedächtnis geblieben ist mir nur, wie wir, ich im gemusterten Plisseekleid und mit
breitrandigem blauem Strohhut, *so froh und beschwingt* und Arm in
Arm die Blicke auf uns zogen; schon die zur Schau gestellte Verliebtheit fiel auf.

TAGEBUCH VI
30. Juni 1941 – 11. August 1943

Das Tagebuch, ein dickes Kollegheft, endet mit einer Eintragung vom 26. Juli 1943. Am Schluß sind zwei Seiten eines kleineren Formats eingelegt, offensichtlich herausgerissen aus einem Büchlein, das nicht weiterbenutzt wurde.

Heidelberg, 30. Juni 41

Am vorigen Sonntag, 22. Juni, ging, wohl eine große Sorge und Bedrückung zugleich, aber auch irgendwie ein Aufatmen durch ganz Deutschland: Wir haben den <u>Krieg gegen Rußland</u> begonnen! Schon lange wurde allerlei gemunkelt, endlich war Klarheit. Rußland, das seinen Vertrag mit Deutschland wenig beachtete, hatte Expansionspläne, die sich gegen Deutschland letzten Endes richten, und die der Führer nicht dulden konnte (Finnland, Rumänien, Dardanellen). Starke Truppenmassierungen, schon lange – natürlich auch auf unserer Seite.

Alle sind wir nun wie befreit von dem Druck der sowietischen »Freundschaft« (doch wie wunderbar ist es dem Führer damals gelungen, während dem Frankreich-Feldzug den Osten ruhig zu halten!), doch daß jetzt in dem Ton von und mit Rußland geredet wird, den wir alle als den richtigen empfinden, tut sehr wohl.

Eine riesige gemeinsame Front steht gegen die U.D.S.S.R.: Deutschland, Finnland, Rumänien, Ungarn, Slowakei, Italien! Und nun bald auch Freiwillige aus Spanien, Holland, Norwegen usw. Daß das Reich nun endlich auch für Finnland eintritt, das ja nie etwas anderes war als Deutschlands Freund und Verehrer, freut mich ganz besonders, in Gedanken an Dorrit.

Der Kampf ist gewaltig, aber daß der Sieg uns sicher ist und bald gewiß, zeigt sich schon jetzt: nach 7 Tagen: Dünaburg, Kowno, Białystok, Lemberg erobert! 4000!! Flugzeuge, 1300 Tanks vernichtet! Zwei Armeen eingeschlossen usw. Was wird da erst in 4 Wochen geschehen sein!!!?? Man muß es einfach glauben, daß unsere Soldaten die besten der Welt sind!

Aufatmen, Erleichterung. Zwar war Schreckliches geschehen, *wir haben den <u>Krieg gegen Rußland</u> begonnen,* doch *endlich war Klarheit,* das Unbehagen, das wir immer im Gedanken an die deutsch-sowjetische »Freundschaft« empfunden hatten, waren wir los.

Die Gedanken, die damals die Verantwortlichen bewegten, kann man in Goebbels Tagebüchern nachlesen. Wenige Tage vor dieser Kehrtwendung, am 16. Juni, notierte er: »Das Zusammengehen mit Rußland war eigentlich ein Flecken auf unserem Ehrenschild. Der wird nun abgewaschen. Wogegen wir unser ganzes Leben gekämpft haben, das vernichten wir auch ... Der Führer sagt, wir müssen siegen. Das ist der einzige Weg. Und er ist recht, moralisch und notwendig. Wir haben sowieso soviel auf dem Kerbholz, daß wir siegen müssen, weil sonst unser ganzes Volk, wir an der Spitze, mit allem, was uns lieb ist, ausradiert werden.«

Die Fakten: Bedenkenlos setzte Hitler sich über den Deutsch-Sowjetischen Nichtangriffsvertrag hinweg. Ohne Kriegserklärung fielen mehr als drei Millionen Soldaten, 75 Prozent des gesamten deutschen Feldheeres, technisch hoch gerüstet, in drei Heeresgruppen über die darauf nicht vorbereitete Sowjetunion her. Das Feindbild, das schon längst sichtbar gewesen war, erhielt nun scharfe Konturen. Hitler deklarierte den »Kampf zweier Weltanschauungen« und warf damit die bisher geltenden Konventionen, die auch dem Feind Ehre und Lebensrecht zusprachen, über Bord. Die Erweiterung des deutschen Lebensraums durch Eroberungen im Osten, die Dezimierung der slawischen Bevölkerung und »rücksichtslose Germanisierung« waren die Kriegsziele.

Die außerordentlichen ersten Erfolge des Rußlandfeldzuges, die Überzeugung, *daß der Sieg uns sicher ist,* konnten jedoch die Angst nicht überdecken: Drei Ausrufe- und zwei Fragezeichen – *!!!??* – drücken sie aus.

Während 2/3 unserer Ferien werden wir nun in Rüstungsbetrieben eingesetzt: 1. August – 4. Oktober. Wir wissen, daß das nötig ist – aber zuweilen kann man nicht umhin, sich zu fragen, wie man mal (bald) Examen machen soll, wenn man vorher keine Zeit zum Arbeiten hatte. Einzelheiten wissen wir noch nicht. [...]

Alzey, 3. August 1941, Sonntag Abend
[...] *Zum erstenmal in meinem Studium habe ich nicht nur fast ausschließlich gearbeitet. Diesmal habe ich die Sonne und Heidelberg genossen und bin froh darüber, wer weiß, wie lange ich nun davon zehren muß! Ja, denn innere Freude und Ruhe habe ich bitter nötig, denn wieder einmal hat uns das Schicksal heftig angefaßt: <u>Mutti ist krank</u>, für lange Zeit. Am 18. Juli ist sie vom Rad <u>gestürzt</u> (ein kleiner Junge lief ihr hinein) und hat das rechte <u>Bein gebrochen</u>, der Gelenkkopf des Schienbeins ist zersplittert, das <u>Knie in Mitleiden-</u>*

schaft gezogen! Jetzt, bevor die große Arbeit im Garten anfängt! Und doch noch Glück im Unglück – denn gerade haben meine Ferien begonnen, man hat mich sofort vom Rüstungseinsatz freigegeben. Nun verwalte ich drei Monate Haus und Garten – oder, wahrscheinlicher, viel länger noch. […] Sie liegt bei Großmama, und ich esse auch dort zu Mittag. Auf diese Weise habe ich natürlich mehr Zeit für den Garten, als wenn ich sie selber pflegen würde. […]

Alzey, 17. August 41
Vor einigen Tagen erhielten wir durch Onkel Carl die erschütternde Nachricht, daß Rolf am 22. Juli im Osten gefallen ist! Das erste Opfer in unserer Familie. Für Tante Julie kaum tragbar. Und Rolf, wie es ja stets ist, gehörte zu den Menschen, denen man das Leben besonders wünscht. Was hätte aus ihm werden können, und welch ein Geschlecht wird mit ihm ausgelöscht! Es ist furchtbar.

Im Osten sind die Erfolge ungeheuer, unvorstellbar. Vor einigen Tagen kamen wieder zusammenfassende Meldungen, 900 000 Gefangene sind es fast jetzt, 9000 Flugzeuge vernichtet, 13 000 Panzerwagen, Zahlen, die man sich nicht vergewärtigen kann. Inzwischen sind unsere Truppen zum Schwarzen Meer gelangt, Odessa ist eingeschlossen. Die Verluste sind schwer, wenn auch im ganzen gering. – Gewiß wird dieser Feldzug in einigen Wochen zu Ende sein. Ob es dann mit aller Macht gegen England geht – noch in diesem Jahr? […]

Und nun muß ich noch ein bißchen nachtragen von der Freude, die ich hatte. Gisela hat mich wirklich besucht! […]

Sonntag, 31. VIII. 41
[…] Am Montag, 25.VIII., sind Sowiets und die Engländer im Iran einmarschiert. Damit haben die Engländer die Gelegenheit, die Sowiets mit Material im Osten zu versorgen. 2 Tage dauerte der Widerstand des Iran, dann mußte er aufgegeben werden.

Montag, 8. September 41
Die Grausamkeit des Krieges kommt einem erst dann wirklich zum Bewußtsein, wenn man selbst – oder einem nahestehende liebe Menschen – davon betroffen wird. Am Freitag kam die schreckliche Nachricht an Tante Else, daß Günther gefallen ist: Am 2. September, gerade 16 Tage war er eingesetzt. […] Während man von Rolf nur eben die Nachricht bekam, erlebe ich hier allen Schmerz bei Tante Else mit. Es ist ganz furchtbar. Wenn ich ihn auch nicht besonders mochte wegen seines lauten, etwas derben Wesens – vor dem Tod schweigen solche kleinen Gefühle. Günther war gerade Leutnant

*geworden. Wieder ein junges Leben weniger. Ein Mensch, der es auch
wert gewesen wäre, Nachkommen zu haben. Wenn wir auch die Russen, diese Untermenschen, ein Schrecken für alle Kulturmenschen –
man sehe nur die Wochenschau! – vernichten, am Ende verbluten
aber auch wir uns bei diesem Kampf! Die Mutigsten, Kühnsten,
Tapfersten – die Besten sind es stets, die fallen müssen.*

*Von den jungen Alzeyern, mit denen ich zusammen war, lebt fast
keiner mehr:*

Gerhard W. – verunglückt 1940

Klaus R.: im Westen gefallen 1940

*Hans N., Georg G., Günther vor einigen Monaten im Osten ge-
fallen, 1941*

und viele andere noch, die ich weniger kannte.

*Uli W. wird nun wieder umgeschult, zum U-Boot-Kommandan-
ten. Sein jüngerer Bruder starb nach schwerer Verwundung voriges
Jahr im Lazarett.*

Sie sprechen für sich selbst, überdeutlich, diese Tagebuchäußerun-
gen zwischen dem 17. August und 8. September 1941. Wie gern
drückte ich mich mit dieser Feststellung vor dem Kommentieren,
gerade in diesem Fall.

Ja, so habe ich damals gedacht, gefühlt. Teilte ich nicht die Na-
zigesinnung mit ihrem rassistischen Dünkel mit vielen, vielen? Ja
doch, ich hatte nur diese Ideologie im Kopf. Das erklärt, aber es
entschuldigt mich nicht.

Welch ein Geschlecht wird mit ihm ausgelöscht! Vetter Rolf,
21 Jahre alt, einziger Sohn seiner früh verwitweten Mutter. *Ein
Mensch, der es auch wert gewesen wäre, Nachkommen zu haben.*
Vetter Günther, 25, einziger Sohn seiner früh verwitweten Mutter.
Die Besten sind es stets, die fallen müssen. Die Besten. Das waren
wir, die Deutschen. Und je näher sie mir standen, um so größer
wurde meine Trauer. Kam mir je auch nur einmal der Gedanke, daß
auch russische Mütter um ihre gefallenen Söhne, russische Frauen
um ihre Männer trauern? Nein. Nie.

*Die Russen, diese Untermenschen, ein Schrecken für alle Kultur-
menschen* – was gäbe ich darum, wenn ich diese Worte, diese Gesinnung nicht in meinem Tagebuch dokumentiert fände. Wie fruchtbar war der Boden, auf den die nationalsozialistische »Rassenkunde«
fiel, die die Deutschen der hochwertigen »nordischen Rasse« zuord-
nete, Juden, Slawen (»Fremdvölkische«) und »Zigeuner« als minderwertig klassifizierte. Ich glaube nicht, daß ich das folgende Zitat
von 1935 aus einer Schrift der SS kannte; ich notiere es, weil es mit

seiner Pseudoinformation erkennbar auch das Gefühl transportiert, das das Wort *Untermensch* auslöste: »Der Untermensch – jene biologisch scheinbar völlig gleichgeartete Naturschöpfung mit Händen, Füßen und einer Art von Gehirn, mit Augen und Mund, ist doch eine ganz andere furchtbare Kreatur, ist nur ein Wurf zum Menschen hin, mit menschenähnlichen Gesichtszügen – geistig, seelisch jedoch tiefer stehend als jedes Tier. [...] Untermensch – sonst nichts. [...] Und diese Unterwelt der Untermenschen fand ihren Führer: – den ewigen Juden.«

Das Feindbild – allein schon die Namen »Russen«, »Sowjets« erweckten Ängste – war schon lange entworfen, für die Dauer des deutsch-sowjetischen Nichtangriffspakts nur vorübergehend übertüncht; nun wurde es mit allen propagandistischen Mitteln ausgemalt und vergrößert. Tief verankert ist in meinem Gedächtnis ein weitverbreitetes Plakat des »russischen Untermenschen«: Die massige Gestalt, das brutale Gesicht unter dem kahlgeschorenen Schädel erinnerten an einen Gorilla – zum Fürchten! *Untermenschen,* so lautete die Bildbotschaft, haben kein Lebensrecht; *vernichten* mußten wir sie also, diese Ungeheuer, die den Lebensraum, den wir beanspruchten, bevölkerten.

Vom »Untermenschen« zum »Ungeziefer«, das man erst recht ausrotten muß, ist es nur ein kleiner Gedankenschritt. Der Mensch als Kakerlake – – –. Wer Kakerlaken zertritt, braucht keine Schuldgefühle zu haben, ist ein Kammerjäger, kein Mörder. Das Schema funktioniert bis heute, und noch immer entlarvt den Unmenschen seine Sprache. »Untermenschen« setzen keine Mitgefühlsphantasien in Gang, sie lösen nur Angst aus. Zum erstenmal blitzt der Gedanke auf, *am Ende verbluten auch wir uns in diesem Kampf.* Ich blättere noch einmal zurück in diesen letzten Tagebuchnotizen. Ich nehme Widersprüche wahr. Einerseits äußerte sich so viel Schmerz um die Toten; selbst in dem verhaltenen Satz vor der Aufzählung der Namen – *von den jungen Alzeyern, mit denen ich zusammen war, lebt fast keiner mehr* – klingt das Gefühl durch. Andererseits zeigte sich auch eine Tendenz zum Verschleiern. *Die Verluste sind schwer, wenn auch im ganzen gering.* Und wieder sprach ich mir Mut zu, versuchte ich Zweifel zu unterdrücken. *Gewiß wird dieser Feldzug in einigen Wochen zu Ende sein.* Ich brauchte den Mut, die Zuversicht, denn sie erhielten mich aufrecht.

Was hätte ich gesagt, wenn ich gewußt hätte, was Goebbels seinem Tagebuch anvertraute? Am 1. August vermerkte er: »Man gibt auch offen zu, daß man sich in der Einschätzung der sowjetischen Kampfkraft etwas geirrt hat. Die Bolschewisten zeigen doch stärkeren Widerstand als wir vermuteten [...]. Trotzdem werden wir mit ihnen fertig, hauptsächlich auch deshalb, weil wir mit ihnen fertig werden müssen.« Auch Goebbels mußte sich an seiner Zuversicht festhalten. Am 19. August notierte er: »Der Führer ist innerlich über sich sehr ungehalten, daß er sich durch die Berichte aus der Sowjetunion so über das Potential der Bolschewisten hat täuschen lassen. Vor allem seine Unterschätzung der feindlichen Panzer- und Luftwaffe hat uns in unseren militärischen Operationen außerordentlich viel zu schaffen gemacht. Er hat darunter sehr gelitten. Es handelt sich um eine schwere Krise.«

Freitag, 19. September 41
Heute wurde die Umfassungsschlacht von Kiew, der Hauptstadt der Ukraine, bekanntgegeben. Sie soll größer sein als die von Białystok, Minsk, Smolensk, Gomel.

Eine große Freude: Hermann kam am Samstag für 2 Wochen auf Urlaub. Unser Gesuch zu seiner Reklamierung für die Obsternte wurde genehmigt, wenn auch recht spät. Die Ernte ist ja fast vorbei.

Doch kaum war Hermann hier, so fiel auch schon ein bitterer Tropfen in unsere Freude: Eine neue, unfaßbare Nachricht: Franz-Josef H., Hermanns bester Freund, ist am 1. September in Finnland, im Gebiet von Salla, gefallen. Mein Herz wird mir oft so schwer, nimmt denn dies Elend gar kein Ende? [...]

26. IX. 41
[...] Heute ist Hermann wieder abgereist. Ich bin so froh, daß ich ihn endlich wieder einmal sehen konnte! Möge der Himmel ihn uns erhalten. [...]

Gestern besuchten wir gemeinsam die Familie H. Am gleichen Tag waren seine Sachen gekommen, darunter ein Notizbuch, das er als Tagebuch verwandte. Erstaunlich, daß es ausgehändigt wurde. Sein Inhalt ist für die Familie eine Kostbarkeit, in knappen Sätzen und Stichworten erfahren sie doch ein wenig von dem, was er erlebte und wie es in ihm aussah. Es ist ein erschütterndes Dokument, Verzweiflungsschrei eines jungen Menschen. »Drei Tage schon naß bis auf die Haut« – »Ablösung wird wohl keine kommen?«, »Immer noch keine Ablösung!« – »Verlorener Haufen – sollen wir denn hier alle verfaulen?« (seine letzte Eintragung!). Er gehörte der einzigen deutschen Lappland-Division an, wie man jetzt erfuhr.

Und doch sind seine Eltern glücklich, daß er vielleicht vor noch größeren Strapazen bewahrt blieb – daß er ein ordentliches Grab fand (Hans N. liegt im Massengrab).

Tante Else ist nur noch ein Schatten ihrer selbst. [...] *Bemitlei-*
denswert all die Menschen, die jetzt um einen Sohn oder Gatten im
Osten bangen müssen – auch Marianne gehört dazu – ihr Verlobter
ist mit in vorderster Linie.
Die Erfolge sind so groß, daß man sich die Zahlen gar nicht ver-
gegenwärtigen kann. Die Schlacht ostwärts Kiew ist noch nicht ab-
geschlossen, und heute wurden 574000 Gefangene gemeldet!! (Wie-
viel Tote mögen es erst sein?) [...]

29. IX. 41
Die große Schlacht ostwärts Kiew ist beendet, seit 2 Tagen. 635000
Gefangene! Jeder Begriff für Zahlen geht verloren. Man kann nur
fassungslos zuhören und bewundern.

2. X. 41
Welche Freude! Hermann wurde am Tag seiner Rückkehr vom Ur-
laub versetzt, auf eine Unteroffiziersanwärterschule nach Oberschle-
sien! Endlich geht es doch in seiner Soldatenlaufbahn vorwärts. Ich
freu mich so sehr für ihn! Allerdings – er wird dann wohl doch noch
Flieger, oder so ähnlich, fürchte ich. Er wird sich ja freuen! Alles liegt
in der Hand des Schicksals.

16. X. 41, abends, 20 Uhr 55
Gerade eben Sondermeldung: Die rumänischen Truppen haben
Odessa genommen, heute Mittag sind sie in die Stadt, um die so
lange gekämpft wurde, einmarschiert!
Gestern: Die Doppelschlacht von Wjasma und Briansk neigt sich
dem Ende zu. Bisher über 500000 Gefangene, die Gesamtzahl der
russischen Gefangenen hat nun 3 Millionen überschritten. [...]

25. X. 41
Charkow heute, am 21. Stalino genommen, die bedeutendsten Indu-
striestädte im Donezbecken. Am 22. kam die Insel Dagö in deutsche
Hand. Damit ist der baltische Raum vom Feind frei!

Nimmt denn dieses Elend gar kein Ende? Wieder war ein Einund-
zwanzigjähriger gefallen, und sein Tod ging mir nah. Der *Verzweif-*
lungsschrei, den sein Tagebuch als letztes Lebenszeichen festhielt,
veranlaßte mich nicht, mir genauere Gedanken zu machen. Ich ging
nur so weit wie die Eltern und referierte nur, wie sie sich in ihrer
Trauer zu trösten versuchten.
Die Frage, *wieviel Tote mögen es erst sein?,* die sich auf die Russen

bezog, kann ich mir heute nicht als Anteilnahme gutschreiben. Ich vermißte die Information in der Veröffentlichung. *Jeder Begriff für Zahlen geht verloren,* ob es sich um *635000* oder *3 Millionen Gefangene* handelt. *Fassungslos zuhören und bewundern* hilft, daß man solche Zahlen überhaupt aushalten kann. Was wäre in mir vorgegangen, wenn ich versucht hätte mir vorzustellen, ob und wie solche Massen von geschlagenen Soldaten ernährt und untergebracht werden können, welche Überlebenschancen gefangene »Untermenschen« wohl haben? Wäre meine unbewußte Abwehr der Wahrheit über den »Feind« womöglich zusammengebrochen?

Das Schicksal deutscher Kriegsgefangener in Rußland hat mich, wie alle Deutschen, bis lange nach dem Krieg sehr bewegt. Das der russischen Kriegsgefangenen war nicht nur mir keinen Gedanken und erst recht kein Mitgefühl wert. Die Fakten: Bis Kriegsende wurden 5,75 Millionen sowjetische Soldaten gefangengenommen. Über die Hälfte von ihnen, 3,3 Millionen, starben in deutscher Gefangenschaft an Hunger, Erschöpfung, Krankheit oder wurden erschossen.

Alles liegt in der Hand des Schicksals – ein Stück Angst, so zeigt das Tagebuch, wagte sich im Gedanken an meinen Bruder hervor, mit dem ich mich zugleich freute, weil sein Wunsch, *Flieger oder so ähnlich,* d. h. wenigstens Funker zu werden, sich der Erfüllung zu nähern schien.

Die Nachricht *Der baltische Raum vom Feind frei* verstand das kollektive Unbewußte auf seine Weise. Wenn es keinen Feind mehr gab, konnte man sich hier wohlfühlen, nämlich deutsch und im Recht fühlen. Wäre einem noch ein »Feind« über den Weg gelaufen, hätte man sich als Täter, als Vertreiber fühlen müssen. Aus den Augen, aus dem Sinn, das Gewissen kann schweigen. Nur die totale »Säuberung« schafft Entlastung, ein überaus aktuell gebliebener, der seelischen Hygiene dienender Tatbestand. Zur totalen »Säuberung« gehörte es damals, daß die baltischen Länder nach der Eroberung durch die deutschen Truppen auf die bestialischste Weise auch »judenfrei« gemacht wurden.

Welch ein seltsames Geschick: Günther ist nicht vor dem Feind gefallen, sondern – genau wie sein Freund Gerhard – bei der Landung verunglückt. Wenige Tage später hätte er von der Front weg wieder nach Deutschland zu einem Lehrgang kommen sollen. Man darf an all dies Wenn und Aber nicht denken, man muß versuchen, es hinzunehmen. Man muß sich immer wieder vorsagen, sie kehren nicht wieder – begreifen kann man es nicht. Wann wird ein Ende sein?

Heute ist Mutti aus dem Krankenhaus wieder zu Großmama gekommen. 14 Wochen sind es nun schon. In ein, zwei Wochen wird sie dann in die Römerstraße übersiedeln können. Ein Glück, daß der Semesterbeginn 14 Tage verschoben wurde, auf 18. November. (Es heißt, 35 000 Studenten sollen von der Front zum Studium kommandiert werden, ältere Semester.) Die Ärzte sind mit Muttis Fortschritten sehr zufrieden. […] Jetzt geht sie mit zwei Stöcken.

Endlich, endlich kann ich regelmäßiger arbeiten! Vor allem abends viel lesen (wir haben so oft und lang Fliegeralarm in diesen Wochen!). Nach »Wilhelm Meisters Lehrjahren« – die ich bis jetzt nur interessant als literarisches Dokument finde, die mich aber sonst noch kühl lassen – lese ich jetzt »Die Wahlverwandtschaften« und bin sehr begeistert. So lebensecht, psychologisch so fein. Trotz aller Einzelschilderungen nicht breit, was ich ja nicht mag. Sehr spannend, wundervoll die beherrschten Gestalten des Hauptmanns und Charlottens. Als Ganzes so geschlossen, man merkt, daß es in einem Zug geschrieben ist, gerade im Gegensatz zum Meister.

Die Arbeit mit Hilde zusammen ist recht erfreulich. […] Wir übersetzen mhd [mittelhochdeutsch] zusammen, aus dem Iwein. Ich bin gespannt, welches Ergebnis wir in Geschichte erzielen. Wir bereiten uns getrennt vor: Völkerwanderung und Merowinger, Gebiete, die wir noch nicht bearbeitet haben. Wir wollen uns dann gegenseitig prüfen. Es macht mir immer viel Freude, wenn ich mich mal richtig in die Geschichte versenke. Die Völkerwanderung ist ja so interessant! Die Arbeit ist sehr erleichtert durch historische Romane, die ich früher darüber gelesen habe, Dahns »Kampf um Rom« und Bluncks »König Geiserich«, kann ich mich noch an vieles erinnern. Man muß nicht so pauken.

Von den historischen Epochen interessiert mich besonders die große Kaiserzeit von Sachsen bis Staufen und die Reformationszeit. […] Für neuere Geschichte, nach dem 30jährigen Krieg, habe ich bis jetzt garnichts übrig. Meine Lieblingskaiser sind Friedrich II., der geheimnisvolle Staufer, und Karl V., die beide menschlich und politisch manche Gemeinsamkeit haben.

Heidelberg, 26. November 1941, abends nach 10 Uhr
Ich kam gerade nach Hause. Ich habe einen Film gesehen, eine Erschütterung. Ein gleiches Erlebnis wie etwa eines der großen Schauspiele in München. Der Film hieß: »Ich klage an« – den Paragraphen, der dem Arzt verbietet, einen unheilbar kranken Menschen von seinen Leiden zu erlösen, wenn er es erbittet. Eine Problemstellung, die wohl jetzt gerade sehr aktuell wird, vielleicht schon geworden ist.

Ein Arzt erlöst seine Frau, weil er sie liebt. Schauspieler von tiefer Erlebniskraft haben den Film gestaltet. Heidemarie Hatheyer, Paul Hartmann, Matthias Wiemann. In letzter Zeit sah ich mehrere sehr gute Filme. [...] Keiner aber, der mich so packte wie dieser, und gerade die Sterbeszene. [...]

Was wußte ich von der Euthanasie, den Aktionen zur Vernichtung »lebensunwerten Lebens«, der »Ausmerzung« von psychisch Kranken und körperlich Mißgebildeten, wie dachte ich darüber? Das Tagebuch gibt keine Antwort, meine Erinnerung auch nicht. In allen Medien, auch in Schulbüchern, wurde die Euthanasie seit Jahren propagiert. Dennoch wurden, aus Sorge vor Protesten, die Planungen geheimgehalten, ebenso die Ermächtigung, die Hitler im Oktober 1939 auf privatem Briefpapier seiner Kanzlei unterschrieb und auf den 1. September zurückdatierte – im besetzten Polen hatten die Morde an den Kranken der Heilanstalten bereits begonnen. Trotz aller Geheimhaltungsversuche sickerte die Wahrheit durch. Die Bevölkerung geriet in Unruhe. Öffentliche Proteste der Kirchen gipfelten in einer Predigt des Bischofs von Münster, Graf von Galen: »Da ein derartiges Vorgehen [...] als Mord nach dem Paragraph 211 des Reichsstrafgesetzbuches mit dem Tode zu bestrafen ist, erstatte ich [...] pflichtgemäß Anzeige.« Der mutige Protest wirkte, Hitler gab Befehl, die organisierte Mordaktion einzustellen. Das Töten hörte dennoch nicht auf; besonders betroffen waren geistig behinderte Kinder und psychisch kranke sowie arbeitsunfähige KZ-Häftlinge. Etwa 100000 Menschen wurden bis Kriegsende Opfer des Euthanasieprogramms.

Der »Gnadentod«, wie Hitler die Euthanasie in seinem Befehl von 1939 beschönigend genannt hatte, sollte auch unheilbar Kranken zuteil werden. Die Tagebuchnotizen über den *Film »Ich klage an«,* in dem es um den »Gnadentod« einer MS-kranken Frau ging, demonstrieren, wie wirkungsvoll für die Erweiterung der Euthanasie geworben wurde.

Am 22. November 1941 ist unser erfolgreichster Jagdflieger Werner Mölders verunglückt. In einem Dienstflugzeug, das er nicht selbst steuerte. 115 Abschüsse hatte er.

Hermann erzählte von seinem ganz großen Kameradschafts- und Gemeinschaftsgeist bei seinen Flügen. Er habe seinen Fliegern durch den Bordfunk geradezu Anweisungen zu den Abschüssen gegeben, wie ein Fluglehrer. Die Jungens hätten ihn sehr gern gehabt. [...] Wir waren alle irgendwie stolz auf ihn.

234

Doppelt furchtbar ist der Verlust, da wenige Tage vor dem 28jäh-
rigen Mölders (bester Spanienflieger!) auch Ernst Udet, der schon
im Weltkrieg flog, ebenfalls verunglückte. Ein ganz großer Schlag
für unsere Luftwaffe. –

Wieder ist einer tot, klagt das Tagebuch, einer der großen »Helden
der Luft«, ein Kamerad, der seinen *Jungens* zugleich ein Lehrer, ein
Führer war, einer, auf den *wir alle irgendwie stolz* waren, denn
durch ihn gehörten auch wir zu den Erfolgreichen, den Siegern.
Obendrein war er jung, einer aus unserer Generation und damit
erst recht einer, mit dem ich mich identifizieren konnte.

Werner Mölders, der als erster vier Monate zuvor mit der höchsten Kriegsauszeichnung, dem Ritterkreuz mit Eichenlaub, Schwertern und Brillanten, geehrt und zum General der Jagdflieger beför-
dert wurde, war auf dem Weg zu Udets Beerdigung, als schlechtes
Wetter ihm zum Verhängnis wurde.

Kurz nach seinem Tod sollte ein Brief des überzeugten Katho-
liken an einen Geistlichen in vielen Abschriften kursieren und den
Verdacht nähren, der beliebte Jagdflieger sei beseitigt worden. Es
handelte sich jedoch, wie sich erst Jahre nach Kriegsende herausstellte, um die erfolgreichste Desinformation des britischen Geheimdienstes.

Ernst Udet, bereits im Ersten Weltkrieg einer der bekanntesten
Jagdflieger, danach ein kühner Kunstflieger und Testpilot, war als
Generalluftzeugmeister verantwortlich für das Konzept des Luft-
krieges. Nach dem Versagen der Luftwaffe an der Ostfront, die das
Tagebuch nicht erkennen läßt, und einer schweren Auseinanderset-
zung mit Göring nahm er sich, erst 45 Jahre alt, verzweifelt das Le-
ben. Sein Selbstmord wurde vertuscht, sein Tod als Unfall bei einem
Testflug dargestellt.

Einen großen Erfolg hatten unsere U-Boote in der Mitte des Mo-
nats. Sie versenkten den englischen Flugzeugträger »Ark Royal«, der
vor zwei Jahren schon einmal schwer beschädigt wurde.

Heidelberg, 9. Dezember 1941
Jetzt hat der Weltkrieg begonnen! Japan hat U.S.A. und England
am 8. Dezember, 6 Uhr nach japanischer Zeit (= 7. Dezember,
10 Uhr abends) den Krieg erklärt!!
Morgen oder übermorgen tritt der Reichstag zusammen. Sollte
das heißen, daß auch wir nun gegen U.S.A. kämpfen müssen??
Könnten wir doch davor wenigstens bewahrt bleiben. [...]

Ja, der Krieg im Pazifik hat den *Weltkrieg* eröffnet, und zwar mit einem Paukenschlag! Die Schreiberin, die so genau die Zeit vermerkt, teilt nicht die ganze Wahrheit mit. Geheimverhandlungen zwischen dem bedrohlich expandierenden »Volk der Götter« – nach der Mandschurei hatte Japan im Vorjahr die französische Kolonie Indochina annektiert – und den USA, die Wirtschaftssanktionen verhängt hatten, waren gescheitert. Hitler sagte, noch ohne dies zu wissen, Japan Hilfe im Kriegsfall zu und war bereit, einen von Japan vorgeschlagenen Beistandspakt abzuschließen. Mit einem Überraschungsschlag ihrer starken Marineluftwaffe griffen die Japaner, bevor ihre Kriegserklärung übergeben war, am 8. Dezember in zwei Wellen Pearl Harbour an, den Hauptstützpunkt der amerikanischen Pazifikflotte, die darauf gänzlich unvorbereitet war und enorme Verluste erlitt.

Wie oft haben sich die Ängste, die ich mit so vielen Deutschen teilte, im Tagebuch geäußert. Wenn wir auch noch nicht wußten, daß die deutsche Offensive eine Woche zuvor nur 27 km vor Moskau zum Stehen gekommen war, so konnte es keinen Zweifel daran geben, daß sich das Blatt mit dem Eintritt der USA in den Krieg wenden mußte. Doch ich weigerte mich, mir das klar einzugestehen, wagte es selbst im Tagebuch nicht.

Prof. Andreas ist mit meinen beiden Geschichtsreferaten sehr zufrieden. »Ich habe den Eindruck, daß Sie zu den fähigeren Mitgliedern meines Seminars gehören«, sagte er zu mir. »Setzen Sie sich bei den Übungen mehr in meine Nähe, damit Sie sich an der Diskussion beteiligen können.« Er ist mir offenbar sehr freundlich gesinnt. Damit wandelt sich auch meine anfängliche Mißstimmung gegen ihn. Doch hoffentlich bleibt er auch bei dieser Haltung, er ist als launisch, ungerecht und unberechenbar bekannt. […]

10. Dezember 1941. Mittwoch. Abends.
Heute mittag ließ mich Prof. Andreas in seine Sprechstunde rufen. Zuerst sprach er mit mir über das Referat [»Die Auswirkungen der Schlacht von Jena und Auerstädt auf Goethes häusliches Leben und seine Stimmungen, Jena und Weimar«], *er hat es zum Vortrag ausgesucht, die beiden anderen, die es auch gearbeitet haben, sollen nur die ergänzenden Bemerkungen machen. Er ist sehr zufrieden, überaus freundlich zu mir. Offensichtlich in Gunst! Möge es dabei bleiben.*

Ja, und dann kam das Überraschende: er bot mir eine Doktorarbeit <u>an</u>, die ich bei ihm machen soll!! »Karl <u>A</u>ugust und seine Beziehung zur deutschen Literatur.«

*Er meinte bei mir aufgrund meines Referats und seiner Menschen-
kenntnis doch eine solche Begabung zu erkennen, daß er mir zum Promovieren raten wolle. [...] Meine Arbeit sei leicht und flüssig angepackt, der Stil gut. Er [...] habe den Eindruck, daß ich auch auf
anderen Gebieten schon gearbeitet und ganz gute Grundlagen hätte.*

*Da er selbst im Augenblick an einer Arbeit über die Persönlichkeit
Karl Augusts sitzt, würde ihn dies Thema ja besonders interessieren,
und er hätte dann auch viel Zeit darüber zu reden. [...] Auf meine
Frage, welche Zeit er für dies Thema rechne, meinte er, etwa ein Jahr,
nicht länger. Material sei alles vorhanden, auch seine – nicht kleine –
Bibliothek stehe zur Verfügung.*

*Ich weiß nicht, was alles in diesen Minuten auf mich eingestürzt
ist! Es kam mir ja so überraschend! Aber – in mir war der Boden
doch irgendwie schon vorbereitet. Denn während ich, solange ich studiere, nie an Promovieren dachte, ist mir gerade bei der Arbeit an diesem so interessanten Referat der Gedanke gekommen, daß es doch
sehr schön wäre, einmal die Früchte seines Studiums niederzulegen,
zu zeigen, daß man wirklich etwas gelernt hat. Und gerade in dem
germanistisch-historischen Thema erkannte ich das mich Interessie-
rende und mir Gemäße. In Gedanken an die finanzielle Seite aber
und vor allem an Prof. Böckmann [Germanist] verwarf ich diese
Idee sofort energisch. [...] Er ist bis zum Äußersten unpersönlich.
Ich kann mir nicht vorstellen, daß es Freude macht, mit ihm zu arbeiten, er würde einem auch sicher nicht viel helfen. [...]*

*Bei aller anfänglichen Voreingenommenheit gegen Andreas
mußte ich doch sofort anerkennen, [...] daß er eine so nette, persönliche Art hat, mit den Studenten umzugehen, jeden einzelnen will er
genau kennen, über seine Arbeit unterrichtet werden. Und bewundern
muß ich vor allem seine pädagogischen Fähigkeiten, er versteht es
großartig, ein Seminar interessant zu gestalten und einem Freude
daran zu machen. [...]*

*Es will gewiß viel heißen, wenn er von sich aus mir diese Aufgabe
stellen <u>möchte</u>. Ich selbst hätte die größte Lust dazu!!*

*Nun war natürlich eine meiner ersten Fragen, ob dies denn über-
haupt möglich sei, da mein Hauptfach doch Deutsch und Geschichte
nur mein Nebenfach ist. Das Thema liegt ja nun ganz auf der
Grenze – so hat er früher schon mal mit Böckmann gesprochen, und
es wäre durchaus möglich, daß er die Arbeit leitet. [...]*

*Das erste, was ich nach dem Essen tat, war einen langen Brief an
Gisela zu schreiben. [...] Mit Mutti will ich nur mündlich darüber
sprechen. Ich weiß genau, es sind Widerstände zu überwinden. Vor
allem die finanzielle Seite. Wie lang wird das Finanzamt für das*

Studium aufkommen? Auch für eine Doktorarbeit?? […] *Abgesehen*
[davon], daß sie auch noch einige geldliche Opfer bringen müßte,
weiß ich, daß Mutti für den Doktor von meiner Seite keine Neigung
hat. Ich kann sie aber verstehen. Ihr Lebenskreis ist ein anderer, ein-
facherer, engerer. Sie fürchtet auch, vielleicht nicht zu Unrecht, daß
ein »Frl. Doktor« es noch schwerer hat, einen Mann zu finden als
eine Akademikerin ohne Doktor, die ohnehin schon größere Ansprü-
che stellt. […] *Ich möchte aber doch wünschen, daß sie, wenn vom Fi-*
nanzamt keine Schwierigkeiten kämen, sich einverstanden erklären
würde. Sie war schon zu so vielem bereit, was mein Studium betraf,
wenn ich es ihr, die es ja nicht wissen kann, auseinandersetzte. […]
Wenn ich ihr klarmache, daß es eine einmalige Bewährungsprobe
für meine Begabung ist, und daß ich damit schließlich die Möglich-
keit habe, wenn sich etwas finden sollte, ein anderes Gebiet als den
Lehrberuf zu finden, dessen Zwang mich zuweilen immer wieder zu-
rückschreckt, was sie wohl weiß – so hoffe ich doch, daß sie nicht un-
erbittlich ist. Es dreht sich eben leider mehr um die ökonomische
Seite. […] *Wollen wir nur hoffen, daß nicht der Krieg auch auf die-*
sem Gebiet uns einen dicken Strich durch die Rechnung macht. (Hin
und wieder taucht der Gedanke auf, die Frau vom Studium wegzu-
nehmen und in den praktischen Kriegsdienst zu stellen). […]

Es war und ist gang und gäbe, daß Professoren sich bei ihren For-
schungsprojekten durch Studentinnen und Studenten zuarbeiten
lassen. Es schmeichelte mir und hob mein Selbstwertgefühl, daß
der Historiker mir so unerwartet die Promotion anbot. Und auch
noch dieses Thema! Ohnehin war Goethe der Fixstern an meinem
geistigen Firmament – was konnte mir Besseres widerfahren, als
daß ich mich nun auch auf diesem Weg mit Goethe befassen durfte!
   Das *Frl. Doktor,* damals eine ziemlich seltene Erscheinung, begegnete sehr häufig Vorurteilen, nicht nur bei Männern. Es paßte
nicht in das Frauenbild der intellektuellenfeindlichen NS-Zeit.

Alzey, 27. 12. 41
Die Reichstagssitzung und Führerrede am 11. Dezember brachten
tatsächlich, was ich doch nicht erwartet hatte: Die Kriegserklärung
Deutschlands und Italiens an die USA!, Bündnis mit Japan. Darin
heißt es auch, daß ein Frieden nur von allen Beteiligten gemeinsam
angenommen werden kann!! In den folgenden Tagen traten noch ei-
nige Balkanstaaten usw. dem Bündnis bei.
   Die Japaner hatten sofort in den ersten Tagen fabelhafte Erfolge,
Versenkung großer britischer Schlachtschiffe, z. B. der »Repulse«, die

1939 bereits vom U-Boot Günter Priens torpediert worden war. Der USA-Pazifikflotte hat Japan unerhörte Schläge zugefügt.

Aufgrund unseres Sieges über Frankreich kann Japan von Französisch-Indochina aus gegen Englands asiatische Besitzungen vorgehen. Gestern brachte der Rundfunk die Meldung, daß sich <u>Hongkong</u> ergeben hat! Jetzt hat der Kampf um die Philippinen begonnen.

Da die Engländer im (fernen) Osten nun sich auf noch größere Verluste gefaßt machen müssen, kämpfen sie stärker und verbissener als je mit riesiger Übermacht gegen unsere Truppen in <u>Afrika</u>. Und dort sieht es nun schlimm aus für uns. Die Engländer sind im Vorschreiten. Benghasi wurde geräumt. Für Afrika müssen wir Schlimmes befürchten.

Vor einigen Tagen hat der Führer das Heereskommando anstelle Brauchitschs selbst übernommen. Gründe?

Im <u>Osten</u> müssen unsere Soldaten Ungeheures leisten, wenn nur der <u>Winter</u> schon vorüber wäre! Die <u>Kälte</u> hat überraschend früh dort eingesetzt (im Gegensatz zu uns <u>in</u> Deutschland). Die Russen versuchen andauernd, Durchbrüche zu erreichen. Sie wissen wohl, daß mit dem Frühjahr für sie alle Hoffnung verloren geht. An einigen Stellen sind <u>Einbrüche</u> gelungen, die zum Teil wieder zurückgeschlagen wurden. Unsere Soldaten <u>müssen</u> doch durchhalten!!!

Gisela, die in Berlin mehr hört als wir, ist furchtbar pessimistisch. Man fürchtet, wir könnten wirtschaftlich nicht durchhalten. Aber wir müssen es doch einfach!!! Was würde denn sonst aus Deutschland, aus all den Blutopfern werden? Dieser Gedanke allein ist schon Verrat an der Sache. Ich glaube noch immer an den Sieg, der unser sein wird, weil er unser sein muß, denn wir wollen doch leben! Obwohl ich fürchte, daß der Krieg auch im kommenden Jahr noch nicht zu Ende geht.

Bis zuletzt hatte ich gehofft, der Krieg mit den USA könnte uns erspart bleiben. Aber wenn auch eingetreten war, *was ich doch nicht erwartet hatte,* so waren wir, mit Japan und Italien zur Seite, im Kampf nicht allein. Die *fabelhaften Erfolge* der Japaner, die sogleich den »Großasiatischen Krieg« proklamiert hatten, konnte ich der Angst vor unserem sich ausweitenden Krieg entgegensetzen. Indessen, die guten Nachrichten wurden durch schlechte aus Afrika verdunkelt. Dort ließ der Rückzug aus Benghasi *Schlimmes befürchten.*

Der Oberbefehlshaber des Heeres, Generalfeldmarschall Walther von Brauchitsch, wurde von Hitler unter dem Vorwand eines Herzleidens abgelöst. Brauchitsch, ein schwacher Charakter, Hitler wegen dessen Mitwirken bei seiner Scheidung persönlich verpflichtet, fühlte sich stets an seinen Eid gebunden, auch wenn er Hitler militärisch oder politisch nicht zu folgen vermochte. Die »Blitzsiege« hatten ihm hohes Ansehen eingebracht; mit dem Rußlandkrieg ging es ihm zunehmend verloren. Hitler machte ihn für die Winterkrise an der Ostfront verantwortlich.

In der Tat, *Ungeheures* wurde den deutschen Soldaten in diesem ersten allzu früh einsetzenden russischen Kriegswinter abverlangt. Bereits am 1. Dezember hatte Generalfeldmarschall von Bock, der die Heeresgruppe Mitte befehligte, gemeldet, der Zeitpunkt sei »sehr nah gerückt, in dem die Kraft der Truppe völlig erschöpft ist«. Hitler war nach den Erfolgen des Heeres im Sommer so siegesgewiß gewesen, daß er keinerlei Vorsorge für einen Winterkrieg treffen ließ. Habe ich denn nicht begriffen, daß die Wintersachen-Sammlung, die Goebbels am 20. Dezember, eine Woche bevor ich meine Besorgnisse und Ängste im Tagebuch niederlegte, einem Offenbarungseid gleichkam? Niemand weiß zu sagen, wie viele Millionen selbstgestrickter Wollsocken und Handschuhe, welche Menge warmer Unterhosen und Schals oder gespendeter Skier wie viele frierende Soldaten in eisigen Schneelöchern nie erreichten und wie viele der unzulänglich Ausgerüsteten bei minus 30, ja 50 Grad erfroren.

Wieder haben drei Ausrufezeichen und eine doppelte Unterstreichung Beschwörungscharakter. *Unsere Soldaten müssen doch durchhalten!!!* Sie müssen es, meint der Ausruf, je stärker die Depression, der Pessimismus bei mir und erst recht bei Gisela zunehmen, *was würde denn sonst aus Deutschland [...] werden?* Die Blutopfer durften nicht umsonst gewesen sein, weil sie so ungeheuer groß waren, und so deuteten die Phantasien des Unbewußten diese Opfer als eine Vorleistung, die das Schicksal gnädig stimmen sollte. Durch sie glaubten wir uns das Anrecht auf eine Belohnung, auf Sieg und Überleben zu erwerben: *Sieg, der unser sein wird, weil er unser sein muß, denn wir wollen doch leben!* Die Logik – je mehr Soldaten fallen, desto unwahrscheinlicher wird der Sieg – wurde außer Kraft gesetzt. Wir hofften wider alle Vernunft.

Im Gedanken an den Krieg und die Trauer so vieler Familien war dies Weihnachtsfest kein fröhliches, sondern still und bedrückt.

Dazu kommen nun noch meine Berufssorgen. Mutti und ich sind zu dem Schluß gekommen: entweder Staatsexamen ohne Doktor, d. h. Lehrerin – oder Promotion und damit Verzicht auf das Staatsexamen und Staatsstellung, also freier Beruf. Das würde ich wohl noch lieber tun. Nun will ich aber noch abwarten, ob Gisela für diesen Beruf Aussichten sieht – ich fürchte, im Augenblick hält sie es in ihrem

Pessimismus für am besten, wenn man sich für einen gesicherten Be-
ruf entscheidet. Noch ist auch die Nachricht des Finanzamts abzu-
warten. Dies kommt nämlich nicht für die Promotion auf – nun ist
aber noch festzustellen, ob sich die Haltung ändert, wenn die Promo-
tion gleich dem Abschlußexamen ist und das Staatsexamen wegfällt.
Diese Unsicherheit ist wirklich furchtbar. […]

Alzey, 31. Dezember 1941, 23.25 Uhr
Noch eine halbe Stunde – und dann schreiten wir in ein neues Jahr.
Was wird es uns bringen? In alter Weise noch ein Rückblick in das
alte, fast vergangene Jahr. […] Schwer und drückend fiel in diesem
Jahr der Krieg auf uns. Griechenland und Jugoslawien, es erscheint
uns nur wie eine kleine Episode. Aber Rußland … und England ist
auch noch nicht erledigt. Und jetzt noch die U.S.A. In diesem Som-
mer hat erst der wirkliche Krieg begonnen! Günther, Rolf, Franz-Jo-
sef sind gefallen. Es sind schmerzliche Lücken. Wie viele werden
noch fallen müssen? Mit viel ernsterem Herzen blicken wir dem
neuen Jahr 1942 entgegen. Als wichtigstes und vor allem steht der
Wunsch – möge wenigstens der Krieg mit Rußland in einem Jahr be-
endet sein! Daß 1942 das Jahr des Friedens sein wird. – Man kann es
nicht mehr glauben. Man kann nur abwarten und nie den Mut und
die Hoffnung sinken lassen!
  Möge es Hermann gut gehen und Mutti weiter gesund werden. Mit
meinen Studiensorgen wird sich dann auch eine Lösung finden. […]
  Mögen sich die inneren Kräfte weiter ausbilden! »Rein bleiben und
reif werden ist alles!«

Immer größere Kraft erforderte es, gut zwei Jahre nach Kriegsbeginn, die Spannung auszuhalten zwischen der wachsenden Hoffnungslosigkeit – *man kann es nicht mehr glauben, daß 1942 das*
Jahr des Friedens wird – und dem Zwang, sich gut zureden, alle
Zweifel wegschieben zu müssen, *nie den Mut und die Hoffnung sin-*
ken [zu] *lassen*. Welche Ängste und Zweifel hätten mich heimge-
sucht, hätte ich Stalins Antwort auf die deutsche Invasion gekannt.
Er hatte am 7. Juli zum »Großen Vaterländischen Krieg der Sowjetunion« und zum Partisanenkampf aufgerufen.
  Hinter dem, was heute altmodisch und pathetisch klingt – *mögen*
sich die inneren Kräfte weiter ausbilden! –, stand das humanistische
Menschenbild Goethes; es war das Bildungsideal, das mich mit der
Freundin Gisela verband. Ach ja, es war uns ernst damit.
  Ich lese das abgewandelte Wort von Walter Flex aus dem »Wan-
derer zwischen beiden Welten« (»Rein bleiben und reif werden ist

schönste und schwerste Lebenskunst« hatte er geschrieben), und in meinen Ohren schwingt so mancher Tagebuchseufzer mit. Hört sich mein Ausruf nicht wie eine Mahnung an mich selbst an?

Alzey, 2. April 1942
Wie im Flug ist das Wintersemester vergangen, so bis zum Rande gefüllt mit Arbeit, daß ich garkeine Zeit fand, ein paar Zeilen in dieses Buch meiner Besinnung zu schreiben. Seit zwei Wochen empfinden wir das Heranschreiten des Frühlings; nie wird er mit solchen Gefühlen erwartet worden sein wie in diesem Jahr! Unsere Soldaten werden wissen, welche Bedeutung das Wort Frühling haben kann. Der Winter ist vorbei – was für ein Winter! Mittel- und Osteuropa soll seit 140 (!) Jahren nicht mehr einen so strengen Winter gehabt haben wie diesen, gerade in dem Jahr, in dem unsere Soldaten die russische Front halten mußten. Es ist wie eine Prüfung des Himmels, wir können Gott danken, daß wir sie dank der Kraft unserer Soldaten bestanden haben. Noch ist es im Osten eisig kalt. Aber man hört doch, daß eine Milderung spürbar ist.

Mit sehr schweren Gedanken haben wir alle dieses Jahr 1942 begonnen. Jetzt können wir schon sagen, alles kam viel besser als erwartet. Wohl mußten unsere Truppen im Osten an einzelnen Stellen etwas zurückgehen, aber wie oft hörte man, daß sie die Stellungen wieder erobert haben – entscheidend aber ist, daß den Russen kein Durchbruch gelungen ist. Die deutsche Front im Osten hält! Die letzte Chance wird mit dem Winter für die Sowiets vergangen sein; wir alle möchten gerne glauben, daß sich der Kampf im Osten noch in diesem Jahr entscheidet.

Der auch für russische Erfahrungen ungewöhnlich strenge Winter erscheint in der Rückschau *wie eine Prüfung des Himmels,* die unseren Soldaten auferlegt war. Wir haben den »Qualitätstest« bestanden, *dank der Kraft unserer Soldaten,* d. h., weil sie eben doch die besten sind. Das Bewußtsein: »Wir sind noch einmal davongekommen« wird sogleich unterdrückt. *Wir alle möchten gerne glauben, daß sich der Kampf im Osten noch in diesem Jahr entscheidet,* meint in Wahrheit: Wir können es nicht mehr glauben, so gerne wir es möchten.

Zwei vergebliche Invasionsversuche machten die Engländer im Westen. Mit weiteren wird wohl noch zu rechnen sein. Britische Einflüge treffen nun seit einem Jahr nicht mehr die Reichshauptstadt, sondern das Rheinland, das Küstengebiet (vor wenigen Tagen wurde die schöne Lübecker Altstadt schwer getroffen) und unseren Südwesten. Wenn es nur nicht noch zum Gaskrieg kommt.

Die schönste Freude haben wir wohl mit dem afrikanischen Kriegsschauplatz und dem unvergleichlichen General Rommel erlebt. Um Weihnachten waren wir voll Trauer überzeugt, Afrika sei nicht mehr zu halten! Wenig später die wunderbare Nachricht, daß Rommel Benghasi zurückerobert hat. Was wird nun die Frühjahrsoffensive bringen?

Staunenswert ist das fliegende Vorgehen der Japaner. Die ganze Welt jubelte oder entsetzte sich über den Fall von Singapur, dem größten östlichen Kriegshafen Englands. Die Philippinen, Batavia sind besetzt. Eine ungeheure Machtgruppe beginnt sich dort zu bilden.

Herrlich sind die Erfolge unserer U-Boote an der Küste Nordamerikas vor allem. [...] Hermann ist noch in Oberschlesien, Ausbildung als Flugzeugführer. Ob er bei der Endauslese mitgewählt wird, kann man noch nicht sagen. [...]

Nach dem Gesichtspunkt des Studiums betrachtet, war das Wintersemester 1941/42 das bisher erfolgreichste. Bei Andreas habe ich gut abgeschnitten und auch bei dem schwierigen Germanisten habe ich mir nun eine »Position« erobert mit dem Referat über »Das historische Don-Carlos-Bild in der neueren Forschung«. An der Uni selbst fühle ich mich nun recht wohl, richtig heimisch, ich kenne nun einen größeren Studentenkreis, wenn ich auch zu keinem Mädel in näherer Verbindung stehe. Nett war ein Leseabend, bei dem wir »Die göttliche Komödie« lasen. Die größte Freude und ein unvergeßliches Erlebnis bereitete ein Weimarer Schauspieler, der »Hyperion« vortrug und mir zum erstenmal eine Ahnung vermittelte, was »Hölderlin« überhaupt bedeutet.

Rein menschlich gesehen war das Semester so arm und freudeleer, daß jedes Wort darüber zuviel wäre. Aus reiner Verzweiflung habe ich fast jeden Sonntag gearbeitet. [...]

Nun bin ich wieder zu Hause, für drei Wochen. [...] Ich bin sehr abgespannt nach Hause gekommen [...]. Auf einem ganz toten Punkt bin ich jetzt mit meiner Doktorfrage. [...] Die Aussichten im Verlagswesen sind nicht gut [...]. Mutti läßt mir freie Wahl. [...] Der Lehrberuf zieht mich nicht mit tausend Fäden zu sich hin – aber auch nicht das Verlagsfach. Büroarbeit habe ich noch nie geliebt. [...]

Mit sehr großem Schrecken kann ich seit etwa drei Monaten eine neue Verminderung meines Augenlichts, d. h. der Sehschärfe feststellen. Ein Jahr hat dies nun verursacht – was wird, wenn nun noch zwei weit anstrengendere Jahre folgen?? [...]

Ich bin jetzt schon so unruhig und gehetzt, meine zuweilen recht wenig nette Art Mutti gegenüber – ich fühle mich wirklich schuldig, kann mich aber einfach nicht beherrschen – hat sicher ihre alleinige Ursache in Überarbeitung. [...]

Ich sehe ein, zur Promotion bei Andreas, dem Historiker, wäre es richtiger, wenn ich Geschichte als Hauptfach nähme: das bedeutete aber, daß ich dann für zwei Hauptfächer arbeiten müßte [...]. Wie ein drohendes Gespenst fällt dieser Gedanke auf meine Seele, daß die beiden kommenden Jahre eine unaufhörliche Hetze würden, bei der der Mensch ganz verschwände und nur noch Bücher stehen blieben, die meine Augenkraft verzehrten. — Ich weiß schon, daß allein das Staatsexamen eine gewaltige Kraftanstrengung bedeutet. Was soll ich tun? Diese ewige Unsicherheit kann ich einfach nicht mehr ertragen!

Das kommende Sommersemester wird an Arbeit alles bisherige überbieten. Ich will alle fehlenden Übungen jetzt auf einmal machen, damit ich den Winter frei bekomme, entweder zur Dissertation oder zum Lesen und Staatsexamensvorarbeiten. Am meisten graust es mir vor dem Seminar für mittlere Geschichte bei Ernst: lateinische Quellen übersetzen mit <u>meinen</u> Lateinkenntnissen!! Aber ich <u>will</u> es schaffen und werde es auch. [...]

21. Juni 1942
[...] Im Kriegsgeschehen ist heute ein ganz großer, freudiger Tag: <u>*Tobruk*</u> *ist in deutsche Hand gefallen!!! Es ist kaum zu glauben, nachdem man vor wenigen Monaten in dem traurigen Winter fast fürchtete, wir könnten die Afrika-Front nicht halten. Ein englischer Parlamentär hat heute früh die Übergabe angeboten! In der Verfolgung der Engländer sind unsere Truppen weiter vorgestoßen und haben Bardia eingeschlossen. Nun wird sich wohl Sollum auch nicht mehr lange halten können. Es ist ein unvorstellbarer Sieg, welchen Auftrieb wird er dem Kampfgeist an allen Fronten geben!*

22. Juni: Heute vor einem Jahr hat der Krieg mit Rußland begonnen. Was ist inzwischen alles geschehen. Könnten wir nur im nächsten Jahr schon eines Jahrestags des Sieges gedenken!

26. Juni: Gestern wurde die Einnahme von Sollum, Fort Capuzzo und Sidi el Barani gemeldet! Es geht unheimlich schnell. Jetzt kämpfen unsere Truppen also in Ägypten.

Alzey, Sonntag, 19. Juli 1942
Ein frohes, langersehntes Ereignis steht bevor: Morgen fahre ich nach Berlin! [...] Mein Tagebuchfreund soll mitwandern. [...]

Dienstag, 21. Juli
Vormittag mit der S-Bahn Giselas täglicher Weg: zur Uni. 10–
11 Uhr Vorlesung Schwieterings. Anschließend Besichtigung des ger-
manistischen Seminars: herrliche Bibliothek. […] Nachmittags
kleiner Bummel, dann Café Berlin. […] Blick in die Staatsbiblio-
thek,»den geistigen Mittelpunkt Deutschlands«: überwältigend. Un-
ter den Linden, wo die Uni (Prinz-Heinrich-Palais) steht, die Denk-
mäler Friedrichs des Großen, Humboldts usw., alle eingemauert. An
der Oper noch Baugerüste von dem großen Angriff her. […]

Mittwoch, 22. Juli
[…] Eine herrliche Wanderung zur Havel und an der Havel ent-
lang – die märkische Landschaft ist einzig schön. […]

Donnerstag, 23. Juli
[…] Heute mittag wollen wir durch die Stadt bummeln, Kaffee
trinken, Essen gehen. Zum Abendessen muß man bereits um
5 Uhr im Lokal sein! Ohne Herrenbegleitung erhält man keinen
Eintritt hier in eines der großen Lokale. Alles ist knapp, mit dem
Essen in den Restaurants muß es sehr schlecht sein, furchtbar we-
nig. Stundenlang stehen die Leute auf dem Markt und bringen
dann kaum ein Pfund nach Hause. Viele Frauen fahren weit aus
der Stadt zu Gemüsehändlern, helfen Obst und Gemüse ernten,
stundenlang, einen ganzen Tag, aber dann haben sie auch einen
kleinen Gewinn. […]

Montag, 27. Juli
[…] Wir machen es uns auf dem kleinen Balkon gemütlich, Gisela
liest ihre Dissertation vor. […]
Abends sind wir eingeladen bei Bekannten. Es ist ganz nett gewe-
sen, aber mir waren die Gespräche, die sich sehr um Krieg und die
Zukunft drehten, unangenehm in ihrer Schwarzseherei, wenn ich
auch fürchte, daß manches Gesagte wirklich wahr werden kann.

Dienstag, 28. Juli
[…] Nachmittags bei Kranzler, Sonnenschein – das Publikum ist
erschütternd, fast garkein Mann mehr zu sehen – am Kurfürsten-
damm!! –, der gefallen könnte. […]

Mittwoch, 29. Juli
Vor dem Essen Fahrt nach Potsdam bei ganz schönem Wetter. Der
schöne, einheitliche Charakter der Stadt überraschte mich. […] Der

245

Park, Sanssouci selbst (leider kriegsmäßig Fenster verbaut) und das
neue Palais machten einen großen Eindruck. [...] Abends Zarah-
Leanderfilm [...] »Die große Liebe« im Ufapalast. [...]

Sonntag, 2. August
Vormittags wollten wir wieder ins Stadion, mußten umkehren, es war
schon wegen Überfüllung geschlossen. Schade, das Publikum ist dort
noch ganz angenehm. Wir fuhren zum Wannsee: grauenvolle Men-
schenmasse, höchst ungemütlich: das Berlin! Früh, um 3 Uhr, zu-
rück. Wunderschön gemütlich danach auf dem sonnigen Balkon,
Radio, Unterhaltung.
  Jetzt ist Abend, der letzte Abend.

Alzey, Freitag, 14. August 1942
Jetzt bin ich wieder daheim – aber alle Freude ist verflogen. Hier ha-
ben wir im Augenblick die schwersten Sorgen. Der Krieg nimmt die
furchtbarsten Formen an: Nach den furchtbaren Bombardements
auf Lübeck und Köln vor einigen Wochen ist nun am Dienstag und
Mittwoch nachts Mainz angegriffen worden – drei Viertel der Stadt
zerstört, das alte Mainz ist nicht mehr! [...]
  Gott bewahre uns vor solchem Unglück! Zwar ist Alzey kein An-
griffsziel, aber was kann man wissen, wessen sie noch fähig sind.
Dieser Krieg ist eine Strafe des Himmels. Wir Deutsche leiden wie-
der mehr als alle anderen darunter. [...]
  Gestern haben wir unsere Kleider und Wäsche zum großen Teil in
den Keller gebracht. Wenn das so weiterginge – ich könnte ja gar
nicht arbeiten. Man ist nicht fähig, sich zu konzentrieren. Vom Fa-
brikdienst bin ich Muttis wegen befreit worden. Am Montag kam
endlich Nachricht.

Ein Musterbeispiel für partielle Realitätsblindheit, ist meine erste
Reaktion auf die Lektüre der beiden Sätze *Dieser Krieg ist eine*
Strafe des Himmels. Wir Deutsche leiden wieder mehr als alle ande-
ren darunter. Auf den zweiten Blick erweisen sie sich als Wendemarke, und zwar in mehrfacher Hinsicht.
  Der Krieg nimmt die furchtbarsten Formen an. Welche, will ich
heute noch einmal genau wissen. Mit dem Nachtangriff auf das
schöne alte Lübeck am 28./29. März wurde ein neues, barbarisches
Kapitel im Luftkrieg eröffnet. Unter ihrem neuen Chef Luftmar-
schall Harris begann die Royal Air Force, ausgerüstet mit einem
neuen Flugzeugtyp und Radarlenkung, mit Flächenbombardements.
Der Luftterror, den die deutsche Luftwaffe schon in London und

Coventry verübt hatte, eskalierte. »Die Stadt brannte wie Feuer-holz«, meldete die RAF. Das Ergebnis des Angriffs von 405 Flug-zeugen waren 320 Tote, 785 Verletzte, 1025 zerstörte und 1976 schwer beschädigte Häuser. Als Antwort ordnete Hitler zwei Wo-chen später »Vergeltungs-Terrorangriffe« gegen historische englische Städte an. Die ebenso zynisch wie kühl »Baedeker-Angriffe« ge-nannten Schläge trafen in den folgenden Wochen kaum verteidigte Städte wie Exeter, Bath und die Erzbischofstadt Canterbury. In der Nacht zum 31. Mai brach die erste Katastrophe über Köln herein. »Bomber Harris« setzte die gesamte Luftstreitmacht, selbst Schul-flugzeuge, ein. In 90 Minuten fielen dem ersten »Tausend-Bomber-Angriff« 474 Menschen zum Opfer; über 5000 wurden verletzt, 45 000 obdachlos; 1937 Wohnungen und 1505 Gewerbebetriebe wurden zerstört. Das neue Luftkriegskonzept beruhte auf der Über-zeugung, die Moral der Zivilbevölkerung sei durch Bombenterror zu brechen, eine Rechnung, die in Deutschland so wenig aufgehen sollte wie in England.

Auch mir rückte der Krieg nun nahe. Alzey, wo ich wieder »Ern-tedienst« machte, weil meine Mutter noch immer unter ihren Unfall-folgen litt, liegt keine 30 Kilometer von Mainz entfernt. Ich konnte nicht länger verdrängen, daß sich unsere Lage immer mehr ver-schlechterte, auch mein Studium bedrohte. Unter dem Krieg litten alle Parteien, a u c h die Feinde; zum ersten Mal gab ich das, wenn auch indirekt, zu mit der Klage *Wir Deutsche leiden wieder mehr als alle anderen darunter,* zugleich freilich bekundete ich in alter Weise, daß uns, den Guten, Unrecht durch die Bösen widerfuhr.

Die Formel *Strafe des Himmels* drückt vordergründig aus, daß wir viel aushalten müssen, zugleich aber offenbart sie, daß sich mein Unrechtsbewußtsein nicht länger unterdrücken ließ: Gott straft uns, weil w i r böse sind!

Alzey, 20. September 1942
[…] In vier Wochen gedenke ich im lieben Heidelberg mit ernstestem Sinn und dem Ziel »Promotion« (Entschluß am 22. Mai endgültig) die Arbeit wieder aufzunehmen. […] Die ernsthafte Arbeit kann erst in Heidelberg beginnen, hier komme ich nur ganz gelegentlich dazu. Überhaupt läßt sich doch mein häuslicher »Ferieneinsatz« mit der ei-genen Arbeit schlecht verquicken. […]

»Effi Briest«, »Der grüne Heinrich« gelesen. Im Augenblick »Kul-tur der Renaissance in Italien«. Daneben schüchterne Anfänge der Dissertation: Auszüge aus dem Briefwechsel Carl August – Goethe, dazu gemeinsam mit Hilde mhd: einiges aus »Minnesangs Früh-

ling« und das »Nibelungenlied«. Durch eine Biographie der Elizabeth Barrett-Browning angeregt, übersetzte ich heute ein paar ihrer Gedichte, auch Robert Br. soll mich noch beschäftigen.

[…] Allerlei Zeit verliere ich durch Nachhilfestunden, […] aber sie bringen mir doch wenigstens soviel Geld ein, daß ich Mutti ganz unbelästigt lassen kann; sogar einen Kleiderstoff konnte ich mir davon anschaffen und auch den Gießener Besuch bezahlen. Dort traf ich mich vor drei Wochen mit Rotraut, […] im allgemeinen war ich Zuhörerin ihrer Herzenserlebnisse – sie wird sich nun wieder verloben mit einem aktiven Offizier. […]

Um den kleinen »finanziellen« Bericht fortzusetzen: der letzte Monat in Heidelberg war bis zum Rand erfüllt mit Arbeit, um 1/2 6 Uhr stand ich auf, kein Vergnügen gab es daneben mehr – ich hatte durch Vermittlung von Prof. Andreas für den Deutschen Verlag eine Korrektur übernommen. […] Der Erfolg: 200.- RM, die erste Summe, die ich der Wissenschaft verdanke!!! Es findet Verwendung für den Lebensunterhalt im Oktober (da er ein Ferienmonat ist, müssen wir selbst bezahlen) und Wohnungszuschuß für den Winter: meine neue Wohnung ist ziemlich teuer, 45.- RM. Dazu kam noch die große Freude: Andreas wendete mir eine Stiftung zu, 300.- RM. Sie sollen für den Heidelberger Aufenthalt während der nächsten Sommerferien verwendet werden, die ich hoffentlich nicht wieder eingesetzt werde! […]

Am 1. August ist bei Rschew Carl [Bruder von Schulfreundin Liselotte] seiner Verwundung erlegen. […] Eine Woche später ist Volker [Hildes Bruder] schwer verwundet worden, Kopfschuß. […]

Hermann, unentwegt mit größter Freude beim Fliegen, hatte neulich seine erste Notlandung, die er glücklicherweise mit Glanz bestanden hat. Hoffentlich geht weiter alles gut.

Über den Krieg spricht man am besten gar nicht. Man sieht keinen Weg mehr, der zu einem Ende zu führen scheint. Mein Optimismus ist längst dahin. Letzte Stöße erhielt er in Berlin. An einen glanzvollen Sieg kann ich nicht mehr glauben. Allenfalls ein Kompromiß-Friede. An Schlimmeres denke ich noch nicht – darin wenigstens steckt noch ein Rest des alten Optimismus. Gisela sieht dagegen ganz, ganz schwarz.

Im Osten im Augenblick unendlich langer und härtester Kampf um Stalingrad. In Ägypten wieder schon lange Stillstand, nachdem ganz rasch Tobruk genommen war – unsere Truppen sich dann in Richtung auf Alexandria bewegten – ob es einmal erreicht wird?

Heidelberg, 14. November 1942

Das Schicksal scheint uns noch vor harte Ereignisse zu stellen. Ich komme gerade aus dem Kino, und im Grunde war ich ganz vergnügt, doch eine große Last beginnt uns immer stärker zu bedrängen, und so muß ich heute abend noch aufschreiben, was in den vergangenen Tagen geschehen ist – was mag uns noch bevorstehen???

Vor ganz wenigen Wochen begann von Ägypten her die große Offensive des Feindes gegen unsere tapferen Truppen. Eine erdrückende Übermacht von Menschen und Material auf der Gegenseite.

Und dazu kam, am vergangenen Sonntag, 8. November, landeten die Amerikaner an der West- und Nordküste von Französisch-Afrika, eine große Anzahl Truppen, nur geringer Widerstand der Franzosen. Daraufhin erfolgt von unserer und italienischer Seite die Besetzung des unbesetzten Frankreich zum Schutz der Mittelmeerküste.

Schon die Landungsnachricht erfaßten wir zugleich mit dem Bewußtsein der ganz großen Gefahr: Die Zange um unsere Truppen, und – vielleicht noch schlimmer – Nordafrika ist die beste Angriffsbasis für Italien. [...]

Zu dieser schlimmen Botschaft kommen nun Tag für Tag von der afrikanischen Front die schlechtesten Nachrichten. [...] Es ist kaum zu fassen. Heute kam die Meldung, daß Tobruk aufgegeben wurde, nachdem es vorher zerstört worden ist. Welch kostbaren Ströme unseres besten Blutes sind um diese Festung geflossen! Wenn der Kampf so weitergeht, ist Afrika bald verloren. Da kann selbst unser tüchtiger und so beliebter Rommel nicht helfen. Denn was soll er ausrichten mit geringen Kräften und wenig Munition? Der Masse muß am Ende auch die Tapferkeit und Klugheit unterliegen: Sollte das der Anfang vom Ende sein??? Man kann es einfach nicht glauben – nach solchen Siegen. Dann wären ja all die unzähligen Opfer vergebens gebracht. Kann das die Gerechtigkeit wollen?! Doch was fragt wohl das Leben nach Gerechtigkeit. Wer die Macht hat, wird siegen. Wir müssen Schlimmes fürchten.

Und im Osten tobt der Kampf erbitterter denn je zuvor. Noch immer wird um Stalingrad gekämpft, in der Stadt selbst! Man sollte nicht denken, daß das überhaupt möglich wäre. Aber schon in der Wochenschau sieht man – jedes einzelne Haus ist eine Festung.

Und dazu im Süden die furchtbaren Kämpfe im Kaukasus.

Vor wenigen Wochen ging eine Meldung durch Deutschland, die nur wenige Herzen unberührt ließ: Unser erfolgreichster Jagdflieger, der junge 22jährige Günther Marseille, ist verunglückt. Mit sehr lebhaftem Anteil hatten wir seinen beispiellos schnellen Aufstieg ver-

folgt, das schneidig-kühne, blutjunge Gesicht hatte es uns allen ange-tan. Eine Woche vor seinem Ende hatte er an einem Tag 16 Englän-der abgeschossen! Er erhielt als 4. Offizier das Eichenlaub mit Schwertern und Brillanten. Niemals ist mir der Tod eines Fremden so nahe gegangen. Und daß auch im übrigen Deutschland jeder be-wegt war, das klang aus den Reden, die der Führer, Goebbels und Gö-ring in jener Zeit kurz nacheinander hielten. Sie alle mußten von ihm sprechen. Er war einzig.

Gewaltig und größer als je sind die Erfolge unserer U-Boote. Aber sie werden wohl auch den Krieg nicht entscheiden können.

Alle Menschen sind gedrückt. Jeder empfindet, daß Entscheiden-des bevorsteht.

Das *Bewußtsein der ganz großen Gefahr,* die uns, die Sieggewohn-ten, von Afrika bis Stalingrad an allen Fronten bedrohte, erlaubte den Deutschen nicht mehr, die Augen vor der Wahrheit zu ver-schließen, auch mir nicht. Zum erstenmal taucht im Tagebuch die Frage auf, werden wir den Krieg verlieren, *sollte das der Anfang vom Ende sein???* Zum erstenmal ließ ich auch die Schlußfolgerung zu: *Dann wären ja all die unzähligen Opfer vergebens gebracht.* Und noch einmal beschwor ich die göttliche *Gerechtigkeit,* die doch auf unserer Seite, bei den Guten, sein müßte. Aber *das Leben* ist eben nicht so. Und wenn es jetzt schon schlimm für uns aussieht, *wir müssen Schlimmes,* d. h. Schlimmeres, *fürchten. Alle Menschen sind gedrückt.*

Zu dieser Bedrückung hat auch die Meldung beigetragen, die in Deutschland *nur wenige Herzen unberührt ließ. Unser erfolgreich-ster Jagdflieger, der junge 22jährige Günther Marseille, ist verun-glückt.* Hans-Joachim Marseille, so hieß er, der »Stern von Afrika«, war schon an der Luftschlacht um England beteiligt, wurde mit sei-nem Jagdgeschwader im Frühjahr 1941 nach Afrika verlegt und er-warb sich besonderen Ruhm durch seine »Schußpräzision«. 17 Er-folge an einem einzigen Tag und insgesamt 158 Abschüsse meldet die Chronik eines kurzen Fliegerlebens.

Niemals ist mir der Tod eines Fremden so nahe gegangen. Ich weinte um ihn. Ein junger Deutscher wie aus dem Bilderbuch des Dritten Reiches – unter Abertausenden von Fotos würde ich ihn noch heute, nach 50 Jahren, wiedererkennen.

Ich muß sie überprüfen, meine Erinnerung an sein Gesicht und an mein Gefühl. In einem Lexikon finde ich das Foto, das ich suche: Ein schmales klares Gesicht im Viertelprofil, glattes Haar, schöne Augen – der deutsche Kriegerjüngling schlechthin, noch so jung, daß er weder Tod noch Teufel fürchtet. Der Cornet Christoph Rilke, die Freiwilligen vor Langemarck, der »Wanderer zwischen beiden Welten« fallen mir wieder ein, alle vom gleichen Stamm, voller Wagemut, zu frühem Tod bereit. Staunend nehme ich, da ich dies schreibe, ein immer noch lebendiges Gefühl wahr, eine Spur von Bewunderung, leise Zärtlichkeit, mit Herzweh gemischt. Hans-Joachim Marseille symbolisiert für mich die jungen Männer meiner Generation, Altersgenossen, Liebes- und Lebenspartner, die im Krieg geblieben sind – ewig jung, ein Leben lang vermißt, im Alter noch einmal betrauert …

29. November 1942. Heidelberg
Heute ist der erste Adventsonntag. […] Draußen ist es kalt und trüb, und in mir sieht es nicht viel anders aus. Es ist so einsam um mich, und nichts fällt mir schwerer zu ertragen als dies. Ein kleiner Radio-apparat – den man jetzt nicht zu kaufen bekommt – würde mir über so manche Stunde hinweghelfen. […]
In diesen Wochen bin ich nun restlos absorbiert von den Büchern. […] Inzwischen habe ich nun schon die Erfahrung gemacht, daß ein Buch wirklich ein Freund und Tröster und Helfer sein kann, und ein Leben ohne Bücher kann ich mir garnicht vorstellen. Und die gegen-wärtige schwere Zeit ertrage ich vielleicht viel leichter als andere, weil ich vor lauter Arbeit, was ja für mich Bücher heißt, nicht zur Besin-nung komme. Ich bin mit meiner Zeit sehr geizig geworden. […]
Neulich habe ich auch mal wieder ein nettes Fest mitgemacht auf einem Kameradschaftshaus, aber das hat nun nicht ganz ange-nehme Folgen. Der Mediziner, der mich dazu einlud, möchte gern mehr meine Zeit beanspruchen – und ich habe keine Lust dazu. Ein Flirt hat uns zusammengeführt, und nur diese Seite zieht ihn zu mir. […] Es entsteht kein Gespräch, für das ich mich ehrlich begeistern könnte. […]
Ich glaube nicht, daß dies Buch je von anderen Augen als meinen gelesen wird, und so will ich ruhig das aussprechen, was ich denke. Ich habe einfach keine Lust, die Vertraulichkeiten eines Mannes anzu-nehmen, ich meine oft und immer wieder, für den mein Herz nicht ein einziges Mal schneller schlägt und also garnichts empfindet. […] Ich habe kein Fischblut – […] und weiß, daß ich sehr heftig reagiere. Und gerade deshalb finde ich es von mir selbst unwürdig, dieses »Empfin-den« – so will ich es nennen, wenn es auch mit dem Herzen garnichts gemein hat und nichts als eine Aufwallung der Sinne ist, was in mei-nem Alter, in dem manche »Freundinnen« schon Mütter sind, wirk-lich kein Wunder ist […] – dieses Empfinden einfach an einen Be-

liebigen zu verschleudern, ich kann es doch nicht. [...] So habe ich
doch auch, wenn ich ganz ehrlich bin, Angst vor Situationen, die mir
vielleicht, auch gegen meinen Willen, zum Verhängnis werden könn-
ten. Nein, auf solche Experimente lasse ich mich nicht ein. [...] Und
so will ich »bis auf weiteres« doch lieber meine Gefühle, die mir wie ein
kostbarer Besitz vorkommen, für mich bewahren, bis einer kommt,
der auch mein Herz bewegt – und schließlich auch von meinem Kopf
(wie das klingt!) anerkannt wird. Gut, der Entschluß ist gefaßt! Also
wird weiter »geeinsiedelt« und wenn man noch so oft traurig darüber
ist!! Alles zu seiner Zeit, sagt man, meine Zeit ist wohl noch nicht ge-
kommen. [...]
    Natürlich ist auch mein jetziges Leben mit die Ursache, daß ich
niemand kennenlerne. Ich krieche ja kaum aus dem Bau, so fest sitze
ich hinter der Arbeit. Trotz allem, sie hat mir noch immer geholfen!

Das Tagebuch als Gesprächspartnerin, als Ort der klärenden Selbsterforschung, der Krisenbewältigung in den verschiedensten Le-
bensbereichen – an diesem trüben Adventssonntag zeigt sich seine
Funktion. Die Triebunterdrückung, die der den nackten Leib ver-
herrlichende und doch so prüde Nationalsozialismus einer ganzen
Generation junger Frauen zumutete, haben schon mehrere Passagen illustriert. Aber keine verrät so deutlich die Unsicherheit und
Not, die aus dem Widerspruch zwischen dem Verhaltenskodex
und dem Verlangen nach gelebter Sexualität erwuchs. Der Konflikt
lastete schwer auf uns. Kein Wunder, wenn wir uns nach dem Krieg
kopfüber ins Leben stürzten.

»Mein« Herzog Carl August ist mir nun sehr, sehr lieb geworden.
Alle Zeugnisse seiner Zeitgenossen sprechen ganz für sein fürstliches
Wesen und großes Herz. [...] Was mir das Interessanteste in allen
Fällen von jeher war: über allem, auch über seinem Werk, steht für
mich der Mensch, und hier lerne ich sie nun alle kennen, von ihren
guten und unangenehmen Seiten, Carl August, Goethe, Schiller,
Herder, Wieland, Lavater, Merck und die Herzoginnen und Karo-
line Jagemann [...] Mir macht die Arbeit wirklich Spaß. Nur in
meinem innersten Innern habe ich eine große Angst – bin ich dem
Thema gewachsen? Wird nicht an meine so gering entwickelte Ader
der literarischen Kritik eine große Anforderung gestellt? Zunächst
»sammle« ich nur, suche Stoff und verstopfe vor dieser fragenden
Stimme meine Ohren. Aber »einst kommt der Tag« – na, warten wir
mal ab.
    Viel größere Sorgen macht mir jetzt die Geschichte. Der Stoff ist

so ungeheuer groß und mein Gedächtnis so schlecht! Eben habe ich Treitschkes »Deutsche Geschichte im 19. Jahrhundert« angefangen – etwa 5800 Seiten! Vielleicht ist es doch nicht klug, wenn ich solche ausführliche Darstellung durcharbeite, auch wenn ich sie kennen müßte! [...]

Nächste Woche beginnt das Semester und mit ihm mein Unbehagen wegen der lateinischen Urkunden. [...] Ja, das kommt halt davon, wenn man auf einem Gebiet so schandbar wenig getan hat! [...]

Im Englischen lese ich ab und zu in glühender Begeisterung einen modernen Roman – wie neulich Walpoles »Wintersmoon«, dazwischen gelegentlich Übersetzung der Romantiker. [...] Und dann treibt mich die Sorge, daß auch für Deutsch was getan werden muß, und so kam nach Keller nun Raabe an die Reihe. [...]

Gisela [...] lebt nun ganz nach außen, während ich ganz nach innen lebe. Aber als sie vor dem Examen war, lebte ich mich doch ganz in sie ein – vielleicht ist diese meine Fähigkeit garnicht gut für mich. Ich erwarte dann von anderen Menschen zuviel. [...]

In der Politik wieder was Neues: Es hat sich herausgestellt, daß die amerikanische Invasion in Französisch-Marokko abgekartertes Spiel war! Mir war überhaupt unverständlich, daß der Führer den Franzosen gegenüber so ungeheuer großmütig und entgegenkommend war und es heute im Grunde noch ist – wie sein Schreiben an Pétain beweist. Vor einigen Tagen wurde nun das übrige unbesetzte Frankreich besetzt, vor allem Toulon, wo die Flotte auch zum Feind übergehen wollte. Sie hat sich teilweise selbst versenkt. Auch Benghasi ist inzwischen geräumt. Im Osten sind die Russen an zwei Stellen der Front eingebrochen.

Was für ein Schicksal steht uns und Deutschland bevor??? Müssen wir noch einmal ganz niedergebeugt werden? Kann denn der Himmel zulassen, daß wir vernichtet werden???

Ein so treues, tapferes Volk darf doch nicht untergehen – auch wenn vielleicht Fehler gemacht wurden – aber andere machten auch Fehler. In mehr als einer Hinsicht gleicht unsere Lage 1917. Um einen Sieg kann man nicht mehr beten, möge uns Gott aber doch vor der Niederlage bewahren! Wir helfen uns doch selbst und kämpfen so tapfer wie man nur kämpfen kann – wird uns Gott nicht doch auch helfen? Größere Leistungen hat noch kein Volk vollbracht, es kann doch nicht einfach ausgelöscht werden. Wir haben das gleiche Recht zum Leben wie alle anderen Völker. Warum sollen allein wir geknechtet werden?

Daß Holland und die anderen Völker in unseren Reichsverband

*aufgenommen werden sollten, das erschien mir noch nie gerecht –
dem Eigenleben jener Völker gegenüber, und ich kann auch nicht begreifen, wie dieser Gedanke möglich ist, da doch die Geschichte seine
Gefahr lehrt. Sollen wir deshalb gestraft werden?*

Als Letztes gestand ich mir das Wichtigste ein, die existentielle Be-
drohung durch die katastrophale Kriegslage. Ich wußte zwar nicht,
daß in diesen Wochen die kriegsentscheidende Wende in Afrika wie
in Rußland bereits geschehen, auch nicht, daß die 6. deutsche Armee, eine Viertelmillion Soldaten, seit sieben Tagen in Stalingrad
eingeschlossen war, Hitler aber General Paulus die Genehmigung
zum Ausbruchsversuch aus dem Kessel verweigerte – den tödlichen
Ernst unserer Situation hatte ich begriffen. Doch wie ging ich mit
dieser Einsicht um!

Kann denn der Himmel zulassen, daß wir vernichtet werden???
Dahinter stand immer noch die Uneinsichtigkeit: Das haben w i r
nicht verdient! Nicht wir, mit unseren Qualitäten! Nach drei Jahren
Krieg phantasierte ich immer noch von deutscher Großartigkeit:
Größere Leistungen hat noch kein Volk erbracht. Doch die Angst,
wir könnten *einfach ausgelöscht* werden, war riesengroß. *Wir haben
das gleiche Recht zu leben wie alle anderen Völker* – kein Gedanke
daran, daß ich selbst es den *russischen Untermenschen* abgesprochen
hatte. *Warum sollen allein wir geknechtet werden?* Ich traue meinen
Augen nicht. Nein, von einem Unrechtsgefühl, wie es sich kürzlich
zu zeigen schien, zeugt dieses Jammern und Selbstmitleid eben doch
nicht.

Aber so eindeutig ist die Aussage dieser Tagebuchzeilen nicht.
Sie verraten, daß mich untergründig die Frage plagte, ob *vielleicht
doch Fehler gemacht wurden*, für die wir bestraft werden. Das trot-
zige Aufrechnen *aber andere machten auch Fehler* hob die Furcht
vor der Bestrafung nicht auf. Die ambivalente Passage verrät noch
mehr. Jetzt, da sich das Blatt gewendet hatte, versuchte ich mich sogleich reinzuwaschen: *Daß Holland und die anderen Völker in unseren Reichsverband aufgenommen werden sollten, das erschien mir
noch nie gerecht.* Das Tagebuch liefert keinen einzigen Beleg für Kritik oder gar Ablehnung nationalsozialistischer Besatzungs- und
Annexionspolitik. Diese Passage zeigt exemplarisch, wie der Druck
des drohenden Untergangs zur Distanzierung verleitete und die Erinnerung verfälschte, ein Muster, nach dem Millionen Deutsche nach
1945 ihre politische Biographie umschrieben, unter dem Motto »wir
waren eigentlich nie dafür«.

Mein aufkeimendes Schuldbewußtsein, das hier durchschimmert, bezog sich nur auf Hitlers Politik gegenüber den westlichen Besatzungsgebieten. Das heißt, der Feind stand auch für mich immer noch im Osten. Und da die Amerikaner mit dem Kalten Krieg das Feindbild übernahmen, konnte ich mich mit meinem eingegrenzten und kleingehaltenen Schuldgefühl über die Zeiten hinwegretten, wie die Mehrzahl von uns.

Heidelberg, 13. Dezember 1942, Sonntag abend
[…] Traurige, tief bedrückende Tage habe ich erlebt: Frau S.s [frühere Zimmerwirtin] Sohn ist gefallen. Noch fehlt die letzte Bestätigung, doch es scheint kein Zweifel möglich. Bombenangriff auf Tobruk, wo er sich damals befand. Ich habe bei Frau S. in der ersten Nacht geschlafen – es war eine schreckliche Nacht. Zum ersten Mal habe ich solchen Schmerz aus so unmittelbarer Nähe miterlebt. Auch über Wochenende habe ich neulich bei ihr geschlafen, und ich besuche die Ärmste öfters. Aber es ist doch furchtbar deprimierend für mich, immer von neuem. Aber natürlich muß man ihr helfen, so gut man es vermag. Sie hat ja kaum eine Menschenseele, die sich um sie kümmert.

Aber auch Erfreuliches hat sich neben all diesem Jammer für mich ereignet: ich verdiene etwas Geld, auf diese Weise kann ich Mutti die durch das teure Zimmer bedingten monatlichen Zuschüsse für dies Semester ersparen. Auf eine Anzeige, in der Literaturunterricht gesucht wurde, habe ich mich gemeldet – ich wundere mich noch über meinen Mut! Und einen reizenden Kreis habe ich damit gewonnen (zwei Frauen, einen Schüler). […] Für die Doppelstunde werde ich etwa 15.- RM bekommen. […]

Es ist eine blendende Examensvorbereitung für mich, Feststellung der Lücken und großartige Übung im freien Sprechen! […]

17. Dezember 1942. Donnerstag
In einer halben Stunde kommt die kleine Schwedin zur englischen Stunde – ich selbst war gerade bei Frau S. In den wenigen Minuten, die bleiben, kann ich mich nicht mal zu einem Buch aufschwingen.
[…]
Vielleicht habe ich nun wieder einen sehr netten Menschen kennengelernt: durch unsere Doktorarbeit – beide bei Andreas – kamen wir ins Gespräch und entdeckten in wenigen Tagen erstaunlich viele Gemeinsamkeiten. Es ist eine Historikerin, Ursula St., Westfälin, 21 Jahre, verlobt, wird in wenigen Monaten heiraten – einen Arzt –, aber weiter studieren. Fräulein St. hat auch etwas dazu beigetragen, daß mir über Andreas die Augen aufgingen, aber beinahe auch über-

gingen! Sie ist nun die vierte, von der ich weiß, daß er zuerst sie so be-
geisternd und überredend an sich zog und sich dann so merkwürdig
distanzierte! Diese Distanz war also auch bei mir ganz ohne Grund,
ich völlig schuldlos – ich konnte es mir ja garnicht erklären.

Und das Schlimme – alle Arbeiten, bei denen er mitreden kann,
beanspruchen sehr viel Zeit, müssen in der Regel zweimal umge-
schrieben werden! Wir müssen uns auf einen viel späteren Examens-
termin gefaßt machen!!? Das hätte noch gefehlt! [...] Und von der
anfangs versprochenen Hilfe keine Spur – immer keine Zeit für die
Studenten, und wenn sie in die Sprechstunde kommen, läßt er sie gar-
nicht zu Wort kommen. Es wird wohl auch für mich noch allerlei
Überraschungen geben, fürchte ich. Daß er Leutefang treibt, das ist
mir nun aber völlig klar, am Anfang erschien mir der Gedanke zu
häßlich. Er hat manches Gute an sich, aber die schlechte Seite ist
auch recht kräftig.

Der »Mediziner-Flirt« hat sich glücklicherweise nach seiner
Rückkunft ganz von selbst in ein Nichts aufgelöst, so bin ich dann
sehr zufrieden. [...]

Heidelberg, 26. Januar 1943
Ich habe keine rechte Stimmung, viel hier reinzuschreiben: – Wohin
geht die Entwicklung des Krieges? Eine ganz furchtbare Schlacht
tobt an der gesamten Ostfront, im Süden wurde die Front verkürzt.
Wenn man das Wort »Stalingrad« hört, bekommt man Angst und
fühlt sich tief bedrückt. Seit 21. August kämpfen unsere Truppen
dort. Aber sie konnten die Stadt, deren jedes Haus eine Festung war,
nicht nehmen! Und heute ist eine große Anzahl unserer Truppen dort
eingeschlossen und wird immer mehr zusammengedrängt. Man
kann sich nicht vorstellen, wie unsere Soldaten dort leben – Kämpfe,
Hunger, Kälte, Schnee, Regen – –

In Afrika wurde vor drei Tagen nun auch Tripolis kampflos ge-
räumt! Wie soll das enden?? [...]

Heidelberg, 30. Januar 1943
10. Jahrestag der Machtübernahme!
Am 27. kam die Verfügung heraus, deren Tragweite man jetzt noch
nicht erfassen kann, die den totalen Krieg bedeutet. Erfassung aller
Frauen von 16 bis 45 Jahren. Ausgenommen nur Mütter mit Kin-
dern in bestimmtem Alter, bestimmte Berufe, Schüler usw. Natür-
lich werden auch die Männer noch stärker als bisher erfaßt. Noch
wissen wir nicht, was uns jetzt bevorsteht – ob gleich in eine Rü-
stungsfabrik oder Weiterstudium, ob Möglichkeit zu raschem Ex-

*amen, d. h. Staatsexamen – Promotion wohl nicht mehr. Allgemeines
Diskutieren und Rätselraten, das doch zu nichts führt.*

*Heute im Rundfunk mehrere Reden: Der Führer sprach nicht.
Goebbels verlas seine Proklamation. Seit wenigen Tagen wird nun
zum ersten Mal ausgesprochen, daß wir uns in ernstester Lage befinden. Die Reden ließen keinen Zweifel mehr. Aber wo wird das noch
hinführen??? Nach dem Wort des Führers geht es nicht um einen
Sieg, sondern um Vernichtung des einen und Überleben, d.h. totaler
Sieg des anderen!*

*Wie der Mann muß man sich nun wohl doch darauf einstellen,
daß es sehr gut möglich ist, daß man den größten Teil seines Lebens
bereits gelebt hat, daß man vielleicht das Ende dieses Weltbrandes
nicht mehr miterlebt. Noch kann ich mich nicht daran gewöhnen,
aber die Entwicklung der Dinge legt einem diesen Gedanken verteu-
felt nah.*

*Gestern erhielt ich von Gisela die Nachricht, daß sie in der Reichs-
anstalt für Film und Bild in Wissenschaft und Unterricht als Refe-
rentin für die Abteilung Hochschule angestellt wird. Das große Los,
eine glänzende Zukunft![...]*

*Der heutige Wehrmachtsbericht ließ durchblicken, daß nun auch
die Kaukasus-Armee auf dem Rückzug ist, anscheinend die ganze
Südfront. In Stalingrad unvermindert härteste Kämpfe – Mann gegen Mann!!*

Heidelberg, 1. Februar 1943
*[...] Ich las gerade eben einen Artikel über Stalingrad und die So-
wietunion. Immer klarer wird es mir nun, daß wir den Krieg wahrhaftig gewinnen <u>müssen</u>. Ganz Europa wäre verloren, wenn unsere
Armee nicht durchhielte. Auch die Westmächte würden Augen machen, wenn diese Flut aus dem Osten über Europas Menschen und
Kulturen hereinbrechen würde.*

Schon am 13. Januar hatte Hitler in einem Geheimerlaß über den
Arbeitseinsatz von nicht wehrfähigen Männern und Frauen zum
erstenmal von »totaler Mobilmachung« gesprochen. Sie wurde
durch die Verordnung über die »Meldung von Männern und
Frauen für die Aufgaben der Reichsverteidigung«, die Gauleiter
Sauckel, Generalbevollmächtigter für den Arbeitseinsatz, erließ, öffentlich gemacht. Sie betraf Männer vom 16. bis 65. und Frauen
vom 17. bis 45. Lebensjahr. Die allgemeine Aufregung darüber war
riesengroß.

Dazu kam: *Der Führer sprach nicht,* ausgerechnet am 10. Jahrestag seiner »Machtergreifung«! Wie sollte er auch Lust dazu verspüren, jetzt, da er wußte, daß Stalingrad verloren war, sein »Prestigephantom« (Joachim Fest) sich in Feuer und Rauch auflöste. Sieg oder Tod lautete für ihn die einzige Alternative. So, wie er Rommel in Libyen auszuharren befahl und den Rückzug verwehrte, so telegrafierte er an Paulus nach Stalingrad: »Verbiete Kapitulation. Die Armee hält ihre Position bis zum letzten Soldaten und zur letzten Patrone und leistet durch ihr heldenhaftes Ausharren einen unvergeßlichen Beitrag zum Aufbau der Abwehrfront und der Rettung des Abendlandes.«

Das Tagebuch führt vor Augen, wie die Angst eskaliert. Da ich an unseren *totalen Sieg* nicht mehr zu glauben vermochte, tauchte auch an meinem Lebenshorizont das Menetekel der *Vernichtung* auf.

Doch trotz der täglichen Hiobsbotschaften von den Fronten klammerte ich mich auch jetzt noch an die Vorstellung, *daß wir den Krieg gewinnen müssen.* Der Tagebuchauszug vom 1. Februar ist in diesem Zusammenhang besonders aufschlußreich. Er zeigt, wie die Propaganda ein Wendemanöver vorbereitete und wie ich, die Schreiberin, mich anschloß. Nicht unseretwegen mußten wir im Osten siegen, wir waren vielmehr die Speerspitze des Westens, der Frontstaat gegen die Barbaren. Dahinter stand die verzweifelte Hoffnung, Amerikaner und Engländer könnten dies einsehen und den Krieg gegen uns beenden. Indem ich die Wende mitvollzog, konnte ich in der Weiterführung des Krieges im Osten einen Sinn erkennen. Es war unsere Armee, die das *Hereinbrechen der Flut* von *Untermenschen* verhindern mußte, um *Europas Menschen und Kulturen* vor den neuen Hunnen zu retten. Die Phantasie, die die Welt in die Guten im Westen und die Bösen im Osten einteilte, nahm hier ihren Anfang. Es sollte nicht lange dauern, bis die Westmächte die westdeutschen Verlierer des Krieges zu ihren Verbündeten gegen den gemeinsamen Feind, die Sowjetunion, machten. – Das einprägsame Sprachbild von der alles überschwemmenden *Flut* steigerte das Feindbild ins Überdimensionale. Zu diesem Zweck ist es bis heute in Gebrauch. Wer es benutzt, will Ängste erzeugen und schüren. Er hat Erfolg.

Der – vielleicht nur noch wenigen – Stunden, die wir noch haben können, müssen wir uns freuen. Herrlich war der Sonntag gestern: um 1/2 11 ein wunderschöner Spaziergang über die Philosophenhöhe bei sonnenwarmem Wetter wie im März (!!) mit Ursel und zwei anderen Mädchen. In der Stiftsmühle aßen wir zu Mittag und tranken Kaf-

fee – vielleicht ist uns schon ganz bald die sonnendurchflutete Glasveranda eine ferne Erinnerung geworden. Am Abend waren Ursel und Fräulein N. zum Essen bei mir – es hat ihnen wohl gut gefallen.

(Nun macht mir Frau M. [Zimmerwirtin], nachdem Ursel einige Male abends hier war, Schwierigkeiten und untersagt mir meine Abendbesuche bzw. -gäste! Ich bin sehr aufgebracht über solche Einstellung und solchen Egoismus in einer solchen Zeit!)

Gestern fand ich zu meiner grenzenlosen Überraschung einen Brief von Franzel E. im Briefkasten. […] Wenn er nur glücklich wiederkommt, ich habe immer Angst um ihn.

Rotraut hat sich zu Silvester nun wieder verlobt, mit ihrem Hauptmann Gerd K.

Daß wir in diesem Jahr ein zwar sehr stilles, aber sehr schönes Weihnachtsfest gefeiert haben – Mutti und ich –, habe ich noch nicht geschrieben. Unser größtes und schönstes Weihnachtsgeschenk war der Beweis seiner Liebe für uns, den Hermann, der wirklich ein Bruder ist, wie man ihn sich nur wünschen mag, uns gegeben hat: Er war gerade Unteroffizier geworden, und von dem nun anlaufenden Gehalt überläßt er jeden Monat Mutti 10.- RM als Zuschuß zum Haushaltsgeld und mir 20.- RM (!!) auf die Dauer meines restlichen Studiums, bis ich mein erstes festes Geld verdiene!!! Er ist wirklich rührend, und uns beiden kamen die Tränen, als wir seinen lieben Brief lasen. Aber damit nicht genug, gab er mir doch für den ersten Monat, als Semesteranfang, statt 20.- 50.- RM! Und als ich zu Muttis Geburtstag heimfuhr, schickte er 10.-, damit ich die Reise bezahlen könnte. Und bei all dem muß man bedenken, daß er doch selbst kaum 100.- RM bekommt als Unteroffizier.

Eben gerade steckt er mitten in seiner Abschlußprüfung. Er wird hoffentlich bald auf Urlaub kommen.

Ich kann ihm für soviel Fürsorge und Hilfsbereitschaft nur danken, indem ich ihm dann später auch helfe. Aber der Himmel weiß, ob ich fertig bin mit dem Studium, wenn er etwa anfängt – so, wie jetzt alles aussieht!?

2. 2. 43

Man kann nur noch an unsere tapferen Soldaten in Stalingrad denken, die alle sterben müssen, weil sie der Übermacht schließlich doch nicht mehr standhalten können.

Der gestrige Wehrmachtsbericht meldet, daß die Südgruppe der 6. Armee auf einen Platz von 300 Metern bei dem G.P.U.-Gebäude [sowjetischer Geheimdienst] zusammengezogen wurde und am Sonntag, 31. Januar, von der Übermacht der Bolschewisten überwäl-

tigt wurde!! Mehr als zwei Monate haben unsere Truppen unter Generalfeldmarschall Paulus Widerstand geleistet. Es ist ganz, ganz furchtbar. Einzelheiten darf man sich gar nicht vorstellen. Sie hatten keine Munition mehr und konnten dem Ansturm von allen Seiten nichts mehr entgegensetzen. Welche Szenen mag es da gegeben haben. Viele Gefangene werden wohl nicht gemacht worden sein. Und viele unserer Soldaten werden sich gewiß auch noch eher selbst erschießen, ehe sie sich den Bolschewisten ergeben. Welch eine Qual für die unzähligen Familien, deren Soldaten dieser Armee angehörten. Es ist nicht auszudenken.

Die Nordgruppe hält sich unter General Strecker in dem Traktorenwerk. Der Wehrmachtsbericht meldet heute, daß auch hier ein Einbruch nicht verhindert werden konnte. Vielleicht wird auch dieser Rest heute oder morgen überrannt werden!

In Görings Rede am Freitag klang schon an, daß keiner der Stalingrad-Kämpfer aus dieser Hölle herauskommen wird. Wir wollten es nicht glauben. Jetzt ist es schon fast geschehen. Aber wir müssen die russische Walze aufhalten, sonst sind wir und ganz Europa verloren.

Hat es in solcher Stunde noch Sinn und Zweck, sich mit Carl Augusts Stellung zur deutschen Literatur zu beschäftigen?

Mittwoch, 3. Februar 43, abends
Heute ist der schwärzeste Tag für Deutschland in der Geschichte unseres Krieges: Die Kämpfe in Stalingrad sind zu Ende, d.h. die ganze 6. Armee mit den Divisionen der rumänischen und kroatischen Verbündeten, Hunderttausende deutscher Männer sind untergegangen. Man darf sich nicht fragen, wie sie gestorben sind. Ich wünschte, daß keiner mehr lebte, denn Furchtbareres als russische Gefangenschaft kann es doch nicht geben. Wie es wirklich gewesen ist, kann man sich nicht vorstellen. Ich muß nur immerzu an die Unseligen denken, denen dieser Tag heute ihre letzte, ärmste Hoffnung nimmt, daß der Mann oder Sohn vielleicht doch noch gerettet werde.

Unsagbares Leid ist über uns gekommen. Was der Name »Langemarck« für uns gewesen, wird für unsere Enkel und Söhne das Wort »Stalingrad« sein. Heldentum in seinem tiefsten und schwersten Sinn, gepaart mit dem größten Leid für uns, die ihr Tod geschützt hat.

Hätten unsere Kämpfer in Stalingrad nicht so lange durchgehalten, wäre die ganze Front im Osten zusammengebrochen, sechs russische Armeen hätten sich gen Westen gewälzt. Vielleicht haben sie uns gerettet. Wenn die Front weiter durchhält, dann sind sie nicht umsonst gefallen.

Eine nie gefühlte Trauer liegt über uns allen. Wer es noch nicht wußte, dem ist jetzt klar geworden: Durchhalten müssen wir! Vielleicht können wir es doch schaffen, wenn jetzt alle Kräfte angespannt werden. Es ist wahr, Deutschlands Niederlage bedeutete den Untergang des Abendlandes.

So viel ich weiß, war Erich B., einer der wenigen, der noch von der Tanzstunde übrig war, auch in Stalingrad.

Von heute bis Samstag sind alle Vorstellungen künstlerischer oder unterhaltender Art untersagt. Dieses Opfers müssen wir uns würdig zeigen.

Das Desaster von Stalingrad. *Einzelheiten darf man sich garnicht vorstellen, man darf sich nicht fragen, wie sie gestorben sind,* nein, das mußte »man« verdrängen, weil man die Realität, die Wahrheit über den schmutzigen Krieg, nicht ertragen konnte, das elende Krepieren an Verwundungen, Hunger, Seuchen, Unterkühlung. Nicht *Hunderttausende deutscher Männer sind untergegangen* – noch nicht zu diesem Zeitpunkt. Im Kampf um Stalingrad mußten 50 000 Männer, Söhne, Väter, Brüder ihr Leben lassen. Ich fühle mich schlecht bei der Korrektur; ein jeder war ein Toter zuviel. Wie viele hätten gerettet werden können? Vergeblich hatten die Sowjets ihren Gegner am 8. Januar zur Kapitulation aufgefordert.

Viele Soldaten werden sich gewiß noch eher selbst erschießen, ehe sie sich den Bolschewisten ergeben. In der Tat haben Soldaten Selbstmord begangen; die Horrorpropaganda wirkte, so, wie die Durchhalteparolen auf fruchtbaren Boden gefallen waren.

Was der Name »Langemarck« für uns gewesen, wird für unsere Enkel und Söhne das Wort »Stalingrad« sein. Heldentum in seinem tiefsten und schwersten Sinn, gepaart mit dem größten Leid für uns, die ihr Tod geschützt hat – hat er das? Die Tagebuchaussage vom 3. Februar ist erfüllt vom gleichen Geist, der am nächsten Tag die Titelüberschrift auf der ersten Seite des »Völkischen Beobachters« prägte: »Sie starben, damit Deutschland lebe – getreu ihrem Fahneneid – die Helden der 6. Armee.«

Es ist dieser Geist, den auch so viele Todesanzeigen während des Krieges ausdrückten; dahinter stand die Überzeugung, daß tote Helden die besseren Toten sind. Oder war ihr Tod, weil sie Helden waren, ein Tod, der die Trauer erleichterte?

Als Hauptschriftleiter des »Völkischen Beobachter« wie als Reichsminister für die besetzten Ostgebiete erhob Alfred Rosenberg, der Verfasser des »Mythus des 20. Jahrhunderts«, dem die alten Germanen als die Besten der »nordischen Rasse« galten, seine

Stimme: »Das Epos des deutschen Volkes ist nicht zufällig die Erzählung von der Nibelungen Not. Das sich gestaltende deutsche Volk hat hier seine Stimme gefunden, und die Helden der Völkerwanderungszeit schreiten durch unsere Seelen, d. h. durch unser Leben, so stark und so ewig jung, weil das B l e i b e n d e des Deutschtums in ihnen für immer verkörpert erscheint ... Wie die Könige, Ritter und Reisige der Burgunder in der fremden Königshalle sich bis zum letzten gegen die Hunnen wehrten, so stand die 6. Armee in Stalingrad vor den anstürmenden Millionenhaufen des Bolschewismus. Sie kämpften, fielen oder wurden wund und ermattet überwältigt.«

Unter einem Kriegerrelief von Arno Breker, das in der Mitte der Titelseite des VB an diesem Tag abgebildet war, hieß es drohend: »Unser Schwur: Vergeltung!« Dachte ich auch an Vergeltung? Nein. Trauer und Schmerz um die Toten und die Hinterbliebenen waren das beherrschende Gefühl. Immer noch war ich davon überzeugt, daß wir *durchhalten müssen,* um den Untergang des Abendlandes zu verhindern. Wenn uns das gelänge, wären die in Stalingrad Geopferten *nicht umsonst gefallen.* Immer noch von der Propaganda verseucht, vom Feindbild besessen, sträubte ich mich dagegen, mir einzugestehen, daß der Krieg auch an der Ostfront nicht mehr zu gewinnen war.

Wahrlich, besessen: keine einzige Frage, von Mitgefühl zu schweigen, galt der anderen Seite der Tragödie, weder den sowjetischen Soldaten, die ihre Heimat verteidigten, noch dem Kriegsschicksal der Einwohner von Stalingrad, der großen Wolgastadt – 600000 waren es 1942 –, ob sie flüchteten oder zwischen die Fronten gerieten, wie viele umkamen oder überlebten, traumatisiert, beschädigt für immer – – – Meine Menschenverachtung, mein Haß bleiben mir als Last auf der Seele.

Dieses Opfers müssen wir uns würdig zeigen: Vier Tage lang gab es keine Vergnügungen und Veranstaltungen. Zu Lustbarkeiten stand uns ohnehin der Sinn nicht mehr. Am 4. Februar ordnete das Reichswirtschaftsministerium auch die Schließung nicht unbedingt wichtiger Kriegsbetriebe an. Betroffen waren u. a. Juweliere, Briefmarkenhandlungen, Süßwarengeschäfte, Bars und Luxusrestaurants.

18. Februar 1943
Mit jedem Tag wird die Lage ernster an der Ostfront – vor wenigen Tagen wurden Rostow, Krasnodar, Woroschilowgrad geräumt, d.h. Aufgabe des Kaukasus, des unteren Don-Gebiets. Heute der Fall von Charkow – den ganzen Winter wurde darum gekämpft. Herr G.

[der Verlobte der Alzeyer Schulfreundin Marianne] *ist dort gefallen. Die Russen stehen jetzt unmittelbar vor der Ukraine!! Was soll denn werden, wenn der Rückzug so weitergeht?? Die mittlere Front verschiebt sich ja auch schon lange. Nur im Norden noch die alte Linie.* [...]

Alzey, 10. April 1943. Osterferien.
Mein Tagebuchfreund. Über zwei Monate will ich Dir Bericht erstatten – sie waren ereignisschwerer als die vorangegangene Zeit.

Die Kriegslage: Der tiefste Punkt des Winters scheint überwunden. Die Front im Osten steht im Wesentlichen, Charkow ist wiedererobert.

Schlimmer sieht es im Augenblick in Afrika aus: In Tunesien müssen unsere Truppen gegen eine gewaltige Übermacht kämpfen – hoffentlich können sie die Front halten.

Phantastische Erfolge hatten unsere U-Boote: 950000 T im Monat März versenkt!!! Und auf die U-Boote scheint man auch alle Hoffnung zu setzen: Gestern hieß es im Radio, wenn der Feind uns mit den Bombenangriffen auf unsere Städte am Handgelenk faßt – so packen wir ihn mit den U-Booten an der Kehle.

Die Bombenangriffe sind furchtbar und haben Ausmaße angenommen, wie man sie sich nie vorgestellt hätte. Am schlimmsten haben sie inzwischen in Essen gehaust. Man spricht von 200000 Obdachlosen. Das wäre die halbe Stadt. Mehrere Angriffe wieder auf Berlin, der erste davon Anfang März. Sehr schlimm: Auch Giselas Wohnung hat sehr gelitten. [...] *Dann waren wieder Angriffe auf München, Nürnberg, überall unersetzliche Kulturwerte zerstört!!*

Jetzt sieht es aus, als wollte man fast keine Vergeltungsangriffe von unserer Seite mehr machen – die Luftwaffe ist im Osten zu stark engagiert. Das gibt dem Feind nur Auftrieb. Auch die Waffen werden immer furchtbarer: In Essen zum ersten Mal Phosphor ausgegossen! Sind dies noch Menschen?

Vor drei Tagen ein gräßlicher Angriff auf das friedliche Amsterdam: Über 2000 Tote – darunter sehr viele Kinder, da Schulen getroffen wurden! Eins der Hauptziele scheinen neuerdings Krankenhäuser zu sein! Kaum faßbar!

Viele Alzeyer sind bei Stalingrad geblieben – ich hatte geglaubt, es seien keine Soldaten lebend davongekommen – nun spricht man von 90000 Gefangenen, darunter der Feldmarschall Paulus!

Ein *ereignisschwerer* Bericht. Er zeigt das Auf und Ab der Gefühle, die Ambivalenz angesichts der Meldungen über *die Kriegslage,* und er gibt einen Begriff von der Art der Propagandalügen. *Phantastische Erfolge unserer U-Boote, 950000 T im Monat März versenkt!!!* Habe ich mich verhört, verschrieben? Es waren 590000 BRT. Es sollte der letzte große U-Boot-Erfolg gegen die Handelsflotte der Alliierten sein. Neue Maßnahmen zur U-Boot-Bekämpfung Ende März führten einige Wochen später zum Abbruch der Atlantikschlacht.

Die Bombenangriffe haben Ausmaße angenommen, wie man sie sich nie vorgestellt hätte, eine der Folgen der Casablancakonferenz von Roosevelt und Churchill im Januar. Danach begann das »round-the-clock-bombing«. Während die Briten weiterhin nächtliche Flächenangriffe durchführten, flogen die Amerikaner Tagesangriffe, die eine völlig neue Treffsicherheit ermöglichten. Ein Großangriff auf Essen am 5. März eröffnete die »Luftschlacht über der Ruhr«. Er vernichtete die Innenstadt der Gebietsmetropole, brachte 397 Menschen den Tod, verwundete 1440.

Ja, die Waffen wurden immer furchtbarer. Die Anwendung von Phosphor beschleunigte die Zerstörung durch schnell sich ausbreitende Brände.

Sind dies noch Menschen? Wieder und immer noch maß ich, die Tagebuchschreiberin, mit zweierlei Maß. Ja, es waren Menschen – wie wir. Und indem sie Zivilisten bombardierten, begingen sie Kriegsverbrechen – wie wir. Viele Engländer sehen dies längst ebenso. ABER: Hätte ich diese Frage auch auf uns bezogen, wenn ich gewußt hätte, daß zum Beispiel im *friedlichen Amsterdam* die deutschen Besatzer jahrelang Jagd auf die jüdischen Einwohner – fast 5 % der Gesamtbevölkerung – und die dort untergetauchten Emigranten machten? Ist es denkbar, daß ich damals von d e u t s c h e r Unmenschlichkeit gesprochen hätte, wenn ich den singulären Fall der Weltgeschichte, die systematische Vernichtung der Juden, gekannt hätte, die in den Todeslagern gerade mit Hochdruck betrieben wurde? Ich, die Alte, möchte es hoffen. Hoffen? Ich kann mich in die Junge nicht mehr hineinversetzen, nicht, wenn es um diese Frage geht.

Eher hingegen in die Not der Propagandisten, denen das Wasser am Halse stand angesichts militärischer Hiobsbotschaften und unerfreulicher Polizeiberichte über die Stimmung in der Bevölkerung. Das Beispiel Amsterdam erhellt ihre Methoden. Laut Tagebuch meldeten die Nachrichten einen alliierten Angriff auf die niederländische Hauptstadt, *2000 Tote* (das wären fast siebenmal so viele wie bei dem schweren Angriff auf Essen), *darunter sehr viele Kinder und Krankenhäuser, eines der Hauptziele neuerdings* – wirklich eine *gräßliche* Vorstellung. Ich stutze. Ist das glaubhaft, zumal bei einer strategisch unbedeutenden Stadt, die die Heimat vieler Juden war, was die Alliierten wissen mußten? Ich kann für die Nachricht, die mich empörte, keine Bestätigung finden. Eine Auskunft aus Amsterdam klärt über das Ausmaß der Täuschung auf: »Einige« Bomben wurden am 8. und 10. April 1943 auf die Stadt abgeworfen. Sie töteten nicht 2000 Menschen, sondern e i n e n und verletzten drei ...

Nicht 90 000 deutsche Soldaten, wie das Oberkommando der Wehrmacht gemeldet hatte, überlebten die Hölle von Stalingrad und schleppten sich in russische Gefangenschaft. Das Ausmaß der Katastrophe war viel größer. Heute nennt die Forschung 201 000 Mann. Sie kamen fast alle um, viele schon auf dem langen Marsch ohne Verpflegung in die Arbeitslager, oder sie starben dort, unzureichend ernährt, an Schwäche, Krankheit, Kälte. Nur 6000 deutsche Soldaten kehrten heim, die letzten 1955. 34 000 hatten das Glück, ausgeflogen zu werden, meist weil sie verwundet waren.

Daß der Oberkommandierende der geschlagenen Armee, der noch in letzter Minute zum Generalfeldmarschall Beförderte, sich gefangen gab, mochten wir kaum glauben. Er nahm sich nicht das Leben. Hitler tobte: »Der Mann hat sich totzuschießen, so, wie sich früher die Feldherrn in das Schwert stürzten, wenn sie sahen, daß die Sache verloren war ... So viele Menschen müssen sterben, und dann geht ein solcher Mann her und besudelt in letzter Minute noch den Heroismus von so vielen anderen. Er konnte sich von aller Trübsal erlösen und in die Ewigkeit, in die nationale Unsterblichkeit eingehen, und er geht lieber nach Moskau.«

Da alles, was mich bewegt, hier festgehalten werden soll – auch eine sehr traurige Geschichte. Ich will es ganz kurz niederschreiben. Hermann hat ganz furchtbares Pech gehabt – [...]

Es war am 13. Januar. Als zweiter verantwortlicher Flugzeugführer flog Hermann mit einem anderen, dem ersten Flugzeugführer, der steuerte, und einem Bordfunker auf einer zweimotorigen Maschine von Stubendorf nach Hohensalza. Unterwegs versagten sehr bald Funk-, Peilgeräte und Kompaß. Bald hatte sich die Maschine verorientiert. In solchen Fällen ist Befehl: Landung nach 20 Minuten. In den Tagen vorher jedoch war starker Schnee gefallen, gewaltige Verwehungen hatten das Gelände völlig eingeebnet. Der erste Führer glaubte daher, eine Bauchlandung für Besatzung und Maschine nicht verantworten zu können. Hermann war der gleichen Meinung. Die beiden Flugzeugführer wollten daher unbedingt die Orientierung wiedergewinnen – das einzige Mittel dazu war, durch

Tiefflug zu versuchen, Straßen- und Bahnhofschilder zu lesen. Auf dem Hinflug bekamen sie auf diese Weise durch Tiefflüge die Orientierung wieder, überflogen Hohensalza, verloren erneut die Orientierung und fanden nach weiteren Tiefflügen wieder in den Horst zurück. Sie meldeten den Geräteschaden, von Tiefflug kein Wort. – Anscheinend hatte nun der Funker renommierend davon gesprochen, kurz, er mußte schriftliche Meldung machen und machte darin, wie Hermann mir schrieb, die unglaublichen Angaben von 60 bis 70 Grad Sturzwinkel und 2–3 Meter Flughöhe (Sturzkampfzahlen!). Daraufhin wurden die beiden Flugzeugführer verhaftet, im Horst in Untersuchungshaft festgehalten. Ende März vor dem Feldgericht in Krakau: Tiefflug (der häufig aus Unfug, Leichtsinn usw. von jungen Fliegern unternommen wird – was Hermann schwer verurteilt, wie ich mich aus vielen Gesprächen erinnere) wird auf Befehl des Reichsmarschalls strengstens bestraft.

Die Verhandlung stand günstig – denn sie hatten ja nur aus Luftnot so gehandelt –, der Sachverständige sprach für sie, da nahm alles eine andere Wendung, als der Kompaniechef, ein Major, um Beteiligung an der Verhandlung bat. Er sprach sich für die unbedingte Möglichkeit einer Bauchlandung aus, hinzu kam, daß der Funker (der wegen Nervenzerrüttung von den Stukas [Sturzkampfflugzeugen] weggekommen war!) auf den falschen Angaben beharrte – weiterhin wollte der Major ein Exempel statuiert sehen, da vorher auf dem Horst allerlei Unbeweisbares vorgefallen war. Kurz, die Anklage lautete: Vorsätzlicher (!!!) Tiefflug – das Urteil: Degradierung zum Flieger, ein Jahr Gefängnis.

Als ich das zum ersten Mal hörte, wagte ich es kaum auszusprechen. Man ist gewohnt, derlei vom Zivilstandpunkt aus zu betrachten. Das Herz blutet einem, wenn man Hermanns Brief liest: Es war eine Art »Schauprozeß« – man hatte den juristisch unerfahrenen Jungens keinen Berater, keinen Verteidiger gegeben – sie glaubten, nichts anderes tun zu können, nahmen das Urteil an. Dies war der große Fehler. Hätten sie es nicht getan, wäre eine Revision möglich gewesen. […] Freispruch, im schlimmsten Fall 6 Wochen Arrest sei die dafür angemessene Strafe, da erstens Hermann überhaupt nicht geflogen ist, zweitens gar nichts passierte und drittens Tiefflug in solcher Notlage oft angewendet wurde und wird. […] Die beiden waren, nach dem Ausspruch eines Offiziers aus dem Horst, die Sündenböcke für sämtliche aufgelaufene Sünden!!

Was mag der arme Kerl gelitten haben. Ich war die einzige, der er es schrieb. Ich sagte es dann Mutti. […] Es ist eine unerhört harte Fliegerstrafe. – Unehrenhaftes hat er sich nicht zu Schulden kom-

men lassen! Das ist unsere Beruhigung. Wir können jedem nach wie vor frei ins Angesicht schauen.

Die 3 Monate Untersuchungshaft werden angerechnet, dann kommt er für ein paar Monate in ein Militärgefängnis in Glaz, dann bekommt er Urlaub und dann, da sie um Milderung und Frontbewährung gebeten haben, in ein Luftwaffenfeldregiment für einige Monate, danach geht die Ausbildung weiter – er darf weiter fliegen. Als Mensch und Flieger hat er, wie er schreibt, fabelhafte Beurteilungen – und das ist ja schließlich die Hauptsache. […] In der nächsten Zeit muß das Urteil bestätigt werden, dann wird er aus dem Horst wegkommen.

Rotraut hat am 24. März geheiratet, den Hauptmann Gert K. –

Einen folgenschweren Entschluß habe ich gefaßt: Um gerade in dieser Zeit eine sichere Grundlage zu gewinnen, werde ich zunächst Staatsexamen machen, in der stillen, aber sehr unbestimmten Hoffnung, später noch promovieren zu können. Jetzt sieht es ja aus, als käme ich nicht mehr dazu – aber wer kann wissen, was kommt – –

Den Anstoß gab Andreas selbst, der uns mit seiner Frage überraschte, ob wir in der heutigen Lage und Zeit noch den Mut zur Promotion hätten! Wer kann es sagen, vielleicht haben wir uns voreilig entschlossen – aber nun soll es dabei bleiben. Die Hochschulen werden nicht geschlossen – trotz der allgemeinen totalen Mobilmachung!! Zum Februar-März 1944 wollen wir, d. h. Ursel und ich, uns zum Examen melden. […]

Meine Entscheidung zugunsten des Staatsexamens für das Lehramt an höheren Schulen beendete die seit der Verordnung vom 27. Februar bestehenden Unklarheiten. Auf diese Weise konnte ich sicher sein, daß ich zunächst nicht zu »Aufgaben der Reichsverteidigung« herangezogen wurde. Die Frage des »Doktorvaters« und der *folgenschwere Entschluß* gingen vor allem auf die Goebbelsrede vom 18. Februar auf der Großkundgebung im Berliner Sportpalast zurück. Als ich an jenem Tag eine kurze Eintragung ins Tagebuch machte, kannte ich sie offenbar noch nicht. Auf der nach allen Regeln propagandistischer Inszenierungskünste vorbereiteten Veranstaltung stellte Goebbels der Bevölkerung zehn Fragen, darunter die vielzitierte »Wollt Ihr den totalen Krieg?« Was das bedeuten könnte, präzisierte er: »Wollt Ihr ihn, wenn nötig, totaler und radikaler, als wir ihn uns heute überhaupt noch vorstellen können?« Die Zuhörer, in der Mehrzahl Parteigenossen, beantworteten die Fragen alle mit einem stürmischen »Ja!«. Habe ich damals noch im Geiste auch »JA!« geschrieen? Ich bin mir nicht sicher.

11. April 43 – Sonntag

Drei Jahre oder länger hören diese Hefte meine Klagen – daß ich niemals das Glück habe, einen Mann kennenzulernen, der mir wirklich gefällt und der mich, als Mädchen, aber auch um der menschlichen Werte willen, gern mag.

Es ist mir noch ganz unfaßbar – das Schicksal hat meinen Wunsch erfüllt – ich habe einen Freund gefunden!!

Soll ich es nun aufschreiben, wie das alles so kam – ich weiß es ja, das müßte genügen. Aber vielleicht freue ich mich in einer späteren Zeit nochmal darüber, es genau lesen und wiederbeleben zu können.

Es war gleich nach Weihnachten, in der Vorlesung bei Andreas. Der Saal war sehr voll, kein Platz mehr frei. Da kam in letzter Minute ein junger Offizier – er mußte die ganze Stunde über stehen, direkt an der Tür. In dem Mädchenhaufen fällt natürlich das Auftauchen eines jeden Mannes, da diese Gattung nur sehr spärlich in unseren Vorlesungen vertreten ist, auf. Ich sah ihn sofort, die schlanke Gestalt in der gutsitzenden Uniform, das schmale Gesicht mit dem kühlen, ein wenig hochmütigen Blick beeindruckten mich. Vom ersten Augenblick an war mir der junge Offizier ein Begriff. Allzuviel schien er nicht zu studieren, ich sah ihn nur bei Andreas. Das Publikum schien ihn nicht sonderlich zu berühren, er streifte es mit kühlen Blicken, im einzelnen interessierte er sich dem Anschein nach für niemand. [...]

Mit der Zeit hatte ich mir auch ein bestimmtes Bild von ihm gemacht, natürlich ohne viel über ihn nachzudenken, er beschäftigte mich überhaupt wenig – ich hielt ihn auch für einen Offizier, wie es viele gibt, gut aussehend, gutes Auftreten, viele Flirts usw.

Dann sah ich ihn lange nicht, dachte garnicht mehr an ihn – obwohl er in dieser Zeit durchaus anwesend war. Da kam er eines Tages in Andreas' Vorlesung, in Begleitung eines Mädchens und eines anderen Oberleutnants, alle drei ganz braun gebrannt – es war wohl Anfang März. Wir hatten unsre Plätze zufällig in der gleichen Reihe belegt. Irgendwer, vielleicht Gisela, saß neben mir, da kam er. Während der Vorlesung fühlte ich mich, wie ich mich noch genau erinnere, plötzlich angeschaut – sah ihm erstaunt ins Gesicht. Er blickte keineswegs sofort zur Seite. Ein wenig war ich angerührt – hielt es aber für einen Zufall, bis ich einige Tage später eines Besseren belehrt wurde: Schon früh war ich an jenem Tag erschienen, um mir für Ernsts Vorlesung einen Platz zu sichern. Ich wollte gerade belegen für die anderen, als sich neben mir ein Mädchen niederließ und gleich darauf der Offizier, der nun anfing, mich zu interessieren. Daß vor allem er sich für mich interessierte, wurde mir jetzt deutlich, da er mich andauernd anschaute, und, wenn ich ihn, vielleicht etwas irritiert oder erstaunt, anblickte, er meinem Blick nicht auswich. Jede Vorlesung, in der er nun erschien, machte mir klarer, daß er sich mit mir beschäftigte. [...] Einmal erschien er auch mit seinen Bekannten in einem Lokal, in dem wir gerade gegessen hatten – ich fühlte, alles galt mir. Aber, gelegentlich war wohl auch mal eine Möglichkeit, daß er mich hätte anreden können – er tat es nie. Und so wurde dies Spiel bald sehr quälend für mich (wie ich jetzt weiß, auch für ihn) – ich war richtig irritiert und fest überzeugt, daß er nur sein Spiel mit mir treibe. Ich weiß noch genau, es war an einem Mittwoch, als ich deshalb sehr wütend war, und als ich am Langemarckplatz, wo er auf die Straßenbahn wartete, an ihm vorbei mußte, war ich sehr zornig auf ihn, weil ich um keinen Preis den Anschein erwecken wollte, als liefe ich ihm nach. Am nächsten Tag, es war Donnerstag, der 18. März, erschien er in letzter Minute bei Ernst. [...] Nach der Vorlesung stand ich noch eine Weile mit Ursel in der Halle – er uns ständig im Auge ein Stück entfernt. Dann ging ich ins deutsche Seminar, allein – hier war noch einmal eine Möglichkeit für ihn, mich anzusprechen – er tat es nicht. All der Spannung nun müde, ging ich voll Zorn ins Seminar, schrieb mit fliegender Hand an Mutti eine Karte, daß ich am Wochenende nach Hause käme – damit sollte diese Sache für mich aber endgültig abgetan werden. In der stillen Hoffnung, er möchte noch in der Halle stehen, im Wunsch, ihm noch eine letzte Chance zu geben, schritt ich durch die Halle, um die Karte dann in den Briefkasten zu werfen. Mit eiligen Schritten durchmaß ich die Halle, die jetzt, in der Pause, mit Studierenden angefüllt war, schaute nicht rechts noch links – denn er stand tatsächlich noch immer wartend dort. In diesem Augenblick gab er sich sichtbarlich einen inneren Ruck, steuerte auf das Mädchen im dunkelblauen Kostüm – Brille (!) auf der Nase, Schlüsselbund und Postkarte in der Hand – zu: »Bitte, entschuldigen Sie, wenn ich Sie so einfach anrede – vergebens wartete ich auf eine Gelegenheit, Ihnen vorgestellt werden zu dürfen – darf ich mich Ihnen vorstellen?« »Sie dürfen« –: »L. –« und mit einer bestimmten, entschlossenen Kopfbewegung: »Ich möchte –– kurz, wollen Sie einmal mit mir zu abend essen?« Ich war einverstanden, wir verabredeten den nächsten Abend, Freitag – er sollte mich abholen.

Die Postkarte wanderte nicht in den Briefkasten ––

Irgendwie erlöst war ich mit dieser Minute, befreit von einer schrecklichen Spannung – richtig glücklich. Bis Freitag abend, das war ein furchtbar langer Tag! Viel gearbeitet habe ich nicht. Wir gingen zum Essen in die Kurfürstenstube. »Eigentlich«, sagte er, als wir unsere Mäntel ablegten, »war ich vorhin schrecklich schlechter Laune, jetzt ist sie wie weggeblasen« – es war ein sehr, sehr netter Abend, wir haben uns sofort richtig verstanden und sehr gut unterhalten.

Walter L. war in Neckargemünd im Lazarett – als Genesender – Lungenschuß. (Ausfall der rechten Lunge, daher die rechte Brustseite eingefallen, die rechte Schulter etwas gesenkt). Aktiver Offizier, seine Eltern wohnen in Mannheim. Eins machte mich etwas traurig – sein Alter: Wir alle hatten ihn auf 26–28 Jahre geschätzt – denn so wirkte er in Aussehen, Sicherheit des Auftretens, auch im Gespräch – und er ist 23 Jahre!! Am 31. Mai geboren, also gerade ein Jahr jünger als ich! Ich konnte es kaum glauben, es war mir an diesem ersten Abend eine Enttäuschung – denn gerade ich lehne es doch immer ab, mit so jungen Männern zusammen zu sein – ich wußte nichts mit ihnen anzufangen, sie konnten sich nicht recht unterhalten. – Aber hier war nun alles so ganz anders. Zwar wußte ich nun, daß er jünger ist als ich – aber es hat unser Verhältnis, wie es sich in der ersten Minute bildete, nicht verschoben, nicht bei mir, nicht bei ihm. Denn er ist tatsächlich ein ganz reifer Mensch – und im übrigen in jeder Hinsicht eine Ausnahme unter seinen Altersgenossen; es kommt mir nicht in den Sinn, bei ihm an Hermann und seine Freunde zu denken. Kurz, er ist der ältere Teil, ich fühle keine Spur von Überlegenheit (er hielt mich für 21 Jahre!) – und deshalb ist auch ein weiteres Zusammensein möglich gewesen.

Wir verabredeten uns zum Sonntag, unternahmen einen Spaziergang auf den Heiligenberg, aßen zusammen in der Poststube. Wieder dieser unwahrscheinliche Gleichklang. [...]

Am Mittwoch, dem 24. März, holte mich Walter L. am Nachmittag ab, wir fuhren nach Mannheim ins Theater: »Don Juan und Faust«. – Später gingen wir noch ein bißchen aus in Mannheim – nach elf fuhren wir in einem Abteil 2. Klasse nach Heidelberg zurück. Das nüchterne Abteil hat seine Bedeutung – die halbe Stunde Bahnfahrt brachte uns, was wir meiden wollten zunächst und doch nicht konnten – das Glück der Nähe und das Du. Mit diesem Augenblick hat sie begonnen, unsere Freundschaft, die vielleicht eine zarte Liebe ist.

Nach diesem Tag sind wir in den wenigen Tagen, die noch blieben, bis Walter aus dem Lazarett entlassen wurde, täglich zusammengewesen, meist abends zum Essen. [...] Der Montag, der 29. März, war unser letzter Tag. Gisela N. hatte freitags promoviert – am Montag feierten wir gemeinsam, Gisela, Lolita, ich – ein kleiner Salzwasserleutnant [...], ein Militärmediziner, und mit mir war

Walter eingeladen. Die Gäste kannten einander zum großen Teil nicht – doch der Kontakt war sofort da, und es war ein entzückender Abend, so festlich und froh, vielleicht mein nettester in Heidelberg überhaupt. [...]

Um 1/2 4 Uhr brachen wir auf, und ich brachte Walter zur Bahn – Richtung Wien. In Wien befindet er sich jetzt in einem Kurlazarett, beginnende Umschulung auf die Heimattruppe. Ende April-Anfang Mai wird er zu unser beider ganz großen Freude Genesungsurlaub haben – dann zu seinem Ersatztruppenteil nach Wien zurückkehren. Er gehört der Panzerwaffe an ... – kann wohl nicht mehr an die Front wegen seiner halben Lunge – das ist ihm schrecklich, denn er ist mit Leib und Seele Offizier.

Wir schreiben uns nun täglich – ich habe ja Ferien und Zeit – und freuen uns unendlich auf den Mai. – – –

Früher waren es immer nur Flirts, es war nie eine von Herzen kommende Angelegenheit – das ist hier so ganz anders. Walter und ich sind uns jedenfalls darin im klaren, daß es für uns etwas völlig Neues und Einmaliges ist, einfach noch nicht dagewesen. [...]

Schon ganz bald wußten wir beide – wäre Walter 5–10 Jahre älter oder wir beide einige Jahre – es wäre für uns beide die Sache, wir würden uns wohl heiraten. So aber können wir nur an die Gegenwart denken, wenn wir beide im Stillen wohl auch mal einen fragenden Blick in die Zukunft werfen. Jetzt wollen wir zunächst nur Freunde sein, uns unserer Freundschaft einfach freuen, ohne viel zu fragen, was folgen wird. [...] *Daß man in einem anderen Menschen ein solches Gefühl erwecken kann, einfach durch sein Da-sein – mich erfüllt ein tiefes Wundern.* [...] *Bin ich verliebt? – ich möchte sagen, nein – es ist eben ein ganz anderes Gefühl als alle Flirts –* [...]. *Neu ist die Zartheit und Herzlichkeit – sein dankbares Hinnehmen für mein So-sein und für-ihn-da-sein.* [...] *Allzuviel soll man gerade in solchen Dingen wohl nicht reflektieren.* [...]

Wir haben das Empfinden, großartig zueinander zu passen. Auch äußerlich harmonieren seine 1,82 m und meine 1,60 viel besser als ich je hätte denken können. Das äußere Erscheinungsbild, das doch in entscheidendem Maß Ausdruck des inneren Wesens und der Persönlichkeit ist, gefällt uns gegenseitig sehr. [...] *»Weißt Du, daß Du sehr sprechende Augen hast – sie sind mir zuerst aufgefallen.« Wie oft schaut er mich mit seinen dunklen, braunen, sehr schönen Augen eindringlich an: »Ich muß Dich immer wieder anschauen« – – –*

Ich weiß, ohne überheblich zu sein, denn allzu viele Mädchen und auch Männer haben es mir schon gesagt, daß ich nicht zu den typischen Philologinnen gehöre – vor denen Walter geradezu einen

Schrecken hatte, (»ich war verblendet« – –). Er hält mich – wie auch Gisela und Lolita, die er jetzt kennt – für eine Ausnahme. Ich bin so froh, daß ich mir, gleich wie mir innerlich zumute war, gerade in diesem Winter so besondere Mühe machte mit dem äußeren Aussehen. [...]

Als ich Gisela, ganz zu Anfang, von der neuen Bekanntschaft erzählte, bekam ich mit wendender Post einen Brief von ihr – wie keinen bisher: Sie fühle, daß hier etwas für mein Leben Entscheidendes beginne – und hat furchtbare Angst, mich an den Mann zu verlieren. [...] *Sie sollte mehr Vertrauen zu mir haben.* [...]

Ja, so war das damals. »Man« wahrte die Form, zeigte gute Manieren, schon gar als Offizier. Allein dem Mann stand es zu, die Initiative zu ergreifen, die Frau mußte abwarten, bis sie »erwählt« wurde. Wie sich schon am Beispiel Dr. B. zeigte, ist die Hierarchie der Geschlechter bestimmend für den inneren und äußeren Verlauf der sich anbahnenden Beziehung; der Mann steht oben, muß älter, überlegen sein. Darum war ich erst einmal enttäuscht, konnte aber dank des suggestiven *»er ist tatsächlich ein ganz reifer Mensch und im übrigen in jeder Hinsicht eine Ausnahme unter seinen Altersgenossen«* das »Altersproblem« erst einmal ignorieren.

Die beschwörende Abwehr des Etiketts *typische Philologin* verrät die zeitübliche Besorgnis, sich als »Studierte« Chancen bei Männern zu verbauen, womöglich als »Blaustrumpf« diffamiert und abgewertet zu werden. Vom Stolz darauf, kein Dummchen zu sein, auch als Frau etwas im Kopf zu haben, wie er sich gegenüber den Tübinger Medizinern geäußert hatte, ist hier nichts zu spüren. Jetzt, da es mir ganz ernst war mit der Beziehung, zeigt es sich, daß das nationalsozialistische Frauenbild auch dieses Selbstbild bestimmte. Zugleich verrät sich in diesem Bericht die Geist- und Intellektuellenfeindlichkeit der Zeit und wie wir Frauen sie verinnerlicht hatten.

In diesem Zusammenhang spricht gar ein einziges eingeklammertes Ausrufezeichen des Tagebuches Bände. Es legt einen Nerv bloß: *Brille (!) auf der Nase.* Obwohl ich kurzsichtig war, trug ich die Brille in der Öffentlichkeit, wenn irgend möglich, grundsätzlich nicht, was immer wieder zu grotesken Situationen führte. »Lore, Brille ab, ein Mann in Sicht!« Der oft gehörte Spruch wirkte wie schieres Gift, geträufelt auf das Selbstwertgefühl. Nichtsdestoweniger, in jenen denkwürdigen, prekären Minuten – *mit eiligen Schritten durchmaß ich die Halle* – konnte ich auf die verhaßte Brille nicht verzichten, begreiflicherweise mußte ich die Kontrolle über die Lage behalten, wenn auch nur – *ich schaute weder rechts noch links* – aus den Augenwinkeln.

Die furchtbare Angst mich an den Mann zu verlieren, die die Berliner Freundin formuliert, erhellt die damals geltende Priorität. Solche Ängste wurzelten in generationenalten Frauenerfahrungen. Mit der Heirat verlor die Frauenfreundschaft ihren Rang. Daß sie der Ehe untergeordnet oder ihretwegen gar im Lauf der Jahre aufgegeben wurde, hatte für nicht wenige Frauen besonders älterer Generationen ein einsames Witwenleben zur Folge.

Heidelberg, 14. Mai 1943
Gestern wurde der Kampf in <u>Afrika aufgegeben!!</u> Mangel an Nachschub – stärkste Übermacht. 6 Monate schwerste Kämpfe.
Wie wird es enden???
Im <u>Osten</u> härteste Kämpfe (Kuban-Donez usw.). Gelegentlich immer wieder Aufgabe von einzelnen Punkten.
Es kam furchtbar plötzlich: im <u>November</u> muß ich nun schon <u>Examen</u> machen. Es ist jetzt alles eine tolle Paukerei [...].
<u>Walter</u> besuchte mich <u>Ostermontag in Alzey.</u> Er fühlt sich mir jetzt sehr eng verbunden ... Das Zusammengehörigkeitsgefühl wächst. [...]
In 2 Wochen wird er auf Urlaub hier sein, vielleicht für 4 Wochen – mitten in meinen Examensnöten. [...]

24. Mai 1943, morgens, 1/2 11
Vorgestern war mein Geburtstag – aber eben kam das größte und schönste Geschenk: Mutti schickte mir ein Telegramm von <u>Hermann</u>: Alles ist in Ordnung, er darf weiter schulen. Sein Urteil war nicht bestätigt worden, sondern die Sache an den Reichsmarschall weitergegangen. Er ist demnach <u>freigesprochen!!!</u> [...]

16. Juni 1943
Der Pfingstsamstag, der 12. Juni, war einer der schönsten Tage in meinem Leben. Walter ist seit 2 Wochen hier, es war der erste schöne Sonnentag, und wir beide im Neckartal, auf einer Wiese und in der Sonne.
So glücklich war ich noch selten. Mit Vorbehalt bin ich an dies Verhältnis herangegangen, jetzt aber war mein ganzes Herz beteiligt und in mir nur der Wunsch, glücklich zu sein und glücklich zu machen.
Seit gestern sieht alles anders aus. Von Anfang an wollten wir nur an die Gegenwart denken – ließen aber der Zukunft ihre Möglichkeiten. Gestern nun sprachen wir noch einmal von der Zukunft – nun weiß ich und muß ich mich voll Trauer an den Gedanken gewöhnen, daß wir keine gemeinsame Zukunft haben werden. Vor fünf Jahren

*könne er nicht an eine Familiengründung denken, sei dann auch, so-
lange seine Eltern leben, ganz auf sein Gehalt angewiesen. Und wie
er es sich vorstelle, werde dann wohl das Mädchen, das er heirate,
nicht in seinem Alter sein. Nein, er hat mir wohl nie im eigentlichen
Sinn eine Hoffnung gemacht – und doch war er es, der sich mit solchem Schwung hineinstürzte in diese Freundschaft und diese Ver-
trautheit hervorrief. Dieses starke Gefühl ist bei mir erst in den letzten Wochen entstanden – ich war sehr glücklich, und noch habe ich
keinen Grund, es nicht mehr zu sein – aber jetzt bin ich sehr traurig
geworden [...] – die Altersfrage ist und bleibt also das, was uns ewig
trennt. [...] Es ist der erste Mann, den ich hätte heiraten mögen.
[...] Aber mußte ich nicht von Anfang an wissen, daß ich keinen Offizier heiraten könnte! Nie habe ich mir Geld gewünscht – wie gerne
wäre ich jetzt ein reiches Mädchen! [...] Sollten wir die Rollen ver-
tauscht haben und nun bei mir das stärkere Gefühl sein?*

*Hätten wir nur noch ein paar Tage schönes Wetter. Der ständige
Regen mag uns beide doch sehr bedrücken und nimmt uns jede Möglichkeit eines schönen Zusammenseins. Daß meine Arbeit ausgerechnet jetzt vor dem Examen! darunter leidet, ist ganz klar. Aber
bis zu einem gewissen Grad ist mir das gleichgültig geworden. In der
Tat weiß ich auch garnicht, wie ich alles schaffen soll!!??*

*Herrgott, noch ein paar glückliche Tage! Für mich ist es nun ein
»bitter-süßes« Glück. Wieviel leichter haben es doch die Männer. – –*

Die *bitter-süße* Geschichte einer jungen Liebe im immer mörderi-
scher werdenden Krieg hat zwei Seiten. Das »Mädchen« vermochte
nur die seine wahrzunehmen. Für den jungen Mann Walter, so betrachte ich es heute, blieb nicht nur die gängige Vorstellung vom
»standesgemäßen« Offiziersleben verbindlich – wer kein Vermögen besaß, mußte es sich erheiraten –, sondern auch das hierarchi-
sche Schema, während ich, in dem Maß, wie sich Liebe entwik-
kelte, es aufzugeben bereit war, mich der Altersunterschied nicht
mehr störte. Doch abgesehen davon, als dreiundzwanzigjähriger
aktiver, obendrein kriegsversehrter Offizier konnte er sich, wenn er
verantwortlich dachte, nicht festlegen. Es war nur ehrlich, wenn er
das auch aussprach. Die Stärke des Gefühls, das er spürte, anfangs
auch bei sich selbst, machte ihm angst; als »anständiger« Mann
mußte er sich zurückhalten, und so begann er, sich dem Gefühls-
und Bindungsdruck zu entziehen.

Die kummervolle Feststellung, *der ständige Regen nimmt uns
jede Möglichkeit eines schönen Zusammenseins,* spielt auf das Reglement an, das das Leben in Untermiete seit Kaisers Zeiten emp-

findlich einschränkte. Meine Zimmerwirtin, die den Abendbesuch
von Studentinnen untersagte, ließ erst recht keinen »Herrenbe-
such« zu. Nicht immer stand eine rigide Moralvorstellung hinter
solchen Verboten. Wer weiß heute noch etwas vom Kuppeleipara-
graphen, der als drohende Fuchtel über den Zimmervermieterin-
nen schwebte?

Montag, 26. VII. 43
Nichts habe ich mehr aufschreiben können wegen meines Mangels
an Zeit. […] Von den schlimmen, kriegerischen Ereignissen, den ent-
setzlichen Angriffen auf die rheinischen Städte, den Kölner und Aa-
chener Dom, von der englisch-amerikanischen Landung auf Sizi-
lien, den Kämpfen dort und der großen Schlacht im Osten bei Orel
und Bjelgorod, dem Angriff auf Rom, noch von meinen eigenen Ex-
amensnöten, dem neuen Entschluß, nun doch im Februar erst Ex-
amen zu machen – […] aber eines muß hier niedergeschrieben wer-
den, was uns alle heute so erregte: <u>Mussolini</u> ist gestern abend
<u>zurückgetreten</u>!!! Anfang der Woche hatte er noch mit dem Führer
eine Besprechung in Oberitalien. Was wird das nun für die Zukunft
bedeuten?! Werden wir, wie schon im Weltkrieg, wieder einen Abfall
Italiens erleben müssen? Die Lage ist furchtbar ernst. Man kann
sich einfach keinen Ausweg vorstellen.

Dazu das Gerücht, daß mit Göring etwas nicht stimme – nirgends
mehr wird er genannt, in keinem Wehrmachtsbericht usw. Ein Ge-
munkel, er habe Deutschland verlassen!! – Was wird aus Deutsch-
land?!! Nach allen Seiten müssen wir Feinde abwehren, – ungeahnt
furchtbar sind die Terrorangriffe geworden. Köln, Essen, Düsseldorf
bestehen praktisch nicht mehr. Zahllose Menschen gehen bei jedem
Angriff zugrunde, unersetzliche Kulturwerte werden zerstört. Wir
dürfen aber doch diesen Krieg nicht verlieren!!

Über die Bedeutung der Hiobsbotschaften machte ich mir keine Illusionen. Im Osten, bei Orjol, gewann die Rote Armee die Initiative zurück und begann mit einer Gegenoffensive. Mit der Landung
der Alliierten in Sizilien drohte uns eine neue Front, die Italien auf-
rollen würde. Der alliierte Angriff auf Rom war ein Signal. Und
Mussolini? Daß er vom Faschistischen Großrat entmachtet, zum
Rücktritt gezwungen und inhaftiert worden war, wußte ich im Augenblick des Schreibens nicht. Ich begriff die dadurch neu entstan-
dene unsichere Lage, doch immer noch weigerte ich mich zu akzeptieren, daß der Krieg nicht mehr zu gewinnen war. Ich wollte
meine innere Stimme nicht hören.

Es brodelte auch in der Gerüchteküche, Göring *habe Deutschland verlassen*: Im Gegensatz zu dieser Fama entsprach es den Tatsachen, daß mit ihm *etwas nicht stimme*. Zu Ende war es mit einer beispiellosen Karriere, die Göring zum zweitmächtigsten Mann im Dritten Reich und zum designierten Nachfolger Hitlers gemacht hatte.

Mit den Erfolgen der Luftwaffe in den Blitzkriegen 1940 erreichte sein Ansehen den Höhepunkt. Fehlentscheidungen bei der »Luftschlacht um England«, Rückschläge der Luftwaffe an der Ostfront und ihr Versagen beim Schutz der Bevölkerung vor den schweren alliierten Bombenangriffen gingen zu seinen Lasten. Das *Gemunkel* bezog sich auf den Verfall seiner Persönlichkeit im vergangenen Jahr, der ihn, auch unter dem Einfluß einer Morphiumsucht, realitätsblind machte. So kam es zu der verhängnisvollen Fehleinschätzung, die Luftwaffe könne die in Stalingrad Eingeschlossenen ausreichend versorgen; sie hatte Hitler darin bestätigt, der Armee den möglich gewesenen Ausbruch aus dem Kessel zu untersagen.

Bei der Bevölkerung war der joviale, prunksüchtige Reichsmarschall immer beliebt. Die Habgier, Kälte und Brutalität, die sein Handeln bestimmten, blieben der Öffentlichkeit verborgen, niemand hätte sie ihm zugetraut. Er war nicht nur der Motor des organisierten Kunstraubs in den besetzten Ländern, bei dem er sich persönlich enorm bereicherte, auch die Idee, die Juden nach der »Reichskristallnacht« für die von den Nazis verursachten Schäden mit harten Wirtschaftssanktionen zu belegen, stammte von ihm. Und er wies am 31. Juli 1941 den Chef des Reichssicherheitshauptamts, Reinhard Heydrich, an, die sogenannte »Endlösung der europäischen Judenfrage«, wie die geplante Vernichtung der Juden verschleiernd genannt wurde, vorzubereiten.

Heidelberg, 7. August 1943
Frau M.s [meiner Vermieterin] *Sohn ist nun auch bei den schweren Kämpfen am Donez gefallen.* [...] *Wieder ein so junger Mensch, befähigt zu wer weiß welchen Leistungen, gefallen. Er selbst tut mir am meisten leid, das Leben lag doch noch vor ihm. Und er hatte schon so viel mitgemacht in Rußland. Heute kann ich nun wieder nicht mehr recht arbeiten.*

Mittwoch, 11. August 1943
Nachdem nun die rheinischen Städte zum größten Teil fast völlig zerstört sind durch die furchtbaren Terrorangriffe der britisch-amerikanischen Luftwaffe, die Formen angenommen haben, wie man sie sich noch vor einem Jahr kaum vorstellen konnte, wurde vor zwei Wochen

in etwa 5 Angriffen Hamburg so zerstört, daß man heute von einer Stadt Hamburg gar nicht mehr sprechen kann – und jetzt kommt nun Südwest- und Süddeutschland dran. Die beiden vergangenen Nächte waren furchtbar. Die Häuser dröhnten von der Mannheimer Flak und den Bomben. [...]

Man kann nicht glauben, daß auf die Dauer Heidelberg ganz verschont bleiben wird. [...] Daß die Konzentration ganz furchtbar unter dem Druck dieser Umstände leidet, ist ganz klar. Der Himmel weiß, unter welchen Umständen wir im Winter Examen machen müssen.

Wo wird das alles noch hinführen? Weite Strecken Deutschlands werden am Ende des Krieges ein Schutthaufen sein. Wenn wir das Ende überhaupt erleben!

Im Osten die entsetzlichen Kämpfe bei Orel, das nun auch aufgegeben wurde, und Bjelgorod. Panzerschlachten in nicht dagewesenem Ausmaß. Und die sowjetische Luftwaffe wird wieder so stark. Sizilien scheint auch bald aufgegeben werden zu müssen. Die Kämpfe haben sich schon ganz zum Norden der Insel hingezogen.

Nach wie vor war ich in der Universitätsstadt nicht unmittelbar vom Luftkrieg betroffen. Doch die Bedrückung und Hoffnungslosigkeit nahmen mit den zunehmenden Schreckensberichten von der »Heimatfront« zu. Luftkrieg und Bombenterror waren immer noch steigerungsfähig. Beispiel Hamburg: Die zweitgrößte Stadt war als wichtiger Industriestandort mit ihrem Hafen schon öfters Angriffsziel gewesen. Am 24. Juli jedoch begann, dem Decknamen »Operation Gomorrha« entsprechend, ein Inferno. Abertausende von Minen- und Sprengbomben, Phosphor- und Stabbrandbomben und Phosphorkautschukkanister wurden abgeworfen und zerfetzten, erstickten, verbrannten rund 30000 Menschen, machten 900000 obdachlos.

Was fehlt im Tagebuch?

1941–1943

Inzwischen hat sich die Idee, das Tagebuch zu komplettieren, mit der fortschreitenden Arbeit, parallel zu meiner Entwicklung, verselbständigt. Ich vermag die Chronik der Ereignisse in meinem Tagebuch nicht mehr zu lesen, ohne daß sich gleichsam ein unsichtbares Buch vor meine Augen schiebt, das ich mitlesen muß. Es beschreibt die Chronik der Ereignisse bei den »anderen«, deren Schicksal durch deutsche Überlegenheitsphantasien und durch deutsche Gewaltherrschaft bestimmt wurde. Wie bruchstückhaft und begrenzt ein solcher Versuch in diesem Rahmen auch zwangsläufig bleibt, ich muß etwas von dem historischen Kontext sichtbar machen. Ich muß meine Aufzeichnungen verstärkt mit Tatsachen kontrastieren, die ich damals nicht wissen konnte, übersehen wollte oder nicht geglaubt hätte, nach dem Motto »wenn das der Führer wüßte!«

1941

Am 2. September wurden die Juden im Reichsgebiet vom 6. Lebensjahr an durch Polizeiverordnung verpflichtet, in der Öffentlichkeit den gelben Stern mit der Aufschrift »Jude« zu tragen. Was habe ich mir wohl bei der Bekanntgabe dieser Brandmarkung gedacht? Ich fürchte, nichts; schon längst kannte ich keine Jüdinnen und Juden mehr. Mich beschäftigten gerade die Alzeyer Obsternte und der Krieg. Habe ich daheim, wo im Juni nachweislich noch 44 Juden lebten, oder später in Heidelberg überhaupt einen Menschen mit dem Judenstern gesehen? Nein, behauptet mein Gedächtnis. Könnte ich das beeiden? Nein.

Am 14. Oktober setzte die »Entjudung« des Deutschen Reiches, die »Umsiedlung«, ein. Ab 23. war den Juden die Auswanderung verboten. Sie wurden in die Ghettos und Konzentrationslager im Osten deportiert. Die »Endlösung« nahm ihren Lauf. Im Vernichtungslager Kulm/Chelmno begann im Dezember die Massentötung in Gaswagen.

Während sich die Deportation der Juden in aller Öffentlichkeit abspielte, verschwanden in den besetzten Gebieten, zumal im Westen, Menschen spurlos, bei Nacht und Nebel. Am 7. Dezember hatte der Chef des Oberkommandos der Wehrmacht, Keitel, auf

Hitlers Befehl den »Nacht-und-Nebel-Erlaß« herausgegeben. Er sollte Widerstandskämpfer abschrecken und wurde gegen Personen, denen »Straftaten gegen das Reich oder die Besatzungmacht« vorgeworfen wurde, angewandt, wenn die Todesstrafe durch Kriegsgerichte nicht gesichert war. Die Verschleppten wurden in Deutschland von Sondergerichten abgeurteilt. Sofern das Urteil nicht auf Todesstrafe lautete, kamen sie, nach einem Freispruch oder kürzerer Haftverbüßung, ins KZ. Auch wenn »nur« etwa 7000 Menschen, meist Franzosen, betroffen waren, hat der Erlaß im historischen Gedächtnis ihrer Nation eine tiefe Spur hinterlassen.

Das unsichtbare Tagebuch der Opfer wurde vor allem im Osten geschrieben. Dort, wo die deutschen Armeen den von Hitler angestrebten Lebensraum eroberten, Sieg an Sieg reihten, Abertausende von Rotarmisten gefangennahmen, dort zogen nicht nur Besatzungstruppen in die Dörfer und Städte ein. Den vier Heeresgruppen folgten vier mobile Einsatzgruppen auf dem Fuß, die, wie zuvor schon in Polen, »Sonderaufgaben« lösten, jetzt in eigener Verantwortung, unabhängig von der Wehrmacht, doch nicht ohne deren Wissen. Sie handelten gemäß der Devise, die Hitler schon fast drei Monate vor dem Angriff auf die Sowjetunion, am 30. März, für die Behandlung der »Fremdvölkischen« ausgegeben hatte: »Im Osten ist Härte mild für die Zukunft«. Ihr Feldzug bedeutete »dem Wesen und der Moral nach etwas gänzlich Neues: gleichsam den Dritten Weltkrieg« (Fest). Ihre Exekutivmaßnahmen betrafen alle Juden und alle »Zigeuner«, kommunistische Funktionäre und »Asiatisch-Minderwertige«, auch Partisanen und Kriegsgefangene. Von Juni 1941 bis April 1942 ermordeten die 3000 Mann der Einsatzgruppen, verstärkt durch »fremdvölkische« Hilfswillige (Hiwis) und einheimische Miliz, fast 560 000 Zivilisten, meist mit Maschinengewehren, später auch, zur Steigerung der Effizienz und zur »seelischen Entlastung« der Exekutanten, mit Hilfe von Gaswagen.

Die akribischen »Ereignismeldungen« der Mordkommandos, »Geheime Reichssache«, blieben fast vollständig erhalten. Was dachten sich die »ganz normalen Männer«, die erschossen und vergasten, bei ihrem Geschäft? Und mit welchen Gedanken und Gefühlen nahm die Führungsabteilung der 16. Armee in der soeben besetzten litauischen Hauptstadt die Pogrome zwischen dem 24. und 29. Juni zur Kenntnis? Dazu angestiftete litauische »Partisanen« verfolgten und schlugen die Juden in aller Öffentlichkeit tot, Hunderte von ihnen an einer Tankstelle, die 200 Meter vom Quartier der Führungsabteilung entfernt war. Ein zeitgenössischer Bericht bekundet: »Unsere deutschen Soldaten waren ruhige Zuschauer; hatten keinen Befehl, das Blutgericht irgendwie aufzuhalten.« Auch Fotos dokumentieren die Menschenverachtung und Grausamkeit der Einsatzgruppen und ihrer Helfer in den besetzten Ländern des Ostens, Fotos, nicht nur aufgenommen von Polizisten und SS-Männern, sondern auch von Soldaten der Wehrmacht: Was dachten sich die »ruhigen Zuschauer« und was die fotografierenden Gaffer? Was hätte ich, die Junge, wären mir solche Bilder zu Gesicht gekommen, zu dieser »Behandlung« der »Untermenschen« gesagt?

Immer schwerer wird es mir, diese dokumentierte Vergangenheit auszuhalten; mittlerweile hat sie begonnen, mich im Traum heimzusuchen. Und je vertrauter mir der Anblick der Fotos wird, Aufnahmen von jungen Frauen, jüdischen Bürgerinnen der besetzten Ostgebiete, die nach der Eroberung ihrer Stadt bei Pogromen nackt durch die Straßen gehetzt wurden – das schreiend protestierende Mädchen in Lemberg, dessen Blöße eine Frau zu decken versucht, der angsterfüllte Blick einer schönen Jungen im lettischen Lijepaja, die ihre nackte Brust halb mit der Hand vor den Blicken der Peiniger schützt, und die Männer neben den auf der Straße Kauernden –, je vertrauter mir diese Szenen werden, desto näher rücken mir die fremden jungen Frauen, und immer lauter höre ich in mir die Frage: Wenn das m i r widerfahren wäre???

Heute wurde die Umfassungsschlacht von Kiew, der Hauptstadt der Ukraine, bekanntgegeben, ist im Tagebuch am 19. 9. vermerkt. Bereits am selben Tag wurde Kiew eingenommen, am 26. war die gewaltige Kesselschlacht zu Ende. *Man kann nur fassungslos zuhören und bewundern.*

An diesem Tag begann in der Schlucht von Babi Jar bei Kiew das größte aller Massaker der Einsatzgruppen. 33771 Juden, die dem Aufruf, sich zur »Umsiedlung« zu melden, gefolgt und in einem langen Zug dorthin gewandert waren, wurden mit Schlagringen und Stöcken mißhandelt, nackt in kleinen Gruppen an den Rand der Grube getrieben und erschossen. Dina Mironowna Pronitschewa, die jüdische Frau eines Russen, überlebte das Massaker, weil sie sich, bevor das Maschinengewehr auf sie zielte, in das Meer von Leibern und Blut fallen ließ und nachts fortkriechen konnte. An diese junge Frau denke ich und an jene, die ein Jahr später bei Dubno erschossen wurde – ungehindert sah ein deutscher Bauingenieur eine Viertelstunde lang dem Morden zu: »Ich entsinne mich noch genau, wie ein Mädchen, schwarzhaarig und schlank, als sie nahe an mir vorbeiging, mit der Hand an sich herunterzeigte und sagte: ›23 Jahre!‹« – – – Sie war so alt wie damals ich! Ich muß sie anschauen, die elenden Bilder, muß sie lesen, die furchtbaren Berichte, muß die Gefühle, die sie aufrühren, zulassen und wahrnehmen. Das Geheimnis der Versöhnung heißt Erinnerung.

1942

In diesem Jahr erreichte der »Krieg gegen die Juden« eine neue Dimension. Nach der Deportation wurde im Osten alsbald mit der Vernichtung einer Minderheit durch Arbeit und der »Behandlung des allfälligen Restbestandes«, der Ermordung der Mehrheit, begonnen. Diese Formulierungen benutzte der Leiter des Reichssicherheitshauptamtes, Reinhard Heydrich, der »Techniker des Mordes um der Macht willen« (Gideon Hausner) auf der »Wannseekonferenz« am 20. Januar, zu der er Vertreter von Ministerien, Parteidienststellen und SS-Ämtern geladen hatte, um die entsprechenden Maßnahmen und ihre Koordinierung zu erörtern. Bereits Mitte März begann die Massenvernichtung im Todeslager Belzec.

Wie perfekt die Abspaltung der Gefühle bei den Schreibtischmördern und den Tätern, die das grausige »Geschäft« besorgten, gelang, enthüllt ihre Sprache. Am 5. Juni gab die Einsatzgruppe C, die in der Nordukraine ihr Mordhandwerk betrieb, diese »Ereignismeldung« ab: »Seit Dezember 41 wurden mit drei eingesetzten Wagen 97 000 verarbeitet, ohne daß Mängel an den Fahrzeugen auftraten.« »Umgesiedelt«, »gesäubert«, »erledigt«, »liquidiert«, »der Grube übergeben«, »sonderbehandelt«, »verarbeitet« – wie die Taten gehört diese Sprache zu unserer Geschichte.

Zuständig auch für die mobilen Einsatzgruppen, »das Schlachthaus auf Rädern« (Hausner), war Heydrich, der seit September 1941 zusätzlich zu seinen Ämtern als stellvertretender Reichsprotektor für Böhmen und Mähren mit Zuckerbrot und Peitsche Politik machte. Im Exil ausgebildete tschechische Fallschirmspringer verübten ein Attentat auf »die blonde Bestie«, an dessen Folgen Heydrich am 4. Juni starb. An meine Reaktion auf den Anschlag kann ich mich nicht erinnern. Auch wenn ich die Wahrheit über ihn nicht kannte, frage ich mich heute, ob mir wohl, als ich von dem Attentat hörte, die feindseligen Blicke wieder einfielen, denen ich zwei Jahre zuvor als junge Deutsche in Prag ausgesetzt gewesen war. Nichts spricht dafür, daß ich nachgedacht hätte über die Ursachen von Gewalt gegen Deutsche – waren doch damals in meinen Augen im Recht immer wir.

Auch in Lidice? Das ganze tschechische Dorf mußte auf Hitlers Befehl für Heydrichs Tod »büßen«, obwohl es sich nicht nachweisen ließ, daß die Attentäter sich dort versteckt hatten. Am Abend und in der Nacht des 9. Juni wurden 191 Männer und 7 Frauen erschossen, 195 Frauen deportiert, meist in das KZ Ravensbrück, einige ins Gefängnis; von 98 Kindern wurden 8 SS-Familien zur »Eindeutschung« übergeben, die übrigen in Lager verschleppt und das Dorf dem Erdboden gleichgemacht.

Nicht Rache, sondern eiskalte Planung war am Werk, als der Abtransport von 350000 Menschen aus dem Warschauer Ghetto in das neu geschaffene Vernichtungslager Treblinka erfolgte. Es geschah am 22. Juli, für mich war das ein glücklicher Tag. Damals gerade zu Besuch in Berlin, schwärmte ich im Tagebuch von einer *herrlichen Wanderung* an der Havel, *die märkische Landschaft ist einzig schön.* »Aussiedlung« hieß das Wort, das den durch Hunger und Krankheiten Geschwächten neue Hoffnung gab; ein plakatierter Aufruf mit dem Versprechen, alle, die sich »freiwillig zur Abreise melden werden, erhalten pro Person 3 Kg. Brot und 1 Kg. Marmelade«, genügte zur Täuschung: »Hat meine Mutter gesagt: Wenn sie uns töten wollen, werden sie doch den Leuten kein Brot und keine Marmelade geben. Also haben sie beschlossen, zum Umschlagplatz zu gehen.« So bestätigte ein Überlebender den Erfolg dieser Taktik.

Menschlichkeit und Güte inmitten der Unmenschlichkeit ereignete sich zwischen den Opfern. Vorgelebt hat diese Eigenschaften der Arzt und Pädagoge Dr. Henryk Goldszmit. Das unsichtbare Tagebuch der polnisch-jüdischen Geschichte verzeichnet ihn unter seinem Schriftstellernamen Janusz Korczak. Am 5. August, Jahrzehnte bevor die UNESCO über eine Charta der Rechte des Kindes nachzudenken begann, forderte er in seinem Buch »Wie man ein Kind lieben soll« »ein Grundgesetz für das Kind«. Wie er seine Waisenkinder liebte, bewies er, indem er sie in den Gastod begleitete. Freunde hatten ihn retten wollen. Und noch im letzten Augenblick, vor dem Viehwaggon nach Treblinka, bot die Gestapo dem berühmten Mann die Rückkehr ins Ghetto an. Als erster führte er die Gruppe der 192 Waisenhauskinder an, die in Viererreihen inmitten der schreienden, mit Peitschen angetriebenen Menschen vom Umschlagplatz zu den Viehwagen gingen. Ein letzter Augenzeuge sagte später: »Das war kein Marsch zu den Waggons, sondern ein stummer Protest gegen dieses mörderische Regime [...], eine Prozession, die kein menschliches Auge je zuvor erblickt hat.« Als erstes von drei Grundrechten, die Korczak für Kinder forderte, hatte er »Das Recht des Kindes auf seinen Tod« genannt. Zu diesem Tod in Würde hat er den ihm Anvertrauten verholfen.

Ein vertrauter Name, stellvertretend für die deutschen Juden, die in das Generalgouvernement abtransportiert und ermordet wurden: Else Ury, die Berliner Autorin, die das »Nesthäkchen« erfand, jene geliebte Gefährtin meiner Kinder- und Backfischzeit. Ihr Ruhm vermochte es nicht, die 65jährige Else Ury zu retten. Sie hatte ihre pflegebedürftige Mutter nicht im Stich lassen wollen. Am 12. Januar kam ihr Transport in Auschwitz an. Erst jetzt habe ich von ihrem Schicksal erfahren. Was hätte ein solches Wissen damals in mir bewirkt?? Wieder eine Frage, die mich heute beunruhigt.

Am 18. Februar streuten die Geschwister Sophie und Hans Scholl viele Flugblätter von der Galerie in die Eingangshalle der Münchner Universität. Es war die sechste und letzte Flugschrift, mit der die vorwiegend studentische Widerstandsorganisation »Weiße Rose« zum Kampf gegen Hitler und den Nationalsozialismus aufrief: »Der Tag der Abrechnung ist gekommen, der Abrechnung der deutschen Jugend mit der verabscheuungswürdigsten Tyrannis, die unser Volk je erduldet hat ...« Die Geschwister wurden vom Pedell denunziert, sofort verhaftet, vom Volksgerichtshof zum Tode verurteilt und zusammen mit ihrem Freund Christoph Probst am 22. Februar mit dem Fallbeil hingerichtet. Ihr Schicksal teilten einige Monate später Prof. Kurt Huber, Alexander Schmorell, Willi Graf und Hans Leipelt.

Ich erinnere mich genau: Die Flugblattaktion der Geschwister Scholl mißbilligte ich; wie hätte es auch anders sein können, da ich doch damals immer noch meinte, *durchhalten müssen wir!* Doch die Nachrichten erregten mich außerordentlich; sie machten mir Angst, Angst, produziert von der Phantasie, was mir hätte passieren können, wenn ich, wäre ich noch Studentin in München, in der Eingangshalle dabei ertappt worden wäre, wie ich ein Flugblatt las. Daß i c h hätte in Verdacht kommen können, dem Inhalt zuzustimmen! Das Angstgefühl von damals ist noch heute wie verklebt mit der Erinnerung an die Entlastung, die ich gleichzeitig empfand: »Gottseidank, daß ich nicht mehr in München studiere!«

Keine Erinnerungen, aber reuige, zu späte Anteilnahme ruft ein Satz in mir hervor, in dem es heißt, daß 3 638 056 »neue fremdvölkische Arbeitskräfte« der Kriegswirtschaft »zugeführt« werden konnten, außerdem seien 1 622 829 Kriegsgefangene in der deutschen Wirtschaft beschäftigt. Er entstammt der ersten Jahresbilanz des Generalbevollmächtigten für den Arbeitseinsatz, Sauckel, vom 15. März. Die »Fremdarbeiter« aus den besetzten Gebieten, in ihrer

Mehrzahl verschleppt und zur Arbeit gepreßt, lebten, zumal wenn sie Polen und »Ostarbeiter« waren, abgesondert, ausgebeutet und strengen »Lebensführungsregeln« unterworfen; für sexuelle Beziehungen zu deutschen Frauen drohte ihnen wegen »Rassenschande« die Todesstrafe. Nach Berechnungen während der Nürnberger Prozesse waren in den Kriegsjahren 12 Millionen ausländische Zivilisten, Frauen und Männer, unter ihnen sogar Kinder und Jugendliche, als Zwangsarbeiter für die deutsche Industrie und Landwirtschaft tätig. – Die »Fremdarbeiter«, zu denen ich keinen persönlichen Kontakt hatte, nahm ich in diesen Kriegsjahren nur als Feinde wahr. Sie existierten irgendwo am Rande unserer Gesellschaft, sie gingen mich nichts an, sie interessierten mich nicht.

Von der deutschen Presse nicht gemeldet wurde der Aufstand im Warschauer Ghetto am 19. April. Zum erstenmal nahmen die Juden ihr Schicksal nicht mehr geduldig hin. Als die SS einrückte, um auf Himmlers Befehl zu Hitlers Geburtstag das Ghetto »judenrein« zu machen, begegnete sie unerwartetem bewaffnetem Widerstand junger Leute. Noch etwa 75 000 Menschen lebten im Ghetto, das nach vier Tagen in Brand gesteckt wurde. Viele verbrannten, sprangen aus den Häusern in den Tod. Ein großer Teil der Bewohner flüchtete sich in das Kanalsystem und die Bunker, die die Widerstandskämpfer gebaut hatten. Erst nach vier Wochen brach der Aufstand zusammen. Am 16. Mai meldete SS-General Jürgen Stroop nach Berlin: »Das ehemalige jüdische Wohnviertel Warschaus besteht nicht mehr. […] Gesamtzahl der erfaßten und nachweislich vernichteten Juden beträgt insgesamt 56 065.«

Mitte Oktober war die »Aktion Reinhard«, wie die »Endlösung der Judenfrage« im Generalgouvernement im Gedenken an Heydrich genannt wurde, abgeschlossen, der größte Teil der jüdischen Bevölkerung ermordet. Die Konzentrationslager Belzec, Sobibor und Treblinka wurden dem Erdboden gleichgemacht, die Spuren der Vernichtung durch die Verbrennung der exhumierten Leichen (»Enterdungsaktion«) beseitigt. Mindestens 1,75 Millionen Juden fielen allein der Aktion Reinhard zum Opfer.

Ich blättere im unsichtbaren Tagebuch zurück, lese noch einmal diese fragmentarischen Verweise auf die Geschichte der »anderen« zwischen 1941 und 1943 --- *Die Strafe des Himmels,* wir haben sie verdient.

TAGEBUCH VII
4. Juli 1944 – 16. März 1945

Heidelberg, 4. Juli 1944

Seit dem vorigen Frühjahr oder Sommer habe ich nichts mehr von allem niedergeschrieben, was mich bewegte oder beschäftigte. Bei den Examensvorbereitungen fehlte mir die Zeit, bis vor kurzem aber auch jegliche Lust dazu. So versinkt manches an Nöten und auch seltenen Freuden, und das ist vielleicht schade: Es mag noch einmal reizvoll sein, in späteren Jahren die alten Hefte hervorzuziehen und in der Erinnerung nachzuleben, was lange vergangen ist. Andererseits hebt sich nun beim späten und nicht unmittelbaren Schreiben in der Reflexion nur noch das Wesentliche und Ergebnis des an Aufregungen so reichen Jahres hervor. Und damit mag's genug sein.

Die Zeit vom Frühjahr 1943 bis zum Frühjahr 1944 bildet von innen und außen gesehen eine gewisse Einheit: äußerlich die Vorbereitungen zum Staatsexamen und innerlich das Erlebnis Walter L.

Diese Freundschaft ist das bisher Schönste und Tiefste gewesen, was mein Herz berührt hat, aber sie hat eine kleine Bitterkeit zurückgelassen. Heute kann ich ziemlich klar darüber urteilen. […] Wir waren wohl beide tief ergriffen davon, und zu Anfang konnte ich glauben, daß eine wirkliche Liebe daraus entstehen könnte. Ich hoffte es, wider meine bessere Einsicht, d.h. gegen mein geheimes Gefühl. […]

Sehr schmerzlich suchte ich in den ersten Briefen, die wieder aus Wien kamen, nach einer Resonanz jener frohen Tage – sie kam nie. Und was ich wohl bald gespürt hatte, doch ohne es wahrhaben zu wollen, war im Laufe des Sommers nicht mehr zu übersehen: Meine Vorstellungen von einer solchen Freundschaft, meine Ansprüche an den Freund waren andere als Walter sie erfüllen konnte. […] Äußere Einflüsse kamen hinzu, die ich nicht kenne. So erhielt ich Anfang Januar das Schreiben, das nur im Augenblick, im Grunde keine Überraschung bedeutete. Die Bitte um Lösung der bisherigen Freundschaft. Ausgelöst wurde sie durch ein neues Erlebnis, das Walter in Wien hatte. Der ganz verwirrte Brief zeigte einen Menschen, der auf schwankendem Grunde steht und nicht weiß, wohin sein Weg ihn füh-

ren wird. Was ich unklar empfunden hatte, war ausgesprochen: eine entscheidende Wandlung unter fremden Einflüssen. [...]

Ich habe mein Herz in beide Hände genommen, mich in seine Lage zu versetzen gesucht und einen ruhigen, verständnisvollen Brief geschrieben, der ihn innerlich von allem Schuldgefühl mir gegenüber befreien sollte. Einen leisen Vorwurf konnte ich ihm nicht ersparen, daß er nicht den Mut zu mündlicher Aussprache gefunden hatte, die an Weihnachten gut möglich gewesen wäre. [...] Auf seine Bitte, ihm meine freundschaftliche Zuneigung zu erhalten, antwortete ich mit der leise zweifelnden Frage, ob er mir jetzt noch Freund sein könne. Darauf habe ich keine Antwort mehr erhalten. Und das hat mich schwer gekränkt. [...] So ist nun die Erinnerung getrübt, und das tut mir sehr, sehr leid. [...]

Trotz allem aber, in meiner Erinnerung leben drei Monate voll Sonne und Glück, ganz erfüllt von innerer Freude, und sie sind ein gutes Andenken wert.

Ich hatte Walter sehr lieb. Es ist gut, daß er war, wie er war – er hätte keine Schwierigkeiten gehabt, meine Gefühle auszunutzen. Daß er es nicht tat, danke ich ihm heute.

Am Anfang überwogen die vielen Gemeinsamkeiten, später wurde mir doch das Trennende – sein Beruf, d.h. seine übergroße Formenliebe, eine gewisse Oberflächlichkeit, vor allem aber unser Altersverhältnis und die damit gegebene verschiedene Geistigkeit – sehr fühlbar. Ihn zu heiraten hätte, wie ich heute einsehe, nie mein Glück bedeuten können. Ich bin von anderer Art und brauche mehr Wärme und Tiefe.

Dennoch, alle Männer, die ich nach ihm kennenlerne, müssen sich jetzt den Vergleich mit ihm gefallen lassen. Äußerlich hatte er unendlich vielen viel voraus. Sein gutes, sympathisches Aussehen, seine angenehme, wirklich bezaubernde Stimme, sein liebenswürdiges, gewandtes Benehmen, sein sicheres Auftreten – [...], solche Äußerlichkeiten bedeuten mir leider noch allzuviel.

So hat er bei mir doch ein gutes Andenken, denn noch keiner vermochte ein so beglückendes Gefühl zu wecken. Einmal möchte ich ihm noch begegnen und die ungelöste Frage lösen und damit dieser Freundschaft den Abschluß geben, der ihr eigentlich zukam.

Die »Walter« scheinen eine gewisse Rolle in meinem Leben zu spielen. Ein Walter war der »erste« – er ist inzwischen, mitten in glücklicher Ehe, gefallen im Osten.

Im übrigen war das Jahr 1943 in seiner zweiten Hälfte wenig erfreulich, denn es bestand nur aus Arbeit, Arbeit und sie noch unter dem dauernden Druck des Examens. Zunächst dachte ich dies im

November zu machen, aber die Zeit reichte nicht aus, und so war's denn erst im Januar und Februar dieses Jahres so weit. [...] Am liebsten denke ich noch an die Hausarbeit, die ich in den Ferien daheim machte (»Dichtung und Geschichte in Schillers Dramen besonders von Fiesco bis zum Wallenstein«) und an die vielen Sonntage, an denen ich mit den beiden »K.'s«, Inge K. und Irmgard K., auf ihrer Bude in der Uni neben dem Englischen Seminar systematisch deutsch wiederholte.

Der ganz verwirrte Brief aus Wien – die Charakterisierung muß treffend gewesen sein, sie ist mir auch im Gedächtnis geblieben. Eine junge Frau hatte die Verwirrung ausgelöst. Sie war verheiratet, ihr Mann an der Front. Gerade deshalb konnte Walter, ohne Folgen für die berufliche Zukunft, die er anstrebte, die sexuelle Beziehung eingehen, die er in Heidelberg vermieden hatte. Kein Wunder, daß er, einerseits überwältigt von dem Erlebnis, andererseits geplagt von Skrupeln mir gegenüber, nicht weniger von seinen Vorstellungen von Anstand und Moral und wohl auch Schuldgefühlen gegenüber dem betrogenen Ehemann, einen wirren Brief an mich schrieb. Er blieb sein letztes Lebenszeichen und ließ *die ungelöste Frage,* die sich mir damals stellte, offen. Walter L.: Die Erinnerung bewahrt eine schmerzlich-schöne Jugendliebe.

Die Klausuren im Januar begannen an einem Montag vormittag mit Geschichte: »Die Auswirkungen des Augsburger Religionsfriedens auf die Reichspolitik bis zum 30-jährigen Kriege«. Ich hatte den Stoff gut im Kopf und konnte ihn ohne Nachdenken niederschreiben und eine abgerundete Arbeit abgeben. Körperlich war es auch eine Rekordleistung fast, 18 Aktenbogenseiten in vier Stunden! Andreas zensierte mit »sehr gut«. Dienstag früh folgte die althochdeutsche Klausur, Übersetzung und Interpretation eines Tatian-Textes. Hier sind mir doch einige Fehler unterlaufen, es war eine »drei«, wie ich später erfuhr. Mittwoch früh Englisch: »The Characters of Othello« (1–2).

Donnerstag nachmittag von 3–8 Uhr die deutsche Arbeit: »Die Bedeutung der Gefühlsaussprache für die Gestaltung von Goethes Werther«. Echt Böckmann, diese Formulierung! Ein herrliches Thema an sich – doch hatte ich den großen Fehler begangen und nachts zu lange gearbeitet, kam dazu zunächst mit der Formulierung nicht zu Rande – kurz, es war beinahe ein Fiasko. Die Zeit verrann, mir brach der Angstschweiß aus, meine Gedanken gingen im Kreise. Halb ausgeführt, nur 3 1/2 Seiten, gab ich die Arbeit ab,

überzeugt, sie vollkommen »verhauen« zu haben. Nächsten morgen
sofort in Böckmanns Wohnung und berichtet. Doch bald durfte ich
aufatmen, ich hatte das Beurteilungsvermögen ganz verloren, Böck-
mann war nämlich ganz zufrieden, trotz fragmentarischer Form
(»noch zwei« zensiert).

Montags, 21. Februar, begann dann die mündliche Prüfung,
Deutsch zuerst. [...] Alle Professoren sind sehr freundlich gewesen.
[...] Am schönsten war die Prüfung des nächsten Tages: Geschichte.
Eine gute Unterhaltung, glänzend ging's. [...]

Mittwoch früh: Philosophie bei Krieck: Novalis' Staats- und Re-
ligionsauffassung. Ich konnte mit Krieck nicht recht mitdenken. Im
Ganzen war's harmlos. Ist im Grunde ja eine Komödie – wer kann
denn von allen Kandidaten wirkliche Philosophie?

Freitag früh: Die englische Prüfung beim alten Hoops. Meine gro-
ße Angst vor der Grammatik war höchst berechtigt. Da hab' ich
mir seine Sympathien verscherzt. Es rettete mich nur vor schlimme-
rem, besserte nichts auf, daß Aussprache, Phonetik, Metrik, Litera-
tur alles sehr gut klappte. Kriegsmäßig endete die Prüfung im Luft-
schutzkeller!

Die Gesamtnote meines Staatsexamens ist eine »Zwei« (Deutsch
und Geschichte zwei, Englisch und Philosophie drei).

Die Zeiten haben sich inzwischen geändert, Schulwesen und Stu-
diengänge auch. Zu meiner Zeit wurden im Hauptfach Deutsch
neben Literaturgeschichte auch Althochdeutsch, Mittelhochdeutsch
und Volkskunde geprüft. Zum Nebenfach Geschichte gehörte wahl-
weise auch Vor- oder Frühgeschichte, zum Nebenfach Anglistik
Sprache und Literatur. »Philosophie und Weltanschauung« war eine
Art drittes, obligatorisches Nebenfach bei der Lehramtsprüfung
und in Heidelberg die Domäne des Pädagogen und NS-Ideologen
Ernst Krieck, dessen Bücher »Nationalpolitische Erziehung« und
»Völkisch-Politische Anthropologie« als Standardwerke galten. Er
war 1933 in Frankfurt der erste nationalsozialistische Rektor einer
Universität.

Meine Erinnerung an die Examina, die einmal so viel Raum in
meinem Leben einnahmen, ist auf zwei Szenen zusammenge-
schrumpft. Wie dem von Müdigkeit blockierten Kopf zu dem *herr-*
lichen Thema der Gefühlsaussprache bei Goethes Werther nichts
einfallen will und ich stundenlang auf leere DIN-A-4-Blätter starre,
während um mich herum die Federn auf dem Papier kratzen. Und
die Prüfung im Keller, der dafür nicht hergerichtet ist – ich gegenüber dem 80jährigen, an die Universität zurückgerufenen Geheim-

rat mit dem schönen, weißhaarigen Schopf, wir sitzen auf Holzfässern, und über unseren Köpfen dröhnen die Bombengeschwader des »Feindes«, in dessen Sprache ich derweil zu reden versuche. Daß einmal eine Zeit kommen könnte, in der ich mit Menschen dieser Zunge Gespräche führen würde, freundschaftliche gar, ein solcher Gedanke überstieg mein Vorstellungsvermögen. Aber vielleicht täusche ich mich heute?

Ein Stein ist mir mit der bestandenen Prüfung nicht vom Herzen gefallen, obwohl doch damit ein wirklicher Abschluß, ein Abschnitt erreicht war. Vor mir der neue Berg, den ich nun langsam zu erklettern beginne: Die Promotion. Auch hier viele Aufregungen, bis endlich ein Anfang möglich wurde.

Vor Ostern hatte mir ein Besuch des Goethe-Schiller-Archivs und des Haus- und Staatsarchivs in Weimar Klarheit gebracht, daß – wie schon lange befürchtet – das Carl-August-Thema nicht fruchtbar sein würde, zur Zeit auch kaum möglich ist, da seit Herbst die literarische Korrespondenz des Herzogs, die noch ungedruckt ist, luftgesichert ist. Mit herrlichen Aussichten: Andreas dies klarzumachen und nun eine neue Arbeit zu erbitten, kam ich nach Heidelberg. »Papi« war höchst ungnädig, wenig gefällig. […] Doch gab er mir die Adresse Prof. Frauendiensts in Halle. Dessen Antwort kam leider erst, als alles schon ganz anders entschieden war. Seine Themen – ganz das, was ich gewollt, hochinteressant: z.B. »Rußlands Aspirationen auf das Mittelmeer«! Ich war geschlagen ob dieser Verkettung der Umstände, schrieb ziemlich impulsiv an Frauendienst zurück und freue mich nun noch heute über seine geradezu väterlich mahnende Antwort, die mir im rechten Augenblick die einzig mögliche Richtung wies: den eingeschlagenen Weg mit ungeteiltem Interesse und Willen zu betreten. Dieser Weg nun ist die Volkskunde.

Der äußere Anlaß dazu war einerseits die Suche nach einem Nebenverdienst, andererseits die Studentenführung mit der Drohung, uns dem Arbeitsamt zu melden, wenn wir nicht hauptamtlich beschäftigt seien nach dem Staatsexamen.

So kommt es, daß ich die Schwenkung zu Fehrle vollzogen habe. […] Ich bin nun Stipendiatin der Heidelberger Stiftung für Kunst und Wissenschaft, das Gute dabei ist, daß ich durch ein Arbeitsbuch (als wissenschaftliche Hilfskraft) gegen neue Angriffe von außen gesichert bin. Die wissenschaftliche Arbeit, die ich als Auftrag erhalte, ist zugleich meine Dissertation. Andreas ist mit dieser Lösung einverstanden.

16. VII. 44

Das Thema der Dissertation ist sehr schwierig, [...] alles ist so schwimmend. Die Aufgabe, die zu lösen ist, ist die Frage der schwarzen Farbe in der deutschen Tracht und Mode. Sind es religiöse Einflüsse, die die Kleidung so plötzlich im 16. Jahrhundert verdunkeln – von Spanien her, und welche geistige Haltung steckt hinter der Farbfeindschaft des späteren 19. Jahrhunderts etc. [...]

Da die deutsche Volkskunde ihren Platz im Fach Germanistik hatte, war *die Schwenkung zu Fehrle* unproblematisch, eine brauchbare Verlegenheitslösung – *das Thema* freilich *schwimmend*, wohl wahr, und weitab von meinen Interessen, die das Thema »Carl August und die deutsche Literatur« genau getroffen hatte.

Weimar, die schöne, unzerstörte Stadt »meines« Goethe – ein Hauch vom damaligen Glücksgefühl, das ich beim Besuch des Hauses am Frauenplan und seines Gartens empfand, weht von irgendwoher. Versunken dagegen ist die Enttäuschung darüber, daß das Quellenmaterial, das ich bearbeiten wollte, *luftgesichert* war, vor Bombenangriffen in Sicherheit gebracht, wohl in einem Stollen, unerreichbar für mich auf wer weiß wie lange.

Froh wäre ich, wenn ich endlich fertig wäre mit allem Studium und im Beruf Positives leisten könnte. Vor allem wünsche ich mir einen neuen, andersartigen Lebenskreis. Man kann sich allmählich in dem Heidelberger Mädchengewimmel nicht mehr wohlfühlen. [...]

Gisela hat mich für die Ferien eingeladen. Im Pitztal in Tirol hat sie ein Zimmer gemietet. [...] Doch kann ich mich noch nicht darauf freuen. Der Krieg lastet zu schwer auf uns allen. Trotzdem – wir in Heidelberg können uns noch nicht beklagen.

Mit Stalingrad 1942 hat das Unglück angefangen, dann kam der Verlust von Afrika. Dann die Kämpfe auf italienischen Boden verlagert. Im vorigen Herbst der italienische Verrat. Die Befreiung Mussolinis, die uns alle aufjubeln ließ, war nur eine kurze, glückliche Episode. Der Juni brachte nun einen neuen Einschnitt. Die feindliche Invasion in Frankreich und unsere neue Waffe gegen England. Doch kurz zuvor mußte Rom aufgegeben werden, und so, wie unsere tapferen Truppen jetzt in Italien der Übermacht Schritt für Schritt weichen müssen, ist es auch im Osten. Dort dringen die Russen unaufhaltsam vor – in Polen, im Baltikum, in Rumänien. Und an der Invasionsfront gewinnen die Anglo-Amerikaner mit ihren massierten Angriffen ebenfalls Boden. Dazu aber kommen die furchtbaren Luftangriffe, die nun im vergangenen Jahr Ausmaße erreicht haben,

*wie man sie niemals für möglich gehalten hätte. Dem Schicksal der
rheinischen Städte sind – weit schlimmer als diese – Hamburg und
Mannheim gefolgt. Im vergangenen Herbst begann die Bombardie-
rung Berlins, bei der auch S.s* [Giselas Familie] *ihre Wohnung verloren. Im Augenblick, gerade in dieser Woche, muß München, die
liebe schöne Stadt, dran glauben. Frankfurt wurde im Frühjahr zerstört. Römer- und Goethehaus, die alten kleinen Gassen, wir werden
sie nie wiedersehen. So kommt eine Stadt nach der anderen dran.
Auch Österreich wird nicht mehr verschont – wie lange wird Wien
noch stehen? –, und den Balkan suchen die Feinde mit den gleichen
Methoden mürbe zu machen. Wir fragen uns alle, was steht nun
noch bevor??? Deutschland kann doch nicht untergehen – und doch,
man sieht keinen Ausweg. Die Übermacht ist erdrückend. Ich glaube
gewiß so lange noch an ein annähernd gutes Ende, so lange man
nicht das Gegenteil schon mit Händen greifen kann. Dennoch – wir
sind tief bedrückt, man kann sich kaum noch einmal richtig freuen.*

*Eine Freude hatte ich gerade vor einer Woche. Am 8. Juli hat Lise-
lotte geheiratet, den frisch gebackenen Dr. med. Walter H. Ich war,
wie Hilde und Edith, in Oppenheim zur Hochzeit eingeladen* […]*,
eine rechte Jugendhochzeit* […]*. Es tat so wohl, einmal ein richtiges
Fest zu erleben.* […]
    Auch Eva E. […] *hat geheiratet. Und Rotraut ist gar schon Mut-
ter von einem kleinen Gerd. Hanna ist verlobt.* […] *Nur Irms* […]
und Gisela und ich sind noch solo […]*.*

Ein Jahr Kriegsgeschichte, eine Geschichte der Niederlagen an allen
Fronten, nicht zuletzt an der Heimatfront – wozu sie nachträglich
beschreiben? Mir fehlte *jegliche Lust dazu.* Ein kursorischer Überblick genügte mir, um die Lücke im Tagebuch zu füllen.
    »Die labilen Volksgenossen (sind) geneigt, im Fall von Stalingrad
den Anfang vom Ende zu sehen«, stellte der Sicherheitsdienst (SD)
in einem Bericht über die Stimmung in der Bevölkerung in jener
Zeit fest, *mit Stalingrad hat das Unglück angefangen,* befand ich im
Tagebuch. Was als *der italienische Verrat* angesehen wurde, empörte und schmerzte mich besonders. Am 3. September 1943,
kaum sechs Wochen nachdem die kriegsmüden Italiener ihren
»Duce« unter dem Eindruck der alliierten Landung in Sizilien entmachtet hatten, unterzeichnete der Bevollmächtigte des neuen Re-
gierungschefs, Marschall Badoglio, in aller Heimlichkeit einen Waf-
fenstillstandsvertrag mit den Alliierten, dem erst Tage später die
offizielle Kriegserklärung an den bisherigen deutschen Bündnispart-

ner folgte. Hitler ließ den zunächst verschollenen »Duce« aufspüren und durch eine spektakuläre Fallschirmspringeraktion in den Abruzzen befreien – *eine kurze, glückliche Episode*. Die »Faschistische Republik«, die Mussolini, nun eine Marionette am deutschen Führungsfaden, in Norditalien gründete, zählte nichts mehr.

Wie ist es möglich, frage ich mich heute beim Nachlesen dieser Hiobsbotschaften der vorangegangenen Kriegsmonate, daß ich mich am 4. Juli 1944 noch immer an die Hoffnung auf ein *annähernd gutes Ende* klammern konnte? Gehörte ich damit nicht schon zur Minderheit der Deutschen? Blieb ich denn auch jetzt noch unbelehrbar, so, wie Hitler es in seiner Rundfunkrede vom 10. September 1943, nach dem Ausscheren Italiens aus dem Bündnis, gefordert hatte? »Ich erwarte nun gerade in dieser Zeit, daß die Nation mit verbissenem Trotz auf sämtlichen Gebieten dieses gewaltigen Kampfes erst recht ihre Pflicht erfüllt.« »Verbissener Trotz«? Nein. Was also drückte die Vogel-Strauß-Haltung aus? Daß ich mich selbst aufgeben müßte, wenn ich die Hoffnung fahren ließe? Hier sprach meine Vernichtungsangst, mit Deutschland müßte auch ich zugrunde gehen. Darum die gebetsmühlenhafte Formel *Deutschland kann doch nicht untergehen*. Doch der Zauberspruch hatte seine Kraft längst eingebüßt.

26. Oktober 1944, Alzey
Vielleicht ist es recht sinnlos, noch etwas niederzuschreiben, denn wer weiß, vielleicht muß in ein paar Wochen doch alles verbrannt werden. Ja, was hat sich doch alles in den letzten Monaten so ungeheuer gewandelt!

Vollständigkeit habe ich mit meinen Erlebnisberichten seit langem nicht mehr im Sinn. Es wäre auch allzu unerfreulich, diese Zeit der Spannung, des ewig lastenden Druckes, der Angst und Sorge vor der Zukunft und die sich ständig verschlechternde Kriegslage ausführlich zu schildern.

Nach den beiden ersten grandiosen Jahren des Kriegserfolges hätte man das, was heute ist, niemals für möglich gehalten. Alle unsere Bundesgenossen sind dem Druck der Lage erlegen. Wie mag es Dorrit in Finnland gehen? Ich erfuhr gerade noch, daß sie geheiratet hat.

Der unfaßbare englisch-amerikanische Durchbruch in Frankreich, in der Bretagne, dem der fast völlige Verlust des Westraums folgte – und nun hat der Feind im Osten und Westen die Grenze längst überschritten. Aachen ist verloren!!! Man kann das allmählich nicht mehr begreifen. Wo bleiben nun die versprochenen neuen Waffen?? Auch mein ewiger Optimismus und Glaube ist nun fast ganz dahin. Was hat das Schicksal noch mit uns vor? Die ersten Tiefflieger-Angriffe auf Alzey! Überhaupt die Tiefflieger – es gibt keine Sicherheit mehr. Pfingsten hat diese Art des Luftterrors begonnen. – Das ganze Volk steht nun im Kampf – die Bildung des Volkssturms beweist wie keine andere Maßnahme, in welcher höchsten Not wir uns befinden. 20–24jährige Mädchen werden zur schweren »Flak« [Flugzeugabwehrkanonen] einberufen. Vielleicht kommen wir auch noch dran?

Die erneute totale Kriegserklärung hat viele Änderungen gebracht. Auch ich habe meine Stelle bei Fehrle aufgeben müssen. Dank meiner eigenen Initiative bin ich jetzt seit dem 5. Oktober in Alzey bei der Heeres-Zahnstation, einer Abteilung des Kriegslazaretts, als Sprechstundenhilfe eingesetzt. Ein Glück, in so schwerer Zeit daheim zu sein. [...] Hinter allem steht für mich aber nun noch das Gespenst des Schuldienstes. Naja, abwarten.

Wie mag es Dorrit in Finnland gehen? Zum zweitenmal war unsere Briefverbindung abgerissen. Die traditionell deutsch-freundlichen Finnen, die Verlierer des von der Sowjetunion provozierten Winterkriegs 1939/40, waren zu Beginn des Rußlandfeldzuges als »mitkriegsführend« unter dem Oberbefehl von Marschall Mannerheim wieder an der Seite Deutschlands angetreten, hatten sich jedoch, unter anderem entsetzt über die deutschen Greueltaten im Baltikum, den einstigen Freunden entfremdet. Sie wollten nicht weiterkämpfen. Die militärischen Erfolge der Sowjetunion, der Verlust Kareliens führten schließlich am 19. September zum finnisch-sowjetischen Waffenstillstand.

Nein, es lohnte sich nicht mehr, die kriegerischen Ereignisse aufzuschreiben. Nur eine Nachricht mußte ich, besonders deutlich markiert, in diesen Wochen festhalten: *Aachen ist verloren!!!* Das Ende der Schlacht um die weitgehend zerstörte alte Stadt bedeutete nicht nur, daß ein Symbol verlorenging – um jeden Preis hatte Hitler »die Wiege des Heiligen Römischen Reiches Deutscher Nation« erhalten wollen –, an diesem 21. Oktober fiel zum erstenmal auch eine deutsche Großstadt in »Feindeshand«. Und dies geschah im Westen! Und im Osten? Nahm ich, angesichts der Masse der Unheilsnachrichten, überhaupt noch wahr, daß dem russischen Einmarsch in Ostpreußen eine weit größere Katastrophe als die von Stalingrad vorausgegangen war? Die sowjetische Großoffensive, die am 22. Juni, dem Jahrestag des deutschen Angriffs gegen Rußland 1941, begann, kostete 350000 deutschen Soldaten das Leben.

Das Unvorstellbare war Wirklichkeit geworden: *Nun hat der*

Feind im Osten und Westen die Grenze längst überschritten. Jetzt tobten die Kämpfe in u n s e r e m Land! *Wo bleiben nun die versprochenen neuen Waffen??* – ein Schrei, in dem Verzweiflung und ohnmächtige Wut sich mischen. Ja, die »Wunderwaffen«. Schon im Februar 1943 hatte Hitler an der Ostfront die Soldaten mit dem Versprechen belogen: »Unbekannte, einzigartig dastehende Waffen sind auf dem Weg zu euren Fronten.« Zwar lag London, als ich mich im Tagebuch entlastete, seit vier Monaten unter dem Dauerbeschuß der neuen Flugbomben V1, und seit Wochen zeigte auch die überschallschnelle Fernrakete V2, gegen die es keine Abwehr gab, dort ihre Zerstörungskraft – aber was nützten die Erfindungen der Peenemünder Konstrukteure u n s ? *Mein ewiger Optimismus und Glaube,* auch jetzt noch war er erst *fast ganz dahin.* Fast! Nun bin ich es, die Alte, der es – *unfaßbar* – beim Lesen die Sprache verschlägt. Ja, unfaßbar. Eine Ertrinkende, die sich, während die Wellen über ihr zusammenschlagen, an ein Stück Treibholz klammert. Nur noch im Bild kann ich die Junge begreifen.

Die Sorge vor einer deutschen Atomwaffe, die der Emigrant Einstein 1939 gegenüber Roosevelt äußerte, führte zur Entwicklung der amerikanischen Atombombe; Goebbels Drohungen mit der »Wunderwaffe« verstärkten die Anstrengungen der USA. Wir wußten damals nichts davon, hofften aber, daß eine »Wunderwaffe« uns vor dem Schlimmsten bewahren könne. Wenn ich heute lese, *wo bleiben nun die versprochenen neuen Waffen,* frage ich mich zwangsläufig, wieviel größeres Unheil noch über unsere »Feinde« gekommen wäre und wieviel länger der Krieg gedauert hätte, wenn Hitler die Atombombe hätte einsetzen können?? – Fast ein halbes Jahrhundert nach dem Krieg ist das Wort »Wunderwaffe« für mich verwachsen mit einem verstörenden Bild, das ich in Nagasaki sah: der Schatten eines Menschenkörpers, vom Atomblitz eingebrannt in einen Stein und so verewigt, bevor die Gewalt der Explosion ihn in Staub zerfallen ließ – ein Menetekel ohnegleichen. –

Das ganze Volk steht nun im Kampf. Zwei Maßnahmen vom 25. August bestimmten bis Kriegsende das Schicksal von Millionen Menschen. Ein Erlaß Hitlers verfügte die *Bildung des Volkssturms* und verpflichtete alle 16- bis 60jährigen Männer, »den Heimatboden mit allen Waffen und Mitteln (zu) verteidigen«. Betroffen waren 6 Millionen Männer, die aus beruflichen, Alters- oder Gesundheitsgründen bisher freigestellt waren. Die lügenhafte Begründung lautete: »Er (der Feind) strengt seine Kräfte an, um unser Reich zu zerschlagen, das deutsche Volk und seine soziale Ordnung zu vernichten. Sein letztes Ziel ist die Ausrottung des deutschen Menschen.« So projizierte Hitler Absichten und Motive, die seinem Krieg im Osten zugrunde lagen, auf das Feindbild, auf das er fixiert blieb: »Dem uns bekannten totalen Vernichtungswillen unserer jüdisch-internationalen Feinde setzen wir den totalen Einsatz aller deutschen Menschen entgegen.« Diesen »totalen Einsatz« sollte Goebbels sicherstellen. Er wurde am gleichen Tag zum »Reichsbevollmächtigten für den totalen Kriegseinsatz« ernannt.

Die zweite »totale Mobilmachung«, im Tagebuch sinngemäß richtig als *erneute totale Kriegserklärung aufgefaßt,* veränderte auch mein Leben. Wissenschaftliche Arbeit und Dissertation waren nicht mehr wichtig. Mir drohte nun der Arbeitseinsatz in einer Rüstungsfabrik. *Dank meiner eigenen Initiative* konnte ich ihm entgehen. Ich packte meine Siebensachen und fuhr nach Hause. *Das Gespenst des Schuldienstes,* dem ich mit der Promotion hatte entgehen wollen, stand weiterhin am Horizont, da ich das Staatsexamen für das Lehramt an höheren Schulen in der Tasche hatte. Im Frühjahr, wenn das neue Schuljahr begann, würde ich mich als Referendarin zur Verfügung stellen müssen.

[26. Oktober 1944, Alzey]
Etwas sehr Trauriges: Hilde J. ist am 30. August auf dem Weg in die Heimat als DRK-Helferin in Griechenland das Opfer eines Tiefflieger-Angriffs geworden. So gehen sie alle dahin. Nun auch die jungen Mädchen. Wann wird dies Elend ein Ende nehmen?
Des Traurigen ist so viel; doppelt gerne verweile ich daher bei dem wenigen Schönen und Frohen, das mir widerfährt. [...] Das schönste Erlebnis dieses Jahres war gewiß der gemeinsame Urlaub mit Gisela in Tirol in der zweiten Augusthälfte. [...]

Auch mit Hilde J. starb wieder ein Stück meiner Alzeyer Jugend. Ihr Vater war ein Vetter meiner Mutter, unsere Familien verband eine enge Freundschaft, und wenn es Freizeitvergnügen gab, erlebten wir sie gemeinsam.

Die beiden Ferienwochen in der zweiten Augusthälfte mit Gisela, die mich einladen konnte, weil sie in guter Position bereits Geld verdiente, haben einen festen Platz in meinem Gedächtnis. Nicht nur, weil sie mir die ersten Ferien meines Lebens ohne Eltern und nicht bei Verwandten bescherten.

Gewiß hätte ich nicht erwartet, in Alzey auch nur irgendwelche Anregung zu haben, jetzt, da ich unfreiwillig auf wer weiß wie lange in Alzey bin. Und doch ist es so gekommen, durch meine neue Tätigkeit, die mir, da sie allem Bisherigen völlig entgegengesetzt ist und einem neuen Bedürfnis nach praktischem Leben entgegenkommt, doch Freude macht.

Außer dem Stabsarzt F. sind vier Zahnärzte auf der Station, gewesen, muß ich heute sagen. Dr. R., D., M. und W. Dazu die Dentisten St. und Sch. – sie bildeten nach wenig Tagen zusammen mit Schwester Ilse und deren Freundin Elisabeth und mir eine nette Clique, die des Sonnabends nun schon des öfteren nach Weinheim etc., also »auf die Dörfer« zog zum Weintrinken. [...]

Ich bin irgendwie nicht geduldig genug, es fehlt mir die Ruhe, hier in Einzelheiten darzustellen, was sich ereignet hat. Nur das Wesentliche: Dieter W. und ich fanden von Anfang an großen Gefallen aneinander. Selten habe ich einen Mann von so großer Liebenswürdigkeit und so bezaubernd frischem Wesen gesehen, 35 Jahre alt, etwa vier Jahre verheiratet, große Praxis in D., reich, verwöhnt in allen Dingen, die das Leben angenehm machen, ein großer Freund und Kenner der Frauen. Ein Mann, der immer lieben muß und wohl nie treu sein kann. Und man muß ihn gern haben. [...]

Meine Sympathie und Vorliebe für ihn wuchs mit jedem Tag. Und er war immer so reizend zu mir. Es schien zwei Möglichkeiten unserer Beziehung zu geben: eine Freundschaft kameradschaftlicher Art, wie sie mich mit Dr. B. noch heute verbindet und bei der eine sehr warme Verehrung im Hintergrund steht. Diesem Bilde entsprach sein Benehmen, wenn wir allein waren, und der wunderschöne Sonntag mittag, den er bei uns zu Hause verbrachte. Auf der anderen Seite – ein kleiner Flirt, wie er auch zwischen M. und Ilse besteht, ohne der Ehe des Mannes einen Abtrag zu tun.

Heute weiß ich, daß vielleicht alles sehr anders gekommen wäre – am Montag wurde Dieter W. von seiner Versetzung benachrichtigt, abends feierte die ganze Clique bei uns seinen Abschied. Wir tagten bis zum Morgen, ich brachte ihn dann zur Bahn. In die Frühe fällt die kleine Stunde, die mir als eine schmerzlich-süße wohl unvergeßlich sein wird. [...]

Beim Abschied durften wir uns nun wohl sagen und eingestehen, was sonst noch lange nicht über die Lippen gekommen wäre. Lange werde ich noch daran denken, wie wir beide an dem Türrahmen der Haustüre lehnten, draußen regnete es ein bißchen, es war noch Nacht. [...] Eines erkannten wir nun – es wäre wahrscheinlich eine große Liebe geworden zwischen uns beiden. Und ich wäre, zum erstenmal, zu allem bereit gewesen. [...] In dieser Zeit, da man nicht weiß, ob man morgen noch lebt, wäre ich gerne einmal ganz glücklich gewesen [...], die Umstände, seine Ehe, alles hätte mich nicht berührt. [...]

Manchmal frage ich mich – ist das nun Schlechtigkeit, diese Gedanken, die so ganz der bürgerlichen Moral entgegengesetzt sind!? Gut, daß Mutti keine Ahnung hat, sie könnte mich nie begreifen. [...] Es ist wohl der Krieg, die Lebensgier im Angesicht des Sterbens und der Vernichtung ringsum und unser Alter, dem der Ehestand wirklich gemäß wäre – anders kann ich mir diesen Wandel oder die Entwicklung meiner Anschauungen nicht erklären. Bei Dieter W. [...] hätte ich das Empfinden gehabt, wenn ich auch, vom bürgerlichen Standpunkt betrachtet, unrecht gehandelt hätte, ich wäre mir doch nicht untreu geworden. [...] Für sein Temperament kann keiner was, es auf die Dauer zu unterdrücken, kann nicht gut gehen. [...] Auf der Zahnstation gefällt es mir nun bedeutend weniger. [...]

Dieter W.? Die Person, die Szene, die »Selbsterfahrung« – blasse Schemen. Wieder füllt das Tagebuch eine Gedächtnislücke, befriedigt das Interesse an der eigenen Entwicklungsgeschichte. Während »man«, der *Mann, der immer lieben muß und wohl nie treu sein kann,* in der Abschiedsstunde ohne Gefahr von Komplikationen und Risiken noch ein bißchen Zündeln spielte, schloß »frau« endlich die Türe zum selbstbestimmten, lustvollen Leben auf, wenn dies auch noch nicht der Augenblick war hindurchzugehen.

Die ausführliche Darstellung der ganz persönlichen Geschichte zeigt, wie das Tagebuch in einer Zeit erhöhten psychischen Drucks zur seelischen Selbstregulierung verhilft. Je schlechter die Kriegsnachrichten, je größer die Ängste, desto mehr Bedeutung erhält das Ureigene, ganz Persönliche, gerade wenn es erfreulich ist: Ich fühle mich, also bin ich, also hoffe ich weiter auf bessere Zeiten und erhalte mir so mein Gleichgewicht.

4. März 1945, Alzey
Ganz ungeheuerlich geradezu hat sich das Antlitz des Krieges in den vergangenen Monaten verwandelt – oder man kann wohl auch sagen, daß die Entwicklung des Kampfes den angebahnten schreckensvollen Weg folgerichtig weiterging. Einen traurigen Weg – wobei wir nicht wissen, ob wir überhaupt das Ende noch miterleben werden.

Das Schlüsselwort in diesen beiden trauervollen Sätzen kennzeichnet nicht nur meine persönliche Sicht der Entwicklung, es gibt die allgemeine Überzeugung in diesen letzten Kriegswochen wieder: Der kontinuierliche Niedergang war *folgerichtig,* geschah in richtiger Folge, genauso wie in den ersten Kriegsjahren das Siegen. Anders ausgedrückt: So, wie wir damals hochgestimmt ständig den nächsten Sieg erwarteten, so waren wir in diesem depressiven Zustand auf die richtige, die gerechte Folge, nämlich die Bestrafung, gefaßt, entsprechend den Erfahrungen, die wir als Kind gemacht hatten, wenn wir – »das kommt davon« – *folgerichtig* geohrfeigt wurden.

Vor Weihnachten schon war uns bitterschwer ums Herz. Dann aber konnten wir vor dem Fest doch noch ein wenig aufatmen, als unser Gegenstoß den raschen Ansturm des Feindes im Westen stoppte. Zugleich aber begannen für unsere engere Heimat hier die häufigen Tieffliegerangriffe. Weihnachten und Neujahr 1944/45 sind in diesem Punkt unvergeßlich. Wir haben sie im Wesentlichen im Keller verbracht. […] Allmählich leben wir nun fast in Daueralarmzustand, nur während der großen Januarkälte war es weniger schlimm. Die Tiefflieger sind vor allem beim herrlichen Sonnenwetter eine wahre Plage. Anfangs war es in der Hauptsache das Bahngelände, das ihnen Ziel war, dann fielen manche Bomben schlecht gezielt auch in die Stadt. In den letzten Wochen gab es jedesmal Tote dabei. Der Roßmarkt sieht schon übel aus, die malerische Schönheit dieses alten Plätzchens hat sehr gelitten. Was wird am Ende des Krieges überhaupt noch übrig sein? Die Umgebung des Bahnhofes ist zerstört, Großmamas Haus stark beschädigt. Tante Gertrud haust zur Zeit dort noch im Keller, damit nicht, was dorthin geborgen wurde, ausgeräubert wird! Großmama wohnt seit Jahreswechsel bei uns. […]

Der Krieg hat sich zu unseren Ungunsten verändert, wie man es niemals, auch nicht in trübster Stunde, für möglich gehalten hätte. Ach, es ist so unsagbar bitter und nicht abzusehen, wie es weitergehen wird!! Im Osten konnten wir den furchtbaren russischen Sturm nicht aufhalten. In unfaßbar kurzer Zeit wurde Ostpreußen fast völlig überrannt, der Warthegau verloren, Schlesien überflutet. In der Festung Breslau, die eingeschlossen ist, toben bittere Kämpfe, desgleichen in Oberschlesien, in Pommern. Wir wollten es nicht glauben, daß die Russen nicht 100 Meter mehr vor Berlin stehen!! Die Reichshauptstadt wird zur Festung ausgebaut (meine Gisela, was wird aus Dir???). Im Westen steht es nicht besser. Der Feind hat nun bei Straßburg den Oberrhein und bei Düsseldorf vor wenigen Tagen den Mittelrhein erreicht. Im Augenblick toben die Kämpfe in Trier, Krefeld und vor Düsseldorf. Die Stoßrichtung des Feindes richtet sich auf das Ruhrgebiet, auch im Saargebiet und an der Mosel macht er Fortschritte. Das Ziel ist ja wohl die Eroberung des Ruhrgebietes und durch die norddeutsche Tiefebene von Westen her der Vormarsch auf Berlin, wie ihn die Russen von Osten her versuchen. Und wir, links-

rheinisch, fürchten, im Kampf überrannt oder vom Reichsgebiet ab-
geschnitten zu werden. Was kommt???
   Und zu all dem die wahnsinnigen Luftangriffe auf unsere Städte.
Sie sind so furchtbar, daß alles andere davor verblaßt. Sie übertreffen
alles, was der Feind uns bisher schon angetan hat. Millionen Men-
schen sind so schon untergegangen, verbrannt, zerfetzt, erschlagen.
Man darf nicht denken, so grauenvoll ist es. In ganz schnellen Schlä-
gen ist so Dresden, die Barock-Stadt, (in 36 Stunden 5 Terroran-
griffe!!) vernichtet worden. Mainz ist vor wenigen Tagen durch Phos-
phor-Brände geradezu ausradiert worden. Es gibt keine Stadt mehr
in der weitesten Umgebung, die nicht zum großen oder größten Teil
zerstört ist, Heidelberg ausgenommen.
   Und dabei spricht die Regierung noch von Sieg! Im innersten Her-
zen wohl will ich auch nicht glauben, daß unserem Volk der Unter-
gang bestimmt sein soll. Aber wenn man nur ein klein wenig nach-
denkt, wird einem schwarz vor Augen. Man sieht keinen Lichtpunkt
mehr. Die neuen Waffen erscheinen nicht, wohl nie mehr. Daß die ge-
plant und wohl zu bauen begonnen waren, glaube ich gewiß, aber nun
konnte die Fertigstellung nicht mehr gelingen, nachdem die Russen
in Schlesien eingedrungen sind. Dorthin war ein ganz großer Teil un-
serer Kriegsindustrie verlagert. Und nun Ruhr- und Saargebiet un-
mittelbar bedroht. Dazu die schlimme Ernährungslage – die großen
Güter des Ostens verloren, viele andere Kampfplatz, – im Westen
machen die Tiefflieger die Feldbestellung fast unmöglich. Mein Gott,
was soll noch werden? Aber wir dürfen doch den Krieg nicht verlieren,
was droht uns danach erst!
   Man darf nicht weiterdenken als bis zum heutigen Tag – und ver-
mag es doch nicht! Daß uns der Blick in die Zukunft einmal so grau
verhängt würde, wer hätte das gedacht. Was steht uns noch bevor –
wenn uns überhaupt beschieden ist, das Kriegsende zu erleben? Gibt
es für uns noch einmal wahrhaft frohe und gar glückliche Stunden?
Wir sind doch noch so jung und haben noch nicht gelebt. [...]

Endlich. Ich machte mir keine Illusionen mehr. Angesichts der dra-
matischen Entwicklung an allen Fronten konnte ich mich nicht
länger selbst belügen. Unsere *Zukunft* war ungewiß, auch meine,
wenn ich auch in der Kleinstadt vorerst immer noch viel weniger
gefährdet war als die Menschen in den großen Städten, die gnadenlos bombardiert wurden, nun auch im Osten. Der unerwartete
Luftangriff der Alliierten auf Dresden, die bislang verschont gebliebene Kunststadt, am 13./14. Februar, erfolgte in drei Wellen nach
dem Muster der Operation »Gomorrha«, dem Angriff, der im

Sommer 1943 Hamburg so furchtbar getroffen hatte. Die wissenschaftlich anerkannte Zahl nennt 35000 Opfer, die durch Bomben und einen drei Tage währenden Feuersturm umkamen. 250000 Menschen wurden obdachlos. Der barbarische Schlag gegen die unverteidigte, mit schlesischen Flüchtlingen überfüllte Großstadt schockierte nicht nur die deutsche Öffentlichkeit und die NS-Regierung, die die Tragödie propagandistisch ausschlachtete; daß es sich um den schlimmsten aller Luftangriffe handelte, den je eine deutsche Stadt erleiden mußte – er stieß selbst in Großbritannien auf Kritik –, läßt das Tagebuch nicht erkennen. Mainz lag mir näher, geographisch und im Gefühl. Es erlitt am 27. Februar den schwersten seiner Luftangriffe; er brachte 12000 Menschen den Tod. Auch die Wahrnehmungsschwäche gegenüber dem Schicksal von Millionen Deutschen im Osten, gegenüber Flucht und Vertreibung, hing mit meiner Bindung an den Westen zusammen.

Selbst jetzt noch blieb ich einäugig, sah nur die deutsche Seite des Kriegselends. Den offiziellen Bekundungen vermochte ich nicht mehr zu glauben, aber der Furcht vor Strafe und Vergeltung setzte ich immer noch meine beschwörende Litanei entgegen: *Wir dürfen doch den Krieg nicht verlieren!* Im tiefsten Inneren wußte ich es längst, Übles stand uns bevor – falls wir überlebten. Aber die Einsicht, daß der »Führer« für diese Jugendzeit im Zeichen des Kriegs die Verantwortung trug und daß ich und meinesgleichen, die ihn gestützt und gestärkt hatten, nicht frei von Mitschuld waren, kam mir noch nicht.

Die einzige Freude, die ich im Augenblick noch habe, sind Bücher, Radio und Kinobesuche, die ich trotz der Alarme noch unternehme.

Ganz nahe bin ich in der letzten Zeit Ernst Wiechert gekommen. Er erscheint mir als der innerlichste und wahrhaftigste Dichter der Gegenwart, der, der uns zur Zeit am meisten zu geben hat. Lebt er noch? Oder ist es wahr, daß er nach seinen bitteren Erlebnissen Selbstmord beging? Ich möchte es nicht glauben. Es entspräche wohl seiner schwermütigen Wesenslage, aber in seiner Entwicklung hat er wohl auch dies überwunden.

Ernst Wiechert. Vergangen ist die Erinnerung an die Bücher, die mir damals so viel bedeuteten, »Das einfache Leben« vor allem. Verbunden geblieben mit dem Namen ist eine undeutliche Empfindung von Ruhe, Stille, innerer Einkehr.

Der christlich geprägte, vielgelesene Ostpreuße wurde anfangs von den Nazis geduldet, doch er ließ sich nicht als »Blut und Boden«-Dichter vereinnahmen. Ein öffentlicher Vortrag an der Münchner Universität 1937, in dem er warnte, die Nation stehe »am Rande eines Abgrundes« und werde »vom ewigen Richter verurteilt«, wenn sie nicht »zwischen Recht und Unrecht zu unterscheiden« lernte, brachte ihm als »Verführer und Verderber der Jugend« einige Monate Haft im KZ Buchenwald ein, Wiechert kehrte als gebrochener Mann heim. Selbstmord beging er nicht. Was, wieviel mir von seinen *bitteren Erlebnissen* zu Ohren gekommen war, vermag ich nicht mehr auszumachen. Erst seine Nachkriegsbücher gaben darüber Auskunft.

»Das einfache Leben« schrieb Wiechert nach seiner Lagerzeit. Es erschien 1939 und wurde ein Bestseller über den Krieg hinaus. Mit dieser »Tornisterlektüre des deutschen Herzens« (Franz Schonauer) folgte ich dem Autor mit vielen Deutschen zusammen auf seinem Rückzug in die Innerlichkeit und fand darin Trost und Überlebenshilfe.

Wo werde ich in 6 Wochen sein? Eigentlich gegen meinen Willen jetzt hat sich alles so entwickelt, daß ich Anfang April in Heidelberg in den Schuldienst treten soll. In mir spricht nun dagegen: Ich möchte Mutti am liebsten in den kommenden Monaten der Entscheidung nicht allein lassen – in Heidelberg befürchte ich nun doch auch große Angriffe. Und schließlich ist die Ernährungslage dort sehr schlecht, wird noch schlechter, während ich da in Alzey geringere Sorgen hätte. Mit Freuden allerdings verlasse ich die Zahnstation. [...]

Auch jetzt, da ich dies Buch wieder aus der Hand lege, frage ich mich, wann und welch üble Nachrichten ich dann wieder eintrage? Oder ob ich es gar am Ende noch vernichten muß, wenn es nicht durch Feindeinwirkung verloren geht?

Hin und wieder aber habe ich doch immer wieder das Bedürfnis, kurz die Summe vergangener Wochen zu ziehen, so wie auch heute. Es wäre mir leid, wenn ich alle die Bücher, die Zeugen meiner Entwicklung, in die ich so manches Mal mein Denken und Fühlen schrieb, verlieren würde. [...] Und doch, wie viele Millionen deutscher Menschen mußten und müssen sich in diesen schweren Kriegsjahren von allem trennen, was ihnen lieb und teuer war, und mußten froh und dankbar sein, daß wenigstens das Leben ihnen blieb.

Alzey, 16. III. 45 [mit Bleistift geschrieben]
Wir stehen kurz vor dem einschneidendsten Ereignis, das uns der Krieg bringen kann. Die Amerikaner kommen! Das linke Rheinufer ist von Xanten bis Koblenz-Bacharach in Feindeshand. Heute

früh große Aufregung in der Stadt durch die Nachricht, die Ameri-
kaner haben in der Nacht Simmern im Hunsrück genommen, ste-
hen nun vor Kreuznach und Bingen. Es kann nicht lange mehr dau-
ern, bis sie hier sind, vielleicht heute Nacht, vielleicht morgen früh,
vielleicht später.

Überall fieberhaftes Packen der Militärstellen. Am Abend fingen
wir auch auf der Zahnstation damit an. Ich habe damals in der Ni-
belungenschule einrichten helfen, habe den Umzug mitgemacht, nun
helfe ich wieder beim Einpacken. Es ist mir bitter.

Nach Heidelberg kann ich nun nicht mehr. Dies Problem löst sich
von selbst. Viele Leute, P.G.'s (Parteigenossen) und Familien (!) fuh-
ren heute Nacht und werden noch über den Rhein gehen. Wir gaben
Briefe mit, an Hermann vor allem. Was wird noch kommen? Es ist
uns nicht wohl zumute. Hungern werden wir müssen, und mich be-
drückt jetzt schon die Frage – was wird aus uns Jungen? Werden sie
uns wegschleppen, irgendwohin zur Arbeit?? Beispiele genug hat ih-
nen Deutschland gegeben!

Und wann wird der ganze Krieg zu Ende sein? Was wird erst da-
nach kommen an Trauer und Unheil? Was wird aus unserem Her-
mann werden?? Wenn er den Krieg übersteht. Ach, es ist nun auch
schlimm für ihn, nichts mehr von uns zu hören. Der Himmel sei uns
gnädig und beschütze ihn. Lieber Gott, gib, daß wir uns am Ende des
Krieges alle gesund wiederfinden! Laß Deutschland nicht ganz ver-
gehen!

Nun gab es keinen Zweifel mehr, uns jedenfalls stand das Ende des
Krieges kurz bevor. Nur noch 25 bis 30 Kilometer waren die Amerikaner von Alzey enternt. *Es ist uns nicht wohl zumute,* kein Wunder. Die Hoffnung, daß wir dem bitteren Ende entkommen könnten, fand keinen Ankergrund mehr. Konfrontiert mit der Einsicht,
daß der Krieg verloren war, konnte ich auch nicht länger verdrängen, was ich über uns wußte: Unrecht hatten wir begangen, verstoßen gegen die gute, alte Regel »Was du nicht willst, daß man dir
tu, das füg' auch keinem andern zu«. Was drohte uns Jungen nun?
»Wie du mir, so ich dir«? *Werden sie uns wegschleppen, irgendwohin*
zur Arbeit? Beispiele genug hat ihnen Deutschland gegeben!

Endlich ist es gesagt. Aber erst in allerletzter Minute, als alle inneren Schlupflöcher verstopft waren und das Unheil dich selbst betraf, hast du es über dich gebracht, dir die Wahrheit einzugestehen.
Oh, junge Lore, es ist eine Schande. Deine Jugend entschuldigt dich
nicht.

Was fehlt im Tagebuch?

1944

Zwei Wochen nach dem Beginn ihres Großangriffs gegen die Heeresgruppe Nord, am 28. Januar, gelang es der Roten Armee, das belagerte Leningrad zu befreien. Hitlers Vorhaben, Moskau und Leningrad auszuhungern und dem Erdboden gleichzumachen, war gescheitert. Leningrad aufgegeben? Nur eine schlechte Nachricht unter vielen damals. Ich hatte mein Examen im Kopf und nicht das Tagebuch. Und: was ging mich Leningrad an? *Unfaßbar!* Wie oft findet sich der Schreckensruf in meinem Tagebuch. Das Unfaßbare, gefaßt in Zahlen: 900 Tage währte die deutsche Belagerung. Mehr als ein Drittel der Bevölkerung überlebte sie nicht, das heißt, über eine Million Menschen kamen um – allein in einer einzigen Stadt, ja, nach jüngsten russischen Erkenntnissen betrug die Zahl der Blockadeopfer, Soldaten, Zivilisten einschließlich der an den unmittelbaren Folgen Gestorbenen, bis zu 2,5 Millionen.

Die Aktion eines Kommandos der SS-Division »Das Reich« brachte am 10. Juni einem ganzen Dorf in Mittelfrankreich den Tod, eine Präventivmaßnahme gegen angebliche dortige Waffenlager der Résistance und als Vergeltung für Partisanenangriffe auf die Division, die sich auf dem Weg zur Invasionsfront befand. Hörte ich die Nachricht? Die Begründung hätte mich, fürchte ich, überzeugt. Daß Hitler die Untersuchung durch ein Kriegsgericht verhinderte, konnte ich nicht wissen. Und der Exzeß der Racheaktion, das Massaker? Es wurde verschwiegen. Was Coventry für die Engländer und Lidice für die Tschechen bedeutet, nationales Symbol für erlittene deutsche Gewalt, das ist Oradour-sur-Glane für die Franzosen. Das komplementäre Tagebuch skizziert das Verschwiegene: Die SS-Soldaten besetzten das Dorf, erschossen die Männer in Scheunen, trieben Frauen und Kinder in die Kirche und verbrannten sie bei lebendigem Leib. Noch heute legen auch die Ruinen von Oradour Zeugnis ab von dem Verbrechen der Nationalsozialisten an 642 Dorfbewohnern, von denen rund 500 Frauen und Kinder waren.

Das mißlungene Attentat auf Hitler am 20. Juli im ostpreußischen Hauptquartier »Wolfschanze« ist im Tagebuch nicht erwähnt. Drei Monate danach, als ich wieder zum Füllfederhalter griff, war ganz Privates aktuell, der gerade überstandene Wirbelsturm der Gefühle, der moralische Bedenken beiseite fegte.

Doch auch meine Erinnerung hat, wie so oft, nichts von dieser Sensation, die den Krieg vorübergehend bei der Bevölkerung in den Hintergrund drängte, aufbewahrt, nichts von der Unruhe nach Hitlers nächtlicher Rundfunkansprache: »Eine ganz kleine Clique ehrgeiziger, gewissenloser und zugleich verbrecherischer, dummer Offiziere hat ein Komplott geschmiedet, um mich zu beseitigen und zugleich mit mir den Stab praktisch der deutschen Wehrmachtsführung auszurotten. Die Bombe, die von dem Oberst Graf Stauffenberg gelegt wurde, krepierte zwei Meter an meiner rechten Seite. Sie hat eine Reihe mir teurer Mitarbeiter sehr schwer verletzt, einer ist gestorben. Ich selbst bin völlig unverletzt, bis auf ganz kleine Hautabschürfungen, Prellungen oder Verbrennungen. Ich fasse es als eine Bestätigung des Auftrages der Vorsehung auf, mein Lebensziel weiter zu verfolgen, wie ich es bisher getan habe. […] Diesmal wird nun so abgerechnet, wie wir das als Nationalsozialisten gewohnt sind.«

Ich brauche nicht nachzulesen, wie die uniforme Presse über den Attentäter und seine Gesinnungsfreunde geiferte. Ich weiß es. Und auch dies weiß ich, Widerstand, gar einen, der auf die Ermordung des »Führers« zielte, lehnte ich ab, auch hierin von Herkunft und Erziehung geprägt und immer noch an den Übervater Hitler gebunden. Widerstand war für mich ein Treuebruch, das Wort ein Fremdwort wie Diktator oder Diktatur. Das Attentat konnte ich nur abscheulich finden.

Wie aber, wenn ich das Schicksal der Verschwörer und der vielen der Opposition Verdächtigten, die in den folgenden Monaten verhaftet wurden, gekannt hätte? Wenn ich gewußt hätte von Pressionen und Folter, von Erniedrigung und Entwürdigung durch den Volksgerichtshof, wo die »Lehensmänner des Führers« unter dem Vorsitz von Roland Freisler »Recht sprachen«? Wenn ich Einzelheiten erfahren hätte von den Erschießungen, Selbstmorden oder davon, wie die Verurteilten, dies vor allem, an Fleischerhaken endeten, gemäß Hitlers Anordnung: »Ich will, daß sie gehängt werden, aufgehängt wie Schlachtvieh«?

Oder von der Sippenhaft, die die Familien und Verwandten der Beschuldigten traf und im Falle der Stauffenbergs sogar ein dreijähriges Kind und einen 85jährigen nicht verschonte? Das Fragen hört nicht auf.

Erst Jahre nach dem Krieg begann ich zu begreifen, was es für unsere Geschichte, die Entwicklung der Demokratie und für unsere nationale Identität bedeutet, daß es einen deutschen Widerstand gab wie den militärischen der Gruppe um den Grafen Stauffenberg, den bürgerlichen Carl Friedrich Goerdelers, den »Kreisauer Kreis«, aufrechte Christen wie Dietrich Bonhoeffer, die »Rote Kapelle«, die Studentengruppe der »Weißen Rose«.

Hätte eine andere Herkunft mich davor bewahrt, eine Mitläuferin zu werden? Wahrscheinlich. Mich Hitler zu entfremden, vermochte auch meine damals wichtigste Bezugsperon außer Mutter und Bruder, die Freundin Gisela, nicht, die aus ihrer ablehnenden Gesinnung gegenüber dem Nationalsozialismus kein Hehl machte. Es bedurfte einer anderen als der vermittelten Erfahrung. Mein Schlüsselerlebnis ereignete sich während unserer Ferien im Tiroler Pitztal.

Heimkehrend von einer Wanderung, wurde ich mit Gisela Zeugin einer Verhaftung. Wir gingen die Stufen zu unserem Gasthof hinauf, da kam er uns entgegen, der Mann, der gerade abgeführt wurde. An seine Gesichtszüge erinnere ich mich nicht, aber an einen Ausdruck von Angst oder Schrecken und wie fahl er aussah, der Herr Lohse, Besitzer oder Mitinhaber der Fabrik, die das beliebte Duftwasser »Uralt Lavendel« herstellte, damals die einzige Konkurrenz vom »Kölnisch Wasser 4711«. Herr Lohse machte wie wir Ferien in diesem Gasthof, er war magenkrank, vom Militärdienst vermutlich freigestellt, weil er in seinem Betrieb gebraucht wurde. Ein Zimmernachbar, ein Wiener Volksschullehrer nach meiner Erinnerung, hatte ihn bei der Gestapo denunziert, weil er Radio Beromünster eingeschaltet hatte. Wer das Programm eines »Feindsenders« oder eines neutralen Staates hörte, galt seit Kriegsbeginn als »Volksschädling« und mußte mit schweren Strafen rechnen. Je länger der Krieg dauerte, desto häufiger wurde gegen »Feindhörer« die Todesstrafe verhängt. Ich kann nicht sagen, ob dies sein Schicksal war oder ob Herr Lohse an seiner Krankheit und den Haftbedingungen zugrunde ging; sicher ist, daß die Denunziation ihn das Leben kostete. Ich erfuhr es nach dem Krieg.

Unser Entsetzen, die Gespräche über die Verhaftung, unsere Empörung über den Denunzianten, alles ist mir entfallen. Eines aber weiß ich genau: Als ich im September mit Sack und Pack wieder daheim angelangt war, erzählte ich meiner Mutter den Vorfall und nahm das Hitlerbild über dem Vertiko von der Wand. Meine Mutter sagte erschrocken, »wenn das jemand sieht!« Es hinderte mich nicht. Ich hatte Unrecht geschehen sehen und wie ein Mensch ausschaut, dem es widerfährt – mit meinen eigenen Augen! Der Boden, auf dem ich all die Jahre so sicher gestanden hatte, wankte.

Warum unterschlug ich diese erschreckende Erfahrung im Tagebuch, frage ich mich. War ich zu lustlos, weil sie *allzu unerfreulich* war oder – *vielleicht muß in ein paar Wochen doch alles verbrannt werden* – plagte mich eine heimliche Angst, die Angst der Abweichlerin vor der Entdeckung?

Nein, mutig war ich nicht. Was wußte i c h denn von der Angst, entdeckt zu werden? Und heute? Wessen Phantasie reicht hin, um sich ein Leben in der Angst vor Verfolgung und Vernichtung vorzustellen??

Zwei Menschen bezeugen für alle Zeit den inneren Widerstand und das Elend im Exil mit ihren Mitteln: der Maler Felix Nußbaum, der am 22. Juni mit seiner Frau in seinem Brüsseler Versteck entdeckt und in Auschwitz ermordet wurde, durch seine Bildsymbolik, das Mädchen Anne Frank durch die Zwiesprache mit sich selbst – »Liebe Kitty!« – in seinem Tagebuch. Die Amsterdamer »Geschichte unserer Untertauchzeit« dokumentiert erschütternd die Lebensbedingungen in dieser extremen Grenzsituation und die Entwicklung einer 13- bis 15jährigen während ihrer »Denkjahre im Hinterhaus«, die sich durch radikale Selbstkritik, »außergewöhnlich viel Lebensmut« und Humor auszeichnete. »Ich will noch fortleben nach meinem Tode« – sehr jung erreichte sie schon ihr Lebensziel, erwies sie sich als begabte Schriftstellerin. Doch ihre Hoffnung, »einmal werden wir auch wieder Menschen und nicht allein Juden sein«, erfüllte sich für sie selbst nicht. Am 4. August wurde sie mit ihrer Familie und ihren Freunden verhaftet, zwei Monate bevor die Deportationen endeten. Sie starb im März 1945 in Bergen-Belsen an einer Epidemie. –

Als ich es wieder lese, mit meinen alten und zugleich neuen Augen, kann ich es mir nicht ersparen, auch über die Unterschiede von Tagebüchern junger Mädchen nachzudenken ...

Das Tagebuch der Anne Frank geht auch als Zeugnis privaten Widerstandes hilfsbereiter Frauen und Männer der Niederlande gegen die deutsche Besatzungsmacht in die Geschichte ein.

Die Deutschen begegneten in allen Ländern, im Westen wie im Osten, in unterschiedlichsten Formen und Graden erbittertem Widerstand. Einzigartig zeigte er sich in Warschau. Im Vorjahr hatten die Besatzer den Aufstand der Juden im Warschauer Ghetto niedergeschlagen, am 1. August 1944 erhob sich dort die polnische Untergrundorganisation, die Heimatarmee. Völlig unzulänglich bewaffnet, vermochten es die anfangs 14000, später 36000 Warschauer Kämpfer nicht, die deutsche Wehrmacht, SS- und Polizeiverbände zu vertreiben. Und vergeblich hofften sie auf die Hilfe der vorrükkenden Roten Armee; sie machte vor der Stadt Halt. Am 2. Oktober mußten die polnischen Freiheitskämpfer kapitulieren. 16000 Gefallene, 6000 verwundete Soldaten, wahrscheinlich 166000 getötete Zivilisten, 70000 zur Zwangsarbeit in Konzentrationslager verschleppte Polen und die fast völlige Zerstörung einer der schönsten

Hauptstädte Europas durch die Deutschen waren das Ergebnis des gescheiterten Aufstandes. Auf deutscher Seite kamen 2000 Mann ums Leben, 9000 wurden verwundet.

Mich interessierte damals, in jenen Monaten, da die Katastrophe von allen Seiten über Deutschland hereinbrach, das Schicksal Warschaus gewiß nicht. Heute löst der Name Warschau viele Empfindungen in mir aus, Schuldgefühle und Hochachtung und das Bedürfnis, beides in privatem Handeln auszudrücken.

Nicht genau zu datieren vermag ich zwei Erfahrungen auf der Zahnstation. Daß sie mir als einzige an meine monatelange Arbeit dort in Erinnerung geblieben sind, hat Gründe. Manchmal kamen auch Zwangsarbeiter oder Kriegsgefangene zur zahnärztlichen Behandlung. Immer noch sehe ich einen jungen Polen vor mir. Er hatte bemerkenswert feine Gesichtszüge, ich fand ihn – sympathisch! Ich wunderte mich wohl über mich selbst. So also sah ein »Fremdvölkischer« aus? Was war an ihm »fremd«? Zwei junge Russen hingegen entsprachen mit ihrem breiten Gesicht, dem runden kahlgeschorenen Schädel, der mächtigen Gestalt genau dem bedrohlichen Feindbild des »Untermenschen«. Und so wurden sie auch behandelt. Sie mochten Bauernburschen sein, die vielleicht noch nie beim Zahnarzt gewesen waren. Jetzt hatten sie ihn dringend nötig, sie litten an starken Zahnschmerzen und sollten Zähne gezogen bekommen. Als sie die Spritze erblickten, begannen sie voller Angst wie am Spieß zu schreien. Der Zahnarzt machte kurzen Prozeß mit ihnen. Er warf sie hinaus.

Die Erinnerung an diesen Vorfall verursacht mir, wann immer ich daran denke, ein ganz besonderes Unbehagen. Es betrifft nicht nur das empörende Verhalten des Zahnarztes, sondern es hat etwas mit mir, der Zeugin, zu tun. Es plagt mich auch in diesem Augenblick, ich fühle mich äußerst unwohl. Aber warum? Meine Meinung zu dem üblen Vorgang ist eindeutig. Ist sie das? Natürlich. W a r sie das?? Mit einemmal weiß ich, woher das Unbehagen rührt. Ich, die Alte, weigerte mich, mir einzugestehen, daß ich, die junge Zuschauerin, nicht protestierte, sondern, beherrscht von der ungebrochenen Macht des Feindbildes, gleichmütig zusah – womöglich Einvernehmen mit dem Zahnarzt zeigte!? Oder empfand ich, die Junge, insgeheim doch so etwas wie Mitleid mit den schmerzgeplagten Russen, aber traute mich nicht, es zu äußern, und wurde deshalb vom schlechten Gewissen heimgesucht? Ich fürchte, nein. Eine eindeutige Aufklärung gelingt mir nicht mehr. Sicher jedoch ist, die junge Lore hat auch hier versagt, und das macht der alten noch immer zu schaffen.

TAGEBUCH VIII
26. März 1945 – 30. Juni 1945

Ebingen, den 26. März 1945
Vor zehn Tagen hat sich unser Schicksal gewandelt, auf bitterste Weise gewandelt. Der Feind ist in unsere liebe Heimat eingedrungen, und ich bin geflüchtet.

Die ganzen Wochen über, während wir das langsame Vordringen der Anglo-Amerikaner im Westen verfolgten, beschäftigte uns die Frage, was wir tun sollten, wenn sie in unser Gebiet vorstießen. Wir waren alle entschlossen, in Alzey zu bleiben. Wo sollten wir auch hingehen? Und so lange man es noch besaß, war es gewiß besser, das Haus nicht zu verlassen. [...]

Da kam jener Freitag, der 16. März, da am frühen Morgen die ganze Stadt erfüllt war von der Nachricht, daß die Amerikaner bei Simmern im Hunsrück durchgebrochen seien und vor Kreuznach und Bingen stünden! Aller Leute bemächtigte sich eine große Aufregung und dunkle Spannung.

Bei der Zahnstation fragte man sich natürlich sogleich, ob das Lazarett nun bleiben oder türmen würde. [...] Vom Stab lagen keine Anweisungen vor, und auch die Feldkommandatur wußte nicht, wie weit das Gerücht von der Nähe der Amerikaner richtig war. Den ganzen Tag über gab es nichts zu tun, man konnte nur unruhig und ungeduldig die Zeit absitzen. Um 1/2 6 Uhr abends gab der Chef ganz von sich aus den Befehl, mit dem Packen zu beginnen. Um 7 Uhr ging ich nach Hause, Geräte und Instrumente waren erst halb verpackt. Ich ahnte nicht, daß es schon der letzte Tag auf Zahnstation gewesen war. [...]

Ununterbrochen gingen nun seit dem Abend die Autokolonnen an unserem Häuslein vorbei. Sie kamen alle von der Front und fuhren nach Osten. Auf dem Weg zu Tante Gretel jedoch erfuhren wir, daß auch viele Truppen den umgekehrten Weg, nämlich an die Front nahmen. Zum ersten Mal tauchte da für uns der Gedanke auf, daß in unserer Gegend vielleicht gekämpft werden könnte! Anfangs sah es ja doch so aus, als wäre es ein Durchbruch, den der Volkssturm natürlich nicht aufhalten konnte.

Als wir nach Hause zurückkehrten, berichtete Großmama, daß der Unterarzt J. dagewesen sei, sich zu verabschieden, die Zahnstation rücke um 24 Uhr ab nach Worms! Nun, das war ja eine überraschende Nachricht. Ich suchte ihn sogleich auf, um ihm noch auf Wiedersehen zu sagen, und ging auch noch zur Realschule und verabschiedete mich von Oberstabsarzt F. Ich fand alles noch halb gepackt, wie ich es am Abend verlassen hatte, und erfuhr zu meinem Entsetzen, daß alle Geräte und Gepäck mangels Verlademöglichkeit zurückgelassen werden sollten! Also Flucht, wie in Frankreich im Sommer. Was würde aus dem zum Teil doch recht wertvollen und seltenen Material werden? Einfach alles offen stehenlassen? Dieser Gedanke beschäftigte mich, als ich schließlich um Mitternacht im Bett lag und vor Aufregung und wegen des Autolärms auf der Straße nicht einschlafen konnte. Ich beschloß daher, ganz früh aufzustehen und einige Gegenstände sicherzustellen. Später konnte ich ja mit den Alzeyer Zahnärzten darüber reden, ob sie die Materialien verwenden würden oder ob man sie für ausgebombte Kliniken sicherstellen sollte.

Als ich in der Frühe dann die Schule betrat, fand ich zu meinem Erstaunen alles in Kisten gepackt auf dem Gang stehen und stellte bald fest, daß die Zahnstation also doch nicht so plötzlich getürmt war, sondern glücklicherweise einen Waggon bekommen sollte und ihr Material retten konnte. [...]

Um 8 Uhr fuhr ich rasch rauf zum Lazarett, um, wenn möglich, noch mit der Verwaltung abzurechnen. Dort traf ich dann zufällig den Feldapotheker, mit dem ich mich oft recht nett unterhalten hatte, und mit ihm hatte ich ein Gespräch, das den letzten Anstoß gab zur Wendung meines Schicksals, so, wie es jetzt ist und weiter sein wird. [...]

Ganz entsetzt blickte mich der Feldapotheker an, als er erfuhr, daß ich gedachte, in Alzey zu bleiben: »Aber, Fräulein Walb, das kann doch einfach Ihr Ernst nicht sein! Sie können doch jetzt nicht hierbleiben, Sie in Ihrem Alter! Glauben Sie ja nicht, daß man mit den Amerikanern verkehren könnte; sie sind vielleicht einen Grad weniger brutal als die Russen, aber Sie dürfen nichts Gutes erwarten. Und glauben Sie nur nicht, daß Sie, wenn Sie jetzt hier bei Ihrer Mutter ausharren, auch weiterhin bei ihr in Alzey bleiben dürfen!« Und er berichtete mir von einem Fall aus dem Saargebiet, den er positiv wußte, wo die Amerikaner die Frauen von 13, glaube ich, bis 30 Jahren weggeschafft hatten zur Arbeit!!

Was sollte ich nun tun?? Völlig verzweifelt kam ich nach Hause und erzählte Mutti ganz unglücklich von dieser Hiobspost. Sollte ich

bleiben, ausharren bei Mutti – und dies tat ich doch nur, um die
schlimme Zeit mit ihr gemeinsam zu überstehen – und dann sollte
schon in wenigen Wochen vielleicht alles umsonst gewesen sein, und
ich würde vielleicht weggeholt, wer weiß wohin, in Rüstungsfabriken
in Frankreich oder Belgien? Vielleicht aber auch würde es gar nicht
so schlimm werden? Wir wußten nicht ein noch aus. Da war kein
Rat. Man konnte nur einen Entschluß fassen im Glauben, so zu
handeln sei das Richtige, der Himmel weiß, wie es einem dann aus-
schlägt. So entschieden wir uns schließlich unter Tränen, daß es bes-
ser sei, wenn ich wegginge. [...] Aber war es nicht so, als würde ich
Mutti im Stich lassen?? Mußte ich mir nicht schwere Vorwürfe ma-
chen? Ich war hin- und hergerissen. Und da ist es gut und lieb wie im-
mer Mutti gewesen, die mir fest klarmachte, daß wir uns hier ja ge-
meinsam entschieden haben, und daß es gerade auch ihr Wunsch ist,
wenn ich jetzt aus Alzey weggehe. [...]

So war denn der bitterschwere Entschluß gefaßt, und in größter
Eile wurden die wichtigsten Dinge in Tornister, Rucksack und Sei-
tentaschen verstaut und aufs Rad geschnallt. [...] Mutti begleitete
mich noch ein großes Stück die Wormser Straße hinaus. Nie werde
ich diesen Abschied an jenem 17. März vergessen. Wir konnten uns
kaum trennen. Sollten wir uns jetzt zum letzten Mal sehen und dann
nicht wieder? Ach, wir wollten und wollen es nicht glauben. [...]

Meine liebe, liebe Mutti! Was hast Du doch alles für uns getan,
für mich besonders. Wieviel Opfer, wieviel Verzicht und wieviel Güte
und Verstehen. Alles, was ich bin, verdanke ich Dir. Was für ein Tag,
wenn ich Dich wiedersehe! Möchte mir der liebe Gott doch vergönnen,
Dir noch zu danken, durch die Tat zu danken für alle Liebe und Für-
sorge, für alle Hilfe und Dein wundervolles freundschaftliches Ver-
stehen!

Um 1/2 6 Uhr abends etwa habe ich mich von Mutti getrennt. Un-
ser liebes Häuslein steht in meiner Erinnerung unversehrt. Wie mag
ich es wiederfinden?

Ich bin geflüchtet, die Amerikaner *sind vielleicht einen Grad weniger*
brutal als die Russen, aber Sie dürfen nichts Gutes erwarten. Ab-
surd. Die Tatsache der Flucht und ihre Begründung sind im Rückblick auf die Geschichte nicht mehr nachvollziehbar. Wiederum
aber belegt dieser Bericht die Wirksamkeit eines Feindbildes, das
bei Licht betrachtet eine Projektion der eigenen Untaten auf den
Gegner war. Ihm wurde angelastet, was wir bei uns nicht wahrhaben wollten.

Zwei weitere Faktoren bestimmten die *gemeinsame* Entscheidung mit: Die illusionäre Hoffnung, die Amerikaner könnten noch längere Zeit daran gehindert werden, den Rhein zu überqueren; es wäre also sinnvoll, ich würde mich rechtzeitig vor dem neuen Schuljahr, das am 8. April begann, zur Referendarausbildung in Heidelberg anmelden und einfinden. Die drei Wochen, die ich bis dahin überbrücken mußte, konnte ich bei Freundin Irms in einer schwäbischen Kleinstadt auf der Rauhen Alb verbringen. Sie hatte mich ausdrücklich eingeladen, im Notfall bei ihr zu Hause Zuflucht zu suchen.

Das zweite Motiv entstammte der Kategorie »echt Mutter!«. Da mein Bruder im südlichen Württemberg auf einem Flugplatz stationiert war, suchte sie Beruhigung in der Vorstellung, »dann seid wenigstens ihr beide näher beieinander«. In diesen Zeiten?! Eben. In diesen Zeiten.

Es war ein schmerzlicher Abschied. Ich spüre noch Mutters Blick im Rücken. Und sehe mich schwer bepackt im weit geschnittenen Dreiviertelmantel radeln; aus Vaters braunem gewendetem Ledermantel hatte sie, die Schneiderkünstlerin, ein praktisch-pfiffiges Stück fabriziert, das mir noch lange gute Dienste tat.

Von der Bevölkerung sind mehr als dreiviertel in Alzey geblieben. Älteren Leuten wird ja wohl auch nicht viel geschehen – wenn sie die Kampfhandlungen überstanden haben. Und daß dies gerade in Alzey der Fall war, möchte ich nun doch annehmen. Denn in der Zeitung las ich, daß Alzey von etwa 100 Panzern durchstoßen worden sei, wohl Anfang oder Mitte der vergangenen Woche, also etwa am 21., während ringsum in Kreuznach, Kaiserslautern, Bingen, Mainz von harten Kämpfen gesprochen wurde. Wenn die Amerikaner nun nur nicht die Lebensmittel wegnehmen!!

Die Kampfstimmung der Soldaten war, wie ich zu Hause merkte, nicht gut, noch schlimmer die des Volkssturms. Bei einer Stadtratsitzung hatte auch Dr. Sch. für Übergabe der Stadt plädiert, da der Kampf ja zwecklos sei, und um noch alles, was übrig war, zu erhalten. Der Kreisleiter war natürlich für die Verteidigung bis zum äußersten. Und wenn dann auch der Volkssturm noch Waffen bekam, so hat es doch den Anschein, als sei der Kampf für die Alzeyer glimpflicher abgegangen als anderswo, hoffentlich, hoffentlich!!

Von Alzey fuhr ich auf glatter Straße an jenem Samstag abend bis Osthofen, dort übernachtete ich bei Familie M.

Sonntag früh, am 18. März, fuhr ich um 7.20 Uhr in Worms über die Rheinbrücke. Es gab gerade Vollalarm. Ich kam noch bis Lampertheim. Dort konnte ich nicht mehr weiter, zunächst wegen Erschöpfung und dann wegen der Flieger.

Ich hatte wohl die Last des Gepäcks nicht richtig verstaut, jedenfalls war ich schon nach wenigen Kilometern derart erschöpft, daß ich schon glaubte, ich hätte mir mit der Fahrt zu viel vorgenommen und am liebsten umgekehrt wäre. [...] Ich erlebte aus der Entfernung zwei bis drei Stunden lang laufende Luftangriffe auf Worms.

Zu Mittag konnte ich dann weiterfahren, nachdem ich mein Gepäck besser verstaut hatte. Jetzt fuhr ich auch leichter. Vor den Tieffliegern hatte ich große Angst und mußte mich auch mehrfach unterstellen. Mannheim wollte ich umgehen, machte daher den Umweg über Viernheim-Dossenheim. Unterwegs bekam mein Vorderrad einen Platten und ich machte mich schon auf 20 Kilometer Fußmarsch gefaßt. Aber bald fanden sich ein netter Soldat und ein O.-T.-Mann [Organisation Todt, zuständig für das Straßenbauwesen], die mir hilfsbereit das Rad flickten. Über Dossenheim erreichte ich um 17 Uhr Heidelberg-Handschuhsheim, gerade als wieder Vollalarm tutete. Am Bergrand ruhte ich mich aus und wartete die Entwarnung ab. Tante Helene war natürlich sehr erstaunt, als ich so plötzlich auftauchte.

Einen Tag lang wollte ich mich nun bei ihr ausruhen und mich dann, wie ich mit Mutti besprochen hatte, auf den Weg zu Irms nach Ebingen machen. Am nächsten Tag aber konnte ich noch nicht weiterfahren. Nach der großen Anstrengung revoltierte mein Körper. [...]

Zunächst den ganzen Tag über Tiefflieger mit Bomben und Bordwaffen über der Stadt, dann die Nachricht, daß Mannheim ganz plötzlich von der Zivilbevölkerung geräumt werden mußte, während das Militär die Bunker bezog. Gleichzeitig wurden in Heidelberg Mütter und Kinder aufgefordert, die Stadt zu verlassen. Heidelberg war nun der Durchgangsplatz für den ganzen Mittelwesten und Mannheim. Unvorstellbar, wie sich die Menschen vor dem Polizeipräsidium, dem »Anhalterbahnhof«, drängten, um von den wenigen Autos mitgenommen zu werden. [...]

Am Mittwoch, den 21. März, verließ ich in aller Frühe Heidelberg. Zunächst ging's durchs Neckartal, wo ich auf eine weite Strecke immer wieder an den mit Sack und Pack wandernden Menschen, meist alten Leuten und Frauen und Kindern, die Mannheim zu Fuß verlassen mußten, vorüberfuhr. Was für ein Elend!

Hinter Sinsheim gab mir ein Soldat einen guten Rat anhand meiner Karte, nämlich statt über Stuttgart die kürzere und vor Fliegern wohl etwas sicherere Strecke über Pforzheim-Nagoldtal zu fahren.

So bog ich ab nach Eppingen. Immer wieder mußte ich Deckung vor den Tieffliegern suchen, die bei dem schönen Wetter wieder ganz wild durch die Gegend schossen.

Durch die Last des Gepäcks brach nun zu allem Übel mein Gepäckständer, den mir der Schmied des nächsten Dorfes glücklicherweise richtete. Seine Frau war so nett und gab mir etwas zu trinken und bereitete mir zwei Rühreier. Zum Mittagessen war ich wegen des Alarms nicht gekommen.

Nun kam ich nur noch bis zum nächsten Dorf. Die Flieger waren zu gefährlich, und vor Abend traute ich mich nicht durch Bretten zu fahren. Es war schon 20 Uhr, aber gottlob sternklare Nacht und nicht dunkel, als ich mein Rad die vielen Kilometer den Berg hinter Bretten hochschob. Mit dem wahnsinnig schweren Gepäck und nach den 80 Kilometern Fahrt wurde mir das Schieben unendlich schwer. Ich bekam richtig Herzschmerzen und konnte kaum noch weiter. Da meinte es das Schicksal doch gut, eine Bäuerin, die auf einem Gehöft, das hier auf der Strecke lag, wohnte, bot mir an, bei ihr zu übernachten. Die Leute waren sehr nett, ich bekam zu essen und ein frisch bezogenes Bett.

Die gefühlshaltige Szene, wie ich in der hellen Nacht das schwere Fahrrad schiebe, hat mein Gedächtnis bewahrt: Ich spüre noch die Müdigkeit in den jungen Knochen und fühle mich einsam. Und dann gewahre ich rechts neben dem Weg im tiefer gelegenen Garten die Bäuerin, die im Mondlicht Pflanzen setzt, weil die Tiefflieger dies am Tag nicht zulassen. Und wie sie mich sieht und sich meiner erbarmt. *Ein frisch bezogenes Bett* – in der Stadt kannte man solchen gastfreundlichen Luxus nicht mehr –, dazu eine altfränkische Flanellnachtjacke, in der ich mich unter einem Federbettungetüm behaglich fühle. Und am nächsten Morgen füllt sie mir zum Abschied die Feldflasche mit Milch. – Ich war der erste Flüchtling, der ihren Weg kreuzte.

Am Donnerstag früh gings dann weiter, mit neuen Kräften, wenn auch noch nicht genug ausgeruht. Um 1/2 8 war ich in Pforzheim. Ich mußte durch die ganze Stadt fahren, deren Zerstörungen alles übertreffen, was ich bisher in Mannheim, Darmstadt, Worms etc. gesehen hatte. Ich kann mir vorstellen, daß die furchtbaren Zahlen – 30000 Tote bei 80000 Einwohnern durch 20-Minuten-langen einmaligen Angriff!! – stimmen!!

Das Entsetzen, das mich damals auf der Fahrt durch die verwüstete Stadt befiel, wird wieder lebendig, wenn ich diese Zeilen lese: Tatsache ist, 18 000 Menschen, 20 % der Bevölkerung, wurden am 23. Februar 1945 in 20 Minuten getötet, 83 % der Bausubstanz zerstört.

Nach dem Krieg fanden Pforzheim und Guernica in einer Städte-
partnerschaft zueinander, gemeinsam gedenken sie hüben und drüben der Opfer.

Die Fahrt durch das Nagoldtal über Calw-Wildberg. [...] Hinter
Herrenberg gedachte ich zu übernachten, 85 Kilometer war ich [an
diesem Tag] *gefahren.*

Unterwegs überholte ich ein wanderndes Mädchen, irgendein Im-
puls trieb mich, sie anzusprechen. Es war mein Glück. Sie war eine
Tübinger Theologin und suchte den Zug nach Tübingen auf einem
benachbarten Dorf zu erreichen. Ihr schloß ich mich an, und sie war
auch so sehr freundlich und ließ mich in ihrem Zimmer übernach-
ten.

Am Freitag, 23., früh um 4 Uhr 10 bestieg ich den Zug nach
Ebingen, nachdem ich dank meines großen Zigarettenvorrates, den
ich dem Unterarzt verdanke, jemand gefunden hatte, der mir behilf-
lich war, Rad und Gepäck unterzubringen.

Sehr erleichtert, daß ich mit den 230 Kilometern nun die Radfahrt
beenden und die unangenehmste Strecke am Schluß noch mit dem
Zug bewältigen konnte, kam ich um 1/2 7 Uhr früh in Ebingen an.

29. III. 45
Da war ich also nun am Ziel. Aber wie bitterschwer war mir doch
das Herz, als ich vor dem Haus stand, mit aller meiner Habe. Ein
Zögern kam mich an, am liebsten wäre ich wieder umgekehrt. Denn
bei aller Freundschaft, es ist doch eine große Belastung, gerade in die-
ser Zeit einen fremden Menschen aufzunehmen, noch einen Esser
mehr, wo alles so knapp ist. Marmelade, Kartoffeln, alles liegt zu
Hause für mich bereit, und hier muß ich von den Vorräten anderer le-
ben. Das fällt doch schwer. Ein Glück nur, daß ich wenigstens eine
Kartoffelkarte bekam und einige Marken, die wir daheim noch als
Reserve bewahrt hatten, Fett vor allem, Frau M. mitbringen konnte.

Frau M. öffnete mir die Türe, Irms kam dann höchst überrascht
herbei, noch im Schlafanzug. Sie brauchten gewiß eine Minute, sich
mit der neuen Situation abzufinden. Aber das war dann für mich der
bitterste Augenblick, als ich runterging, um meine Sachen vom Rad
zu schnallen. Wie habe ich da mit Tränen an Dich gedacht, mein
Muttichen!

Aber ich bin da sogleich so nett und herzlich aufgenommen worden
und kann mich hier so recht ein wenig zu Hause fühlen, daß ich noch
gar nicht dazu gekommen bin, Heimweh zu haben, wovor ich so
große Angst hatte. Wenn auch die Gedanken sorgenvoll und fragend

immer wieder nach Hause wandern: Wie mag es ihnen nur erge-
hen?? Und Mutti, sie wird doch nicht Hunger leiden müssen??

Es traf sich günstig, daß unten bei Irms' Großvater ein Zimmer
gerade frei wurde. Das Wohnungsamt genehmigte mir, hier zu woh-
nen. Nun wartete ich, ob ich aus Heidelberg noch Nachricht von dem
Seminarleiter [wegen meiner Zulassung zur Referendaraus-
bildung] *bekomme. Hingehen brauche und kann ich nicht mehr.*
Gestern, also gerade eine Woche, nachdem ich aus Heidelberg weg-
fuhr, meldete das Radio bereits, daß die Stadt unter Artilleriebeschuß
liegt! Das hätten sich die Heidelberger nicht träumen lassen. Nach
Ostern nun werde ich mich nach einer Arbeit umsehen müssen. Hof-
fentlich kann ich wenigstens hier bleiben! Hier habe ich es wirklich
schön und behaglich. Gleich neben meinem Zimmer unten ist das
Bad, das ich ganz für mich habe.

Wenn nicht die traurigen und schweren Gedanken wären, könnte
ich mich fühlen wie in der Sommerfrische. Schöne Bücher stehen mir
zur Verfügung, mit Irms kann ich mich so recht unterhalten. Frau
M. hat von meinem Angebot, ihr im Haus zu helfen, noch wenig Ge-
brauch gemacht, aber ich hoffe, sie wird es noch tun. Ich denke im-
mer, daß Mutti mich dazu ermahnen würde, wenn ich hier so untätig
bliebe. […]

Wunderbar und ein Geschenk des Himmels gerade in dieser Zeit
ist meine schöne Freundschaft mit Irms. Gerade in den letzten
Monaten seit Vorweihnachten hat sie sich so sehr vertieft. – Irms
habe ich sehr verändert gefunden, durch das Glück ihrer Liebe ver-
schönt. […] *Ihre ganze Sorge gilt nun Eberhard M. Sie wollen hei-*
raten. […]

Jeden Tag fast erhält sie Briefe und schreibt selbst täglich – ein se-
liger Zustand, den ich auch einmal kannte. […]

Der Gedanke an das, was uns wohl noch auferlegt wird, läßt einen
keine Stunde mehr los. Es ist unfaßbar, daß die zahllosen Opfer die-
ses Kriegs umsonst gebracht sein sollen! Und doch, es sieht so aus, ich
kann keine Hoffnung mehr haben. Das einzige, was man in seinem
innersten Herzen zu hoffen wagt, ist, daß der Gegner uns vielleicht
doch nach dem Kriege ein wenig besser behandelt als man jetzt glau-
ben muß. Arbeiten wollen wir ja ein Leben lang, auch in Armut und
Sorge, wenn wir nur in Deutschland und beieinander bleiben dürfen!!
Aber was werden sie nur vorhaben mit uns, den jungen Männern und
Frauen? Man kann nicht erwarten, daß die Amerikaner gut zu uns
sind, nicht viel besser als die Russen. Vor denen aber hat wohl jeder
eine furchtbare Angst, unvorstellbar ihre Grausamkeit, ein norma-
ler Mensch wird diese Gewalttaten nie begreifen können. […]

Nichts mehr konnte den Krieg rechtfertigen, nichts war gewonnen, alles verloren, wir hatten die *zahllosen Opfer umsonst gebracht.* Kein Lebensraum im Osten, zerstörte Städte, Menschen auf der Flucht und Tote, so viele Tote – wofür? Ich vermochte es nicht länger, mein Schuldbewußtsein zu unterdrücken; jetzt spürte ich mein schlechtes Gewissen. Das Gespenst der Vergeltung warf seinen Schatten an die Wand. Welche Zukunft durften wir, die Jungen, erhoffen?

Mancherlei fällt mir an dieser Passage auf. Zum ersten Mal benutzte ich das Wort *Gegner* anstelle von »Feind«. Auch wenn ich von den Amerikanern nichts Gutes erwartete, so fürchtete ich mich doch vor ihnen nicht mehr so sehr. Unverkennbar beeinflußte mich auch mein neues Umfeld, demokratisch denkende Menschen, die sich nicht für Hitler begeistert hatten. Doch auch sie waren infiziert vom Feindbild des Russen. Und so bestand es für mich unverändert fort, wirkte bedrohlich wie eh und je. Sie waren nicht »normal«, diese Russen, waren grausame, gewalttätige *Untermenschen,* »Menschenbestien«. Presse und Rundfunk taten ein übriges, um die Angst vor den Russen aufrechtzuerhalten. Ausführlich berichteten sie über das Wüten der Roten Armee, die den Osten Deutschlands eroberte, und über die Erlebnisse der Flüchtlinge. Den Zusammenhang zwischen diesen *Greueltaten* und den Erfahrungen, die die Angehörigen der Rotarmisten in ihrer Heimat mit den deutschen Eroberern gemacht hatten, vermochte ich damals, auch weil mir die Informationen fehlten, nicht herzustellen.

Ein Segen nur, daß Hermann nicht so weit von hier auf dem Flugplatz Reichenbach ist. Ich habe ihn nun schon telefonisch sprechen können und will ihn Ostermontag mit dem Rad dort aufsuchen. Hoffentlich spitzt sich bis dahin nicht auch hier unten schon die Lage so zu, daß ich nicht mehr zu ihm kann!

Auf der Karte haben wir uns mal angesehen, welche Bewegungen der Feind wohl machen könnte. Die Mainlinie, von da vielleicht nach Nürnberg und zur Donau, so daß Süddeutschland abgeschnitten wäre?

30. März 1945, Karfreitag
Angst und Not vor der Zukunft! Platon: »Gastmahl«. –

Später lange Aussprache mit Irms: Was ist der Sinn unseres Lebens? Ist es Selbstsucht, das brennende Verlangen nach Erfüllung, Erfüllung in der Liebe, wenn auch in Sorge und Gefahr? Nur das Kind, fortlebendes eigenes Blut, sichert uns, denen anderes Schöpfer-

tum versagt ist, Unsterblichkeit. Leben, ohne Mutter geworden zu
sein, erscheint mir sinnlos. Kann auch ein »unfruchtbares« Leben
sinnvoll sein? Ich kann es mir nicht denken – noch nicht. [...]
    Am Abend: »Haiku« – japanische Lebensweisheiten. Und Rilke.

»Auf die Frage nach dem Sinn des Lebens antwortet jeder mit seinem Lebenslauf« (György Konrád).

Der Sinn des Lebens, des weiblichen Lebens, ist in meinem Tagebuch ein wiederkehrendes Thema. Aber was für eine Variation an
dieser Stelle! Die Sehnsucht einer fast Sechsundzwanzigjährigen
nach Liebe und Ehe ist so natürlich wie ihr Kinderwunsch. Doch
das Gebären als alleinigen Zweck weiblichen Daseins zu begreifen,
Frauen, die, aus welchen Gründen immer, nicht Mutter werden
können oder wollen, Wert und Identität abzusprechen, bedeutet in
letzter Konsequenz, diese »Nutzlosen« als »minderwertig« einzu-
stufen. Kein anderes Beispiel in diesem Tagebuch gibt so eindeutig
und bestürzend Auskunft darüber, wie total ich das Frauenbild des
Nationalsozialismus verinnerlicht hatte. Der Mann der Geist, die
Frau das Herz, der Schoß, welcher Geist, Herz und Schoß repro-
duziert. Nach diesem männlichen Denkmodell kann die Frau, der
anderes Schöpfertum versagt ist, nur als Mutter ihrem Leben *Sinn*
geben und *Unsterblichkeit erlangen.* Mehr noch – indem die Frau
eigenes Blut hervorbringt, erfüllt sie nicht nur sich selbst, sondern
auch ihre überpersönliche Aufgabe gegenüber der Nation, sie sichert ihrem Volk seine Zukunft, hilft mit, das »ewige Deutschland«
zu schaffen. Diesen Kernpunkt der Ideologie hatte ich nicht im
Kopf, wenn ich mir Gedanken über meine private Zukunft machte.
Doch unbewußt war ich auch davon infiziert. Wie sonst soll ich
es mir erklären, daß ich mir, wenn die Erinnerung mich nicht
trügt, damals, als so viele Männer im Krieg umkamen, nur Söhne
wünschte?

Ist es in diesem Zusammenhang abwegig, daß mich plötzlich
eine Frage überfällt, die mir noch nie gekommen ist, nämlich, was
für ein Schicksal mir und meinesgleichen womöglich zuteil geworden wäre, wenn Hitler den Krieg gewonnen hätte? Wenn etwa
Ideen, wie sie in den führenden Köpfen der SS spukten, Wirklichkeit geworden wären, Überlegungen mit dem Ziel, die Verluste an
zeugungsfähigen Männern auszugleichen und die Gebärfähigkeit
gerade der nun ehelos bleibenden, »überschüssigen« Frauen exten-
siv zu nutzen?

Schon der eingetragene Verein »Lebensborn e. V.« war Himmlers Gründung gewesen (1935). In seinen Heimen konnten »Mütter

guten Blutes« ehelich oder unehelich gezeugte Kinder entbinden, die, wenn nötig, mit ihnen oder ohne sie länger dort versorgt und gegebenenfalls zur Adoption an SS-Familien vermittelt wurden. Nun stellte er sich als »hohe Auszeichnung« für die »Helden des Krieges« die Zweitehe vor. Martin Bormann, »Sekretär des Führers« und Hitlers engster Mitarbeiter bis zum Ende, und Ernst Kaltenbrunner, der Nachfolger Heydrichs im Reichssicherheitshauptamt, erwogen die Zwangsscheidung nach fünfjähriger Kinderlosigkeit der Ehe. Außerdem sollten »alle ledigen und verheirateten Frauen, soweit diese noch nicht vier Kinder haben, im Alter bis zu fünfunddreißig Jahren verpflichtet werden, mit rassisch einwandfreien deutschen Männern vier Kinder zu zeugen. Ob diese Männer verheiratet sind, spielt dabei keine Rolle. Jede Familie, die bereits vier Kinder hat, muß den Mann für diese Aktion freigeben.« So eiskalt und unbeirrbar, wie die Herren über Leben und Tod Millionen Menschenleben zerstörten, genauso skrupellos und zielstrebig hätten sie auch Millionen Menschen als Zuchtmaterial für die »germanische Rasse« und ihre »Herrenmenschen« benutzt.

Mit der Wirklichkeit stimmte das nationalsozialistische Postulat, das die Frau auf die Familie beschränkte, nie überein. Über vierzig Prozent der Frauen waren erwerbsfähig, und im Krieg wurden sie erst recht in der Produktion gebraucht.

[30. März 1945]
Der Krieg: Zwei Zangenbewegungen zeichnen sich ab – die Umfassung von Ruhrgebiet und Westfalen, ausgehend von der Lahn [...] und die Umfassung des Odenwaldes – der Feind wenige Kilometer vor Heidelberg, von der Bergstraße her.

Im Osten die Russen auf österreichischem Boden, 50 Kilometer vor Wiener Neustadt; Küstrin, der umkämpfte Oderbrückenkopf, aufgegeben! Danzig (das ursprüngliche Ziel des Krieges!!) und Gotenhafen verloren!

Welches Ende wird sein???

31. III. 45
Heidelberg, Schwetzingen gestern vom Feind genommen! Südlich Mannheim in der Rheinebene schwere Kämpfe.
Abends: Faust I/Radio Beromünster.

Zwei Wörter sprechen Bände. Ich hörte »wehrkraftzersetzende« Nachrichten von *Radio Beromünster,* ohne mich als »Volksschädling« schuldig zu fühlen!

1. April 1945, Ostern

Wie hat wohl Mutti heute an uns gedacht. Wie schön war's Ostern in vergangenen Jahren daheim – das Kaffeetrinken auf der besonnten Terrasse, die blaue Decke, der geschmückte Tisch …

Der Feind ist so weit in unser Deutschland vorgedrungen, man kommt nicht mehr recht mit: südlich Paderborn; Hersfeld! Kassel ist eingenommen. Nahe vor Würzburg. Auch die Franzosen haben nun den Rhein überschritten, bei Speyer. Morgen werde ich Hermann sehen, was für ein Wiedersehen, doch nicht das letzte, lieber Gott?!

3. April 1945

Und nicht einmal dies Wiedersehn ist uns vergönnt gewesen. Wie froh war ich noch vorgestern. Und was ist alles in diesen zwei Tagen geschehen.

Ich fuhr also Ostermontag früh weg. Die Fahrt bei schönem Wetter war herrlich, die Landschaft ist ja wunderschön. Vor Sigmaringen, in der Donauebene, war es eisig kalt. Ich fror sehr – aber das spielte vor der Freude des Wiedersehens keine Rolle. Vor Saulgau machte ich eine Fahrtpause, frühstückte, machte mich ein wenig zurecht, zog ein paar gute Strümpfe an – er sollte doch stolz sein können auf seine Schwester, mein Bruderherz!

Um 11 Uhr – 65 Kilometer nach 5 Stunden Fahrt – (nach der neuen Sommerzeit nun 12 Uhr) erreichte ich den Fliegerhorst. Die 4. Staffel war aus dem alten Bau ausgezogen, »die Reste« sollten sich anderswo befinden. Noch dachte ich mir nichts dabei, suchte die andere Baracke auf. Und dann der furchtbare Schlag, der so hart traf, weil ich ganz unvorbereitet war: Hermann war mit vielen Kameraden am Vortag versetzt worden!!! Das war das letzte, was ich erwartet hätte. […] Und erst das andere! Infanteristisch, nicht als Flieger wird er eingesetzt!!! Die Flugschule ist aufgelöst, der Fliegerhorst wird Einsatzhafen, also Frontflugplatz. Was für ein Elend. Ach, ich mache mir so ganz furchtbare Sorgen um unseren Bub. 3 1/2 Jahre Ausbildung als Flieger – und nun dies. Er ist doch infanteristisch völlig unerfahren, die paar Wochen Ausbildung bedeuten doch gar nichts. Kanonenfutter – sinnlose Opferung auch der letzten Reserve, das ist es.

Hätte ich ihn doch nur noch einmal sehen und sprechen können!! Warum war uns das nur nicht vergönnt? Es wäre so viel zu sagen gewesen. Und ein Brief, in dem ich ihm das Wichtigste doch schriftlich mitteilte, hatte ihn offenbar nicht mehr erreicht. Was für Gedanken wird er sich auch wohl machen. Er sieht gewiß auch keinen Ausweg mehr. Die Stimmung sei schlecht gewesen, im ganzen Horst, erzähl-

ten mir die Leute, bei denen ich seinen Koffer abholte. Im Ulmer Hof fand ich zwei Briefe von ihm vor. [...]

Ich bin dann gleich wieder zurückgefahren, ich hätte es nicht ausgehalten den ganzen Nachmittag allein dort zu sein, wo ich gehofft hatte, mit ihm zusammenzusein. Die Rückfahrt doppelt schwer nach der Enttäuschung, wo mir immer wieder die Tränen kamen, war furchtbar hart. Die ganze Strecke Gegenwind! In Sigmaringen wollte ich dann einen Zug nehmen, der eine Stunde später ging – ich bekam für das Rad keine Karte, neuestes Verbot! Da fuhr ich dann nach Inzigkofen, der nächsten Haltestelle, auf Rat eines Gendarmen. Dort wollte man mir auch keine Karte geben – da konnte ich dann nicht mehr und weinte. 110 Kilometer war ich gefahren, und nun noch 30 nach Ebingen in steiler Steigung? Schließlich hat sich der Beamte dann doch erbarmt. Um 1/2 9 Uhr am Abend war ich wieder in Ebingen. Irms war sehr lieb und verständnisvoll, auch Frau M. und ihr Vater, Herr Sch.

Ich war ganz erschöpft und schlief lange heute früh. [...]

Und nun die Nachrichten. Man kommt nicht mehr mit. Der Kreis ums Ruhrgebiet wird immer enger. In Kassel der Feind. In Thüringen bei Meiningen schwere Kämpfe. Schon die Front bei Wimpfen!

Und dann die schauerlichen Nachrichten über das besetzte Westgebiet. Ach, meine liebe, liebe Mutti, was wird nur aus Dir! Sie war schon so mager, als ich wegging. Viel Hunger könnte sie doch gar nicht aushalten.

Die Lebensmittel würden beschlagnahmt, die deutsche Währung außer Kurs gesetzt. Standrecht. Die deutsche Bevölkerung dürfe die Wohnungen nicht verlassen – kann sich also nichts zum Essen beschaffen. [...]

4. IV. 45

Der Feind ist in Thüringen weit vorgestoßen, Gotha erreicht! 100 Kilometer vor der tschechischen Grenze – die Amerikaner!!! Jetzt beginnt auch der Stoß gegen Süddeutschland. Heilbronn ist genommen! – Die Russen vor Wien!!

Nun kann ich nicht mehr glauben, daß ich von Hermann überhaupt noch eine Nachricht bekomme. [...]

Lieber, lieber Hermann, wo bist Du? Und Du, Muttichen? Unsere Gedanken suchen einander und finden sich doch nicht.

17. IV. 45

Wieviel ist in diesen vergangenen 2 Wochen geschehen, wieviel Schreckliches, wie wenig Freude.

Den Verlauf des Krieges vermag man nicht mehr recht zu fassen. Wer hätte gedacht, daß die Amerikaner einmal Berlin so nahe kämen wie die Russen, daß sie vor der tschechischen Grenze stünden, vor Hamburg, die Engländer vor Bremen – und dies alles, während z.B. Freiburg noch in unserer Hand ist. Nord- und Mitteldeutschland war also das Ziel des Feindes, zunächst, das hätten wir alle nicht gedacht. In Thüringen müssen sie nur so durchgerollt sein, so schwer auch an verschiedenen Punkten die Kämpfe waren. Jetzt stehen die Amerikaner vor Leipzig und Chemnitz, vor Dessau, in Magdeburg – Richtung Berlin! Von Osten begann gestern ein wohl unvorstellbarer Großangriff, auch gegen Berlin. Das Wettrennen der Feinde vom Osten und Westen nach der Reichshauptstadt hat nun begonnen. Es ist unfaßbar. Wie mag es nur Gisela ergehen? – Bis zur Konferenz von San Francisco am 24. April wollen wohl die einen wie die anderen diesen Trumpf Berlin in der Hand haben. Im Süden gingen die Vorstöße langsamer, harte Kämpfe. Aber nun scheint auch der Durchbruch der Franzosen bei Pforzheim an der Enzlinie gelungen, und wir hier müssen nun auch erwarten, daß vielleicht bald in dieser Gegend was geschieht. Wenn auch im ganzen die Alb vielleicht ein wenig abgelegen ist.

Gestern sind die Amerikaner in Nürnberg eingedrungen. Wenn ich nur wüßte, wo Hermann ist!! Nun muß ich die Hoffnung, von ihm noch etwas zu erfahren, bald aufgeben. Post geht ohnehin kaum noch auf weiteren Strecken. Nord- und Süddeutschland sind jetzt abgeschnitten. Vom Osten dringen die Sowiets unaufhaltsam, wenn auch nur unter großen Opfern, vor. Wien, – Wien ist in wenigen Tagen vorige Woche verlorengegangen! Vor Graz wird gekämpft.

Zur *Konferenz von San Francisco* (25.04. bis 25.06.1945), über deren Zweck ich mir anscheinend nicht im klaren war, hatten die Großen Drei, Roosevelt, Churchill und Stalin, 50 Nationen eingeladen. Sie diente der Gründung der Vereinten Nationen.

Die militärischen Aktionen der Alliierten und unsere Unsicherheit über das jeweilige *Ziel des Feindes* gibt das Tagebuch zutreffend wieder. Sogar die sorgenvollen Gedanken um meinen Bruder am 17. April, die der Notiz über die Eroberung Nürnbergs unmittelbar folgen, kreuzten, ohne daß ich dies wissen konnte, die richtige Spur. Am Stadtrand von Nürnberg, als Infanterist eingesetzt, wurde er an diesem Tag verwundet und geriet in Gefangenschaft.

Die Großoffensive der Roten Armee gegen die bombenverwü-
stete, zur Festung ausgebaute Reichshauptstadt betraf noch etwa
2,7 Millionen Menschen. Die Verteidiger, nach deutschen Angaben
über 90 000 Mann, setzten sich je zur Hälfte etwa aus Soldaten und
Zivilisten zusammen, vor allem aus dem Volkssturm; auch Jugendliche von HJ und RAD waren beteiligt. Sie alle sollten »bis zum
letzten Mann und bis zur letzten Patrone« kämpfen.

*Am 12. April ist <u>Roosevelt</u> plötzlich gestorben. Diese Nachricht hat
uns ungemein erregt. Kann sein Tod für uns vielleicht doch etwas
Gutes bedeuten, wenigstens politisch noch, wenn auch nicht mehr militärisch? Hat Gott nicht ein Einsehen mit unserem Land und unserer Not? Gewiß, es ist viel gesündigt worden bei uns, doch bei den anderen nicht minder. Und schlechter als die anderen ist unser Volk
gewiß nicht.*

*»Die Werwölfe« – der aktive Widerstand gegen den Feind im
Lande – beginnen nun eine Rolle zu spielen. Aber ist das in unserer
hoffnungslosen Lage nicht ganz unklug?*

*Und wie furchtbar die Befehle – wer die weiße Fahne zeigt, wird er-
hängt – die Familie des Generals, der Königsberg aufgab – nach langem Kampf gegen eine Übermacht – wird dafür haftbar gemacht.
Unfaßbar.*

*Das Chaos hat wohl doch begonnen, jetzt. Bei der Truppe hat man
das Gefühl von Auflösungserscheinungen. Und sonst – es heißt allgemein, in Heidelberg seien alle Brücken gesprengt worden, desgleichen das Kraftwerk – ohne Rücksicht darauf, daß vielleicht noch
150 000 Menschen dort leben – Deutsche! Wahnsinn und Sinnlosigkeit, wohin man blickt. Wenn es so weitergeht, kommt es am Ende
noch zum Bürgerkrieg.*

Die Nachricht vom Tod des amerikanischen Präsidenten Franklin
D. Roosevelt erregte die gesamte Bevölkerung. Er hatte in der Ca-
sablanca-Konferenz im Januar 1943 als oberstes Kriegsziel die »bedingungslose Kapitulation Deutschlands« gefordert. Und er war
der wichtigste Verbündete Stalins. Nicht nur ich hegte die Illusion,
aus diesem Tod könne *etwas Gutes* für uns erwachsen. Auch im
Führerbunker unter der Reichskanzlei erhoffte man sich noch eine
Wende in letzter Minute, nun, da der »Judenknecht«, den Hitler in
grotesker Verdrehung der Tatsachen den »Hauptverantwortlichen
an diesem Krieg« genannt hatte, nicht mehr die amerikanische Politik bestimmte. Beschwor der »Führer« in diesem Augenblick vielleicht noch einmal »die Vorsehung«, ähnlich wie ich mit meinem

Aufschrei: *Hat Gott nicht ein Einsehen mit unserem Land und unserer Not?* Und auch dies hält das Tagebuch fest: Das alte Ego hat sich doch noch nicht gehäutet. Gerade schien sich endlich Einsicht in unsere Schuld und Verantwortung zu entwickeln, da hebt trotziges Aufrechnen sie wieder auf. Während ich dieses bornierte Selbstzeugnis lese, spüre ich Wut. Wie schwer machst du es mir, junge Lore, dich zu verstehen!

Die Rolle der Untergrundorganisation der »Werwölfe« war zunächst nicht öffentlich bekannt. Himmler hatte ihren Aufbau im Herbst 1944 befohlen. Die »Werwölfe« wurden von der SS ausgebildet und sollten, wie z. B. die Partisanen in Rußland, Jugoslawien, Sabotageakte hinter den feindlichen Linien verüben. Goebbels gab am 1. April über einen »Sender Werwolf« ihre Existenz bekannt, um noch in letzter Minute die Bevölkerung aufzuhetzen und den Kriegsmüden Angst vor Racheakten zu machen. Ja, das war *unklug,* weil die Werwölfe das Kriegsgeschehen nicht beeinflußten, wohl aber auf etliche Zeit die Weltmeinung über den Fanatismus der Nationalsozialisten.

Wahnsinn und Sinnlosigkeit überall. Die Angst vor dem *Chaos* – bezogen auf Heidelberg kolportiert das Tagebuch nur Gerüchte – war berechtigt. Zwei Tage nach dieser Eintragung, am 19. April, erteilte Hitler den Befehl »Verbrannte Erde«; dem »Feind«, der nicht mehr aufzuhalten war, sollte keine wichtige Einrichtung in brauchbarem Zustand in die Hände fallen. Albert Speer, der Minister für Rüstung und Kriegsproduktion, wandte sich heftig gegen den »Nerobefehl«: »Das, was Generationen aufgebaut haben, dürfen wir nicht zerstören.« Er sabotierte den Befehl und verhinderte damit, daß es *am Ende noch zum Bürgerkrieg* kam. In seinem Schreiben an Hitler hielt er dessen Argumentation fest: »Wenn der Krieg verlorengeht, wird auch das Volk verloren sein. [...] Es sei nicht notwendig, auf die Grundlagen, die das Volk zu seinem primitivsten Weiterleben braucht, Rücksicht zu nehmen. Im Gegenteil sei es besser, selbst diese Dinge zu zerstören. Denn das Volk hätte sich als das Schwächere erwiesen, und dem stärkeren Ostvolk gehöre dann ausschließlich die Zukunft. Was nach dem Kampf übrig bleibe, seien ohnehin nur die Minderwertigen; denn die Guten seien gefallen.« Hitler hatte sein Volk verworfen.

Ein einziges schönes Erlebnis in diesen Tagen, eine Freude, die darum gerade doppelt wiegt: <u>Tübingen im Frühling.</u>
In zwölfter Stunde konnte Irms nun noch ihren Doktor machen. Und ich habe sie nach Tübingen begleitet. Wir fuhren Samstag ab,

wohnten, wo sie früher wohnte, in der Pension bei Fräulein K., und kehrten Montag nacht zurück. Sonntag und Montag mittag wurde Irms je eine Stunde geprüft, viele kriegsbedingte Vorteile. Trotzdem war es ihr nicht einerlei, und ich mußte ihr gut zureden und beschwichtigen.

Ach, Tübingen, es ist doch viel schöner als ich wußte! Unvergeßlich der Duft, der uns entgegendrang, als wir aus dem Bahnhof traten. Und diese weiche und warme Luft – die ganze Stimmung berührte mich so heimatlich, so vertraut, war so voller Erinnerung an mein geliebtes Heidelberg. Das Wetter war herrlich, – wundervoll die blühenden Obstbäume auf allen Wegen, vor allem auf den Bergkuppen und -hängen ringsum. Auf dem Österberg saßen wir lange auf einer Bank, rechts im Tal und an die Hügel gelehnt die Stadt, auf der Höhe gegenüber die Burg, vor uns waren ein paar Häuser am Berg und dann Wiesen und blühende Bäume. Die Kirschbäume schon am Verblühen, Blütenblätter bedeckten schon die Wege – in voller Pracht die Weiße der Birnbäume, und nicht fern mehr die volle rosa Blüte des Apfelbaumes. Lange, lange werde ich an diesen Ausflug in den Frühling, fast heimatlichen Frühling denken – während es hier oben meist noch so kühl ist und die Baumblüte erst in einiger Zeit beginnt. Sogar den ersten halberblühten Flieder im Schloßhof habe ich schon gesehen.

Tübingen selbst machte einen unbegreiflich friedlichen Eindruck, trotzdem die Tiefflieger unaufhörlich über der Landschaft schwirrten. Wir ließen uns anstecken von dieser Ruhe und Gleichgültigkeit der Leute. Dort ist bis jetzt fast 6 Jahre lang Frieden gewesen. Man muß dankbar sein für jeden solchen Tag.

Überall sah man das Rote Kreuz, sehr viele Lazarette sind in der Stadt. Hoffentlich bleibt sie erhalten! Die Brücken über den Neckar aber sollen wohl auch gesprengt werden. Wir sahen die Vorbereitungen dazu. Was für einen Sinn hat das alles noch.

Für Irms, fast unvorbereitet und während sie wußte, daß in Leipzig Eberhard nun auch in den Kampf kommt, war die Prüfung nicht angenehm. Aber nun ist es geschafft. Ich freue mich mit ihr. […]

23. IV. 45
Welch ein Wandel – die schönen Tübinger Tage und die vergangene Woche. […]

Dienstag waren wir beschäftigt mit den Korrekturen der beiden Zweitschriften von Irms' Dissertation, die noch am Abend zur Post kamen, damit sie noch die Berechtigung erhielt, ihren Titel zu tragen. Sie haben ihr Ziel wohl nicht mehr erreicht, in Tübingen wurde bombardiert. Am Dienstag und Mittwoch war die Stadt schon in Feindeshand! Wir hatten großes Glück gehabt, in allerletzter Minute hat also Irms' Examen noch geklappt. Was wird mit den Unis nun werden? Von Heidelberg geht das Gerücht, das Universitätsleben ginge weiter!! Kann man das glauben?

Mittwoch, der 18. April, war ein übler Tag für uns hier in Ebingen. Früh schon Alarm, wir standen nicht allzu zeitig auf. Ohne Frühstück mußten wir bei »akuter Luftgefahr« in den Keller sausen, und gleich ging's auch los. Ein paar Bomben und Bordwaffen und dann ein unaufhörliches Donnern – wir konnten nichts anderes annehmen, als daß der Feind uns ganz nahe wäre am Rande der Stadt, und dies sei die Artillerie. Nach drei Stunden flüchtete sich ein Zivilfranzose [Zwangsarbeiter] *in unseren Keller, der uns aufklärte: In geringer Entfernung, gerade vor dem Bahnhof, war ein Munitionszug getroffen worden, der nun nach und nach in die Luft ging. Bis zum späten Nachmittag mußten wir im Keller bleiben, erst gegen Abend hörten die Detonationen auf.*

Hier hatten wir nun unbedingt einen Vorgeschmack vom Kampf (die Munition war zum Teil für [die Verteidigung von] *Ebingen bestimmt gewesen!). So trafen wir denn am nächsten Tag allerlei Vorbereitungen im Haus dafür.*

<u>*Freitag, der 20. April*</u> *– Führers Geburtstag – begann zunächst recht alltäglich. Wir waren beim Aufräumen der Scherben, die es recht zahlreich im Haus gegeben hatte, und beim Putzen. Am Tag war öfters Alarm gewesen, aber wir fühlten uns ganz sicher. Vorgefühle habe ich also keine gehabt! 18.15 Uhr etwa hörten wir wieder Flieger, Irms lief mit den Kindern der neuen Hausgenossen in den Keller, ich stand sprungbereit vor der Haustüre. Gerade sah ich Herrn Sch. von der Fabrik her kommen, bemüht sich zu eilen. Da hörte ich schießen und lief rasch in den Keller. Draußen hörte ich einen Laut, als würde jemand leicht aufprallen. Und da fielen auch schon ein paar Bomben. Endlich kam Herr Sch. – der Luftdruck hatte ihn vor dem Haus zu Boden geworfen. Nach kurzer Zeit kam erschöpft und außer Atem eine Frau aus der Fabrik:* »Die Wühotri [Württembergisch-hohenzollernsche Trikotagenfabrik] *brennt«. Der Angriff der Tiefflieger war ganz kurz nur gewesen, aber die Wirkung sehr groß. Verschiedene Brände in der Stadt und vor allem, was danach folgte! Der Brand im vorderen Fabrikgebäude breitete sich ungeheuer schnell aus, sehr rasch waren auch die Hauptgebäude bedroht. Irms und ich stürzten in das eine, vier Treppen hoch, und warfen von oben Trikot- und Stoffballen auf den Hof, wo sie in der Nähe gestapelt wurden.*

[...] *Ein Geschenk des Himmels für die Familie M., das kann man wohl sagen, war und ist der neue Hausgenosse, der sofort die Leitung beim Löschen übernahm.* [...] *Er rettete nun noch eine Menge Stoffballen. Endlich war es soweit, man sah, die Hauptgebäude, wo Waren und Maschinen gestapelt waren, waren gerettet.*

Wir anderen hatten unterdes die Wohnung des Pförtners räumen helfen; dann wurden die Stoffballen unter Dach gebracht und, da keine Gefahr mehr war für jenes Haus, die Pförtnerwohnung wieder eingeräumt. Um 1/2 4 Uhr früh kamen wir endlich ins Bett. Die beiden nächsten Tage waren noch viel schrecklicher. – Hier zeigte sich nun, wie es wirklich mit uns steht – chaotische Zustände.

In allen Ebinger Fabriken waren Depots mit Waren für die Marine gestapelt. Zum Löschen waren ein paar Lederanzüge, wie sie in der Wühotri lagerten, sehr praktisch. Irgendwie wurde das nun bald ruchbar, und im Angesicht der drohenden Kriegsgefahr für die Stadt – jede Stunde konnte der Feind kommen – begannen nun Raub und Plünderung in scheußlichstem Ausmaß. Die Zivilbevölkerung stürmte die Fabrik, wagenweise schleppten sie die Lederanzüge davon. Was aber nun das Schlimmste war – auch die Russen des hiesigen Arbeitslagers, die unbegreiflicherweise seit drei Wochen ohne Wachmannschaft sind – raubten und plünderten in unvorstellbarer Weise mit und stahlen dazu – Trikot! In Ballen, stückweise, halbfertige Ware, was ihnen in die Hände kam. Die Ebinger Polizei versagte völlig. [...] *Erst am nächsten Tag gelang es, der Plage Herr zu werden, die Marineware etwas wenigstens zu verteilen, vor allem ans Militär, und alle gestohlene Trikotware wieder abzunehmen. Tolle Dinge haben wir da erlebt; ich war so erledigt und erschüttert wie kaum je. Irms sagte nur immer, da kann man nichts machen; mir tat jedes Stück leid, als wäre es mein Eigentum; ich war so wütend. Verschiedenen Russenweibern habe ich selber ganze Bündel Trikotware abgenommen. Das ist also die Auflösung, und das war es, was mich richtig krank machte. Dazu die fast winterliche Kälte, plötzlich das Haus ganz kalt; unbegreiflicherweise existiert kein Kohlenherd im Haus, so daß bei fremden Leuten mit Müh und Not ein bißchen gekocht werden konnte und auch was Warmes zum Trinken kam.* [...]

Auch in anderen – nicht bombardierten Fabriken!! – begann nun die Plünderung. [...] *Meine große Angst bleiben die Russen. Sie sind jetzt auf den Geschmack gekommen. Es wird noch viel passieren auf dem Gebiet. Wir können uns auf Raub und wohl auch Mord gefaßt machen.*

331

Die Hand schreibt *20. April* und fügt automatisch *Führers Geburtstag* hinzu – bis zur letzten Stunde funktionierte der Nürnberger Trichter.

Wo die Ordnung sich auflöst, beginnen allüberall *chaotische Zustände*. Durch den Brand nach dem Luftangriff kam zutage, welche Schätze in den Fabriken für die Wehrmacht gestapelt waren, Textilien in Massen und in einer Qualität, wie die Zivilbevölkerung sie schon lange nicht mehr zu Gesicht bekommen hatte, von Lederkleidung ganz zu schweigen. Sie war auf die »Kleiderkarte« angewiesen, die kurz nach Kriegsbeginn eingeführt und jeweils für ein Jahr ausgestellt wurde. Von den numerierten und datierten Abschnitten, den »Punkten«, wurden alle zwei Monate 25 freigegeben. Jede Anschaffung mußte genau überdacht werden: Wie weit reichen die Punkte, wie lange muß ich sie ansparen? Eine Garnitur Unterwäsche kostete z.B. zwischen 10 und 20 Punkte, ein Kostüm 45. *Jede Stunde konnte der Feind kommen,* kein Wunder also, daß viele Ebinger nun zur Selbstbedienung übergingen. Mein Weltbild, das Mein und Dein ordentlich scheidet, wurde in Frage gestellt, *ich war so erledigt und erschüttert wie kaum je.*

Doch nicht genug damit, daß sich die Deutschen kriminell verhielten, *auch die Russen des hiesigen Arbeitslagers* gesellten sich jetzt zu den Plünderern. Die zwangsverschleppten »Fremdarbeiter«, Männer und Frauen, lebten abgesondert auf dem Heuberg, dem Südteil der Schwäbischen Alb, auf einem ehemaligen Truppenübungsplatz noch aus Reichswehrzeiten, der auch schon als KZ für Kommunisten gedient hatte; ihre Bewacher hatten inzwischen das Weite gesucht. *Ich war so wütend.* Oh ja, so wütend!! Und ich schäme mich noch heute der Szene, auf die sich die Ereignisse in meiner Erinnerung reduziert haben. Da ist der Garten, am Hang gelegen. Eine Russin mit einem großen, prallen Bündel über der Schulter, weiß war die Farbe, ein Bettlaken vielleicht, hastet daher, will sich mit ihrer Beute eilig fortstehlen. Wie eine Furie rase ich hinter ihr drein und entreiße dem *Russenweib* das Bündel.

Niemals gedachte Fragen kommen plötzlich mit der Erinnerung daher: Was ist aus dieser Frau geworden? Woher stammte sie? Hatten die deutschen Besatzer sie bei einer Razzia gejagt, eingefangen, verschleppt? Auf welchem Hof, in welcher Fabrik wurde die verachtete »Ostarbeiterin« ausgebeutet? Sah sie nach den Jahren des Heimwehs, der Diskriminierung ihre Familie, ihre Heimat wieder? Oder teilte sie das Schicksal vieler »displaced persons« und wurde nach dem Krieg zu Hause dafür bestraft, daß sie für den »Feind« gearbeitet hatte? Schickte man sie nach Sibirien? Kam sie gar am

Ende nicht mit dem Leben davon? So viele Fragen – heute. Keine einzige damals. Kein Nachdenken über die fremde Geschlechtsgenossin, die deutscher Willkür schutzlos ausgeliefert war. Welten trennten mich von dem *Russenweib*, auch sie galt mir als »Untermensch«. Und wer war i c h damals, ich, diese Furie im Garten??? Erinnerung. Wie peinvoll kann sie sein.

[23. 4. 45]

Die Menschen sind eben kopflos geworden. Stündlich erwarteten wir den Feind – er hat uns jedoch umgangen und die Stadt ist in weitem Gebiet eingekreist. Unsere ganze Sorge ist nun – wird verteidigt oder nicht? Hoffentlich nicht. Es wäre sinnlos. [...] Andererseits haben es die Einsichtigen, die sich ergeben wollen, schwer. Sie riskieren auch ihren Kopf, weil die »Werwölfe«, der aktive Widerstand, dann vielfach gegen sie vorgeht. Hier liegt Hitlers ganz große Schuld. Warum gibt er den Kampf nicht endlich auf – und warum hetzt er uns zu allem noch am Schluß in den Bürgerkrieg?? Auch nach dem Kampf wird noch viel Blut fließen durch die Unvernunft der Fanatiker. Vor allem die H.J. ist offenbar aufgehetzt. Was für Zustände!

Und der Kampf – es ist nicht vorstellbar. Die Russen kämpfen in Berlin!!! Gisela, wo wird sie sein?? Die Amerikaner machten an der Elbe halt. Offenbar ist sie als Demarkationslinie gedacht. Die Amerikaner sind nun bereits zur Donau vorgestoßen und in Richtung Augsburg.

Von Hermann habe ich nichts mehr gehört. [...] Wo wird er nur sein? Wie wird Mutti sich sorgen. Ich denke so oft voll Sehnsucht an sie. Jetzt hat es ja doch den Anschein, als sei meine Flucht sinnlos gewesen. Aber wer konnte das wissen. [...] Wann sehen wir uns wieder? Wenn man wenigstens nur schreiben darf.

26. IV. 45

Vorgestern, Dienstag, den 24. April, ist nun jener längst erwartete trostlose Tag gewesen, der für uns hier das Ende des Krieges bedeutet. Vier Tage lang erwarteten wir den Einmarsch der Franzosen, der jedoch auf sich warten ließ. Die Gegend ringsum, selbst Sigmaringen, war längst besetzt, Ebingen vom Feind ringsum eingeschlossen, doch noch nicht besetzt. [...]

Um die Mittagszeit des Dienstag hörte man einige Schüsse, und es hieß, die Franzosen kämen die Steig herab. Dann blieb alles ruhig. Gegen 1/2 2 Uhr kam Dr. Binder und erstaunte uns mit der Nachricht, daß alles bereits vorbei sei. Panzer waren herabgefahren, denen Dr. B. entgegenging. Der Führer der Kolonne erklärte, keinen Auf-

trag zur Besetzung der Stadt zu haben, sondern weiterfahren zu müssen. Dr. Binder informierte ihn, daß die Stadt ganz ruhig sei, nur sei vielleicht von einigen Fanatikern noch etwas Widerstand zu erwarten. Er war gerade auf dem Weg nach Balingen gewesen, um von dort die Besatzung herbeizuholen!!, bevor in Ebingen sich Unruhe zeigen würde. Der Franzose gab Anweisungen, befreite die französischen Kriegsgefangenen, die die Wache über die Stadt erhielten, bis dann gestern früh sich die Besatzungsfrage allmählich regelte. Von da an gingen dann gleich die französischen Truppentransporter durch die Stadt.

Dr. Binder strahlte, als er seine Heldentat berichtete – seine einzige wohl, denn ums Soldatsein hat er sich immer wunderbar herumzudrücken verstanden. – Ich habe mich furchtbar geschämt in diesem Augenblick und war tieftraurig in Gedanken an all die Millionen von Soldaten, die jahrelang und noch jetzt an der Front kämpfen, ohne daß es Sinn hat. Diese Taten, die den Krieg jetzt rasch beenden, sind gewiß zur Zeit das einzig Vernünftige und doch zutiefst beschämend und erniedrigend. Dies ist nun wahrhaft das Ende. In solchen Augenblicken überfällt mich immer mit doppelter Gewalt der Gedanke an Hermann. Was wird nur mit ihm sein?? Hier sind aus den Wäldern Soldaten aufgegriffen worden, die sich in Ebingen sammelten. Sie waren z. T. barfuß und bekamen, solange sie hier waren, nichts zu essen.

Nun war er gekommen, *jener längst erwartete Tag,* der für mich *trostlos* war, während andere jubelten. Dr. Binders *Heldentat* – der böse Ton ist nicht zu überhören – machte mich *tief traurig.* Herz und Kopf gingen verschiedene Wege. Ich stand auf der Seite der geschlagenen, gedemütigten Soldaten und begriff doch gleichzeitig, daß der Mut und die Tatkraft des klugen Mannes, den ich in diesem Augenblick verachtete, in der gefährlichen Endphase des Krieges unsinniges Blutvergießen verhinderte und Unheil von Ebingen abwendete.

Paul Binder, ein gebürtiger Stuttgarter, mit meinen Gastgeberinnen entfernt verwandt, war ein exzellenter Wirtschaftsfachmann und in Berlin als Wirtschaftsprüfer erfolgreich. Er hatte vor etlichen Monaten die Reichshauptstadt verlassen und war nach Ebingen übergesiedelt, wo Mutter und Schwester sich in Sicherheit gebracht hatten. Der damals 42jährige vitale Mann gehörte zu den Randgruppen des deutschen Widerstandes, sein lebhafter Geist dachte damals schon weit über den Krieg hinaus.

28. IV. 45

Am 26. mußten alle Radios, Fotoapparate und Feldstecher abgelie-fert werden. Zur Zeit hat – vorübergehend, bis die amerikanische Be-satzung kommt – ein französischer Kriegsgefangener, Professor der Geschichte, hier die Verwaltung. Ihm sind der katholische Pfarrer und ein städtischer Beamter beigeordnet. Große Rolle beginnt ein hiesiger Kommunist zu spielen.

Interessant ist, daß man einige Male Franzosen hören konnte, die erklärten, sie hätten nichts gegen die Deutschen, sie würden uns noch brauchen, wenn der Krieg gegen Rußland losginge. Vereinzelt wur-den aufgrund dieser Gesinnung auch deutsche Soldaten nicht zu Ge-fangenen gemacht, sondern einfach ins Zivilleben ihrer Heimat ent-laufen [ge]lassen.

Dr. Binder hat nun schon einige Vorteile aufgrund seiner Hal-tung. So durfte er seinen Radio behalten. Er berichtete gestern: 1. Zusammenbruch unserer italienischen Front!! Wie tapfer haben sie sich doch dort geschlagen – und jetzt werden sie noch gegen Russen und Amerikaner stehen müssen. Aber wahrscheinlicher wird dort nicht viel mehr gekämpft werden. Schlimm ist nur, daß die italieni-schen Banden das Heft in der Hand haben, in jenen Städten wie Tu-rin etc. Ihnen sind unsere Truppen nun ausgeliefert. 2. Göring habe abgedankt. Welchen Sinn soll das noch haben? 3. Die Russen in Ber-lin – es muß wahnsinnig sein. Jetzt Kampf in Dahlem-Zehlendorf-Potsdam. Dies ist doch symbolisch, wie vor kurzem die Zerstörung des Weimarer Goethehauses und die Einnahme von Wien durch die Russen.

Berlin und Prag sollen, wie Goebbels vor etwa einer Woche be-kanntgab, auf keinen Fall preisgegeben werden. Hitler werde in Ber-lin bleiben. Es scheint auch der Fall zu sein, wie auch Goebbels dort wohl noch ist.

Es wird nun erzählt, Hitler habe nochmal eine Ansprache gehal-ten (Kurzwellensender? – es existiert ja fast kein Reichssender mehr), das Volk habe ihn verlassen! Die Jugend werde noch für ihn kämpfen. Ob das tatsächlich gesagt wurde? Ich weiß nicht. Jedenfalls klingt es uns als große Unverfrorenheit in den Ohren, wo wir, dank Hitler, alles opfern mußten.

Unangenehme Dinge – Raub, Plünderung, Vergewaltigungen – werden hier von den farbigen Truppen erzählt. Ich habe so wenig wie Irms das Haus bisher verlassen. Wir wissen gar nicht, wie es in der Stadt aussieht. […]

Tatsachenmeldungen und Gerüchte jagten einander in den letzten Kriegstagen, da das Nachrichtenwesen, Rundfunk und Presse, zusammengebrochen waren, genauso wie der Bahn- und Postverkehr. In Italien kämpften Italiener gegen Italiener. Die *Banden,* d. h. die Antifaschisten, besiegelten an diesem 28. April Mussolinis Schicksal.

Göring hatte im Einvernehmen mit Hitler wie Himmler, Speer und Ribbentrop und die gesamte Führung der Luftwaffe Berlin noch am Abend des 20. April verlassen. Als er von Hitlers Entschluß, in Berlin auszuharren, erfuhr, fragte er am 23. telegrafisch an, ob das Gesetz, das ihn seit dem 29. Juni 1941 als Hitlers Nachfolger vorsah, nun in Kraft trete. Unter dem Einfluß Bormanns entließ Hitler Göring wegen seines »Verrats« aus allen Ämtern.

Auch wenn Hitler nicht noch ein letztes Mal im Rundfunk sprach, nicht klagte, *das Volk habe ihn verlassen,* so zeigt mein Beispiel, daß ebendies der Fall war. Es zeigt noch mehr. Mein Jammern über solche *Unverfrorenheit* und die Begründung, *wo wir, dank Hitler, alles opfern mußten,* manifestiert, wie die Mitläuferin und Anhängerin des »Führers« beginnt, ihre Rolle umzuschreiben. Lore W., Hitlers Opfer. So einfach war das.

Daß neben *Raub und Plünderungen* beim Einmarsch der französischen Truppen auch *Vergewaltigungen* durch marokkanische Soldaten vorkamen, war kein Gerücht. Für den Fall, daß Soldaten in unser abseits der Straße gelegenes Haus eindringen sollten, war für Irms und mich ein Kämmerchen als Schlupfwinkel vorgesehen, das sich hinter einer Tapetentüre verbarg. Doch wir besprachen auch die schlimme Alternative. Nach einer Vergewaltigung konnten wir uns ein Weiterleben nicht vorstellen. Erst nach Tagen trauten wir uns wieder hinaus, und von diesem Zeitpunkt an sah ich im wörtlichen Sinne klar – ich trug meine Brille nun auch auf der Straße.

[28. IV. 45]
Wenn ich doch nur erfahren könnte, was mit Mutti und Hermann ist. Wenn nur erst mal wieder Postverkehr möglich wäre. Ach, ich bin so voller Sorge.

Und nun kommt auch allmählich das Heimweh, jetzt, da ich sehe, daß mein Weggehen doch keinen rechten Sinn hatte. Zwar habe ich Mutti versprochen, nicht darüber nachzugrübeln, aber man kann es doch nicht ganz unterlassen zu denken, wie's nun wäre, wenn wir noch zusammen wären. Daheim ist daheim. Wenn ich es hier auch gut habe wie selten jemand heutzutage.

Ich frage mich nur immer, wie lebt Mutti, wie kann sie sich ernähren??

Die Geschäfte sind in Ebingen jetzt – außer den Lebensmittelge-
schäften wohl – geschlossen worden. Die Fabriken dürfen nicht mehr
weiterarbeiten. [...]

Wäre nur der Krieg so weit beendet, daß nicht mehr gekämpft wird
und das Leben wieder geregelter wird. Gewiß ist es beruhigend, daß
keine Bombenangriffe mehr zu befürchten sind, sehr beruhigend.
Aber alles andere!

Übrigens, neulich, Mittwoch, als der Munitionszug bombardiert
wurde, schwebten wir in furchtbarster Lebensgefahr, wie wir kürzlich
erst sicher erfuhren. Die beiden letzten Güterwagen enthielten Preß-
luftbomben, im Umkreis von 500 Metern wäre jedes Haus vernichtet
und jeder Mensch getötet worden. Unter eigener Lebensgefahr hat
daher ein entschlossener Oberleutnant die gefährlichen Wagen am
Zug mit Hilfe von 20 Soldaten abgehängt und die Stadt gerettet. [...]

2. Mai 1945
Mit Nachrichten sind wir nun schlecht versorgt, einzig durch Bin-
ders erfahren wir, was in der Welt vorgeht. Ende der vergangenen
Woche erfuhren wir, daß Mussolini von Banden erschossen worden
sei. – Himmler hat England und USA die bedingungslose Kapitula-
tion angeboten, doch unter Ausschluß Rußlands. Wurde natürlich
abgelehnt. Aber während er es gerade war, der die Aufrufe zum letz-
ten Widerstand gerade auch in den besetzen Gebieten erließ, soll er
laut Rundfunk schon vor vier Wochen an England und die USA das
gleiche Angebot gemacht haben. Das wäre um Ostern gewesen, nach
dem allgemeinen Rheinübergang, als im Ruhrgebiet und in Hessen
gekämpft wurde. Unser Hermann – dann wäre ihm, wie all den Hun-
derttausenden, der Kampf in letzter Stunde erspart geblieben. Viel-
leicht gar mehr als der Kampf. [...]

Glücklicherweise trifft uns die Räumung der Häuser hier nicht.
Man scheint sich an ganze Straßen zu halten, damit die Leute zu-
sammen wohnen. Aber daheim – wie wird es da nur sein? Ach, ich
mache mir so furchtbare Sorgen. Unser Häuschen ist doch alles, was
wir haben. Und der Garten! [...]

Von Banden erschossen: Mussolini, nach seiner Absetzung aus italienischer Haft von deutschen Fallschirmspringern befreit, hatte
sich mit der Gründung seiner faschistischen Republik in Oberitalien nicht nur in deutsche Abhängigkeit begeben, sondern damit
das Ende des Krieges für Italien verhindert und einen blutigen Par-
tisanenkrieg verursacht. Er wurde das Opfer italienischer Widerstandskämpfer, die ihn und seine Begleiterin erkannten, als er in die

Schweiz zu fliehen versuchte. Sie erschossen ihn zusammen mit seiner Geliebten, Clara Petacci, am 28. April. Die Leichen wurden nach Mailand gebracht, dort an den Füßen aufgehängt öffentlich zur Schau gestellt und dem Zorn des Volkes preisgegeben.

An ebendiesem Abend erfuhr Hitler durch eine Meldung der Nachrichtenagentur Reuter, daß Himmler den Alliierten über den Präsidenten des schwedischen Roten Kreuzes, Graf Folke Bernadotte, die *bedingungslose Kapitulation* angeboten hatte. Die Nachricht löste einen seiner berüchtigten Wutanfälle aus und führte dazu, daß er Himmler und mit ihm Göring aus seinem politischen Testament ausstieß und seine Verhaftung befahl.

Himmler, neben Goebbels sein bis dahin getreuester und ihm in vieler Hinsicht ähnlicher Gefolgsmann, der oberste Verantwortliche für die Ausrottung der Juden, hatte im Frühjahr auch Fühler zum Jüdischen Weltkongreß ausgestreckt und in allerletzter Minute befohlen, die Mordaktionen in den Vernichtungslagern einzustellen. Für die vielen Lagerinsassen, die, selbst wenn sie in diesen Tagen befreit wurden, an Entkräftung starben, änderte sich mit dem Befehl nichts mehr. Am 21. April traf Himmler mit einem Vertreter der Weltorganisation zusammen: »Willkommen in Deutschland, Herr Masur! Es ist Zeit, daß ihr Juden und wir Nationalsozialisten die Streitaxt begraben.« In der Besprechung, die dieser makabren Begrüßung folgte, genehmigte er die Freigabe von 1000 jüdischen Frauen aus dem KZ Ravensbrück.

Gestern, am 1. Mai mittags, ist, wie wir heute erfuhren, der Führer in Berlin in einem der Tiergartenbunker, wo jetzt noch schwer gekämpft wird, gefallen. Er hat nun Ruhe, für ihn ist es so gewiß am besten. Aber wir? Wir sind verlassen und allem ausgeliefert und können in unserem Leben nicht wieder aufbauen, was dieser Krieg vernichtet hat. Ursprünglich waren es positive Ideen, die Hitler verwirklichen wollte, und innenpolitisch ist manches Gute geschehen. Aber außenpolitisch hat er völlig versagt, gerade auch als oberster Kriegsherr. »Der Weg einer Idee«. Was für ein Weg. Und das Volk muß nun büßen. Wenn Papa das erlebt hätte!

Aber nun ist es doch verrückt und mehr als lächerlich, wenn der Großadmiral Dönitz Hitlers Nachfolger wird und in einer Rundfunkrede sagt, daß er in Hitlers Sinn weiterkämpfen wird! Es kann sich da ja nur noch um die kleine Clique in Berlin handeln. Und in Norddeutschland wie in Bayern und Österreich mögen noch Widerstände sein, wenn nicht die Heerführer klugerweise auf eigene Faust aufgeben. Nur im Osten wird das wohl keiner tun mögen, denn da

weiß jeder, wenn er auch nicht fällt, die Heimat wird er kaum je wie-
dersehen. Das Elend, das jetzt noch und erst beginnt, wenn die Män-
ner und Söhne nach überstandenem Kampf nach Rußland deportiert
werden, – es ist unvorstellbar. Und die ganzen Dörfer und Städte des
Ostens, die schon deportiert wurden. Wie kann Gott nur so viel Leid
geschehen lassen?
　　Aber man hört es immer wieder, gerade z.B. durch die französi-
schen Soldaten und Offiziere und auch oft von unseren Leuten, große
Schuld müssen auch wir auf uns geladen haben, vor allem die SS
muß Schandbares vollbracht haben, wir wissen garnicht, welche
Greueltaten. [...]

Es war *Großadmiral Dönitz,* der am Abend des 1. Mai über den
Rundfunk bekanntgeben ließ, Hitler sei *gefallen* und habe ihn zu
seinem *Nachfolger* als Oberbefehlshaber der Wehrmacht und zum
Staatsoberhaupt bestimmt. Dönitz gab sich keinen Illusionen mehr
hin, er wußte, daß der Krieg verloren war; er wollte jedoch die
Hunderttausende von deutschen Flüchtlingen und die im Osten
des Reiches kämpfenden Soldaten in Sicherheit bringen und daher
gegen die Rote Armee weiterkämpfen, auch gegen Engländer und
Amerikaner, wenn sie ihn daran hindern sollten.
　　Hitlers Tod – nicht am 1. Mai, sondern am 30. April: Wenn ich
meine Erinnerung befrage, welche Emotionen die Nachricht damals
in mir auslöste, bleibe ich ohne Antwort. Ich muß mich an mein Tagebuch halten. Die Falschmeldung *gefallen* weckte offensichtlich
nicht mehr die Vorstellung von »Heldentod«. Doch weil ich nicht
rachsüchtig war, gönnte ich ihm seinen »ehrenhaften Tod«, den Sol-
datentod, und seine Ruhe. Zugleich, und darüber staune ich, da ich
mich doch erst neulich von ihm emanzipiert zu haben schien, nannte
ich ihn wieder den »Führer« und fiel klagend in die Rolle des kleinen,
vom Vater abhängigen Kindes zurück. *Aber wir? Wir sind verlassen.*
Nicht nur dies, ich trennte auch zwischen Hitler, dem Außenpoliti-
ker und *obersten Kriegsherrn,* der ein Versager war, wie ich es nun
ansah, und dem Innenpolitiker, der *ursprünglich gute Ideen* gehabt
und *innenpolitisch manches Gute* zuwege gebracht habe. Noch bevor der Krieg zu Ende ist, bildet sich, wie dieses Beispiel vor Augen
führt, auf das Stichwort »Hitler« das Reaktionsmuster, das bis heute
in Millionen von Köpfen eingespeichert ist.
　　Heulen und Zähneklappern angesichts der Katastrophe: *Das*
Volk muß nun büßen. Auch diese Wehklage verrät, wie die Verdrängung vor sich geht. *Das Volk* ist schuldlos an seinem Unglück, dem
verlorenen Krieg, dem Zusammenbruch, der sich gerade vollzieht.

Schuld ist der »Führer«, sind »die da oben«, die Verantwortung trugen. Wieder einmal ent-schulde ich mich.

Das Elend, das für die über eine Million deutscher Kriegsgefangenen in den russischen Lagern nun erst richtig begann, war in der Tat »unvorstellbar«, so *unvorstellbar* wie *das Elend* der russischen Kriegsgefangenen, die in der deutschen Rüstungsindustrie gearbeitet hatten – über 630 000 hatte man acht Monate zuvor gezählt.

Und die ganzen Dörfer und Städte des Ostens, die schon deportiert wurden, viele Male lese ich diesen mißverständlichen Satz. Ich möchte ihn mir gutschreiben. Ich kann es nicht. »Fremdvölkische« und ihr Schicksal hatte ich, die Junge, in diesen Wochen weniger denn je im Kopf. Ob mich nun Gerüchte bewegten, die das Wort »Deportation« erklären, oder ob ich an Vertreibung dachte, ich grübelte, dessen bin ich sicher, über die vielen Gestalten des Unheils nach, das über uns Deutsche gekommen war.

Öfters ist, wenn es um schlechte deutsche Befindlichkeit geht, im Tagebuch von Gott die Rede, mit wechselndem Unterton. Auch in der Kirche war ich schon lange nur eine Mitläuferin, seitdem, bald nach meiner Konfirmation, unser Pfarrer nicht nur das Wort Gottes gepredigt, sondern auch die neue deutsche Heilslehre von der Kanzel herab verkündigt hatte. Und so meint *Gott* im Tagebuch nicht den Gott Luthers, sondern das unbegreifbare Schicksal. Indem ich die Frage stellte, *wie kann Gott nur so viel Leid geschehen lassen?,* machte ich eine höhere Gewalt mitverantwortlich für das *Leid,* das uns und unserem Land widerfuhr. Auf diese Weise schrieb ich weiter an der Legende von uns armen, schuldlosen deutschen Opfern.

So weit, so schlecht. Wäre da nicht jenes *Aber,* das zu dem Thema überleitet, welches im Tagebuch bisher nicht vorkam. *Aber man hört es immer wieder,* [...] *große Schuld müssen auch wir auf uns geladen haben, vor allem die SS muß Schandbares vollbracht haben, wir wissen garnicht, welche Greueltaten.*

Was wußte ich, was wußte ich nicht? Nichts von den Vernichtungslagern. Ich wußte vom Konzentrationslager Dachau. Ein Lager für Arbeitsscheue, für Leute, die dem System Schwierigkeiten machten, dachte ich. Ich kannte die Drohung, auch als manchmal unernst dahingesagten Satz: »Paß auf, sonst kommst du nach Dachau!« Da ich von Kommunisten und »Sozis« sowieso nichts hielt, fragte ich nicht nach. Und wer, der meine Gesinnung kannte, hätte mir etwas mitgeteilt?

Was wußte ich, was wußte ich nicht? Ist das Eis, auf das ich soeben den Fuß setze, dick, ist es dünn? Wenn ich auch eine undeutliche Vorstellung mit dem Wort »Konzentrationslager« verband, die Abkürzung »KZ« war mir nie zu Ohren gekommen. Das behauptete ich jahrzehntelang – bis ich in jenem denkwürdigen Winter 1988/89 meine Dokumente ordnete. In meiner Sammlung von Giselas Briefen stieß ich auf einen Satz, den sie am 17. Januar 1945 schrieb: »Rickeles Bruder ist nicht mehr im KZ.« Ich schlittere auf dem Eis. Ist es dick, ist es dünn? Ich werde es nie erfahren.

[2. Mai 1945]

Dr. Binder spielt in diesen Tagen eine wesentliche Rolle und tut manches für die Fabrik. […] Stets ist er mit irgendwelchen großen Plänen beschäftigt, so zur Zeit mit der gegenwärtigen und kommenden schwierigen Enährungsfrage. Sie zu regeln und zu bessern hat er mit einem Freundeskreis manche Ideen. Irms und ich sind nun auch eingespannt worden dafür: Vergangene Woche schon übersetzten wir die englische Fotokopie einer Schrift über die englische Ernährung und Zuteilung im Kriege. Heute haben wir begonnen, eine Reihe von Statistiken für ihn abzuschreiben, zusammenzuzählen und einzuordnen etc. Eventuell kann ich später, wenn man wieder arbeiten kann und die Entwicklung übersieht, für eine Zeitlang mal bei ihm arbeiten, solange ich noch hier bin.

Manchmal fällt es mir nun doch schwer, Mutti mein Versprechen zu halten und mir nun keine Vorwürfe zu machen, daß ich hier bin statt daheim. […] Manchmal ist mir deshalb ein wenig unbehaglich zumute, im wesentlichen ja nur wegen der Ernährungsfrage. Frau M. hat ja gewiß Vorräte, wie wir sie daheim nie besaßen, und wenn es nicht noch ganz, ganz schlimm kommt, so ist es durchaus tragbar, daß ich noch als fünfter Esser dazugekommen bin. Aber dennoch […]

Abgesehen von diesem Punkt bin ich ja wohl für M.s keine Belastung. […] Überhaupt, wer hat es von allen Flüchtlingen so gut wie ich? Wenn nur mal wieder Post ginge, daß Mutti sich wenigstens darüber ihre Sorgen sparen könnte!

Neben der Arbeit für Dr. Binder treiben Irms und ich nun seit voriger Woche eifrig französisch. […] Daneben hoffen wir, uns auch noch etwas nähen zu können. Wir haben noch von dem hier gelagerten Marinebatiststoff zur Verfügung. Auf diese Weise komme ich dann wieder mal zu so nötigen Hemdblusen und Nachthemden.

Frau M. hat mir ja manches Mal schon in ihrer etwas kurzen Art, die nicht viel Reden und Dank hören mag, auf nette Weise etwas geschenkt, was ich nötig brauchen kann, z.B. Nähgarn, Gummiband, Kernseife, einen Wollschlüpfer und Trikothemden, Kölnisch Wasser, dafür bin ich sehr dankbar.

Am schwersten vielleicht fällt es mir, mich an das hiesige Klima zu gewöhnen. Die Rauhe Alb führt ihren Namen nur allzusehr zu Recht. Wie man sagt, ist der Frühling dieses Jahr sehr, sehr früh hier gekommen – es blühen schon eine Weile die Obstbäume etc. Aber die Luft ist so kalt und rauh. ... Ich darf gar nicht an den Frühling daheim denken – oder gar an Heidelberg, dann könnte ich weinen, so zieht mir die Sehnsucht das Herz zusammen. [...] Ach, Heidelberg! Hölderlin sagt so wunderbar, was ich immer empfinde, wenn ich an diese Stadt denke:

> »Lange lieb ich dich schon, möchte Mutter dich nennen
> und dir schenken mein kunstlos Lied, du, der Vaterland-
> städte ländlich schönste, soviel ich sah.«

[...]

3. Mai 1945

Ob in Tübingen das Universitätsleben weitergeht? Von Heidelberg wurde es erzählt. [...] Ich kann mir nicht denken, wie Einzelstehende, beispielsweise Studentinnen, im Augenblick leben können. Zur Zeit ist zwar das Geld noch nicht entwertet, doch sind die meisten von den heimatlichen Geldsendungen abgeschnitten. Kaufen kann man ohnehin nichts. Wovon leben diese Leute? In dieser Woche z.B. kann man nur 1500 Gramm Brot und etwas Milch kaufen, alles übrige ist gesperrt. Wer keine Vorräte hat? Kann schon jetzt verhungern. Alle Geschäfte sind zunächst geschlossen.

Die neuesten Nachrichten:

Hitler sei nicht gefallen, sondern habe sich mit Goebbels im Bunker der Reichskanzlei erschossen. Worauf Stalin befohlen habe, das Gebäude nicht mit Flammenwerfern zu erstürmen. Der vorsichtige Mann ist offenbar sehr interessiert, die Leiche zu identifizieren. Goebbels hätte man das nicht zugetraut. Er hatte also doch Mut, was er ja auch in der Kampfzeit bewiesen hat. Diese Aussagen wurden von dem gefangenen Ministerialdirigenten Fritzsche gemacht.

Seit gestern Mittag (2.V.), 12 Uhr, herrscht an der italienischen und anscheinend auch an der österreichischen Front, jedenfalls soweit diese die Amerikaner angeht, die 5 km vor Linz standen (während die Russen nicht viel über St. Pölten hinausgekommen seien) Waffenstillstand. Kapitulation.

Sehr interessant ist für uns, die wir doch als einziges noch für uns günstiges Moment den Konflikt zwischen unseren westlichen und östlichen Gegnern erhoffen, die Nachricht, Molotow, der russische Außenminister, sei plötzlich von der Konferenz von San Francisco abgereist. Der Grund wäre dann wohl, daß England und die U.S.A.

*die von den Sowiets in Österreich gebildete Regierung nicht aner-
kannten. […]*

*Jetzt sitze ich – nach 21 Uhr – allein im warmen Wohnzimmer.
Irms und ihre Mutter sind, wie immer, schon ins Bett gegangen. […]
Es ist so recht eine Stunde der Besinnung. Zum Abschluß kommt nun
heute noch ein Andersen-Märchen, und vielleicht lerne ich noch ein
Hölderlin-Gedicht. Das Auswendiglernen macht mir große Freude.
Diese Gedichte sind ganz anders »Besitz« als die, die man nur liest.*

5. Mai 1945, Samstag
*Gerade ging Dr. Binder weg und nahm hochbefriedigt die Tabellen
mit, an denen wir drei Tage angestrengt gearbeitet hatten. Einen
ganzen Sack voll Neuigkeiten brachte er mit.*

*1. Seit heute früh, 8 Uhr, Waffenstillstand in ganz Norddeutsch-
land, Holland, Dänemark (Dönitz mit Montgomery verhandelt).
Norwegen hat sich nicht angeschlossen. Die Kapitulation erfolgte jedoch nicht den Russen gegenüber!*

*In einem Zipfel Ostbayerns wird noch gekämpft. Die ganze Ost-
armee hat sich Dönitz ebenfalls nicht unterstellt. Einmarsch der
Amerikaner in Innsbruck, Berchtesgaden, Salzburg. Linz von drei
Seiten durch Amerikaner eingeschlossen. – Gekämpft wird im Wesentlichen nur noch gegen die Russen im Protektorat Österreich,
auch in der Dresdner Gegend.*

*2. Die Russen haben Hitlers Leichnam im Reichtagsgebäude
nicht aufgefunden. Er ist, nach Aussage Fritzsches, an unbekannter
Stelle eingescharrt worden.*

*3. Dr. Binder fragt einen französischen Soldaten aus und stellte
fest, daß die Umrechnung des Geldes durch die Besatzung so erfolgt,
daß 1 RM = 25 Pf. ist. Der endgültige Satz wird dann aber noch geringer sein.*

*4. Die Ebinger Ernährungslage sieht offenbar nicht ganz so trost-
los aus wie wir befürchteten. In der kommenden Woche soll es schon
geringe Zuteilungen geben.*

*Der 5. Mai, seit Tagen Schnee oder Regen und Kälte! Es tut mir
so sehr leid, daß ich in diesem Jahr so gar keinen Frühling erlebe.*

Während meine teilnehmende Phantasie in diesen Tagen der Unsicherheiten, der Gerüchte und des Mangels sich der konkreten Le-
benssituation der *Einzelstehenden, beispielsweise Studentinnen,* zu-
wandte, regte sich offensichtlich nichts mehr in mir, als ich hörte,
*Hitler sei nicht gefallen, sondern habe sich mit Goebbels im Bunker
der Reichskanzlei erschossen, die Russen haben Hitlers Leichnam*

im Reichstagsgebäude nicht aufgefunden. Kein Mitleid, geschweige denn Trauer. Ein paar Nachrichten im Tagebuch schließen das Kapitel ab, das für meine Jugend so wichtig war.

Hätte es mich berührt, wenn ich damals gewußt hätte, daß Hitler in der Nacht des 28./29. April seine langjährige Lebensgefährtin Eva Braun noch durch eine Kriegstrauung in Gegenwart der Zeugen Goebbels und Bormann geehelicht hatte? Und daß sie mit ihm in den Tod ging?

Die Leichname von Hitler und seiner Frau wurden, wie er es verfügt hatte, im Hof der Reichskanzlei mit Benzin übergossen und verbrannt. Ob Hitlers Überreste gefunden wurden oder nicht, blieb ungeklärt. Dagegen identifizierte im Auftrag der Sowjets Ministerialdirektor Hans Fritzsche die Leichen der Familie Goebbels. Seine Stimme kannte ich gut: »Hier spricht Hans Fritzsche« – jahrelang beeinflußte er die öffentliche Meinung im Sinne des Regimes. Anfangs hatte er das Pressewesen kontrolliert, seit 1942 den Reichsrundfunk. Als einer der wenigen hohen Regierungsbeamten, die sich noch in Berlin aufhielten, war er dort an den Kapitulationsverhandlungen mitbeteiligt.

An der Südfront hatten die Befehlshaber, General Heinrich von Witzleben und SS-General Karl Wolff, ohne Hitlers Wissen bereits am 29. April die Waffen gestreckt; die Kapitulation trat am 2. Mai in Kraft. Dönitz, der bei Flensburg eine »Amtierende Reichsregierung« gebildet und Verbindung zum Oberbefehlshaber der britischen Armee, Feldmarschall Montgomery, aufgenommen hatte, war mit seinem Angebot einer Teilkapitulation gegenüber den westlichen Alliierten zunächst erfolgreich, doch verwies Montgomery den Unterhändler an General Eisenhower, den amerikanischen Oberbefehlshaber, nach Reims. Am 6. Mai erfuhr Dönitz, daß die bedingungslose Kapitulation an allen Fronten unausweichlich war.

8. Mai 1945
Gestern mittag, 2 Uhr, am 7. Mai, wurde in Reims Deutschlands bedingungslose Kapitulation unterzeichnet.

Heute Nacht, 8. Mai 1945, um 23.01 Uhr (nach unserer Sommerzeit um 24.01 Uhr) beginnt die Waffenruhe. Der Krieg ist zu Ende. Was für ein bitteres Ende.

In England, den USA und der Sowjetunion feiert man heute und morgen den Frieden. Auf der Straße hört man den Gesang und den Jubel der Franzosen und Russen. Nur der Verstand kann dies Ende begreifen, das Herz wird es nie.

Siegesfeiern – welch ein Aufatmen für die anderen. Friede – für die

anderen nur, für uns nie mehr. Und dabei scheint die Sonne wie je, die
Vögel singen und die Luft atmet den Frühling wie vor zehn und wie in
hundert Jahren.

Aller Glaube, alle Opfer waren vergebens.

6 Jahre nach Hitlers Machtergreifung ein Aufstieg ohneglei-
chen – nochmals sechs Jahre später: der Untergang. Und da spra-
chen sie frevelnd vom »tausendjährigen Reich«.

Hitler ist nun tot. Wir aber und die Kommenden schleppen lebens-
länglich an der Last, die er uns auflud. Dies ist also das Ergebnis sei-
ner Herrschaft. Gott scheint uns nicht mehr zu lieben.

Goebbels hat sich, wie die Russen melden, mit seiner ganzen Fa-
milie vergiftet und wurde so von den Russen aufgefunden. – Was aber
haben wir davon?

Mein Gott, willst Du Dein Angesicht uns nie mehr zukehren?

Man sagte so oft, hilf Dir selbst, so hilft Dir Gott. Wie sollten wir
uns jetzt aber noch helfen?

8. Mai 1945, der Tag der Befreiung – für mich war es ein schwarzer
Tag. Ich krame das Büchlein hervor, das von Anfang bis Ende in en-
gen Bleistiftzeilen und mit gleichmäßigen Schriftzügen beschrieben
ist, um noch einmal halb vergessene Gedanken und Gefühle zu be-
leben. Die Notizen vom 8. Mai fallen aus dem Rahmen; das unru-
hige Schriftbild, die größeren Buchstaben spiegeln den inneren Auf-
ruhr wider. Viele Male lese ich den Text, spüre dem Schmerz, der
Verzweiflung nach. So viel Trauer damals. So viel Trauer heute. Sie
hat sich verändert wie mein Gesicht.

Die Sechsundzwanzigjährige, die ins Tagebuch weint, hat noch
nichts begriffen; was sich in Ansätzen zeigte, verliert sich im Chaos
ihrer Endzeitstimmung. Voller Selbstmitleid richtet sie sich ein in
ihrer Rolle als Opfer Hitlers und von Gott Verlassene, ohne Zukunft, aller Hoffnung bar. Als Fünfundsiebzigjährige blicke ich auf
die Junge zurück, von der mich nun Welten trennen – kaum eine
Woche später wird sie sich über *das russische Gesindel, das als Ar-*
beiter hier war, auslassen, ohne nach den Gründen zu fragen und
sich ihrer Menschenverachtung bewußt zu sein. Ich horche in mich
hinein, das böse Wort *Gesindel* hallt lange nach, doch zum erstenmal – kann ich mich verständlich machen? – bleibe ich ruhig: So
war es, so war ich, aber so bin ich nicht mehr. Ich habe mich mir gestellt, und ich habe mich gesehen.

Aber werde ich je einer Jüdin, einem Juden erklären können,
warum das Wort Jude in meinem Tagebuch nicht ein einziges Mal
vorkommt?

Seltsam, wie schwer es mir fällt, nach der Beschreibung der eigenen Nöte, der Turbulenzen und Ängste in den letzten Kriegsmonaten wenigstens in dürren Worten derer zu gedenken, die die Zeche, welche nun fällig wurde, für die mehr oder weniger ungeschoren Davongekommenen mitbezahlen mußten, auch meine. Ich versuche, mir die Frauen und Kinder, die Alten und Kranken zu vergegenwärtigen, die seit Mitte Januar bei Eis und Schnee vor der Roten Armee in Massen flüchteten, auf Pferdewagen, Treckern und in endlosen Kolonnen zu Fuß. Etwa 2,2 Millionen von ihnen gelang die Flucht über die Ostsee, anderen mißlang sie, so z. B. den meisten Passagieren der »Wilhelm Gustloff«, mit der am 30. Januar 6600 Menschen zu entkommen versuchten. Die Sowjets versenkten das Schiff, nur 1525 Flüchtlinge konnten gerettet werden. – Am 5. Februar begann die Massenaustreibung der Deutschen. 1950 waren es 19,7 Millionen Vertriebene und Flüchtlinge aus den Gebieten jenseits der Oder-Neiße und aus Osteuropa, die ihre Heimat, 2,2 Millionen, die ihr Leben verloren hatten.

Ich schaue mir die Landkarte an, krame Bilder hervor, die dokumentieren, wie die Menschenmassen sich im Winter 1945 nach Westen in Bewegung setzten; ich forsche der Gleichzeitigkeit der Ereignisse nach und hebe ins Bewußtsein, was mir damals verborgen war und mich heute mehr denn je bedrängt. Ein paar Stichworte und Daten: Mit dem Vormarsch der Roten Armee begannen im Osten die Evakuierungen von Konzentrationslagern und mit ihnen die Todesmärsche der entkräfteten, unzulänglich bekleideten Häftlinge in das Innere des Reiches. Am 27. Januar, wenige Tage nach der Sprengung der letzten Krematorien, konnte die Rote Armee in Auschwitz nur noch 2819 Überlebende befreien. Noch Mitte und Ende März wurden Juden aus Prag und aus Berlin nach Theresienstadt deportiert, und nur einen Monat vor Kriegsende, am 9. April, erfolgte die Hinrichtung prominenter Regimegegner, die nach dem 20. Juli 1944 inhaftiert worden waren, unter ihnen Dietrich Bonhoeffer, Admiral Canaris, Hans von Dohnanyi, General Oster. Am 11. April marschierten die Amerikaner in Buchenwald ein. Während 17 000 Frauen aus Ravensbrück am 15. April den Todesmarsch antreten mußten, befreiten britische Truppen in Bergen-Belsen in der Lüneburger Heide 60 000 Häftlinge, meist Überlebende von Transporten aus Auschwitz; für 13 000 der Erschöpften und Kranken kam die Rettung zu spät, sie starben danach innerhalb kurzer Zeit. Auf den Weg nach Mecklenburg mußten sich

35 000 Häftlinge des KZ Sachsenhausen am 21. April machen. Den zwölf Tage währenden Todesmarsch überlebten 10 000 Häftlinge nicht. Am 29. April brachten die Amerikaner 30 000 Häftlingen in Dachau die Freiheit.

Sidney Bernstein, der britische Truppen begleitete, filmte, was er in Bergen-Belsen beobachtete. Es war so ungeheuerlich, daß das britische Außenministerium das Dokument der Unmenschlichkeit mit der Begründung »rather cruel« den Deutschen drei Monate nach Kriegsende nicht zumuten mochte. Das Material verschwand auf vierzig Jahre in den Archiven, bis BBC Teile davon, zusammen mit Aussagen von Bernstein und Überlebenden, 1985 veröffentlichte: »A Painful Reminder«.

Ich habe im Laufe dieser Arbeit viele Zahlen genannt. Die wichtigsten dürfen nicht fehlen. Die Liste der Opfer nationalsozialistischer Gewaltherrschaft und des Zweiten Weltkrieges in Europa ist sehr lang. Ich kann nur pauschale Zahlen nennen. Allein durch verbrecherische Maßnahmen kamen mindestens 13 Millionen Menschen um. Etwa 6 Millionen von ihnen waren Juden, fast 6,8 Millionen Ausländer, eingeschlossen die »Zigeuner« verschiedener Nationalität. Etwa 100 000 Deutsche wurden Opfer der Euthanasie, ungefähr 130 000 erlitten den Tod, weil sie aktiv oder passiv Widerstand leisteten. – Während und als Folge des Krieges kamen 17,2 Millionen nicht-deutsche Militärpersonen ums Leben und schätzungsweise mehr als 15,8 Millionen nicht-deutsche Zivilisten (einschließlich der schon genannten Opfer verbrecherischer Maßnahmen). – Die Zahl der deutschen Toten und Vermißten der Wehrmacht und der paramilitärischen Verbände wird mit etwa 4,2 Millionen beziffert, die zivilen Opfer des Luftkriegs auf über 500 000.

Wenn ich heute an die Opfer denke, an Juden und Nichtjuden, beschäftigt mich wie nie zuvor die Frage: Wie sah, wie sieht ihr Überleben aus? Lernten sie umzugehen mit ihren seelischen Schäden, oder haben die traumatischen Erfahrungen der Vergangenheit sie für immer gezeichnet, auch die Beziehungen zu anderen bestimmt? Wieweit hat z. B. ihre Sprachlosigkeit das Leben ihrer Kinder beeinflußt und belastet, die so oft ohne Großeltern und Verwandte aufwuchsen? Und wenn sie, über die das Unglück jener Zeit hereinbrach, gar selbst noch Kinder waren – haben sie bewältigt, was ihnen widerfuhr, leiden sie noch heute daran?

»Wieviel ist aufzuleiden!« Das Rilke-Wort geht mir seit langem nach. Mit dem 8. Mai endet das unsichtbare Tagebuch nicht.

Meine persönliche Bilanz 1945? Zwei Strophen eines Jahre später

vielgesungenen Liedes drücken meine Stimmung nach Kriegsende
aus:

> Sag mir, wo die Blumen sind,
> Wo sind sie geblieben?
> Sag mir, wo die Männer sind,
> Wo sind sie geblieben?

Dahin war die beste Zeit der Jugend, tot oder verschollen waren
Vettern, Cousinen und alle Freunde. Eine Versammlung von Schatten: Günther, Rolf und Gerhard, Hilde und Gretel. Die Brüder
Gerhard und Heinz W. Ich schaue das alte Foto an: der gemeinsame Sonntag im Rheinstrandbad ... Uli W., der Marineoffizier
und ich, immer wieder folgenlos »entflammt«. Der Schüler Walter
Sch., dem ich wegen seiner O-Beine vor der Tanzstunde den Laufpaß gegeben hatte. Ein Zufall führte uns im Krieg noch einmal per
Feldpost zusammen. Der junge Vater nahm mir das Schuldgefühl
von der Seele. Immer noch spüre ich, wenn ich an Franzl E. denke,
die Blicke der Leute, die den Verliebten in Heidelberg folgten. Er
fiel als Kapitänleutnant im April 1945. *Darf ich mich Ihnen vorstellen? Sie dürfen.* Walter L. Eine Jugendliebe beginnt. Er fiel eine Woche vor Kriegsende bei Wien. Erst zehn Jahre später erfuhr ich es. –
Ein neues Wort, machte nun landauf, landab die Runde, ein Wort,
scharf wie ein Messer. Es betraf und traf speziell die Generation der
zwischen 1909 und 1929 geborenen Frauen. Ich haßte es über die
Maßen. Es erklärte uns zum Frauen-»Überschuß«.

Unsere Familie kam glimpflich davon. Zwar hatte unser kleines
Haus vor dem Einmarsch der Amerikaner Schäden erlitten, aber
meine Mutter blieb unversehrt, wie Großmutter und Tante Gertrud. Weil die Postverbindungen nicht funktionierten, erhielt ich
kein Lebenszeichen. Die wahrlich nicht spektakuläre Flucht nach
Ebingen, die sich im Rückblick als Wendemarke meines Lebens erweist, war, wie die guten Monate dort, belastet durch das schlechte
Gewissen: Ich hatte meine Mutter im Stich gelassen! Am 4. August
gelang es mir, ohne Passierschein die Zonengrenzen zu überqueren
und auf einige Wochen zu meiner Mutter zu fahren. Vier Tage später kam mein Bruder aus der Gefangenschaft heim.

Nachtrag

Ein Stück meiner Nachkriegsgeschichte gehört in den Zusammenhang dieses Buches. Wie im Krieg blieben mir außergewöhnliche Situationen und schwere Überlebenskämpfe erspart. Da die Schulen zunächst geschlossen waren, lebte ich noch einige Monate lang in Ebingen; als Angestellte Dr. Binders übersetzte ich, anfangs noch mit Irms zusammen, seine für die Besatzungsmächte gedachten Gutachten zur Ernährungslage und zur Neuordnung der deutschen Währung ins Englische. Ich verdiente 350,- Mark, doppelt soviel wie eine Referendarin. Nicht zuletzt deshalb ließ ich den Plan, in den Schuldienst einzutreten, fallen. Im Herbst wurde Paul Binder als »Landesdirektor der Finanzen« in die Regierung Carlo Schmids berufen; sie stand dem französisch besetzten Gebiet von Südwürttemberg-Hohenzollern vor, die französische Militärregierung residierte in Baden-Baden. Als Chefsekretärin Dr. Binders wanderte ich nach Tübingen, dem Sitz der deutschen Regierung, mit. Nach dem Motto »learning by doing« qualifizierte ich mich. Zwei Jahre lang blieb ich »Vorzimmerdame«. Weil ich durch Paul Binder, der der Besatzungsmacht zum Intendanten ihres neu gegründeten Senders, des Südwestfunks, verhalf, Friedrich Bischoff kennenlernte, fand ich meinen Lebensberuf: Im Herbst 1947 wurde ich im Südwestfunk in der Abteilung Kulturelles Wort als Redakteurin angestellt; nach einigen Monaten wechselte ich zum Frauenfunk über, der gerade im Aufbau war.

Ich lebte also während der ersten Nachkriegsjahre im Einflußbereich der Franzosen. Ich war nicht gezwungen, wie etwa die Einwohner von Dachau, Weimar oder Celle, abgezehrte, todschwache KZ-Häftlinge, ausgemergelte Leichen und ihre angesammelten Relikte, die Berge von Schuhen und Koffern, von Brillen und Goldzähnen zu besichtigen, wie es die Alliierten anordneten, die die letzten Überlebenden befreiten. Es verlangte auch niemand von mir, daß ich einen Film darüber ansähe – die Möglichkeit dazu hätte bestanden. Ich entsinne mich meiner Abwehr: Diesen Anblick kann ich mir nicht zumuten, das halte ich nicht aus, damit hatte ich doch nichts zu tun! ... Arbeiten wollte ich. Und endlich leben! Nur noch meine private Zukunft interessierte mich. Von Politik wollte ich nichts mehr sehen und hören, sie war für mich auf lange Zeit hinaus »ein schmutziges Geschäft«. Daß ich in Paul Binder täglich einen Politiker mit sauberen Händen vor Augen hatte, der hoch angesehen war und wie Carlo Schmid alle Klischeevorstellungen widerlegte, kam mir nicht in den Sinn. In meinem Tagebuch, das ich noch jahrelang weiterführte, findet sich kein Wort mehr über wichtige politische Ereignisse, nichts über die Nürnberger Prozesse, nichts über die Wahlen zum ersten deutschen Bundestag am 14. August 1949 – zum erstenmal, mit dreißig Jahren, ging ich zur Wahlurne! Und niemals führte ich mit meiner Mutter oder anderen Menschen der Generation, die Hitler gewählt hatten, ein Gespräch über die Vergangenheit.

Mit der Entnazifizierung, von der schon die Rede war, erledigte sich die »Vergangenheitsbewältigung«. Alle Ängste hatte ich umsonst ausgestanden; sie waren so groß, daß ich mich sogar der Mitgliedschaft der NS-Frauenschaft bezichtigte, wahrheitswidrig, was ich dann zurückzunehmen versuchte. Die für die »politische Säuberung« zuständige »Spruchkammer« sprach mir nach meiner »politischen Überprüfung« für die Dauer von zwei Jahren das Recht der Wählbarkeit sowie des Beitritts zu einer politischen Partei ab und ordnete auf zwei Jahre eine berufliche Vorrückungssperre an. Diese Entscheidung fiel am 28. Mai 1947, doch schon am 2. Mai war die Verordnung über die »Amnestie für die Jugend« bekanntgegeben worden, die den Spruchkammerbescheid hinfällig machte.

Die Grundlage für die Entnazifizierung der Deutschen, die am Ende scheiterte – 98 % der Betroffenen wurden schließlich als »Entlastete« oder als »Mitläufer« eingestuft – hatte die Landesregierung der amerikanischen Zone mit dem »Gesetz zur Befreiung von Nationalsozialismus und Militarismus« geschaffen; dort wurde die Entnazifizierung am strengsten gehandhabt.

Vom positiven und konstruktiven Gegenstück zur »Entnazifizierung«, den amerikanischen Maßnahmen zur »Umerziehung« der demokratie-unerfahrenen Deutschen, sollte auch ich profitieren. Ende der 40er Jahre hatten die »reeducation«-Programme begonnen. Angehörige bestimmter Berufsgruppen aus den westlichen Besatzungszonen wurden zu 90tägigen Reisen durch die USA eingeladen, die das amerikanische Außenministerium finanzierte und organisierte.

Die Reise für Rundfunkangestellte, an der ich 1951 teilnehmen konnte, sollte die folgenreichste meines Lebens werden, eine Bildungsreise, die meinen geistigen und menschlichen Horizont erweiterte und meine Funkarbeit entscheidend beeinflußte. Im Zeitalter des Massentourismus und des Fernsehens kann sich niemand mehr die Bedeutsamkeit der amerikanischen Einladung vorstellen: Sechs Jahre nach dem Krieg öffnete sich das Tor zur Welt! Zum erstenmal, mit 32 Jahren, war ich wirklich im Ausland, in einem freien Land.

Ich hatte im doppelten Sinn Glück. Weil ich eine Frauenfunk-
redakteurin war, löste man mich aus der Gruppe heraus. Das
Frauenreferat des US-Arbeitsministeriums übernahm die Verantwortung dafür, daß ich »umerzogen« heimkehrte. Die freundlichen
Frauen erfüllten bereitwillig Sonderwünsche, wenn sie sich nicht
auf sightseeing bezogen. Ihr durchdachtes Programm vermittelte
mir sehr spezielle Erfahrungen durch Kontakte mit Menschen und
Institutionen in zwölf US-Staaten, insbesondere durch die Begegnung mit Schwarzen und Indianern. Sie bewirkten, daß die Themen
Menschenrechte und Völkerverständigung fortan zu den Schwer-
punkten meiner Programme gehörten und daß ich, wie einst die
Schülerin Lore, als Anwältin der Schwachen und Stimmlosen auftrat.

Dieses Land, dessen demokratisches Selbstverständnis ich eben
gerade an vielen Beispielen begreifen lernte, bot sich andererseits
auf Schritt und Tritt unübersehbar als ein Land dar, das seine ras-
sischen Minderheiten, vor allem seine Bürgerinnen und Bürger
schwarzer und brauner Hautfarbe, diskriminierte. Menschen wurden erniedrigt, Unrecht geschah vor meinen Augen! Ich war empört. Sechs Jahre nach dem Ende der Nazizeit, über die ich mir immer noch keine Rechenschaft abgelegt hatte, passierte etwas in mir.
Angesichts der Behandlung der Schwarzen überfiel mich plötzlich
die Frage: »Und was haben wir mit den Juden gemacht??« Es war
ein jämmerlich kleiner und doch ein erster Schritt auf dem Weg zur
Einsicht in unsere Schuld und meine Verstrickung.

1955 verstörte mich ein pakistanischer Student, den ich in meiner
Isetta von München nach Norden mitnahm, auf der Autobahn zum
ersten Mal mit der Frage »Was haben Sie gewußt?«, einer Frage, der
ich in meinem Leben sehr selten begegnen sollte. Entscheidendes
muß sich in den sechziger Jahren entwickelt haben, doch eher un-
merklich, scheint es mir. Daß die deutsche Schuld ein überwältigendes Thema für mich geworden war, belegt die Erinnerung an die
Begegnung mit einem Taxifahrer in London 1961, einem holländischen Juden, dessen Familie in Auschwitz ermordet worden war,
und an meine Gefühle beim Besuch der Gedenkstätte Yad Vashem,
als ich im Frühjahr 1968 Israel besuchte, und während so mancher
Begegnung dort. Nie werde ich die Begrüßung durch eine israeli-
sche Familie vergessen, die mich zum Essen eingeladen hatte: »Es
ist das erstemal, daß ein deutscher Gast unsere Schwelle überschrei-
tet.« Alle ihre Angehörigen waren im KZ umgekommen.

Anhang

Thea Bauriedl
»Verstehen« muß nicht bedeuten, einverstanden zu sein

Als Lore Walb mich um ein Gespräch über eine mögliche Veröffentlichung ihrer Tagebücher aus der Zeit des Nationalsozialismus bat,
war ich sofort interessiert, mit ihr zusammen über diese Tagebücher und über mögliche Reaktionen auf eine Veröffentlichung in
unserer Zeit nachzudenken. Schon am ersten Gespräch beteiligte
sich auch mein Mann, Frieder Wölpert, und so begann eine lange
Zeit kontinuierlicher und intensiver Gespräche, die für uns beide sicher nicht weniger wertvoll war als für Lore Walb.

Beim Lesen und Verstehen dieser Texte waren wir immer wieder
beeindruckt von der Intensität, mit der Lore Walb sich fast ihr ganzes Leben lang schreibend mit sich und den Ereignissen in ihrer
Umwelt beschäftigt hat. Die konsequente Haltung, sich in der kritischen Reflexion ihrer Geschichte durch (fast) nichts behindern zu
lassen, erlebten wir bei allen Schwierigkeiten, die dieser Reflexions-
prozeß vor allem für die Autorin selbst mit sich brachte, mit großem Respekt.

Das Buch ist vor allem ein Versöhnungsversuch am Ende eines
bewegten, wenn auch »durchschnittlichen« Lebens, ein Versöhnungsversuch durch möglichst genaue Erinnerung an die Wahrheit.
Manche Kritiker haben in der Darstellung dieses Reflexionsprozesses eine »Selbstbeweihräucherung« gesehen, die in jeder Tendenz
zur Selbstanklage stecke. Sie hätten das Tagebuch lieber ohne den
nachträglichen Kommentar der Autorin gesehen und veröffentlicht.
Ich denke, daß jeder *seinen* Weg hat, mit seiner Geschichte umzugehen – oder nicht umzugehen. Nicht jeder hat den Mut, diesen
seinen Weg auch öffentlich darzustellen. Gerade die Darstellung
des Reflexionsprozesses, die zu kritischen Urteilen Anlaß geben
mag, ist aus meiner Sicht für jeden Leser und jede Leserin ein An-
reiz, darüber nachzudenken, wie er oder sie selbst mit der je eigenen Geschichte umgeht.

Lore Walb hat auf ihrem Weg, mit ihren Schuldgefühlen kreativ
umzugehen, zunächst einige psychotherapeutische Gespräche geführt, bevor sie wesentlich später die Gespräche mit uns aufnahm,

die explizit *keine* psychotherapeutischen Gespräche waren. Sie waren vielmehr gedacht als die Teilnahme von uns beiden am Prozeß des nachträglichen Verstehens der jungen Lore Walb in der damaligen Zeit. Freilich hatte dieser Prozeß Qualitäten, wie sie auch in einer guten Psychotherapie vorkommen; die Beziehung zwischen uns dreien war ein Ort, in dem grundsätzlich alles so sein durfte, wie es ist oder war. Mit den prägenden Erlebnissen seines Lebens und den eigenen Reaktionen darauf kann man sich nur auseinandersetzen, wenn man sich geborgen fühlt, wenn man einen Beziehungsraum hat, in dem man es wagen kann, erst einmal sich selbst zu akzeptieren. Andernfalls ist man ständig damit beschäftigt, sich zu verteidigen oder auch sich selbst und andere anzuklagen und dabei die eigene Geschichte bewußt oder unbewußt immer wieder zu verfälschen.

Natürlich kann auch die Selbstanklage ein Schutz gegen das Überhandnehmen von Schuldgefühlen sein. Hier stellt sich aus meiner Sicht die Frage, ob der Leser oder die Leserin Lore Walb »glaubt«. Dabei geht es nicht darum, ob Lore Walb in allen Teilen der historischen Daten die Wahrheit weiß und schreibt, sondern darum, welche Einstellung wir alle als Leser und Leserinnen zu dieser »Lebensbeichte« haben. Suchen wir nach der idealen Person, mit der wir uns deshalb identifizieren, weil sie unfehlbar ist, auch unfehlbar in der Reflexion ihrer Lebensgeschichte? Oder versuchen wir Lore Walb zu »verstehen« in ihrer Lebensgeschichte *und* in ihrer Art, damit umzugehen?

Es ist mir wichtig, darauf hinzuweisen, daß die Selbstinterpretationen von Lore Walb nicht unsere Interpretationen sind. Nicht selten unterschied sich unser Verständnis ihrer Person und der damaligen Zeit von ihrem eigenen Gefühl. Dann war es uns allen dreien wichtig, daß die authentische Meinung der Autorin in dem Text wiedergegeben wurde. Überlegungen, weshalb wir – als Nachgeborene und in bezug auf die Autorin Außenstehende – die damaligen Ereignisse und Lore Walbs Reaktionen darauf anders sehen als sie selbst, brachten uns neue Erkenntnisse über Unterschiede zwischen den Generationen und über Unterschiede im Verständnis des Geschehenen zwischen Männern und Frauen.

Ein Versöhnungsprozeß ist nie abgeschlossen oder »perfekt«. Er ist immer eine »unendliche Geschichte«, in der die reflektierende Person zum Mitspieler wird. Was können wir mehr tun als versuchen, das auszuhalten, was war und ist? Auszuhalten bedeutet hier nicht, hart und unempfindlich zu werden, sondern sich möglichst mit allen Gefühlen darauf einzulassen, was wir getan und nicht getan haben. Toleranz sich selbst gegenüber ist dabei die wichtigste

Grundlage, ohne die eine Veränderung der inneren Szenen und Bilder nicht möglich ist.

Das Wort Toleranz an dieser Stelle sollte nicht mißverstanden werden. Es bedeutet für mich nicht Gleichgültigkeit den Opfern und Tätern gegenüber, sondern intensive Aufmerksamkeit für das, was geschah, für die Schmerzen und Leiden der Opfer und für die Kälte und Gefühllosigkeit der Täter und der »Mitläufer«. Der Versuch, zu »verstehen«, was geschah, bedeutet also nicht, die Täter zu entschuldigen, indem man ihre innere Psychodynamik und die Zwänge des kollektiven Bewußtseins nachvollzieht. Im Gegenteil, in der Arbeit mit den Texten des Tagebuchs wurde mir immer wieder bewußt, wie gefährlich es ist, Verstehen und Einverstandensein gleichzusetzen. Die Verwechslung oder Gleichsetzung dieser beiden Begriffe oder Haltungen hat tragische Folgen: Da wir fürchten, einverstanden sein zu müssen, wenn wir verstehen, versuchen wir häufig auch das Verstehen zu vermeiden. Wir schlagen uns entweder auf die Seite der »guten« Opfer oder auf die der »starken« Täter – weil wir selbst »gut« oder »stark« sein wollen. Dabei geschieht oft nicht mehr als die Wiederholung des gleichen: Die Spaltung zwischen Tätern und Opfern bleibt in unserem Bewußtsein erhalten. Wir haben uns nur innerlich auf die Seite der »Guten« begeben – und wir »verstehen« nichts, wir entwickeln keine Kräfte, die unser persönliches und das kollektive Immunsystem gegen Wiederholungen stärken könnten.

Der Umgang mit der Geschichte der Deutschen im Nationalsozialismus weist viele einseitige Identifikationen mit den damals »Guten« und »Schwachen« oder auch mit den damals »Starken«, den »Siegern«, den »Mißverstandenen« und »Diffamierten« (zum Beispiel im rechtsradikalen Milieu) auf. Solche einseitigen Identifikationen dienen vor allem der inneren und äußeren Rehabilitation derer, die auf diese Weise mit ihren eigenen Unsicherheiten, mit verdrängten Ängsten und Schuldgefühlen, umzugehen versuchen. In wessen Boot man sitzt, den »versteht« man nicht, genausowenig wie man den »versteht«, der im gegnerischen Boot sitzt. Eine wirkliche Verarbeitung von Szenen der Gewalt, an denen man passiv oder aktiv beteiligt war oder die sich durch (unbewußte) Vermittlung der Eltern und Großeltern in einem Menschen etabliert haben, ist nur möglich, wenn die psychische Dynamik von Tätern und Opfern *emotional* erlebt und »begriffen« wird, auch und nicht zuletzt in den eigenen Reaktionen auf diese Szenen.

Der Umgang mit dem scheinbar »banalen« Alltagsleben und dem in der großen Gemeinschaft unauffälligen Einverstandensein mit der zunehmenden Gewalttätigkeit unserer Gesellschaft vor und während des sogenannten Dritten Reiches scheint das Thema unserer Zeit zu sein. Nach dem »Historikerstreit« in den 80er Jahren und der intensiven Beschäftigung mit dem Nationalsozialismus im letzten Jahr, 50 Jahre nach dem »Zusammenbruch«, dreht sich die öffentliche Diskussion jetzt um drei Bücher, die sich mit dem Alltag einer totalitär und vom Totalitarismus beherrschten Gesellschaft beschäftigen: Victor Klemperers Tagebücher[1], Daniel J. Goldhagens Buch über »Hitlers willige Vollstrecker«[2] und Nathan Stoltzfus' Buch über den »Widerstand des Herzens«[3].

In diesen Büchern und vielen ähnlichen Publikationen geht es um den einzelnen, um sein ganz persönliches Erleben und Verhalten in einer von Gewalt- und Siegerphantasien geprägten Gesellschaft. Die Frage: Wie hätte, wie habe *ich* mich verhalten? steht dabei für den Leser und die Leserin im Vordergrund. Ich selbst bin sehr froh, daß die Geschichte unseres selbstkritischen Umgangs mit dieser Vergangenheit auf *diese* Weise weitergeht. Nach der Fülle von dokumentarischem Material, das wir im letzten Jahr »verdauen« mußten und durften, fürchtete ich schon, daß damit alles Gewesene zu den Akten gelegt werden würde und die Deutschen ein weiteres Mal »wieder wer« sein wollten, auferstanden aus der Schuld und ausgestattet mit neuer Größe und neuen Machtansprüchen in einer immer komplexer und konflikthafter werdenden Welt.

Wesentlich an der gegenwärtigen Diskussion ist für mein Verständnis die Möglichkeit, ganz neu mit den Tätern und der (potentiellen) eigenen Täterschaft umzugehen. Durch die Veröffentlichung von Beschreibungen des privaten Alltags werden die scheinbar nicht betroffenen und scheinbar unbeteiligten Bürger und Bürgerinnen als Teil der gesamtgesellschaftlichen Entwicklung gesehen. Es geht nicht mehr um die Frage der Kollektivschuld, die bisher häufig entweder pauschal abgelehnt oder ebenso pauschal propagiert wurde. Es geht auch nicht mehr nur darum, ob die Deutschen nun »eigentlich gut« oder »eigentlich schlecht« waren und sind. Es werden vielmehr zunehmend einzelne Schicksale und persönliche Entwicklungen deutlich, die sehr viel differenzierter zu betrachten sind.

---

1 Victor Klemperer: Ich will Zeugnis ablegen bis zum letzten. Tagebücher 1933–1945. Aufbau-Verlag, Berlin 1995.
    Victor Klemperer: Leben sammeln, nicht fragen warum und wozu – Tagebücher 1918–1932. Aufbau-Verlag, Berlin 1996.
2 Daniel Jonah Goldhagen: Hitlers willige Vollstrecker. Ganz gewöhnliche Deutsche und der Holocaust. Siedler-Verlag, Berlin 1996.
3 Nathan Stoltzfus: Widerstand des Herzens. München 1997.

Freilich hat sich in der Rezeption der beiden erstgenannten Bücher auch ein Streit darum entwickelt, ob Victor Klemperer »eigentlich« der verfolgte Held ist, als den ihn die einen in seinen Tagebüchern erleben, oder ob er »eigentlich« ein Opportunist ist, den andere an seinem ausgeprägten Stalinkult in den 50er Jahren und an seiner Identifizierung mit dem Regime der DDR zu erkennen meinen. Und auch die Debatte um das Buch von Goldhagen kreiste zu großen Teilen um die Frage: Sind die Deutschen »eigentlich« gut oder »eigentlich« böse? Wenn auch Goldhagens Buch wissenschaftlich angreifbar und stark moralisierend ist, hat es doch in unserem Land zu einer erneuten öffentlichen Diskussion beigetragen, in der wiederum deutlich wurde, wie radikale Schablonen (der »gute« oder der »böse« Deutsche ebenso wie der »gute« oder der »böse« Jude) und einfache Antworten auf ängstigende Fragen Orientierung und auch Entlastung von Schuldgefühlen bieten. Gerade dieses Buch und seine teilweise enthusiastische Aufnahme zeigen, wie wenig Aufmerksamkeit dem differenzierten »Verständnis« kollektiver Phantasien und ihrer Wirkungen auf den einzelnen in der breiten Öffentlichkeit noch immer gewidmet wird.

Das Eingebundensein und Sich-einbinden-Lassen in solche kollektiven Trends zu erforschen kann nicht der Entschuldigung des einzelnen dienen, wohl aber als Warnung, nicht jeder kollektiv auftretenden Phantasie blind zu folgen. Ideologien wie Rassismus und Antisemitismus sind nicht Eigenschaften eines Volkes, sondern Gedanken- und Bewertungsgebäude, die sich in einer Gesellschaft verbreiten, um das zu legitimieren, was diese Gesellschaft und die in ihr herrschenden Kräfte tun wollen oder schon getan haben. Einfache Antworten auf schwierige Fragen sind Charakteristika solcher Ideologien, und sie wiederholen sich häufig zumindest im populären Umgang mit der Frage: Wie war es möglich? Die Begeisterung, mit der Goldhagens vereinfachende Thesen zum Teil in Deutschland aufgenommen wurden, hatte für viele »Mitbeschuldiger« die Funktion der Entlastung von Schuldgefühlen, auch wenn diese Beschuldigung bei Deutschen eine kollektive Selbstbeschuldigung darstellte.

Je nachdem, in welchem psychischen Zustand wir uns befinden, suchen wir als Leser und Leserinnen in dem, was wir lesen, mehr oder weniger das Gute gegen das Böse, den Helden gegen den Feigling, das gute Opfer gegen den bösen Täter. Wir erwarten, daß uns Figuren zur Identifikation angeboten werden, die nach unseren gegenwärtigen Begriffen »rein« sind. Auch Tagebücher und ihre Autoren oder Autorinnen sind gegen diese Suche nicht gefeit. Ich hoffe, daß Lore Walb mit ihrer differenzierten Reflexion einer vergangenen Zeit und ihrer eigenen Einstellungen und Verhaltensweisen aus heutiger Sicht »verstanden« wird in dem Bemühen, die eigene Kontinuität zu wahren und gleichzeitig Veränderungen zuzulassen und mitzuteilen.

Dieses Buch und die begleitende Mitarbeit daran machte mir besonders deutlich, wie wir alle Kinder unserer Zeit sind, sosehr wir uns auch für »aufgeklärt« und »kritisch« halten. Erst im zeitlichen Abstand wird man diese unsere partielle Blindheit sehen können. Dies zu sehen und zu berücksichtigen ist ebenfalls eine Botschaft, die in der Veröffentlichung von Lore Walbs Tagebüchern und Reflexionen enthalten ist.

Vor allem aber war es das Anliegen zu warnen, das die intensive Arbeit über die eigene Vergangenheit bei Lore Walb immer wieder vorantrieb. Häufig fielen uns bei der Reflexion damaliger Ereignisse Parallelen in der Gegenwart ein. Zum Beispiel konnten wir aus dem zeitlichen Abstand unschwer die Zusammenhänge zwischen der Pflege »völkischen Brauchtums« und nationalsozialistischen Überwertigkeitsphantasien erkennen und verstehen. In »modernen« Sekten wiederholt sich zum Beispiel dieser Zusammenhang zwischen »Bodenständigkeit« und repressiven sozialen Strukturen. Geborgenheit wird wieder im gemeinsamen Glauben an einen Führer und an dessen »Weisheiten« gesucht; das Aufsuchen »heiliger Orte« zu rituellen Handlungen dient wie damals dazu, erhebende Gefühle zu produzieren und die Abhängigkeit vom »Führer« zu festigen.

Natürlich wird es immer Menschen geben, die wahrnehmen können, wenn das gesellschaftliche Bewußtsein sich in Richtung Unterdrückung und Ausgrenzung bewegt, und die den Mut haben, auf solche Entwicklungen hinzuweisen. Das Buch von Stoltzfus zeigt solche Menschen (die Berliner Frauen aus der Rosenstraße, die gewaltfrei und mit Erfolg um ihre jüdischen Männer kämpften). Aber es wird auch immer Menschen geben – und das wird wohl leider immer die Mehrheit sein –, die in ihren Familien nichts anderes gelernt haben, als innerlich und äußerlich mitzulaufen, wenn sich die Masse in einer Richtung in Bewegung setzt.

Trotzdem lohnt es sich, zu warnen und wie hier am eigenen Beispiel zu zeigen, wie kleine Vorteile oder die Vermeidung relativ kleiner Nachteile »ganz normale« Menschen dazu bringen können, »konform« zu denken und zu handeln. Die Vorstellung, daß einige wenige »böse« Menschen eine ganze Gesellschaft ohne deren ganz private Beteiligung dazu bringen können, einen Krieg gegen Teile der eigenen Bevölkerung und gegen andere Völker zu beginnen, ist eine Verharmlosung der Gewalt. Und sie verhindert, daß sich einzelne für das mitverantwortlich fühlen, was im Kollektiv geschieht.

Das miterlebende Nachvollziehen der Begeisterung der jungen Lore Walb für die »hehren« Ziele des Nationalsozialismus, ihre Tendenz, einfach nicht hinzuschauen auf die schrecklichen Seiten dieser »Bewegung«, sie können uns vielleicht ein wenig helfen, in unserer Gegenwart frühzeitig und aufmerksam zur Kenntnis zu nehmen, was unsere Generation an kollcktiven Verbrechen verübt, vor allem in der Zerstörung der Lebensgrundlagen unserer Nachkommen. Die nachträgliche Betrachtung eigener Verstrikkungen bringt uns vielleicht zu der Frage: Was werden unsere eigenen Nachkommen in 50 oder 70 Jahren über uns denken und sagen?

Gewalttätige Strukturen in der Gleichgültigkeit wiederzuerkennen, ohne sie mit früheren Strukturen gleichzusetzen, ist nicht leicht. Oft werden heutige Feinde mit den damaligen »Bösen« einfach gleichgesetzt, um der Diffamierung dieser Feinde besonderes Gewicht zu geben. Man identifiziert die Türken, die Kurden, die Palästinenser, ja selbst die Juden mit den Nazis, Saddam Hussein, Jassir Arafat und andere mit Hitler, dem von allen gleichermaßen anerkannten Symbol des Bösen in diesem Jahrhundert. Manchmal vermute ich, daß nicht nur die ganz besonderen Greueltaten der Deutschen in der Zeit des Nationalsozialismus dazu beitragen, daß die Diffamierung gerade über diese Gleichsetzungen läuft, sondern auch die Tatsache, daß Hitler in seinem Größenwahn eindeutig und endgültig gescheitert ist. Solche pauschalen Gleichsetzungen können dazu führen, daß man nicht mehr genau hinsieht, was wirklich jeweils geschieht und was damals geschah. Und die plakative Diffamierung hindert unter Umständen dabei, den Mut aufzubringen, der auch heute nötig ist, wenn man genau hinsehen will, was heute geschieht.

Vielleicht hilft dabei das in diesem Buch angebotene »Verständnis« für ein junges Mädchen, das wie jeder und jede von uns in seine Zeit und in die damaligen psychischen und sozialen Umstände hineingeboren wurde, das mit einem geliebten Vater aufwuchs, der Mitglied der NSDAP war, und das heute sagen will: Ihr jungen Menschen heute, glaubt nicht einfach, was euch gesagt und vorgelebt wird, sondern vertraut euren eigenen Gefühlen und helft mit, in kritischer Distanz, eventuell auch zu euren Eltern, eure Zukunft und die eurer Kinder zu sichern. Wir brauchen nicht die großen einsamen Helden, sondern viel persönlichen Mut, der in Solidarität mit den Opfern von Gewalt damals und heute wachsen kann.

Das Buch ist eine ehrliche Darstellung der innersten und privatesten Phantasien eines jungen Mädchens beziehungsweise einer jungen Frau im Kontext einer äußerst ansteckenden gesellschaftlichen »Erkrankung«. Ich danke Lore Walb – wahrscheinlich im Namen vieler Leserinnen und Leser – für die Offenheit und den Mut, mit dem sie sich in vielen, auch für sie selbst beschämenden Facetten darstellt, und ich wünsche dem Buch die Rezeption, die es verdient.

Oktober 1996

Danksagung

DANK, groß geschrieben, will ich an erster Stelle noch einmal Dr. Thea Bauriedl und Dr. Frieder Wölpert aussprechen. Verdienste erwarb sich am Anfang meines langen Weges die Fachärztin Dr. Birgit Renner durch unterstützende psychotherapeutische Gespräche. Freundschaftlich-kritisch begleiteten meine Arbeit Annemarie Schambeck und Inge Sollwedel sowie auch meine Nichte Sigrid Klöpel. Daß Renate Winkler, immer hilfsbereit und interessiert am Thema, die Computerarbeiten ausführte, bedeutete eine große Entlastung und beständige Unterstützung für mich. Renate Brosseder und Dr. Hubert Brosseder standen mir besonders zu Anfang motivierend zur Seite und ermutigten mich, die Arbeit zu wagen. Der Initiative von Ute Zahn verdanke ich letztlich die Begegnung mit »Leni«. Mein Bruder, Dr. Hermann Walb, half mir, Erinnerungslücken zu schließen, und Dr. Ulrike Kircher sprang als Hobbyfotografin ein. Daß ich nach zweijähriger Verlagssuche beim Aufbau-Verlag auf lebhaftes Interesse stieß und mich durch die Lektorin Maria Matschuk in jeglicher Hinsicht verstanden fühlen konnte und Bestätigung erfuhr, betrachte ich als Glücksfall.

Für Auskünfte danke ich dem damaligen Berlin Document Center, dem Militärhistorischen Forschungsamt Freiburg, dem Rijksinstituut voor Oorlogsdocumentatie, Amsterdam, außerdem Dresden, Mainz und Pforzheim sowie Robert Baag, dem Moskauer Korrespondenten des Deutschland-Radio.

Zu dieser Ausgabe

Die Tagebücher werden originalgetreu wiedergegeben. Nur die Interpunktion ist heutigen Regeln angeglichen. Auslassungen sind durch […] kenntlich gemacht. Sie betreffen vorwiegend Privates oder Wiederholungen. Das letzte Tagebuch reicht über das Kriegsende hinaus.

Die Aufsätze aus dem Jahr 1934/35 existieren im Original, die der folgenden Jahre sind als Abschriften erhalten, die kurz nach der Entstehung angefertigt wurden. Die Aufsätze wurden, wie damals üblich, in deutscher Schrift niedergeschrieben.

Nachwort zur Taschenbuchausgabe

»Das Geheimnis der Versöhnung heißt Erinnerung«, wie wahr. Ich weiß es, habe es an mir erfahren, leidvoll während der Schreibarbeit an meinem Buch und der depressiven Phasen, die sie unterbrachen, dankbar und glücklich Monate nach der Publikation.

»Ich bin mit mir versöhnt«, hatte ich in der Einleitung, am Ende meines langen Erinnerungsweges, befunden. »Sie sind es nicht!« widersprach die jüngere Kollegin und Freundin, die das noch nicht veröffentlichte Manuskript gelesen hatte. Eine Stunde lang versuchte sie, mir den Widerspruch zwischen dieser Behauptung und meinen Texten klarzumachen. Unsicher meiner selbst, halb gegen meinen Willen, strich ich den Satz, zumal auch die Lektorin dagegen sprach. Doch begriffen hatte ich nichts.

Ich sollte auf andere Weise belehrt werden. Wenige Wochen, nachdem das Buch auf den Markt gekommen war, brachte die »Süddeutsche Zeitung« eine ausführliche Besprechung. Elisabeth Bauschmid stellte darin die Frage: »Aber läßt sich diese junge Lore abspalten von der alten, wie die Autorin es möchte?« Ihre Antwort: »Nein. ... Das Tröstliche: daß man lernen und verlernen kann. Es besser machen kann. Und diese Lore Walb hat es doch besser gemacht in ihrem weiteren Leben, hat es gut gemacht, wiedergutgemacht durch soziales und politisches Engagement. Privat und öffentlich.«

Schwer nachvollziehbar, vermute ich, was diese Sätze in mir auslösten. Endlich begriff ich das Selbstverständliche. Die »Alte« und die »Junge« sind ein und dieselbe Person. Während eines langen Lebens hat Entwicklung stattgefunden! Aber erst die Konfrontation mit dem Jugend-Ich schuf die Voraussetzung für seine Integration.

Im Bild der russischen Puppe in der Puppe fand ich den Schlüssel, das Beispiel, das mir half, mich selbst, die Schreiberin, zu verstehen: Um meiner Identität willen hatte ich, die Alte, mich rigoros von mir, der Jungen, distanzieren, hatte die große Puppe die kleine aus sich herausstellen müssen. Das würde sich ändern, eines Tages. Soviel wußte ich nun.

Mehr als ein halbes Jahr nach dem Erscheinen des Buches spürte ich, erfüllt von tiefem Dank: Der Leidensprozeß ist abgeschlossen, die Spaltung der Person aufgehoben, die Aussöhnung hat stattgefunden. Die große Puppe hat die kleine in sich hineingenommen, beide sind eins. Selbstversöhnung. Soviel Glück, in diesem Alter!

Januar 1998

Literaturhinweise

Benutzte Literatur

Arnim, Gabriele von: Das große Schweigen. Von der Schwierigkeit, mit dem Schatten der Vergangenheit zu leben. München 1989 (TB Droemer Knaur München 1991)

Arnim, Gabriele von: Tödliche Liebe (Buchbesprechung). In: DIE ZEIT, NR. 3, 15. 01. 1993

Augstein, Rudolf (Hg.): 100 Jahre Hitler. Hamburg 1989

Bauriedl, Thea: Feindbilder – Bilder gegen die Angst. In: Anmerkungen aus dem Institut für Politische Psychoanalyse München, Nr. 7, Juni 1988

Bauriedl, Thea: Wege aus der Gewalt. Analyse von Beziehungen. Freiburg 1992 (4. Aufl., 1995 Herder Spectrum)

Becker, F. K., u. a. (Hg.): 750 Jahre Alzey. Alzey 1973

Benz, Ute und Wolfgang (Hg.): Sozialisation und Traumatisierung. Kinder in der Zeit des Nationalsozialismus. Frankfurt/M. 1992 (Fischer TB)

Beradt, Charlotte: Das Dritte Reich des Traums. München 1966 (Suhrkamp TB 1994)

Buchheim, Hans: Mitgliedschaft bei der NSDAP. In: Gutachten des Instituts für Zeitgeschichte, München 1958

Fest, Joachim: Hitler. Frankfurt/M. – Berlin – Wien 1973 (Hitler. Eine Biographie. Ullstein TB 1987)

Flex, Walter: Der Wanderer zwischen beiden Welten. Ein Kriegserlebnis. 501.-520. Tsd., München o. J.

Frank, Anne: Das Tagebuch der Anne Frank. 14. Juni 1942 – 1. August 1944. Mit einem Vorwort von Albrecht Goes. Frankfurt/M. – Hamburg 1955 (Fischer TB 1992)

Frankl, Viktor E.: … trotzdem Ja zum Leben sagen. Ein Psychologe erlebt das Konzentrationslager. München 1988 (dtv 1992)

Frauengruppe Faschismusforschung: Mutterkreuz und Arbeitsbuch. Zur Geschichte der Frauenbewegung in der Weimarer Republik und im Nationalsozialismus. Frankfurt/M. 1981

Giordano, Ralph: Die zweite Schuld oder von der Last Deutscher zu sein. München 1990 (Knaur TB)

Goebbels, Joseph: Die Tagebücher. Sämtliche Fragmente. Hrsg. von Elke Fröhlich. Bd. 4, München 1987

Goebbels, Joseph: Tagebücher 1924–1945. Bd. 4. Hrsg. von Ralf Georg Reuth. 2. Aufl., München – Zürich 1992 (Serie Piper)

Graf, Jakob: Familienkunde und Rassenbiologie für Schüler. München 1934

Haffner, Sebastian: Anmerkungen zu Hitler. München 1978 (Fischer TB 15. Aufl., 1996)

Hausner, Gideon: Die Vernichtung der Juden. Das größte Verbrechen der Geschichte. 2. Aufl., München 1979

Hoffmann, Dieter: »... wir sind doch Deutsche«. Zu Geschichte und Schicksal der Landjuden in Rheinhessen. Hg. Stadt Alzey, Alzey 1992

Kehrig, Manfred: Stalingrad. Analyse und Dokumentation einer Schlacht. In: Beiträge zur Militär- und Kriegsgeschichte. 15. Bd. Hrsg. vom Militärgeschichtlichen Forschungsamt, Stuttgart 1979

Klee, Ernst/Dreßen, Willi (Hg.): Gott mit uns. Der deutsche Vernichtungskrieg im Osten 1939–1945. Frankfurt/M. 1989

Krausnick, Helmut: Hitlers Einsatzgruppen. Die Truppen des Weltanschauungskrieges 1938–1942. 2. Aufl., Frankfurt/M. 1989 (Fischer TB)

Lanzmann, Claude: Shoah. Mit einem Vorwort von Simone de Beauvoir. 2. Aufl., Düsseldorf 1986 (TB dtv 1988)

Lehker, Marianne: Frauen im Nationalsozialismus. Frankfurt/M. 1984

Lingg, Anton: Die Verwaltung der Nationalsozialistischen Deutschen Arbeiterpartei. München 1940

Maser, Werner: Das Regime. Alltag in Deutschland 1933–1945. München 1983

Mitscherlich, Alexander und Margarete: Die Unfähigkeit zu trauern. Grundlagen kollektiven Verhaltens. 17.-26. Tsd., München 1968 (Serie Piper 14. Aufl., 1996)

Mitscherlich, Margarete: Erinnerungsarbeit. Zur Psychoanalyse der Unfähigkeit zu trauern. Frankfurt/M. 1987 (Fischer TB 1993)

Mosse, George L.: Nationalsozialismus und Sexualität. Bürgerliche Moral und sexuelle Normen. München – Wien 1985 (Rowohlt TB 1987)

Neumann, Erich: Tiefenpsychologie und neue Ethik. 8.-9. Tsd., Frankfurt/M. 1990 (Fischer TB)

Niemeyer, Doris: Die intime Frau. Das Frauentagebuch – eine Überlebens- und Widerstandsform. Frankfurt/M. 1986

Reichel, Peter: Der schöne Schein des Dritten Reiches. Faszination und Gewalt des Faschismus. München 1992 (Fischer TB 1993)

Schoenberner, Gerhard: Der gelbe Stern. Die Judenverfolgung in Europa 1933–1945. München 1980 (Fischer TB 1991)

Schramm, Percy Ernst (Hg.): Kriegstagebuch des Oberkommandos der Wehrmacht. 1944–1945. Teilband II, Herrsching 1982

Schwarberg, Günther: Das Getto. Göttingen 1993 (Fischer TB 1991)

Sichrovsky, Peter: Schuldig geboren. Kinder aus Nazifamilien. Köln 1987 (Kiwi TB)

Studienkreis Deutscher Widerstand: Informationen Nr. 35. Frankfurt/M. 1992

Wuermeling, Heinrich C.: August 39. 11 Tage zwischen Frieden und Krieg. 1. August – 1. September 1939. Berlin – Frankfurt 1989

Dokumente

Blockade Leningrad 1941–1944. Dokumente und Essays von Russen und Deutschen. Hamburg 1992 (rororo 9161)

Der Nationalsozialismus. Dokumente 1933–1945. Hrsg. und komm. von Walther Hofer. 276.-300. Tsd., Frankfurt/M. 1960 (Fischer TB 44. Aufl., 1996)

Der Prozeß gegen die Hauptkriegsverbrecher vor dem Internationalen Militärgerichtshof. 18 Bde. Nürnberg 1947–1949

Jacobsen, H. A./Jochmann, W. (Hg.): Ausgewählte Dokumente zur Geschichte des Nationalsozialismus 1933–1945. Bielefeld 1961 ff.

Nachschlagewerke

Benz, Wolfgang (Hg.): Lügen, Legenden, Vorurteile. Ein Wörterbuch zur Zeitgeschichte. München 1992 (dtv)

Broszat, Martin/Frei, Norbert (Hg.): Das Dritte Reich im Überblick. Chronik, Ereignisse, Zusammenhänge. München 1989 (Serie Piper 5. Aufl., 1996)

Dollinger, Hans u. a.: Weltgeschichte 1939–1945 auf einen Blick. Politik, Kriegsgeschichten, Wirtschaft und Kultur in Wort und Bild. Freiburg – Würzburg 1989

Kammer, Hilde/Bartsch, Elisabeth u. a.: Nationalsozialismus. Begriffe aus der Zeit der Gewaltherrschaft 1933–1945. 13.-17. Tsd., Hamburg 1992 (Rowohlt TB)

Wistrich, Robert: Wer war wer im Dritten Reich? Anhänger, Mitläufer, Gegner aus Politik, Wirtschaft und Militär, Kunst und Wissenschaft. 13.-16. Tsd., Frankfurt 1987 (Fischer TB 1993)

Zentner, Christian/Bedürftig, Friedemann (Hg.): Das große Lexikon des Dritten Reiches. München 1985

Zentner, Christian/Bedürftig, Friedemannn (Hg.): Das große Lexikon des Zweiten Weltkriegs. München 1988

Ausstellungskataloge

Berger, Eva u. a.: Felix Nussbaum. Verfemte Kunst – Exilkunst – Widerstandskunst. Die 100 wichtigsten Werke. Bramsche 1990

Poley, Stefanie (Hg.) mit Beiträgen von Andreas Brenner u. a.: Rollenbilder im Nationalsozialismus – Umgang mit dem Erbe. Bad Honnef 1991

Weiterführende Literatur, aktualisierte Auswahl

(A) Geschichte

Aly, Götz/Heim, Susanne: Vordenker der Vernichtung. Auschwitz und die Deutschen. Pläne für eine neue europäische Ordnung. 7.-8. Tsd., Frankfurt/M. 1995 (Fischer TB 1993)

Aly, Götz: »Endlösung«. Völkerverschiebung und Mord an den europäischen Juden. Frankfurt/M. 1995

Andrae, Friedrich: Auch gegen Frauen und Kinder. Der Krieg der deutschen Wehrmacht gegen die Zivilbevölkerung in Italien 1943–1945. München 1995

Benz, Wolfgang: Der Holocaust. München 1995 (TB Becksche Reihe)

Browning, Christopher R.: Ganz normale Männer. Das Reservepolizeibataillon 101 und die »Endlösung« in Polen. Hamburg 1996 (Rowohlt TB)

Dimension des Völkermords. Die Zahl der jüdischen Opfer des Nationalsozialismus. Hrsg. von Wolfgang Benz. München 1991 (Quellen und Darstellungen zur Zeitgeschichte. Bd. 33)

Graml, Hermann (Hg.): Widerstand im Dritten Reich. Frankfurt/M. 1994 (Fischer TB)

Goldhagen, Daniel Jonah: Hitlers willige Vollstrecker. Ganz gewöhnliche Deutsche und der Holocaust. Berlin 1996

Heer, Hannes (Hg.): »Stets zu erschießen sind Frauen, die in der Roten Armee dienen«. Geständnisse deutscher Kriegsgefangener über den Einsatz an der Ostfront. Hamburg 1995 (Hamburger Edition)

Heer, Hannes/Naumann, Klaus (Hg.): Vernichtungskrieg. Verbrechen der Wehrmacht 1941–1944. Hamburg 1995 (Hamburger Edition 1996)

Henneberg, Ilse: (Hg.): Vom Namen zur Nummer. Einlieferungsritual in Konzentrationslagern. Bremen 1996

Hilberg, Raul: Die Vernichtung der europäischen Juden. 3 Bde. Frankfurt/M. 1988 (Fischer TB, 6. Aufl., 1994)

Hilberg, Raul: Täter, Opfer, Zuschauer. Die Vernichtung der Juden 1933–1945. Frankfurt/M. 1992 (Fischer TB 1996)

Die Juden in Deutschland 1933–1945. Leben unter nationalsozialistischer Herrschaft. Veröffentlichung des Instituts für Zeitgeschichte unter Mitarbeit von Volker Dahm hg. von Wolfgang Benz. München 1996 (Beck's historische Reihe)

Klee, Ernst/Dreßen, Willi/Rieß, Volker (Hg.): »Schöne Zeiten«. Judenmord aus der Sicht der Täter und Gaffer. Frankfurt/M. 1988

Manoschek, Walter (Hg.): Die Wehrmacht im Rassenkrieg. Wien 1996

Volkmann, Hans-Erich (Hg.): Das Rußlandbild im Dritten Reich. Köln 1994

(B) Selbstzeugnisse und Biographien (einschl. literarische Darstellungen

Andreas-Friedrich, Ruth: Der Schattenmann. Tagebuchaufzeichnungen 1938–1945. Frankfurt/M. 1985 (Suhrkamp TB 1986)

Appleman, Alicia: Alicia, Überleben, um Zeugnis zu geben. Bern – München 1989 (dtv 1992)

Becker, Jurek: Jakob der Lügner. Roman. Frankfurt/M. 1981 (Suhrkamp TB)

Benz, Ute: (Hg.): Frauen im Nationalsozialismus. Dokumente und Zeugnisse. München 1993 (TB Becksche Reihe)

Brentzel, Marianne: Nesthäkchen kommt ins KZ. Eine Annäherung an Else Ury 1877–1993. Zürich – Dortmund 1992 (Fischer TB 1997)

Brückner, Peter: Das Abseits als sicherer Ort. Kindheit und Jugend zwischen 1933 und 1945. 9.–13. Tsd. Berlin [West] 1980 (TB)

Budnicka, Krystina (Hg.) Kinder des Holocaust sprechen. Leipzig 1994 (Reclam TB)

Dachauer Hefte, Heft 3: Frauen. Verfolgung und Widerstand. München 1993 (dtv)

Dachauer Hefte, Heft 9: Die Verfolgung von Kindern und Jugendlichen. 1993

Deutschkron, Inge: Ich trug den gelben Stern. 76.-79. Tsd., München 1992 (dtv)

Dwork, Debórah: Kinder mit dem gelben Stern. Europa 1933–1945. München 1994

Edvardson, Cordelia: Die Welt zusammenfügen. München 1991 (dtv)

Feiner, Hertha: Vor der Deportation. Briefe an die Töchter. Januar 1939-Dezember 1942. Hrsg. und mit einer Einl. von Karl Heinz Jahnke. Frankfurt/M. 1991 (Fischer TB 1993)

Fénelon, Fania: Das Mädchenorchester in Auschwitz. 12. Aufl., München 1995 (dtv)

Frank, Niklas: Der Vater. Eine Abrechnung. Mit einem Vorwort von Ralph Giordano. München 1993 (Goldmann TB)

Fülberg-Stolberg, Claus u.a. (Hg.): Frauen in Konzentrationslagern. Bergen-Belsen, Ravensbrück. Bremen 1994

Greif, Gideon: Wir weinten tränenlos … Augenzeugenberichte der jüdischen »Sonderkommandos« in Auschwitz. Wien 1995

Hamann, Brigitte: Hitlers Wien. Lehrjahre eines Diktators. München 1996

Hannsmann, Margarete: Der helle Tag bricht an. Ein Kind wird Nazi. 1.–10. Tsd. Hamburg 1982 (Goldmann TB 1991)

Harig, Ludwig: Weh dem, der aus der Reihe tanzt. Roman. München – Wien 1990 (Fischer TB, Frankfurt/M. 1993)

Heidenreich, Gert: Die Gnade der späten Geburt. Erzählungen. München 1989 (TB Serie Piper)

Höß, Rudolf: Kommandant in Auschwitz. Hg. von Martin Broszat. 15. Aufl., München 1996 (dtv)

Kardorff, Ursula von: Berliner Aufzeichnungen aus den Jahren 1942–1945. München 1962 (dtv 1994)

Klemperer, Victor: Ich will Zeugnis ablegen bis zum letzten. Tagebücher 1933–1945. Hrsg. von Walter Nowojski unter Mitarbeit von Hadwig Klemperer. 2 Bde. Berlin 1995

Klüger, Ruth: Weiter leben. Eine Jugend. München 1994 (dtv 1997)

Koeppen, Wolfgang: Jakob Littners Aufzeichnungen aus einem Erdloch.

Unveränderter Nachdruck der Erstausgabe Frankfurt/M. 1991 (Suhrkamp TB 1994)

Kraus, Ota/Kulka, Erich: Die Todesfabrik Auschwitz. Berlin 1991

Krüger, Horst: Das zerbrochene Haus. Eine Jugend in Deutschland. München 1986 (dtv)

Levi, Primo: Die Untergegangenen und die Geretteten. München 1993 (dtv)

Levi, Primo: Ist das ein Mensch? Ein autobiographischer Bericht. 3. Aufl., München 1994 (dtv)

Limberg, Margarete/Rübesaat, Hubert (Hg.): Sie durften nicht mehr Deutsche sein. Selbstzeugnisse 1933–1938. Frankfurt – New York 1990

Manoschek, Walter (Hg.): »Es gibt nur eines für das Judentum: Vernichtung«. Das Judenbild in deutschen Soldatenbriefen 1939–1944. Hamburg 1995 (Hamburger Edition)

Meding, Dorothee von: Mit dem Mut des Herzens. Die Frauen des 20. Juli. München 1995 (Goldmann TB)

Nathorff, Hertha: Das Tagebuch der Hertha Nathorff. Aufzeichnungen 1933–1945. 7.–9. Tsd. Frankfurt/M. 1989 (Fischer TB)

Nieden, Susanne zur: Alltag im Ausnahmezustand. Frauentagebücher im zerstörten Deutschland 1943 bis 1945. Berlin 1993

Reich-Ranicki, Marcel (Hg.): Meine Schulzeit im Dritten Reich. Erinnerungen deutscher Schriftsteller. Erw. Neuausgabe Köln 1988

Rinser, Luise: Gefängnistagebuch. 176.-177. Tsd., 21. Aufl., Frankfurt/M. 1994 (Fischer TB)

Rosh, Lea/Jäckel, Eberhard: Der Tod ist ein Meister aus Deutschland. 2. Aufl., München 1993 (dtv)

Schmidt, Helmut u. a.: Kindheit und Jugend unter Hitler. München 1995 (Goldmann TB)

Scholl, Inge: Die weiße Rose. Erw. Neuausgabe, 51.-60. Tsd., Frankfurt/M. 1996 (Fischer TB)

Stern, Carola: In den Netzen der Erinnerung. Lebensgeschichten zweier Menschen. 24.-27. Tsd. Hamburg 1992 (Rowohlt TB)

Szczypiorsky, Andrzej: Die schöne Frau Seidenman. Roman. Zürich 1988 (Diogenes TB 1991)

Szepansky, Gerda: »Blitzmädel«, »Heldenmutter«, »Kriegerwitwe«. Frauenleben im Zweiten Weltkrieg. 25.-26. Tsd., 8. Aufl., Frankfurt/M. 1995 (Fischer TB)

Vermehren, Isa: Reise durch den letzten Akt. Ravensbrück, Buchenwald, Dachau: Eine Frau berichtet. Hamburg 1990 (Rowohlt TB 1994)

Weil, Grete: Der Brautpreis. Roman. 16.-17. Tsd., Frankfurt/M. 1995 (Fischer TB)

Weil, Grete: Spätfolgen. Erzählungen. Frankfurt/M. 1995 (Fischer TB)

Weyrather, Irmgard: Muttertag und Mutterkreuz. Der Kult um die »deutsche Mutter« im Nationalsozialismus. Frankfurt/M. 1993 (Fischer TB)

Winter, Rolf: Hitler kam aus der Dankwartsgrube (und kommt vielleicht mal wieder). Eine Kindheit in Deutschland. Hamburg 1991 (Goldmann TB 1993)

Wituska, Krystyna: Zeit, die mir noch bleibt. Briefe aus der Todeszelle. Berlin 1995 (AtV)

Wolf, Christa: Kindheitsmuster. Berlin 1976 (dtv 1994)

(C) Verdrängen – Erinnern – seelische Auswirkungen

Bar-On, Dan: Die Last des Schweigens. Gespräche mit Kindern von Nazi-Tätern. Hamburg 1996 (Rowohlt TB)

Bauriedl, Thea: Das Leben riskieren. Psychoanalytische Perspektiven des politischen Widerstandes. München – Zürich 1988

Bergmann, Martin S./Jucovy, Milton E./Kestenberg, Judith S. (Hg.): Kinder der Opfer, Kinder der Täter. Psychoanalyse und Holocaust. Frankfurt/M. 1995

Dachauer Hefte, Heft 6: Erinnern oder Verweigern. Das schwierige Thema Nationalsozialismus. München 1994 (dtv)

Frei, Norbert: Die Vergangenheitspolitik. Die Anfänge der Bundesrepublik und die NS-Vergangenheit. München 1996

Hauer, Nadine: Die Mitläufer oder Die Unfähigkeit zu fragen. Auswirkungen des Nationalsozialismus auf die Demokratie von heute. Leverkusen 1994 (Leske u. Budrich)

Heimannsberg, Barbara/Schmidt, Christoph H. (Hg.): Das kollektive Schweigen. Nazivergangenheit und gebrochene Identität in der Psychotherapie. Köln 1994 (TB)

Matz, Reinhard: Die unsichtbaren Lager. Das Verschwinden der Vergangenheit im Gedenken. Mit Texten von Andrzej Szczypiorsky u. a. Mit zahlreichen Fotos. Hamburg 1993 (rororo 9388)

Müller-Hohagen, Jürgen: Verleugnet, verdrängt, verschwiegen. Die seelischen Auswirkungen der Nazizeit. München 1988

Müller-Hohagen, Jürgen: Geschichte in uns. Psychogramme aus dem Alltag. München 1994

Stein, André: Versteckt und vergessen. Kinder des Holocaust. Wien – München 1995

Ausstellungskataloge

Reuter, Christian/Schneeberger, Michael: Nichts mehr zu sagen und nichts zu beweinen. Ein jüdischer Friedhof in Deutschland. Lehrstücke und Lesarten zum Friedhof Rödelsee, seinen Geschichten und seinen Menschen. Edition Hentrich (o. O.) 1994

Hamburger Institut für Sozialforschung (Hg.): Vernichtungskrieg. Verbrechen der Wehrmacht 1941–1944. Hamburg 1995